Wieland · Offenbarung bei Augu...

TÜBINGER THEOLOGISCHE STUDIEN

Herausgegeben von
Alfons Auer · Walter Kasper · Hans Küng · Max Seckler

Band 12

WOLFGANG WIELAND

Offenbarung
bei Augustinus

MATTHIAS-GRÜNEWALD-VERLAG

CIP-Kurztitelaufnahme der Deutschen Bibliothek
Wieland, Wolfgang
Offenbarung bei Augustinus. –
1. Aufl. – Mainz :
Matthias-Grünewald-Verlag, 1978.
(Tübinger theologische Studien ; Bd. 12)
ISBN 3-7867-0674-3

© 1978 Matthias-Grünewald-Verlag, Mainz
Umschlag: Kroehl/Offenberg
Composersatz: Schreibsatz-Studio Gerda Tibbe, München
Druck und Bindung Georg Wagner, Nördlingen

VORWORT

Die vorliegende Untersuchung wurde im April 1977 vom Fachbereich Katholische Theologie der Universität Tübingen als Dissertation angenommen. Für die Drucklegung wurde sie an einigen Stellen geringfügig überarbeitet.

Danken möchte ich an dieser Stelle meinem verehrten Lehrer, Professor Dr. Max Seckler. Er hat diese Untersuchung angeregt und durch fundierten Rat, helfende Kritik und freundschaftliche Anteilnahme gefördert. Seine theologische Arbeit wurde mir in methodischer wie sachlicher Hinsicht für diese Dissertation wegweisend. Die ihr zugrundeliegenden Denkstrukturen sowie die in ihr verwendete fundamentaltheologische Begrifflichkeit verdanke ich weitgehend ihm.

Danken möchte ich auch der Studienstiftung des deutschen Volkes für das mir gewährte verlängerte Promotionsstipendium, dem Bischöflichen Ordinariat Rottenburg für den großzügigen Zuschuß zu den Druckkosten sowie den Herausgebern der „Tübinger Theologischen Studien" für die Aufnahme der Untersuchung in diese Reihe.

Stuttgart, im Februar 1978   Wolfgang Wieland

INHALT

2. Kapitel
VOM VERBORGENEN INS OFFENE
(Geschichte im Offenbarungsfortschritt)

EINLEITUNG

§ 1 Offenbarung als Problem

1. Ein Schlüsselbegriff der neuzeitlichen Theologie

Die Frage nach dem Offenbarungsbegriff Augustins verlangt zuerst eine Klärung des Standorts, von dem aus Augustinus befragt und interpretiert werden soll. Was ist heute mit Offenbarung überhaupt gemeint? Wie sieht der thematische Horizont aus, in den das Werk Augustins hineingestellt wird? Und welche Frage soll dann an Augustinus herangetragen werden? Die Selbstverständlichkeit, mit der heute der Begriff ‚Offenbarung' als Audruck für das Ganze des Christentums verwendet wird, als Voraussetzung, Grund, Mitte und Norm für alles, was als christlich gelten will[1], läßt diese Fragen als besonders dringlich erscheinen. Denn der angedeutete Wortgebrauch, der Althaus Anlaß gab, von einer „Inflation des Begriffs der Offenbarung in der gegenwärtigen Theologie"[2] zu sprechen, zeigt eine eigenartige Überfrachtung und gleichzeitige Entleerung des Offenbarungsbegriffs an. So unumstritten heute das Wort ‚Offenbarung' für die Sache des Christentums beansprucht wird, so verwirrend mannigfalt und umstritten ist das, was mit diesem Wort eigentlich gemeint ist[3]. Offenbarung kann zum Beispiel als satzhafte Mitteilung übernatürlicher Wahrheiten innerhalb eines institutionell-extrinsezistischen Begründungsmodells verstanden werden[4]; als Erfahrung unbedingten Anspruchs in einer hermeneutischen Erschließungssituation[5];

---

1 Vgl. P. Eicher, Solidarischer Glaube. Schritte auf dem Weg der Freiheit, Düsseldorf 1975, 20f; und ders., Das Offenbarungsdenken in seiner katechetischen Konsequenz. Ein theologischer Prospekt, in: Katechetische Blätter 101 (1976) 289—305, S. 289.
2 P. Althaus, Die Inflation des Begriffs der Offenbarung in der gegenwärtigen Theologie, in: ZSTH 18 (1941) 134—149.
3 P. Eicher, Das Offenbarungsdenken, 292ff, bietet eine kurze Typologie der herrschenden Gestalten offenbarungstheologischen Denkens. Vgl. dazu auch A. Dulles, Was ist Offenbarung?, Freiburg/Basel/Wien 1970. — Maßgebenden Einblick in die Offenbarungsproblematik und die Möglichkeiten, heute in anthropologisch verantworteter Weise Offenbarung zu denken, vermittelten die von M. Seckler 1971/72 und 1974/75 in Tübingen gehaltenen Vorlesungen über Philosophie und Phänomenologie der Offenbarung. Die in der vorliegenden Untersuchung verwendete fundamentaltheologische Begrifflichkeit entstammt weitgehend diesen Vorlesungen.
4 Siehe z.B. A. Lang, Fundamentaltheologie Bd I, München ³1962. Die Offenbarungskritik von K. Jaspers, Der philosophische Glaube angesichts der Offenbarung, München 1962, richtet sich vor allem gegen diese Position.
5 Siehe z.B. F. Buri, Dogmatik als Selbstverständnis des Glaubens, Bd. I: Vernunft

oder als universalhistorischer Sinnzusammenhang[6]. Offenbarung gilt einerseits als anthropologisch schlechthin voraussetzungsloses Geschehen aus der unvermittelten Transzendenz Gottes[7]; und sie wird andererseits innerhalb eines transzendentalphilosophischen Bezugsrahmens[8] oder mit Hilfe eines universalen Korrelationsdenkens[9] auf ihre anthropologischen Entsprechungen hin gedeutet.

a) Als eine grundlegende Orientierungshilfe in diesem Labyrinth der zeitgenössischen Offenbarungstheologie erweist sich die von R.L. Hart getroffene Unterscheidung zwischen Offenbarung als *Fundament* und Offenbarung als theologischer *Kategorie*[10]. Offenbarung als Fundament meint den unverfügbaren Ursprung, dem sich der Glaube verdankt und den die reflektierende Sprache nie einholen kann. Es ist jene Ereignisfülle, die als unverfügbares, Wirklichkeit erschließendes, in letzten Anspruch nehmendes, sinnstiftendes und befreiendes Geschehen glaubende Tat und theologische Reflexion allererst in Bewegung setzt und fundiert. Erst die theologische Reflexion versucht, dieses fundamentale Geschehen kategorial zu fassen und in bestimmte anthropologische und theologische Denkmodelle einzuordnen. Aber keines dieser Modelle vermag es auf einen endgültigen Begriff zu bringen, da es dem Begreifen wesentlich vorausliegt.

Die dieses fundamentale Geschehen fassenden theologischen Kategorien reduzieren sich nun nicht von Anfang an auf die Kategorie ‚Offenbarung‘ und die mit ihr je verbundenen Denkfiguren. So spielt in der neutestamentlichen theologischen Reflexion ‚Offenbarung‘ als Kategorie nur eine untergeordnete Rolle. Es gibt nicht die *eine* Offenbarung, sondern nur mehrere und mehrerlei Offenbarungen. Keineswegs wird das, was Jesus Christus und seine Geschichte bedeutet, ausschließlich oder auch nur bevorzugt mit dem Begriff ‚Offenbarung‘ oder synonymen Begriffen gekennzeichnet[11]. Ein Rückgriff

---

und Offenbarung, Bern/Tübingen 1956; G. Ebeling, Wort und Glaube, Bd I, Tübingen 1960, und Bd II, Tübingen 1969; E. Schillebeeckx, Glaubensinterpretation. Beiträge zu einer hermeneutischen und kritischen Theologie, Mainz 1971.

[6] Siehe W. Pannenberg (Hrsg), Offenbarung als Geschichte, Göttingen [4]1970.

[7] Siehe vor allem die Position von K. Barth, besonders drastisch z.B. in: Nein! Antwort an E. Brunner, Theologische Existenz heute, Nr. 14, München 1934.

[8] Siehe z.B. K. Rahner, Hörer des Wortes. Zur Grundlegung einer Religionsphilosophie, München [2]1963; K. Rahner / J. Ratzinger, Offenbarung und Überlieferung, Quaestiones disputatae 25, Freiburg 1965; B. Welte, Heilsverständnis. Philosophische Untersuchung einiger Voraussetzungen zum Verständnis des Christentums, Freiburg 1966; E. Simons, Philosophie der Offenbarung. Auseinandersetzung mit Karl Rahner, Stuttgart 1966.

[9] Siehe P. Tillich, Systematische Theologie Bd I, Stuttgart [3]1956.

[10] R.L. Hart, Unfinished Man and the Imagination. Toward an Ontology and a Rhetoric of Revelation, New York 1968, bes. 69ff.

[11] P. Althaus, a.a.O. 135ff; vgl. auch A. Oepke, ‚apokalypto, apokalypsis‘, in: ThWNT III (1938) 565—597.

auf den historischen Jesus zeigt zudem, daß Jesus selbst nicht als spezifische Offenbarungsgestalt auftrat, sondern weltlich von Gott sprach, vorwiegend in der Form des Gleichnisses[12]. Erst in der Neuzeit wird ‚Offenbarung‘ zur zentralen hermeneutischen Kategorie, die das biblische Geschehen als Ganzes und die Bibel selbst auf den Begriff bringt und mit deren Hilfe andere Kategorien wie Erlösung, Heilsgeschehen, Wort Gottes oder Glaube erschlossen und gedeutet werden. ‚Offenbarung‘ wird, wie Fries im Lexikon für Theologie und Kirche schreibt, in einem transzendental-theologischen Sinne gefaßt, „d.h. als Inbegriff des Heilshandelns Gottes, als Beschreibung sowohl des Aktes wie des Effektes der Offenbarung und damit als Prinzip der Theologie als der Wissenschaft vom Glauben, der seinerseits das Korrelat der so verstandenen Offenbarung ist"[13]. Erstmals in einem lehramtlichen Text erscheint dieser fundamentaltheologische Offenbarungsbegriff in der „Konstitution über den katholischen Glauben" des *Ersten Vaticanum*[14].

b) Charakteristisch für diese Kategorie ist, daß sie in einem Spannungsverhältnis gedacht wird: Gotteswort und Menschenwort, Vernunft und Offenbarung, Natur und Gnade. Das Wort ‚Offenbarung‘ ist also ein *Qualifikator,* der die *Alterität* der christlichen Sache, ihre Ungeschuldetheit und Unverfügbarkeit zum Ausdruck bringen soll. Es signalisiert den unbedingten Anspruch, der von dieser Sache ausgeht und dem sich der Mensch jenseits allen Leistungswillens stellen soll. Entscheidende Frage ist dabei freilich, wie diese Alterität näher ausgelegt wird. Denn je nach Beantwortung dieser Frage entstehen anthropologisch verschieden situierte Offenbarungsmodelle, die sich nach der von der Aufklärung herkommenden Problematik ‚Autonomie — Heteronomie‘[15] bestimmen lassen: Ist die von freiem Denken geforderte vernünftige Selbstverantwortung des Menschen mit der Alterität von Offenbarung vereinbar? Oder besteht zwischen beiden ein unüberbrückbarer Gegensatz? Müssen Offenbarungsglaube und menschliches Freiheitsstreben auseinanderbrechen in die schlechte Alternative ‚autonome Vernunft *oder* heteronome Offenbarung‘, ‚natürliches Vernunftsdenken *oder* supranaturaler Offenbarungspositivismus‘?

Die geistesgeschichtliche Entwicklung, die zu den offenbarungstheologischen Erklärungen des Ersten Vaticanum geführt hat[16], zeigt, daß diese

---

12 Zur Absenz apokalyptischer Offenbarungsart in Jesu Botschaft siehe P. Eicher, Der solidarische Glaube, 34ff.

13 H. Fries, ‚Offenbarung‘ syst., in: LThK VII[2] (1962) 1109—1115, zit. 1109.

14 Constitutio dogmatica „Dei Filius" de fide catholica (DS 3000—3045); vgl. H. Fries, a.a.O. 1109.

15 Einen historischen Überblick über das Autonomieproblem vermittelt R. Pohlmann, ‚Autonomie‘, in: HWPh I, Darmstadt 1971, 701—719.

16 Zur Entwicklung des Offenbarungsbegriffs bis zum Ersten Vaticanum und zum Problem der antiaufklärerischen Fixierung des Offenbarungsdenkens siehe P. Eicher, Soli-

Problematik erst dort in aller Schärfe aufbricht, wo Offenbarung zu einem *apologetischen* Begriff wird; wo religiöser Glaube durch Vernunftansprüche infragegestellt scheint und sich deshalb aus einem Interesse der Selbstbehauptung dem Ansturm autonomer Kritik durch heteronome Wahrheitsbegründung zu entziehen sucht. Zwar erkennt man im allgemeinen den angedeuteten apologetischen Hintergrund der Konzilserklärungen an. So heißt es z.B. in dem schon zitierten Artikel von Fries, die Aussagen des Ersten Vaticanum zum Offenbarungsbegriff seien herausgefordert gewesen „durch die Bestreitung der Tatsache und der Möglichkeit der Offenbarung durch die neuzeitlichen, im 19. Jh. gleichsam versammelten, in vielen kirchlichen Verlautbarungen (Syllabus) genannten, im I. Vaticanum zusammengefaßten philosophischen und weltanschaulichen Positionen des Deismus, Rationalismus, Pantheismus, Materialismus, Monismus, Agnostizismus"[17]. Doch ist der Zusammenhang differenzierter als hier zum Ausdruck kommt. Denn einmal muß das einseitig negative Urteil über die verschiedenen aufklärerischen theologisch-philosophischen Denkbemühungen[18] trotz aller in ihnen erkennbaren Schwächen, Übertreibungen und Randerscheinungen korrigiert und ihr durchaus positiver Ansatz in der Deutung der christlichen Sache anerkannt werden[19]. Geradezu richtungweisend hätte hier die Position Lessings sein können, der in seinen theologischen Schriften alle äußeren Kriterien für die Wahrheit des Christentums (Wunder- und Weissagungsbeweis), also alle heteronomen Offenbarungskriterien zurückweist und stattdessen die innere Überzeugungskraft der Wahrheit selbst in die Mitte stellt[20]. Zum anderen muß darauf hingewiesen werden, daß der Offenbarungsbegriff des Ersten Vaticanum eben kein geläutertes Deutungsmodell, sondern die polemische Fixierung eines antiaufklärerischen Offenbarungsbegriffs dar-

---

darischer Glaube, 29ff. 28f weist Eicher auf die analoge Entstehung der jüdischen Apokalyptik als Reaktion auf den Einbruch hellenistisch-aufgeklärter Weisheit.

[17] H. Fries, a.a.O. 1110.

[18] Vgl. die Fortsetzung des Zitats H. Fries, a.a.O. 1110.

[19] Das zeigt überzeugend H. Wagenhammer, Das Wesen des Christentums. Eine begriffsgeschichtliche Untersuchung, Mainz 1973, 167ff. 204 stellt Wagenhammer in einer zusammenfassenden Beurteilung fest, „daß die Neologie nicht nur eine rein natürliche Verstandesreligion, sondern eine der natürlichen Bestimmung der Schöpfung entsprechende Offenbarungsreligion zugrunde legte, daß sie ferner im Gegensatz zu einem heteronomen blinden Glaubensgehorsam nicht eine autonome Selbsterlösung, sondern einen theonomen Humanismus vertrat".

[20] Siehe dazu H. Wagenhammer, a.a.O. 236–250; A. Schilson, Geschichte im Horizont der Vorsehung. G.E. Lessings Beitrag zu einer Theologie der Geschichte, Mainz 1974, 89–115; und P. Eicher, Solidarischer Glaube, 27. Vgl. dazu das bekannte Zitat aus G.E. Lessing, Gesammelte Schriften, hrsg. v. K. Lachmann, Berlin ³1968, XII, 429 (zitiert nach A. Schilson, a.a.O. 102): „Die Religion ist nicht wahr, weil die Evangelisten und Apostel sie lehrten: sondern sie lehrten sie, weil sie wahr ist. Aus ihrer innern Wahrheit müssen die schriftlichen Überlieferungen erklärt werden, und alle schriftlichen Überlieferungen können ihr keine geben, wenn sie keine hat."

stellt[21]. Das Konzil entwickelt ein Offenbarungsmodell, das als apologetische Reaktion auf die Fiktion einer autonomen Vernunft die Übervernünftigkeit von Offenbarungswahrheit und somit die Notwendigkeit ihrer heteronomen Bewahrheitung hervorhebt und sich dadurch zugleich der Vernunftkritik entzieht. Die anti-aufklärerische Struktur wird besonders deutlich in der Definition des Glaubens als „das Offenbarte für wahr halten, *nicht* wegen der den Dingen innerlichen *Wahrheit*, die wir durch das natürliche Licht unserer Vernunft erkennen, sondern wegen der *Autorität* des offenbarenden Gottes, der selber nicht irren noch andere in Irrtum führen kann"[22].

c) Auf dem Hintergrund dieser neuzeitlichen Problematik kann man heute unterscheiden zwischen heteronomen Offenbarungsmodellen und einem autonomen oder besser theonomen[23] Offenbarungsverständnis. Im ersten Fall bleibt die Frage nach der inneren Wahrheit des Offenbarten weitgehend ausgeklammert. Es geht nur darum, den global erhobenen Anspruch des Christentums, „übernatürliche Offenbarungsreligion"[24] zu sein, zu legitimieren. Dies geschieht z.B. dadurch, daß man die *Faktizität* heilsgeschichtlicher Einbrüche und deren göttliches Gewirktsein mit Hilfe prozeduraler Begründungsverfahren (Wunder) oder durch Verweis auf institutionelle Wahrheitsgaranten (Kirche, Lehramt) zu erweisen sucht. Dieses Offenbarungsmodell findet sich in reiner Form in der ‚Fundamentaltheologie' von A. Lang. Geradezu kennzeichnend für seine Position ist, daß er Offenbarung und Wunder gleichschaltet: Die Aufklärung habe zu einem „prinzipiellen Anti-supranaturalismus (geführt), der Offenbarung und Wunder für möglich erklärte"[25]; nach Meinung des Rationalismus entspringe „der Glaube an Offenbarung und Wunder ... dem mythologischen Denken einer überholten dunklen Zeit"[26].

Dieses Offenbarungsdenken, das in apologetischer Selbstbehauptung nur noch an der *formalen* Legitimation des christlichen Offenbarungs*anspruchs*

---

[21] Vgl. P. Eicher, Solidarischer Glaube 32.

[22] DS 3008: ... ab eo revelata vera esse credimus, non propter intrinsecam rerum veritatem naturali rationis lumine perspectam, sed propter auctoritatem ipsius dei revelantis, qui nec falli nec fallere potest. – Die folgenden Abschnitte (3009–3014) handeln von den äußeren Glaubwürdigkeitskriterien (Wunder, Weissagung, Autorität der Kirche).

[23] Zur Terminologie und dem in ihr sich anzeigenden Konflikt zwischen Autonomie und Heteronomie und seiner Überwindung durch Theonomie siehe P. Tillich, a.a.O. 103–107 und 175–178.

[24] A. Lang, a.a.O. 54; vgl. auch 41, wo von dem „Anspruch des Christentums, von Gott geoffenbarte Religion zu sein", die Rede ist. Siehe hierzu das ganze Kapitel „Der Offenbarungsanspruch des Christentums. Seine Bekämpfung in der Neuzeit", a.a.O. 41ff.

[25] A. Lang, a.a.O. 54.   [26] Ders., a.a.O. 78.

interessiert ist, muß letztlich die eigentliche Wahrheit der biblischen Botschaft aus dem Auge verlieren und in einem sterilen Leerlauf enden. Neuere theologische Auslegungen des christlichen Glaubens versuchen deshalb, diese Form des Offenbarungsdenkens zu überwinden und jenseits aller heteronomen Bewahrheitung wieder die sich selbst bezeugende und den Menschen zur Vernunft bringende Wahrheit selbst in die Mitte zu stellen[27]. Offenbarung wird neu begriffen als ein theonomes Geschehen, in welchem der Mensch von unverfügbarem Anspruch getroffen wird, der aber seiner endlichen Freiheit gerade nicht heteronom oder autoritär entgegentritt, sondern sie von ihrer eigenen Entzweiung befreit. Als Beispiel für solche neueren Entwürfe oder Ansätze ist vor allem das Werk Tillichs zu nennen. Auch die von K. Rahner getroffene Unterscheidung und Zuordnung von kategorialer und transzendentaler Offenbarung verfolgt nichts anderes als die Überwindung eines heteronomen und extrinsezistischen Offenbarungsbegriffs[28]. Weil Rahner die kategoriale Offenbarungsgeschichte als die geschichtlich vermittelte Selbstauslegung des transzendentalen Verhältnisses zwischen Gott und Mensch versteht und weil er dieses transzendentale Verhältnis als apriorische Struktur denkt, die dem menschlichen Geist schon immer gnadenhaft eingestiftet ist, deshalb kann er die biblische Offenbarung trotz ihrer unmittelbar göttlichen Herkunft zugleich als das Innerste der menschlichen Geschichte begreifen und auf ihre anthropologischen Entsprechungen hin auslegen[29].

2. Die gleitende Analogie des grundlegenden Offenbarungsgeschehens

Es wäre ein anachronistisches Verfahren, wollte man diese wie auch immer gefaßte neuzeitliche Kategorie ‚Offenbarung' bei Augustinus wiederfinden oder auch nur ohne weiteres als Interpretationsraster an sein Werk herantragen. Die meisten Arbeiten über Augustinus benutzen zwar unbedacht in augustinischen Denkzusammenhängen die Kategorie ‚Offenbarung' in einem neuzeitlich-umfassenden Sinn zur Bezeichnung der christlichen Sache überhaupt. Doch werden sie damit der spezifisch augustinischen Interpretation

---

[27] Zum Verzicht auf heteronome Bewahrheitung von Offenbarung durch Wunder und einer entsprechenden Überwindung der extrinsezistischen und supranaturalistischen Offenbarungstheologie des Ersten Vaticanum siehe M. Seckler, Plädoyer für die Ehrlichkeit im Umgang mit Wundern, in: ThQ 151 (1971) 337—345; und R. Pesch, Zur theologischen Bedeutung der ‚Machttaten' Jesu. Reflexionen eines Exegeten, in: ThQ 152 (1972) 203—213.

[28] Siehe K. Rahner / J. Ratzinger, a.a.O. 11f und 23f.

[29] K. Rahner / J. Ratzinger, a.a.O. bes. 13f und 23f. — Vgl. auch B. Welte, a.a.O., der mit Hilfe des Korrelationsdenkens die anthropologische Bedeutsamkeit des christlichen Offenbarungs- und Heilsglaubens ans Licht zu bringen und so dessen alle angehende Geltung und göttliche Qualität zu erweisen sucht.

des biblischen Heilsgeschehens nicht gerecht. Denn es geht hier nicht nur darum, daß Augustinus kategorial anders dachte. Es geht nicht nur um unterschiedliche sprachliche Etiketten, die jeweils Gleiches benennen würden und deshalb beliebig austauschbar und übertragbar wären. Es ist nicht einfach so, daß eine in sich identische christliche Sache nur zu verschiedenen Zeiten in je anderen kategorialen Systemen gedacht würde. Vielmehr signalisieren diese unterschiedlichen kategorialen Systeme ein je unterschiedliches Betroffensein von der biblischen Wahrheit. Das aber heißt, daß das den Menschen treffende fundamentale Offenbarungsgeschehen, welches Glauben und theologische Reflexion erst ermöglicht, in sich selbst gleitend ist. Dem Paulus bot sich das ihn ergreifende fundamentale Geschehen anders dar als dem Augustinus, und Augustinus war von einer anderen Vision ergriffen als ein Heutiger. Der Grund für diese ‚gleitende Analogie' des fundamentalen Offenbarungsgeschehens ist, daß dieses immer nur sakramental oder semantisch vermittelt da ist. Geschichte, Verkündigung, Bibel oder Dogma sind nicht selbst Offenbarung, sondern zeigen auf sie hin. Eine kurze hermeneutische Reflexion soll im folgenden die sprachphilosophischen Strukturen dieser ‚gleitenden Analogie' freilegen und damit den methodischen Duktus der Arbeit sichern. Ausgehend von dem christlichen Grunddatum, daß das ursprüngliche fundamentale Geschehen durch das maßgebende Zeugnis der Bibel vermittelt und in Gang gehalten wird[30], hält sich diese Reflexion an die von Ricœur am Phänomen *Text* entwickelte Hermeneutik[31].

a) Gegenüber der gesprochenen Rede sieht Ricœur die Eigenart des Textes als Geschriebenes darin, daß sich das Geschriebene aus der ursprünglichen dialogalen Redesituation herauslöst und eine neue Adressatengruppe erschließt, die potentiell alle Leser umfaßt. Durch Schriftlichkeit befreit sich das Geschriebene aus seinem ursprünglichen psychologischen und soziologischen Kontext und wird offen für eine unbegrenzte Zahl von in je unterschiedlichen Kontexten situierten Weisen des Gelesenwerdens. Es kann sich je anders rekontextualisieren[32]. Deshalb hält Ricœur die psychologisierende und historisierende Hermeneutik Diltheys[33] für nicht mehr vertretbar. Denn

---

30 Damit soll natürlich keinem ‚sola-Scriptura-Prinzip' das Wort geredet werden.

31 Siehe P. Ricœur / E. Jüngel, Metapher. Zur Hermeneutik religiöser Sprache, Sonderheft Evangelische Theologie, München 1974; darin die beiden Aufsätze von P. Ricœur Philosophische und theologische Hermeneutik, a.a.O. 24–45; Stellung und Funktion der Metapher in der biblischen Sprache, a.a.O. 45–70. Die folgende Darstellung ist eine auf die spezielle Fragestellung gezielte freie Wiedergabe der von Ricœur in den beiden Aufsätzen entwickelten hermeneutischen Grundsätze.

32 P. Ricœur / E. Jüngel, a.a.O. 28f.

33 Diltheys Hermeneutik ist geprägt von einer grundlegenden Trennung von ‚Verstehen' und ‚Erklären'. ‚Erklären' macht für ihn die Methode der Naturwissenschaften aus, ‚Verstehen' die Methode der Geisteswissenschaften. Dabei heißt ‚Verstehen' für ihn, das psychologische Leben eines anderen, so wie es sich in Zeichen Ausdruck verschafft,

diese nimmt den Text der Überlieferung in seiner Verfremdung durch Schriftlichkeit und in seiner Objektivation durch ihn konstituierende sprachliche Strukturen nicht ernst genug. Anders als Gadamer[34] betrachtet Ricœur die Verfremdung deshalb auch nicht als etwas in der Interpretation als Aneignung zu Überwindendes (Horizontverschmelzung), sondern wegen ihrer den Text allererst konstituierenden Funktion als grundsätzlich nicht überschreitbar und gerade so als die Bedingung der Möglichkeit für Verstehen neuer Wirklichkeit[35].

Ricœur geht in seinen Überlegungen aus von der sprachlogischen Unterscheidung zwischen Sinn und Bedeutung (Referenz) der Rede[36]. Die gesprochene Rede hat einen sprachlich internen Sinn, der in ihrer strukturalen Verfaßtheit liegt (Langue als Code-System), und einen Bedeutungszusammenhang (Referenz), der ihren Wahrheitsanspruch ausmacht. In der mündlichen Rede kann diese Referenz durch Bezugnahme auf das die Gesprächspartner verbindende raum-zeitliche Netz vermittelt werden. Das Geschriebensein aber zerstört die konkreten Bedingungen der Bezugnahme. Denn Leser und Autor verbindet nicht mehr eine gemeinsame Situation, die den vom Autor intendierten Bedeutungszusammenhang vermitteln könnte. Das Geschriebensein (Verfremdung) zerstört somit diesen ursprünglichen Bedeutungszusammenhang. Es macht den Text autonom im Hinblick auf die Intention des Autors und ermöglicht so, daß ein Bedeutungszusammenhang neuer Ordnung freigesetzt wird. Die ‚Sache des Textes' (Gadamer) entgleitet dem beschränkten intentionalen Horizont seines Autors[37]. Die *‚Welt des Textes'* – ein zentraler Begriff der Hermeneutik Ricœurs, den er als Verlängerung dessen versteht, was in der mündlichen Rede der Bedeutungszusammenhang ist – sprengt die Welt des Autors[38]. Interpretieren heißt für Ricœur deshalb nicht, die psychologischen Intentionen des Autors eines Textes wiederfinden zu wollen, die *hinter* dem Text liegen, sondern die Welt des Textes, die dieser in seiner Eigenständigkeit durch Schriftlichkeit und durch seine sprachlichen Strukturen hindurch *vor* sich eröffnet, mittels strukturaler

---

durch Einfühlung zu erfassen, einzuholen, nicht also durch Erklären von Gesetzmäßigkeiten beobachteter Dinge. Diese Trennung von Erklären und Verstehen ist nach Ricœur aufgrund der strukturalen Beschaffenheit des Textes nicht mehr aufrechtzuerhalten (a.a.O. 30).

[34] H.-G. Gadamer, Wahrheit und Methode. Grundzüge einer philosophischen Hermeneutik, Tübingen ²1965. Gadamer bleibt nach Ricœurs Urteil (a.a.O. 25) und nach dessen eigener Einschätzung (Ricœur zitiert H.-G. Gadamer, Rhetorik, Hermeneutik und Ideologiekritik, in: Kleine Schriften I, 113) der Tradition Diltheys verhaftet.

[35] P. Ricœur / E. Jüngel, a.a.O. 31f.

[36] Ricœur übernimmt diese Unterscheidung von G. Frege (siehe a.a.O. 31 und 49). Ein 1892 erschienener Aufsatz Freges ‚Über Sinn und Bedeutung' ist neuabgedruckt nachzulesen in: G. Frege, Funktion – Begriff – Bedeutung, hrsg. und eingel. v. G. Patzig, Göttingen ⁴1975, 40–65.

[37] P. Ricœur / E. Jüngel, a.a.O. 28.   [38] A.a.O. 31f.

Analyse zu explizieren. Verstehen heißt, einen Text durch seine objektiven Strukturen hindurch zu erklären und so den Vorschlag von Welt, den der Text *vor* sich entwirft, zu entfalten und von ihm her ein erweitertes Selbst zu empfangen[39]. Unter diesen Voraussetzungen ist auch die Sache der Bibel nicht etwas, was *hinter* ihrem Text läge und sich auf die psychologischen Intentionen ihrer einzelnen Verfasser reduzierte, sondern die Welt, die sich, durch die Strukturen ihres Textes vermittelt, *vor* ihr entfaltet[40].

Die Verfremdung des ursprünglich in der Intention der biblischen Autoren gegebenen Bedeutungszusammenhangs in die *eigenständige* Welt des biblischen Textes legt so die grundlegende Struktur der gleitenden Analogie der ‚Sache‘ der Bibel, das heißt von Offenbarung als Fundament, frei. Später wird sich zeigen, daß Augustinus, wenn auch von anderen hermeneutischen Voraussetzungen her, ebenfalls eine psychologisierende und historisierende Interpretation der Bibel ablehnt und daß die hier dargestellte gleitende Analogie des fundierenden Offenbarungsgeschehens seinem akthaften Verständnis von Offenbarung in analoger Weise entspricht[41].

b) Zu der dargestellten grundlegenden Verfremdung kommt nach Ricœur eine weitere hinzu, die sich an die Struktur der religiösen Sprache knüpft, in welcher die Besonderheit der Welt der Bibel Ausdruck findet und die man mit der Sprache der fiktiven Literatur vergleichen kann[42]. Die Welt der Bibel ist nicht eine schon gegebene, zuhandene, verfügbare Welt, sondern eine Welt des Seinkönnnens. Sie steht im Verhältnis des Bruchs zu der in sich verschlossenen Alltagswelt und kann deshalb nur in nicht abschließbarer *metaphorischer Sprache* zum Ausdruck kommen, das heißt, in einer sprachlichen Verfremdung der Wirklichkeit mit sich selbst[43]. Das Wesen der metaphorischen Sprache besteht gerade darin, daß sie den Bedeutungszusammenhang von Alltagssprache mittels einer semantischen Innovation zerstört und so als heuristische Fiktion fungiert im Blick auf neue Wirklichkeit; daß sie Alltagswelt aufbricht, indem sie imaginative Variationen über die Wirklichkeit freisetzt[44]. Auf die Welt der Bibel hin gesprochen heißt das: Die metaphorische Sprache vermittelt die Welt der Bibel als eine Welt des Seinkönnens, als neue Möglichkeit des In-der-Welt-Seins und insofern als mögliche Offenbarung. Und zwar erweist sich die Bibel dort als Offenbarung über das Leben eines Menschen, wo der von dieser Welt Ergriffene sein Leben in schöpferischen Imaginationen in diesen Vorschlag von Welt, der sich ihm eröffnet, hinein entwirft und so neues Sein erfährt[45].

---

[39] A.a.O. 32f und 50.   [40] A.a.O. 39f.
[41] Siehe § 7,4 und § 11 des 1. Teiles dieser Arbeit.
[42] P. Ricœur / E. Jüngel, a.a.O. 31; 53; 55.
[43] A.a.O. 41.   [44] A.a.O. 47; 51ff; 65; 70.
[45] A.a.O. 40.

Auf dem Hintergrund auch dieser zweiten von Ricœur herausgearbeiteten Verfremdung durch metaphorische Sprache kann Offenbarung als das fundamentale, Wirklichkeit erschließende Geschehen, als Ergriffensein von der Welt der Bibel, nur im Sinne einer in sich gleitenden Analogie verstanden werden. Die sie begründende Theorie der religiösen Sprache findet wiederum, wie sich später zeigen wird, bei Augustinus ihre analoge Entsprechung, insofern für ihn alles dieser Welt Angehörende nur Gleichnis, Bild und Abschattung von eigentlich Wahrem ist und so zu immer neuen Versuchen des Überstiegs auf dieses Wahre hin herausfordert[46].

3. Vermittlung der Offenbarungsproblematik: zwei Problemraster

Nach allem bisher Gesagten kann es bei der Frage nach dem Offenbarungsbegriff Augustins nur um eine geschichtlich vermittelbare gleitende Analogie des Offenbarungsproblems gehen. Dazu muß das mit ‚Offenbarung‘ Gemeinte durch einen formalen Problemraster hindurch gesehen werden, der einerseits das Anliegen der neuzeitlichen Problematik aufnimmt und zugleich das analoge Moment dieser Problematik in der ganz anderen geschichtlichen Situation Augustins aufzuzeigen vermag. Als solcher Problemraster soll der folgende *kritische Normbegriff* von Offenbarung dienen, der den Horizont angibt, innerhalb welchem Offenbarung überhaupt gedacht werden muß: ,,Für eine im Horizont der Heilsfrage sich vollziehende Existenz, also für das Dasein im Blick auf sein Letztes, ist Offenbarung das gnadenhafte Eintreten dieses Letzten ins Dasein.‘‘[47]

Dieser Raster ist sehr formal. Die Formalisierung ist aber notwendig, damit nicht unangemessene Fragestellungen in das Werk Augustins hineingelesen werden. Der umgreifende Horizont der vorliegenden Arbeit ist demnach die Frage, wie sich das mit diesem Horizontbegriff Bezeichnete in der Theologie Augustins gestaltet, sich ins Werk setzt.

Zur weiteren Spezifizierung des thematischen Horizontes bietet sich der Problemraster ,*Autosoterik — Theosoterik*‘ an[48]. Er ist der neuzeitlichen Offenbarungsproblematik entnommen, ist aber zugleich dem augustinischen Denken angemessen. Allerdings muß man auch hier achtgeben, daß man keinen ungeschichtlichen Unterschiebungen verfällt. Denn die in dem Gegensatzpaar ausgesprochene Alternative menschlicher Erlösung wurde in der Neuzeit wiederum gedacht auf dem Hintergrund moderner Vernunfts- und Gewissensautonomie. Eine solche Autonomie konnte aber nicht im Blickfeld

---

[46] Siehe § 2 und § 3 des 1. Teiles dieser Arbeit.
[47] Die Formulierung geht zurück auf Vorlesungen von M. Seckler zum Problem und zur Aufgabe eines kritisch-normativen Offenbarungsbegriffs der Fundamentaltheologie.
[48] Auch dieser dem Autonomie-Heteronomie-Problem entsprechende Problemraster geht auf die genannten Vorlesungen von M. Seckler in Tübingen zurück.

Augustins liegen. Wenn die Begriffe hier verwendet werden, dann nur, wie bei der Offenbarungsproblematik überhaupt, im Sinne einer gleitenden Analogie. Es geht also nicht um bestimmte, geistesgeschichtlich geprägte Theorien von Autosoterik und Theosoterik, sondern um die sich in diesen Theorien durchhaltende Idee. Die für diese Arbeit leitende Idee der Theosoterik meint nicht eine von autonomer Selbsterlösung abgehobene heteronome Fremderlösung, die dann als Entfremdungsideologie erscheinen muß — auch wenn sie in solche Theorien eingegangen sein mag. Die theosoterische Position bedeutet vielmehr, daß im Eschaton des Menschen Heil und Erlösung so begegnen, daß sie dem Verfügungswillen und Leistungsvermögen des Menschen entzogen sind, obwohl sie Bestimmungen seiner Freiheit sind und von ihm real verfolgt werden müssen. Das Problem der Theosoterik liegt dabei in der Art und Weise ihrer anthropologischen Situiertheit.

In augustinischen Kategorien erscheint dieser zweite Problemraster als die soteriologische Alternative zwischen Selbstüberhebung und Verfügenwollen des Menschen *(superbia)* und demütigem Vollzug seiner schöpfungsgemäßen Rezeptivität *(humilitas, gratia)*. Der thematische Horizont dieser Arbeit ist demnach die Frage, wie sich das mit ‚Offenbarung‘ gemeinte Eintreten des Eschaton des Menschen ins Dasein unter dem Aspekt menschlichen Verfügenwollens und göttlicher Gnade in der Theologie Augustins darstellt.

§ 2 Offenbarung bei Augustinus

1. Die dogmengeschichtliche Differenz

Eine genaue Durchsicht des gesamten augustinischen Werks hat ergeben: Augustinus kennt die Frage nach dem Wesen von Offenbarung im Sinne der heutigen fundamentaltheologischen Reflexion nicht[1]. Er spricht nicht von der *einen* Offenbarung als der zentralen hermeneutischen Kategorie allen theologischen Redens, als Inbegriff des Heilshandelns Gottes, sondern nur von *mehreren* und *mehrerlei* Offenbarungen.

Insofern steht er noch ganz innerhalb der Tradition der frühchristlichen Theologie und ihres noch sehr vielschichtigen Offenbarungsbegriffs. So konstatiert P. Stockmeier in einer neueren dogmengeschichtlichen Untersu-

---

[1] Vgl. A.C. de Veer, ‚Revelare — Revelatio‘. Eléments d'une étude sur l'emploi du mot et sur sa signification chez saint Augustin, in: Recherches augustiniennes II, Paris 1962, 331—357. Die folgende Analyse verdankt dem Aufsatz wertvolle Anregungen. 332: Que l'on ne s'attende pas à une étude systématique des matières dont la théologie actuelle s'occupe dans le traité ‚De revelatione‘! Le point de vue de saint Augustin est tout autre et, de plus, il n'a pas traité ex professo de l'idée de révélation, bien que cette idée soit soujacente à toute son œuvre." Man muß hier aber fragen, was ‚cette idée‘ ist; das ist der Gegenstand der Arbeit.

chung: „Wie in der ganzen frühchristlichen Theologie, so begegnet uns bei Augustinus ‚revelatio‘ nicht in jenem umfassend-transzendentalen Sinn, den die moderne Reflexion damit verbindet."[2] Und als Ergebnis seiner Untersuchung hält er fest, „daß die Kirchenväter weder die biblische Botschaft unter dem Gesichtspunkt der Offenbarung subsumiert noch nach der Möglichkeit von Offenbarung überhaupt gefragt haben. Dieser Befund schließt freilich nicht aus, daß die frühchristliche Kirche zur Artikulation ihres Glaubens den Begriff verwendete, allerdings in einer Weise, die dem modernen Verständnis nicht entspricht. Weniger die in den Phasen des Alten und Neuen Testaments objektivierte Heilsgeschichte als einzelne Akte gelten ihr als Offenbarung Gottes; insofern geschieht Offenbarung immer auch in der Gegenwart. Das Nachwirken des biblisch-charismatischen Offenbarungsbegriffs ist dabei unübersehbar. Der starke Drang nach Erkenntnis einerseits und die Aufgeschlossenheit der Antike für divinatorische Phänomene andererseits bilden im übrigen einen Rahmen, der das Offenbarungsverständnis wesentlich mitbestimmte. Gerade aufgrund dieser Voraussetzung ist Offenbarung im frühen Christentum nicht gegenständlich zu verstehen, sondern mehr akthaft und funktional"[3].

Wie alle frühchristlichen Schriftsteller hat Augustinus Offenbarung als Problem überhaupt nicht thematisiert. Daß Gott auf vielerlei Weise zum Menschen gesprochen hat und weiter spricht, daß Gott Herr der Geschichte ist, daß er im biblischen Geschehen einen universalen Heilsweg eröffnet hat, der alle Menschen zur beseligenden Wahrheit zurückführen soll, ist unbestrittene Grundlage seines ganz und gar von Theosoterik bestimmten Denkens. Dementsprechend hat das Wort ‚Offenbarung‘ bei ihm zwar noch keinen eindeutigen technischen Sinn gewonnen. Es bezeichnet so unterschiedliche Vorgänge wie prophetische Träume, ekstatische Visionen, plötzliche Eingebungen oder den Prozeß des Verstehens biblischer Schriften; und es dient als geschichtstheologische Kategorie dazu, z.B. das Verhältnis der beiden Testamente zueinander begrifflich zu fassen. Immer aber handelt es sich um ein Wort der religiösen Erfahrung oder der theologischen Reflexion. Offensichtlich ist dieses Wort Augustinus von der lateinischen Bibel zugeflossen, vor allem von den Synoptikern und den paulinischen Briefen[4]. Erwar-

---

[2] P. Stockmeier, ‚Offenbarung‘ in der frühchristlichen Kirche, in: Handbuch der Dogmengeschichte, hrsg. von M. Schmaus / A. Grillmeier / L. Scheffczyk, Bd. I, Faszikel 1a (1971) 27—87; Zit. 85.

[3] P. Stockmeier, a.a.O. 86f. — Vgl. auch J. Ratzinger, Die Geschichtstheologie des heiligen Bonaventura, München/Zürich 1958; 58ff legt Ratzinger eine Analyse der Kategorie ‚revelatio‘ bei Bonaventura vor und zeigt, daß das Begriffsfeld von ‚revelatio‘ auch bei Bonaventura nicht in der Idee der einen Offenbarung zusammenläuft, sondern vor allem die Aktualisierung und Vertiefung des Verstehens der biblischen Schriften meint.

[4] Siehe P. Stockmeier, a.a.O. 80. Vgl. auch A.C. de Veer, a.a.O. 332ff; J. de Ghellinck, Pour l'histoire du mot ‚revelare‘, in: Recherches de science religieuse 6 (1916) 149—157, konstatiert schon, daß der Ausgangspunkt für den theologischen Gebrauch des Wortes

tungsgemäß findet es sich in seinen von der Sprache der Bibel noch wenig beeinflußten philosophischen Frühschriften nicht, sondern begegnet zum erstenmal in der im Jahre 388 entstandenen Schrift[5] *De moribus ecclesiae catholicae*[6]. Entscheidend für die vorliegende Arbeit ist, daß in Augustins eigenen Textzusammenhängen das handelnde Subjekt von ‚revelare — revelatio‘ letztlich immer Gott ist[7]. Denn damit liegt in dieser Kategorie ein Grundwort des theosoterischen Denkens Augustins vor, das sich in den angewandten Problemraster ‚Autosoterik — Theosoterik‘ einfügt.

Im Blick auf das Ziel dieser Arbeit, das Analogon des heute mit Offenbarung Gemeinten bei Augustinus herauszuarbeiten, bietet sich von daher das Offenbarungsvokabular Augustins (vor allem ‚revelare — revelatio‘, aber auch ‚inspirare — inspiratio‘ und ‚manifestare — manifestatio‘) einerseits als angemessener Ausgangspunkt an. Andererseits überschreitet die theologisch intendierte Sache doch den terminologischen Befund[8]. Eine wortstatistische Analyse allein genügt nicht, das Offenbarungsproblem umfassend zu vermitteln. Von daher stellt sich die Frage nach dem methodischen Vorgehen dieser Arbeit.

‚revelatio‘ sich in paulinischen Texten findet und hebt die Bedeutung Augustins als deren „principal agent de diffusion" (149) hervor.

5 Die Datierung der Werke Augustins folgt, wo keine besondere Literatur zur Chronologie angegeben ist, der Zeittafel von P. Brown, Augustinus von Hippo. Eine Biographie, Frankfurt/M. 1973, 481ff.

6 In den Schriften bis zu Augustins Bischofsweihe im Jahre 395 findet sich das Wort insgesamt nur 17 mal: De mor. eccl. 1,17,31 (2 mal); De gen. c. Manich. 2,2,3; De divers. quaest. 67,2; De util.cred. 3,9; En.in psalm. 30,I,1 (Kommentare zu Psalm 1—32 waren schon 392 geschrieben. Die zweiten, ausführlicheren Kommentare zu Psalm 18; 21; 25; 26; 29; 30; 31 und 32 sind aber alle späteren Datums. Siehe dazu H. Rondet, Essais sur la chronologie des Enarrationes in psalmos de saint Augustin, in: Bulletin de littérature ecclésiastique 61 (1960) 111—127; 258—286. Die Belegstellen En. in psalm 21,II,15 und 30,II sermo 1,2 gehören deshalb nicht hierher); De fid. et symb. 1,1; Exp. ep. ad Gal. 23; 24 (2 mal); 43; C. Adim. 17,2; 26; 28,2 (4 mal).

7 Vgl. A.C. de Veer, a.a.O. 337. — Eine Ausnahme scheint De civ. Dei 8,5 zu sein: Nach diesem Text ist der Priester Leo in der Furcht, göttliche Geheimnisse preisgegeben (offenbart) zu haben. A.C. de Veer, a.a.O. 337, hält es für wahrscheinlich, daß Augustinus den Ausdruck ‚revelata mysteria‘ aus dem ihm vorliegenden Quellenmaterial übernommen hat. In eigenen Textzusammenhängen gebraucht Augustinus bei ähnlichen Gedankengängen ‚patefacere‘, so im zitierten Text, oder ‚nudare‘ und ‚aperire‘; siehe De mor. eccl. 1,1; C. Adim. 22; De gen. c. Manich. 1,13,9. — Ebenfalls keine eigentliche Ausnahme liegt dort vor, wo Augustinus einfach Bibelstellen paraphrasiert, die das Wort ‚revelare‘ in einem profanen Sinn enthalten: So z.B. Psalm 36,5: ‚Revela ad Dominum viam tuam‘ in En. in psalm. 36 sermo 1,6 und De nat. et grat. 31,35; oder Ex 20,26: ‚Ne pudenda tua reveles super illud‘ in Quaest. in Hept. 2,117 und 3,28; oder Lev 18,7ff: ‚Turpitudinem patris tui ... non revelabis‘ in Quaest. in Hept. 3,58—64. Hier zeigt sich die Notwendigkeit, zu unterscheiden zwischen Texten, in denen sich das Wort ‚revelatio‘ in einem von Augustinus zitierten Bibeltext findet, und anderen, in denen es in seinen eigenen Textzusammenhängen vorkommt.

8 Vgl. P. Stockmeier, a.a.O. 80.

2. Semantik des Wortes ,revelare — revelatio' und Systematik des Offenbarungsproblems

Eine erste Möglichkeit, die dargestellte Problematik methodisch zu bewältigen, bestände darin, in zwei Schritten vorzugehen: In einem ersten Teil der Arbeit könnte eine Semantik der augustinischen Kategorie ,Offenbarung' erstellt werden; im zweiten Teil müßte dann über die von der augustinischen Kategorie erschlossenen Sachverhalte hinaus im Horizont der beiden angewandten Problemraster das Offenbarungsproblem in systematischer Form zur Darstellung kommen. Bei dem Umfang und der Mannigfaltigkeit des augustinischen Werkes und der verständlichen Schwierigkeit, dieses Werk in seiner geschichtlichen Distanz, kategorialen Andersheit und auch sachlichen Differenz auf heutige Fragestellungen hin auszulegen, birgt ein solches Vorgehen jedoch die Gefahr der Ausuferung in sich. Der vorgesehene zweite Teil wäre nur schwer einzugrenzen, da er im Grunde auf eine Gesamtdarstellung der Theologie Augustins unter dem Aspekt der menschlichen Heilsfrage hinausliefe. Zum anderen ist die semantische Analyse nur sehr schwer auf das ihr zugedachte Maß zu beschränken. Der Verlauf dieser Untersuchung wird zeigen, daß es für ein besseres Verstehen nützlich ist, Probleme, die in eine systematische Darstellung der Offenbarungsproblematik gehörten, seien sie erkenntnistheoretischer, geschichtstheologischer, christologischer, ekklesiologischer oder gnadentheologischer Art, schon innerhalb der Semantik an geeigneter Stelle zur Sprache zu bringen.

Von daher folgt diese Arbeit einem entsprechend modifizierten und im ganzen überschaubaren Konzept. Auf einen eigenständigen und insofern unüberschaubaren systematischen Teil wird verzichtet. Das Anliegen eines solchen Teils kommt jedoch innerhalb der semantischen Analyse selbst in Form von systematischen Vertiefungen neu zur Geltung. Diese Konzeption hat den Vorteil, daß sie ein klar umrissenes Arbeitsfeld für die Gesamtarbeit namhaft macht und zugleich eine problemorientierte Reflexion nicht ausschließt. Denn die semantische Analyse des konkreten, wortstatistischen Materials kann nun den formalen und materialen Rahmen für die Gesamtarbeit abgeben. Die sich jeweils als notwendig oder sinnvoll erweisenden systematischen Erweiterungen und Vertiefungen aber stellen die Arbeit in den umfassenden Horizont des Offenbarungsproblems hinein, wie er in den beiden, die Thematik der Arbeit leitenden Problemrastern zum Ausdruck kommt.

3. Gliederung der Arbeit

Da die Semantik des Wortmaterials den Rahmen der Gesamtarbeit abgibt, besteht ein entscheidendes Problem der Arbeit darin, ein geeignetes Ordnungsschema zu finden, nach welchem sich die mannigfachen zur Sache erhobenen augustinischen Texte systematisieren lassen. Weil zudem jedes

Ordnungsschema immer auch Interpretationsraster ist, muß besonders darauf geachtet werden, daß dieses Ordnungsschema nicht aus einer den zu untersuchenden Texten fremden Welt entnommen ist. Die Eigenart des in diesen Texten sich Zeigenden könnte sonst verstellt werden.

a) Bei der Suche nach einem solchen Ordnungsschema sieht man sich zuerst veranlaßt, zu unterscheiden zwischen Texten, in denen sich das Wort ‚revelare — revelatio‘ in von Augustinus zitierten oder auch paraphrasierten Bibelstellen findet, und anderen, in denen es in Augustins eigenen Textzusammenhängen vorkommt. Nur die zweite Gruppe von Texten kann erhellen, welche Vorstellungen Augustinus mit dieser Kategorie verbindet[9]. Die Texte der ersten Gruppe dagegen geben vielfach nur den biblischen Sprachgebrauch wieder, ohne daß dabei eine dem augustinischen Denken spezifische Bedeutung sichtbar wird. Die semantische Analyse stützt sich folglich in erster Linie auf die Fundstellen in Augustins eigenen Textzusammenhängen. Die direkten oder indirekten Bibelzitate werden zum Teil, wo dies aufgrund ihres Kontextes sinnvoll ist, um die eigentlichen augustinischen Aussagen gruppiert, zum Teil an passender Stelle in den Anmerkungen angeführt[10]. Doch wie sollen nun die Belegstellen gegliedert werden, in denen Augustinus selbst von ‚Offenbarung‘ spricht?

b) A.C. de Veer hat es in seiner Studie über den Gebrauch und die Bedeutung des Wortes ‚revelare — revelatio‘ bei Augustinus als erster unternommen, das ihm zugängliche, allerdings bei weitem noch nicht vollständige wortstatistische Material systematisch zu ordnen. Die grundlegende Unterscheidung, die er dabei trifft, ist die zwischen Offenbarung von *kontingenten Sachverhalten,* die nur ein Individuum oder eine Gruppe von Individuen betreffen, und Offenbarung von *Heilslehren,* die im Prinzip für alle Menschen bestimmt sind[11]. Diese Einteilung weist jedoch erhebliche Mängel auf. Denn sie ist zu sehr der neuzeitlichen Offenbarungsproblematik verhaftet. Augustinus selbst ist das hier angezeigte Gefälle nicht bewußt. Ein Hinweis dafür ist z.B. die Tatsache, daß die Offenbarungsmedien *Traum und Ekstase,* die de Veer als typisch für die Offenbarung ‚kontingenter Sachverhalte‘ ansieht[12], auch dort eine Rolle spielen, wo es um ‚Heilslehre‘ geht, nämlich in der prophetischen Offenbarung oder in den Offenbarungen der biblischen Schriftsteller. Stockmeier weist in diesem Zusammenhang darauf hin, daß die Kirchenväter nur zwischen dämonischen und göttlichen Offenbarungen eine Grenze

---

9 Vgl. A.C. de Veer, a.a.O. 336; siehe auch Anm. 6.
10 Diese nur in den Anmerkungen angeführten Stellen haben für die Analyse selbst keinen Erkenntniswert. Das wortstatistische Material ist hier auch nicht vollständig.
11 Siehe A.C. de Veer, a.a.O. 337f.
12 Siehe a.a.O. 341f.

ziehen[13]. Dem ist freilich hinzuzufügen, daß bei Augustinus das Wort ‚revelatio' allein den göttlichen Mitteilungen vorbehalten bleibt[14].

Die Problematik der von de Veer getroffenen Unterscheidung zeigt sich weiter daran, daß er die Offenbarung ‚kontingenter Sachverhalte' *Privatoffenbarung* nennt[15]. Handelt es sich hier doch um einen Terminus der Neuzeit, der konzipiert wurde auf dem Hintergrund des modernen Offenbarungsbegriffs und seiner Idee der *einen* Offenbarung, von der dann mögliche Offenbarungserfahrungen einzelner als Privatoffenbarung abgegrenzt werden müssen. Diese Voraussetzungen sind aber bei Augustinus nicht ohne weiteres gegeben. Denn Augustinus kennt nicht die Idee der einen Offenbarung. Die vielen Visionen, Inspirationen, Eingebungen und Erleuchtungen nehmen in seinem Denken einen festen Platz ein, auch wenn er dazu neigt, einen übertriebenen Offenbarungsoptimismus zurückzudrängen.

Der entscheidende Grund für das Ungenügen des von de Veer gewählten Einteilungsschemas liegt aber darin, daß die *pauschale* Rede von der ‚Offenbarung einer Heilslehre' dem *vielschichtigen* Offenbarungsbegriff Augustins nicht gerecht werden kann. Zwar kommt die Bibel z.B. auch durch Offenbarung an die biblischen Schriftsteller zustande. Aber sie enthält doch nicht einfach wißbare und verfügbare offenbarte Heilswahrheiten. Die Bibel und die in ihr bezeugte Geschichte Gottes mit den Menschen ist für Augustinus nicht einfach Offenbarung oder Offenbarungsgeschehen. Denn das biblische Geschehen hat aufgrund seiner Zugehörigkeit zum ontologischen Bereich der sensiblen Welt[16] einen prinzipiell überholbaren Stellenwert in der Theologie Augustins[17]. Es enthält in sich nicht das Bleibende, das den Menschen festhalten dürfte, sondern ist etwas zu Transzendierendes. Es ist Weg, Instrument, Vehikel zu diesem Bleibenden hin[18], zu der unwandelbaren Wahrheit

---

13 P. Stockmeier, a.a.O. 81 Anm. 36. Stockmeier führt als Beispiel De gen. ad litt. 12,19,41 an: Sed cum malus in haec arripit spiritus, aut daemoniacos facit, aut arrepticios, aut falsos prophetas: cum autem bonus, fideles mysteria loquentes, aut accedente etiam intelligentia veros prophetas.

14 Vgl. z.B. Epist. 169,3,11: Huc accedit quia sunt visiones, quae apparent spiritui...; non per fallaciam illudentium daemonum, sed per aliquam revelationem spiritualem.

15 Siehe A.C. de Veer, a.a.O. 338.

16 Zu der für Augustins Denken konstitutiven Unterscheidung zwischen mundus sensibilis und mundus intelligibilis (erstmals in C. acad. 3,17,37) siehe R. Holte, Béatitude et Sagesse. Saint Augustin et le problème de la fin de l'homme dans la philosophie ancienne, Paris 1962, bes. 94ff; sowie vor allem J. Ritter, Mundus intelligibilis. Zur Aufnahme und Umwandlung der neuplatonischen Ontologie bei Augustinus, Frankfurt/M. 1937.

17 Diese prinzipielle Überholbarkeit kommt in der Bewegung ‚auctoritas — ratio', ‚credere — intelligere', ‚ carnalis — spiritualis' zum Ausdruck.

18 Siehe z.B. De doctr. christ. 1,35,39: Facta est tota pro nostra salute per divinam providentiam *dispensatio temporalis,* qua debemus *uti,* non quasi mansoria quadam dilectione atque delectatione, sed transitoria potius, tanquam viae, tanquam vehiculorum vel aliorum quorumlibet instrumentorum. — Diese Sätze machen deutlich, daß

Gottes, die durch innerliche Offenbarungen in der Seele eines jeden einzelnen immer mehr aufleuchten soll. Zwar spricht Augustinus auch von einer ‚geoffenbarten Lehre'[19]. Aber darin drückt sich nur ein Aspekt seines Offenbarungsbegriffs aus, nämlich der eines innergeschichtlichen Offenbarungsfortschrittes: Die eine Geschichte Gottes mit den Menschen (dispensatio temporalis) entfaltet sich fortschreitend vom Alten zum Neuen Testament. Im Alten Testament ist noch verborgen, was im Neuen offenbar geworden ist. Aber auch das im Neuen Testament offenbar Gewordene gehört noch dem äußeren Bereich der sensiblen Welt an und muß deshalb transzendiert werden. Auch die schon geoffenbarte Lehre bedarf noch der weiteren Offenbarung, um an ihr eigenes Ziel zu gelangen. Die von ihr intendierte Wahrheit muß in jedem einzelnen durch innere Erleuchtung aktualisiert werden[20]. Alle diese Unterscheidungen klingen bei de Veer zwar an. Daß es sich dabei aber um je unterschiedliche *ontologische* Offenbarungsebenen mit je *spezifischer* Heilsrelevanz handelt, wird durch sein Ordnungsschema verstellt.

c) Die semantische Analyse dieser Arbeit soll sich deshalb an einem anderen Einteilungsschema orientieren, das dem augustinischen Denken selbst entnommen ist. Es ergibt sich aus der für Augustinus so grundlegenden Unterscheidung zwischen den beiden Seinsbereichen des Menschen: dem Draußen *(foris)* der sensiblen Welt einerseits und dem Innen *(intus)* der menschlichen Seele sowie der sie übersteigenden intelligiblen Welt andererseits[21]. Es zeigt sich nämlich, daß der augustinische Begriff ‚Offenbarung' eine doppelte Dimension impliziert und Vorgänge innerhalb beider Seinsbereiche benennen kann. Einerseits weist der Begriff ‚Offenbarung' in den Bereich des unmittelbaren, *inneren Erkennens,* andererseits in den Bereich der objektiv gegebenen, *äußeren Geschichte.* Einmal meint Offenbarung ein aktuelles

---

auch die ‚Heilslehre' Augustins dem Bereich der Kontingenz angehört. Siehe dazu C.P. Mayer, Die Zeichen in der geistigen Entwicklung und in der Theologie Augustins. 2. Teil: Die antimanichäische Epoche, Würzburg 1974, 249−261.

[19] C. Faust. 16,32: ... Testamenti utriusque doctrinam ibi figuratam, hic revelatam; ibi prophetatam, hic praesentatam...

[20] Vgl. z.B. In evang. Ioh. 29,4, wo Augustinus unterscheidet zwischen der *doctrina Christi,* die in der Bibel als der äußeren Lehre (admonitio) hinterlegt ist, und der *doctrina Patris,* die das ewige Verbum selbst ist: ... doctrinae stabilis Verbum est, non sonabilis per syllabas et volatilis, sed manentis cum Patre, ad quam convertamur manentem, sonis transeunitibus admoniti ... et cum transeuntibus syllabis admoniti, conversi ad eum fueritis, nec vos transibitis, sed cum manente manebitis. Hoc est ergo in doctrina magnum, altum et aeternum, quod manet; quo vocant omnia quae temporaliter transeunt.

[21] G. Söhngen, Die neuplatonische Scholastik und Mystik der Teilhabe bei Plotin, in: PhJ 49 (1936) 98−120, sieht in der Trennung von intus und foris den Grundgegensatz des augustinischen Denkens überhaupt.

und unableitbares Mitteilungsgeschehen im Innern des einzelnen, zum anderen aber auch ein äußeres und objektives Offenbarwerden, eine geschichtliche Manifestation von vorher in der Geschichte zeichenhaft Verhülltem. Offenbarung ist also einerseits eine von Augustins Innerlichkeitsmetaphysik[22] bestimmte *gnoseologische* Kategorie, andererseits eine *geschichtstheologische* Kategorie[23]. Für den Aufbau dieser Arbeit ergibt sich von daher eine klare Zweiteilung: 1. Erkenntnis und Offenbarung; 2. Geschichte und Offenbarung. Diese Zweiteilung ist nicht nur aus Gründen der Übersichtlichkeit von Nutzen. Sie erlaubt es vor allem, die für diese Arbeit wichtige Frage nach der Heilsbedeutsamkeit der jeweiligen Offenbarung in je spezifischer Weise herauszuarbeiten. Denn diese Heilsbedeutsamkeit ist wesentlich bestimmt durch die Zuordnung der jeweiligen Offenbarung zum inneren bzw. äußeren Seinsbereich.

Eine weitere, wichtige Unterscheidung ergibt sich aus einer Differenzierung innerhalb der gnoseologischen Kategorie ‚Offenbarung'. Entsprechend dem je betroffenen Erkenntnisvermögen der menschlichen Seele unterscheidet Augustinus hier nämlich zwischen zwei Weisen der innerlichen Offenbarung: der bild- und zeichenhaften Offenbarung *(revelatio spiritualis)*, in welcher der menschlichen Seele entsprechend der Fähigkeit ihres sinnlichen Gedächtnisses zu bildhaft-vorstellungsmäßiger Vergegenwärtigung (visio spiritualis) bildhafte Visionen eingegeben werden; und der einsichthaften Offenbarung *(revelatio intellectualis)*, in welcher der menschlichen Seele entsprechend der Fähigkeit ihres Intellekts zu denkender Einsicht (visio intellectualis) die Bedeutung von Bildern und Zeichen erschlossen wird. In diesen beiden Weisen der inneren Offenbarung, die auch mit den Stichworten *Imagination* und *Illumination* gekennzeichnet werden können, spiegelt sich die grundlegende augustinische Differenz zwischen ‚innen' und ‚außen' noch einmal wider. Ihre Unterscheidung ist deshalb wiederum für die Beurteilung ihrer je spezifischen Heilsbedeutsamkeit von großer Bedeutung.

Für die Gliederung der semantischen Analyse ergeben sich von hierher weitere Einleitungskriterien. Vor allem die Frage der je verschiedenen Zuordnung des inneren Offenbarungsgeschehens zur fortschreitenden Offenbarung im Raum der Geschichte hat dabei eine die Arbeit strukturierende Funktion. Dies wird sich im Verlauf der Arbeit erweisen.

---

[22] Vgl. W. Windelband, Lehrbuch der Geschichte der Philosophie, Tübingen [15]1957; § 22 über Augustinus (237–246) trägt die Überschrift „Die Metaphysik der inneren Erfahrung".

[23] Vgl. die ähnliche Zweiteilung im Offenbarungsbegriff des Origenes: Comm. in Ioan. VI,5 (zit. nach P. Stockmeier, a.a.O. 63): „Bedenke, ... ob der Begriff ‚geoffenbart' nicht etwa in zweifacher Weise zu verstehen ist: insofern etwas erkannt wird, zum anderen, wenn etwas Verheißenes so gegenwärtig wird, daß es sich verwirklicht und erfüllt. Denn dann geschieht seine Offenbarung, wenn es sich erfüllend seine Vollendung erlangt."

d) Bisher wurden für die Gliederung dieser Arbeit nur *systematische* Gesichtspunkte geltend gemacht. Es stellt sich nun aber die Frage, ob bei einem zeitlich so weitgespannten Werk wie dem Augustins nicht *biographische* Gesichtspunkte hinzukommen müssen, die die Wechselfälle des Lebens Augustins stärker berücksichtigen. Hat Augustinus nicht in einem Zeitalter schneller und dramatischer Veränderungen gelebt[24]? Und hat er nicht aufgrund seiner eigenen geistigen Unruhe und aufgrund auf ihn zukommender äußerer Anforderungen so manchen inneren Wandel durchlebt[25]? Ist sein schriftstellerisches Werk nicht Ausdruck eines langen Weges geistiger Entwicklung, der Extreme in sich vereinigt; der von der philosophischen Begeisterung der Jugendschriften bis hin zu der Schwermut des alternden Bischofs reicht, der vor dem Geheimnis der göttlichen Gnadenwahl verstummt? Müßte in dieser Arbeit also nicht zumindest zwischen dem jungen und dem alten Augustinus grundsätzlich unterschieden werden?

Nun läßt es sich ganz sicher nicht bestreiten, *daß* Augustinus geistigen Wandlungen unterworfen war. Die Akzentunterschiede innerhalb seines Werkes sind nicht zu leugnen. Andererseits darf aber das Entwicklungsprinzip bei der Darstellung seines Denkens doch nicht überspannt werden. Seine geistigen Wandlungen sollten nicht überakzentuiert werden. Dies betont mit Nachdruck R. Lorenz in seiner vielbeachteten Untersuchung über die innere Struktur von „Gnade und Erkenntnis bei Augustinus"[26]. Lorenz zeigt, daß der Erkenntnisbegriff des frühen Augustinus dieselben wesentlichen Strukturmerkmale aufweist wie der Gnadenbegriff des älteren Augustinus. „Die Erkenntnis trägt schon die Züge der Gnade."[27] Daraus schließt er auf eine weitgehende *Kontinuität* in der inneren Entwicklung Augustins: Die Strukturen seines Denkens bleiben sich insgesamt gleich[28].

Diese Ergebnisse mögen begründete Rechtfertigung dafür sein, daß sich die vorliegende Arbeit auf das augustinische Werk als ein Ganzes stützt und dieses nach vorwiegend systematischen Gesichtspunkten befragt. Zwar wird die jeweilige Situationsbezogenheit der Aussagen Augustins nicht außer acht ge-

---

[24] Zu den geistigen Umbrüchen der Zeit siehe H.I. Marrou, Saint Augustin et la fin de la culture antique, Paris [4]1958.

[25] Siehe dazu P. Brown, a.a.O. 7. Brown versucht in seiner Biographie, die Berührungspunkte von äußerem und innerem Wandel ausfindig zu machen.

[26] R. Lorenz, Gnade und Erkenntnis bei Augustinus, in: ZKG 75 (1964) 21−78; hier bes. 62. Vgl. auch schon ders., Die Wissenschaftslehre Augustins, in: ZKG 67 (1955/56) 29−60 und 213−251, 224. Derselben Auffassung ist Ch. Boyer, L'idée de vérité dans la philosophie de saint Augustin, Paris 1920, 4.

[27] R. Lorenz, Gnade und Erkenntnis, 58.

[28] Siehe ders., Gnade und Erkenntnis, 21f und 58; vgl. ders., Die Wissenschaftslehre, 242, wo Lorenz auf eine andere strukturelle Kontinuität hinweist: „Dieser methodische Gesichtspunkt des Übergangs vom Sinnlichen zum Sein beherrscht die Beschäftigung mit den Disziplinen beim jungen Augustin und die Schriftauslegung und Predigttätigkeit des gealterten Bischofs."

lassen. Aber das Gesamtwerk Augustins wird doch nicht von vornherein so in Epochen aufgegliedert, daß sich dies im Aufbau dieser Arbeit niederschlagen müßte. Im Verlauf dieser Untersuchung wird sich immer wieder zeigen, daß Augustinus auch über größere Zeitabstände hinweg zu je gleichen offenbarungstheologischen Aussagen kommt. Auf diese Weise wird sich das gewählte methodische Vorgehen auch durch die Untersuchung selbst als dem augustinischen Werk angemessen erweisen.

§ 3   Zum Stand der Forschung

Das Thema ‚Offenbarung bei Augustinus' ist in der Augustinusforschung bis heute sehr stiefmütterlich behandelt worden. Eine umfassende Monographie fehlt. Die Zahl der Arbeiten, die ausdrücklich dem Thema gewidmet sind, ist sehr klein. Und nicht alle diese Arbeiten sind wirklich bei der von ihnen intendierten Sache, nämlich dem Offenbarungsbegriff Augustins.

a) Geradezu kennzeichnend für die Forschungslage ist, daß in der breiten Augustinusliteratur ‚Offenbarung' zumeist gar nicht als spezifisches Problem bewußt ist und man deshalb sehr oft einen neuzeitlich bestimmten Offenbarungsbegriff unkritisch in das augustinische Denken hineindrängt. Besonders gravierend ist das in solchen Arbeiten, in denen an sich offenbarungstheologisch relevante Sachverhalte der Theologie Augustins zur Debatte stehen. Denn die Vergessenheit der dogmengeschichtlichen Differenz muß hier zu unangemessenen Fragestellungen führen.
So trägt ein Aufsatz von M. Oltra den irreführenden Titel ,,Como se conoce la revelacion sobrenatural segun San Agustin''[1]. Es geht darin um Grundfragen der theologischen Erkenntnislehre Augustins, speziell um das Verhältnis von Glauben und Verstehen. Während aber für Augustinus dieses Verstehen gerade durch Offenbarung ermöglicht wird, fragt Oltra völlig unaugustinisch nach dem ,,Verstehen der geoffenbarten Wahrheiten''[2]. Und er denkt diese Frage zudem innerhalb des Interpretationsmodells ‚natürlich − übernatürlich', das dem Denken Augustins noch fremd ist.
G. Strauss identifiziert in seiner sonst sehr guten Untersuchung über ,,Schriftgebrauch, Schriftauslegung und Schriftbeweis bei Augustinus''[3] das der Bibel zugrunde liegende historische Geschehen der ‚dispensatio temporalis'

---

[1] M. Oltra, Como se conoce la revelacion sobrenatural segun San Agustin, in: Augustinus 3 (1958) 281.289.
[2] Ders., a.a.O. 287: ,,... de entender las verdades reveladas.'' Vgl. 282: ,,Agustin parte de la revelacion para ver hasta donde y en que medida el contenido revelado se armoniza con el entendimiento.''
[3] G. Strauss, Schriftgebrauch, Schriftauslegung und Schriftbeweis bei Augustinus, Tübingen 1959.

fälschlicherweise mit ‚Offenbarung'. Im ersten Kapitel, das dieser ‚dispensatio temporalis' gewidmet ist, fragt er: „Welche Bedeutung kann die von Augustinus als historisch faßbare Wirklichkeit verstandene Offenbarung Gottes in dieser Welt haben, wenn der für die Aufwärtsbewegung der Seele nötige Vorgang, Erkenntnis des Intelligiblen, im Innern der anima sich vollzieht?"[4] Im augustinischen Sinne müßte es jedoch um die Frage gehen, welche Bedeutung die historisch faßbare Wirklichkeit der ‚dispensatio temporalis' für das eigentliche Offenbarungsgeschehen hat, das sich im Innern der Seele vollzieht.

R. Holte gibt einem Kapitel seiner Monographie über die Frage nach dem Telos des Menschen bei Augustinus[5] die Überschrift: „Révélation scripturaire et illumination de la création."[6] Er behandelt darin die strukturell gleiche Erkenntnisfunktion von Bibel und Schöpfung bei Augustinus. Da er aber mit ‚révélation scripturaire' die Bibel in ihrer gegebenen Inhaltlichkeit als Offenbarung bezeichnet, verstellt er die Besonderheit des augustinischen Offenbarungsdenkens. Diese besteht nicht in einer Parallelisierung von Offenbarung und Schöpfung, sondern von Schrift und Schöpfung einerseits und von Offenbarung (= Eröffnung von Einsicht in die durch die Schrift bezeichnete göttliche Wahrheit) und Illumination (= Eröffnung von Einsicht in die das Geschaffene gründenden intelligiblen Ideen) andererseits.

C. Kannengiesser bringt in einer Analyse von Augustins *Enarratio in psalmum 118* die dort verhandelte Problematik auf den Nenner „Science de la révélation et progrès spirituel"[7]. Offenbarung bezeichnet auch hier unaugustinisch das in der Schrift Objektivierte und verstellt so wiederum den wirklichen Offenbarungsbegriff Augustins. Um diesen aber geht es in der genannten Enarratio, auch wenn das Wort ‚revelare — revelatio' darin nicht vorkommt: Gegen die Pelagianer, die die Bibel in einem legalistisch-litteralistischen Sinne mißverstehen und deshalb glauben, in ihr jederzeit verfügbare und wißbare Wahrheiten zu besitzen, hebt Augustinus in seiner Schrift die Unauslotbarkeit und Unverfügbarkeit der biblischen Wahrheit hervor. Denn diese ist für ihn nicht einfach in den äußeren Buchstaben der Bibel enthalten, sondern muß in einem je unableitbaren Offenbarungsgeschehen im Innern eines jeden einzelnen unmittelbar, überzeugungsmächtig und in fortschreitender Intensität aufleuchten. Was also Kannengiesser ‚science de la révélation' nennt, heißt bei Augustinus Buchstabenwissen. Der Ort des wirklichen Offenbarungsbegriffs Augustins aber ist der ‚progrès spirituel'.

---

4 Ders., a.a.O. 15.
5 R. Holte, Béatitude et Sagesse. Saint Augustin et le problème de la fin de l'homme dans la philosophie ancienne, Paris 1962.
6 Ders., a.a.O. 345.
7 C. Kannengiesser, Enarratio in psalmum 118. Science de la révélation et progrès spirituel, in: Recherches augustiniennes 2 (1962) 359—381.

b) Besonders negativ muß sich ein mangelndes dogmengeschichtliches Problembewußtsein in solchen Arbeiten auswirken, die das Offenbarungsdenken Augustins ausdrücklich thematisieren. Zu nennen sind hier der Aufsatz von R. Latourelle über „L'idée de Révélation chez les Pères de l'Eglise"[8] und die Dissertation von F. Arsenault über „Le Christ plénitude de la révélation selon saint Augustin"[9]. Der wissenschaftliche Informationswert beider Arbeiten ist aufgrund ihrer ungeschichtlichen Betrachtungsweise erheblich gemindert.

R. Latourelle untersucht eine Reihe griechischer und lateinischer Kirchenväter von apostolischer Zeit an bis zu Augustinus. Er kommt zu dem Ergebnis, daß weder Augustinus noch die Kirchenväter vor ihm „ex professo von der Idee der Offenbarung" gehandelt haben[10]. Dieses Urteil setzt aber einen modernen Offenbarungsbegriff voraus, der den Intentionen der Kirchenväter nicht gerecht werden kann[11]. Es macht so die entscheidende Schwäche des Aufsatzes sichtbar: Latourelle analysiert nicht die jeweilige Offenbarungsterminologie der Kirchenväter, um von da zu ihrem je spezifischen Offenbarungsbegriff vorzustoßen. Er arbeitet auch nicht mit einem kritischen Normbegriff von Offenbarung, der die Offenbarungsproblematik vermitteln könnte. Vielmehr geht er von einer nicht weiter hinterfragten ‚Idee der Offenbarung' aus und subsumiert dann die verschiedensten Aussagen der Kirchenväter unter diese vorgängige ‚Idee'. Theologisch geklärt wird dadurch wenig.

F. Arsenault, dessen Untersuchung[12] sich auf Augustins Traktate *In evangelium Johannis* und *In epistulam Johannis* beschränkt, teilt seine Arbeit in zwei Teile: einen semantischen und einen systematischen. Die semantische Studie, die das Offenbarungsvokabular der Traktate erheben und seine jeweilige Bedeutung bestimmen soll, ist jedoch philologisch unbefriedigend und inhaltlich wenig ergiebig. Denn sie unterscheidet nicht zwischen spezifisch augustinischer Terminologie und unspezifischen, biblischen Wendungen; und sie konzentriert sich nicht auf die eigentliche Offenbarungsterminologie. Den systematischen Teil gliedert Arsenault in drei Abschnitte: 1. La révélation *par* le Christ; 2. La révélation *dans* le Christ; 3. La révélation *avec* le Christ. Er glaubt, diese Gliederung den Ergebnissen der semantischen Analyse entnehmen zu können. Doch zeigt sich hier in aller Deutlichkeit, daß die gesamte Arbeit Arsenaults von einem neuzeitlichen Offen-

---

8 R. Latourelle, L'idée de Révélation chez les Pères de l'Eglise, in: Sciences Ecclésiastiques 11 (1959) 297—344. Der Aufsatz ist unverändert aufgenommen in R. Latourelle, Théologie de la Révélation, Brügge/Paris ²1966.

9 F. Arsenault, Le Christ plénitude de la révélation, Rom 1965.

10 R. Latourelle, a.a.O. 340.

11 Siehe P. Stockmeier, a.a.O. 85 Anm. 71.

12 Die Arbeit von F. Arsenault war über den Fernleihverkehr der Universitätsbibliotheken leider nicht zugänglich. Die hier vorgetragene Kritik stützt sich auf die Besprechung von A.C. de Veer im Bulletin Augustinien für das Jahr 1965, in: REA 13 (1967) 188f.

barungsbegriff geleitet ist. Denn das Wort ‚Offenbarung' in den Überschriften des systematischen Teils entspricht nicht der augustinischen Terminologie. Innerhalb des augustinischen Denkens muß Christus mit anderen als nur mit offenbarungstheologischen Kategorien gedeutet werden. Auf jeden Fall kann man ihn nicht global als die ‚Fülle der Offenbarung' bezeichnen[13]. So leistet denn dieser systematische Teil auch keine eigentliche offenbarungstheologische Arbeit, sondern stellt eine lange Paraphrase von augustinischen Texten dar, die unter einem neuzeitlichen Offenbarungsbegriff subsumiert werden.

c) Als ernstzunehmende Forschungsbeiträge zum Offenbarungsbegriff Augustins erweisen sich nur die Arbeiten, die von einer historisch treuen Analyse des offenbarungsterminologischen Befunds ausgehen.
An erster Stelle ist hier die schon mehrfach zitierte Untersuchung von A.C. de Veer zu nennen. Sie bietet die bisher umfassendste Semantik von ‚revelare — revalatio' bei Augustinus. Trotz der dargestellten Mängel erschließt sie jedenfalls die wesentlichen Bedeutungselemente des Wortes und gibt so die entscheidenden Impulse für die weitere Erarbeitung des augustinischen Offenbarungsbegriffs. Besonders hervorzuheben ist der Hinweis de Veers auf die das augustinische Offenbarungsdenken kennzeichnende Dimension der Innerlichkeit. So sagt er zu einem Text Augustins, in welchem von verschiedenen Weisen der Willenskundgabe Gottes (Himmelsstimme, Wort eines Propheten, Offenbarung) die Rede ist[14]: „Weisen wir darauf hin, daß von den drei außerordentlichen Weisen, in denen Gott den Menschen seinen Willen kundtut, ihn zwei von außen erreichen, die dritte aber, die Offenbarung, von innen. Ich glaube, daß diese Innerlichkeit, in welchem Teil der Seele auch immer sie liegt, ein wesentliches Element des augustinischen Offenbarungsbegriffs ist. Wenn das so ist, dann ist jede Offenbarung ein direktes, mehr oder weniger vollkommenes geistiges Erfassen des geoffenbarten Objekts; sie übersteigt den Glauben, der die Vermittlung durch einen Zeugen zur Voraussetzung hat."[15] Und in einem abschließenden Urteil über den Vorgang des Verstehens der Bibel heißt es: „Das Verstehen der Schrift ist die Wirkung einer göttlichen Offenbarung, die nichts anderes zu sein scheint als die innere Erleuchtung des Geistes durch das Verbum, die der Schlüssel zur augustinischen Erkenntnistheorie ist."[16] Mit diesen Hinweisen trifft de Veer den eigentlichen Kern des augustinischen Offenbarungsdenkens.

---

[13] Christus ist nicht als *die* Offenbarung zu deuten, sondern als *der* offenbar gewordene Weg. Siehe dazu weiter unten, vor allem § 2 des 2. Teiles.
[14] Epist. 80,3: Sed plerumque non voce de coelo, non per prophetam, non per revelationem vel somnii, vel excessus mentis qui dicitur ecstasis, sed rebus ipsis accedentibus ... cogimur agnoscere Dei voluntatem.
[15] A.C. de Veer, a.a.O. 339 Anm. 37 (Übers. d. Verf.).
[16] Ders., a.a.O. 356f (Übers. d. Verf.); vgl. auch 351.

Kurz erwähnt werden kann hier auch die informative Arbeit von A. Dulles „Was ist Offenbarung?", die einen Überblick über das Offenbarungsdenken von den biblischen Anfängen bis in die Gegenwart gibt. Zwar kann Dulles im Rahmen dieses weitgespannten Überblicks nur sehr kurz auf Augustinus eingehen. Dennoch erfaßt er dabei die wesentlichen Elemente des augustinischen Offenbarungsbegriffs: die geschichtliche Manifestation von vorher in der Geschichte zeichenhaft Verborgenem, Visionen und Ekstasen, göttliche Erleuchtung[17].

Besondere Beachtung verdient neben der Arbeit von de Veer die ebenfalls schon zitierte dogmengeschichtliche Untersuchung von P. Stockmeier über den frühchristlichen Offenbarungsbegriff. Die Studie, die von den Apostolischen Vätern bis zu Augustinus reicht, ist ein überzeugendes Beispiel dafür, wie das Offenbarungsproblem in historisch verantworteter und theologisch erhellender Weise über das jeweilige Offenbarungsvokabular erarbeitet werden kann. So geht Stockmeier in dem Augustinus betreffenden Teil[18] einerseits von den Ergebnissen der semantischen Analyse de Veers aus, orientiert sich aber zugleich in stärkerem Maße als dieser an systematischen Zusammenhängen der Theologie Augustins (erkenntnistheoretischer Ansatz, auctoritas, Glaube, Christus). Auf diese Weise gelangt er von den Offenbarungssachverhalten im engeren Sinne zu den offenbarungstheologischen Strukturen des augustinischen Denkens im ganzen. Stockmeier zeigt, daß die Offenbarungsproblematik Augustins immer wieder einmündet in die Grundfrage nach dem Verhältnis Gott — menschliche Seele[19].

Die jüngste Arbeit zum augustinischen Offenbarungsbegriff ist eine 1974 erschienene Monographie von R.P. Hardy über die Johannestraktate Augustins. Sie trägt den programmatischen Titel „L'actualité de la révélation divine"[20]. Zentrale Idee dieser Arbeit ist, daß für Augustinus Offenbarung ein je aktuelles Geschehen im Innern des einzelnen ist, in welchem das biblische Geschehen und die kirchliche Verkündigung davon für den einzelnen erst Heilsbedeutung erlangt, und daß alles äußere Geschehen im Blick auf diese innerlich aktualisierende Offenbarung nur eine exzitatorische Funktion hat. Hardy entnimmt diese Idee dem offenbarungsterminologischen Befund, von dessen Darstellung er ausgeht[21]. Allerdings erfolgt die Interpretation sämtlicher Belegstellen von ‚revelare — revelatio' in den Johannestraktaten auf sehr pauschale Weise und ohne begriffliche Prägnanz[22]. Hardy

---

[17] A. Dulles, a.a.O. 41—43.

[18] P. Stockmeier, a.a.O. 80—86.

[19] Ders., a.a.O. 85.

[20] R.P. Hardy, L'actualité de la révélation divine. Une étude des ‚Tractatus in Johannis Evangelium' de saint Augustin, Paris 1974.

[21] Ders., a.a.O. 43—64.

[22] Siehe z.B. den Beginn der Analyse a.a.O. 50: „Laissons parler saint Augustin lui-même, il suffira de noter l'emploi du mot en question."

läßt sich eher von den Ergebnissen de Veers leiten als von eigener semantischer Arbeit. Im systematischen Teil behandelt er zuerst Grundfragen des religiösen Erkennens (Sehen und Hören Gottes, die Unheilssituation des Menschen) und dann vor allem die Frage nach der Funktion des menschgewordenen Christus, der Bibel und der kirchlichen Verkündigung im aktuellen Offenbarungsgeschehen. Auch hier mangelt es zuweilen an begrifflicher Prägnanz. Dennoch vermag die Studie einen allgemeinen Einblick in die Offenbarungstheologie Augustins zu vermitteln.

d) In einem vierten Abschnitt dieses Forschungsberichts müßten nun noch solche Arbeiten besprochen werden, die zwar nicht ausdrücklich dem Offenbarungsbegriff Augustins gewidmet sind, deren Thematik aber die Offenbarungsproblematik eng berührt und deren Ergebnisse für die vorliegende Untersuchung von großem Nutzen waren. Doch würde dies den hier gesteckten Rahmen sprengen. Sie sollen deshalb im Verlauf der nun beginnenden Untersuchung an Ort und Stelle hervorgehoben werden.

Erster Teil

ERKENNTNIS UND OFFENBARUNG

1. Kapitel

OFFENBARUNG ZWISCHEN
IMAGINATION UND ILLUMINATION
(Erkenntnistheoretische Grundlagen)

§ 1 Drei Arten des Sehens und Offenbarung

1. Das erkenntnistheoretische Thema

Im ersten Kapitel dieser Untersuchung sollen die Grundlagen der theologischen Erkenntnislehre Augustins erarbeitet werden. Interpretationsbasis dafür werden Texte sein, in denen das Wort Offenbarung (revelatio) im Zusammenhang grundlegender erkenntnistheoretischer bzw. erkenntnistheologischer[1] Erörterungen Augustins begegnet; nämlich im Kontext der Frage nach den verschiedenen Arten menschlichen Schauens und den verschiedenen Weisen des Redens Gottes. Man kann erwarten, daß die Art der Einordnung des Wortes in gerade diesen Kontext Wichtiges über die Bedeutung und den Stellenwert der Kategorie ‚Offenbarung' bei Augustinus sagt und zugleich ein Licht wirft auf die offenbarungstheologisch wichtigen Strukturen des augustinischen Denkens im ganzen.

Als Leittext für die Interpretation soll *Contra Adimantum Manichaei discipulum 28,2* dienen, einer der frühesten Texte (394), in denen das Wort Offenbarung von Augustinus gebraucht wird[2]. Damit die zu verhandelnde Thematik von Anfang an in ihren Umrissen sichtbar ist, soll dieser Text hier in seiner ganzen Länge zitiert werden:

„In der Bibel findet man verschiedene *Arten der Vision: Eine,* die den Augen des Körpers zukommt: wie zum Beispiel Abraham die drei Männer unter der Terebinthe sah, Moses das Feuer im Dornbusch und die Jünger auf dem Berg den verklärten Herrn...
Eine *andere* gemäß der Vorstellungskraft, durch welche wir die Dinge, die wir mit dem Körper wahrnehmen, in uns selbst abbilden (imaginamur). Vieles wird nämlich (1) *offenbart* (multa revelantur), wenn dieser Teil unserer Seele von Gott her ergriffen wird; zwar nicht über die Augen des Leibes, die Ohren oder einen anderen körperlichen Sinn, dennoch aber etwas, das den durch diese Sinne vermittelten Dingen ähnlich ist: wie zum Beispiel Petrus jene vom Himmel herabkommende Scheibe mit den verschiedenen Tieren sah. Hierher gehört auch die erwähnte figurative Schau des Isaias...
Die *dritte* Art von Vision aber geschieht durch den Blick des Geistes, durch den die Wahrheit und Weisheit eingesehen und geschaut wird. Ohne dieses Sehen sind die beiden vorher genannten Weisen des Sehens fruchtlos, ja, sie führen sogar in die Irre. Wenn aber das, was den Menschen von Gott her gezeigt wird – ob nun über die körperlichen

---

[1] Für Augustinus ist alle wahre Erkenntnis zugleich religiöse Erkenntis. Erkenntnistheorie ist deshalb immer schon theologische Erkenntnislehre.
[2] Siehe Anm. 6 in § 2 der Einleitung.

Sinne oder in jenem Teil der Seele, der von körperhaften Dingen die Bilder aufnimmt — nicht nur auf diese beiden Weisen wahrgenommen, sondern auch im Geist eingesehen wird, dann geschieht (2) *vollkommene Offenbarung* (perfecta revelatio). Zu dieser dritten Art des Sehens gehört jene, welche ich erwähnt habe im Zusammenhang mit dem Apostelwort: ‚Das Unsichtbare Gottes wird seit Erschaffung der Welt vermittels der Schöpfungsdinge eingesehen und geschaut.' Damit Gott in dieser Schau geschaut wird, werden die Herzen der Menschen gereinigt durch die fromme Gesinnung des Glaubens und durch das Tun der sehr guten Gebote Gottes.

Was nämlich nützte es dem König Balthasar, daß er an der Wand vor seinen Augen eine schreibende Hand gewahrte? Weil er diesem Sehen nicht die Sehkraft des Geistes folgen lassen konnte, suchte er noch immer zu sehen, was er gesehen hatte. Daniel aber, mit einem solchen aufhellenden Sehlicht begabt, vermöge dessen Dinge dieser Art eingesehen werden können, schaute im Geiste, was jener nur körperhaft gesehen hatte. Weiter hatte der König Nabuchodonosor aus dem Seelenteil, der von den Körpern die Bilder aufnimmt, ein Traumgesicht. Weil aber das Auge seines Geistes unfähig war, was er gesehen hatte, besser zu sehen, das heißt einzusehen, deshalb suchte er für die Deutung seines Traumbildes die Sehkraft eines anderen, nämlich desselben Daniel... Dem Daniel aber (3) *offenbarte* der heilige Geist (revelante sancto Spiritu), so daß er sowohl vermittels des imaginativen Teils seiner Seele sah, was jener im Traum gesehen hatte, und zugleich im Geist schaute, was es bedeutete. Denn derjenige ist kein Prophet des wahren und höchsten Gottes, der die von Gott her dargebotenen Gesichte entweder nur vermittels des Körpers oder auch vermittels des Teils der Seele sieht, der von den Körpern die Bilder aufnimmt, aber nicht vermittels des Geistes... Auf jene ersten beiden Arten des Sehens beziehen sich *die figürlichen Veranschaulichungen* (figuratae demonstrationes). Auf das Sehen des Geistes aber, das heißt der Einsicht, bezieht sich (4) *die einfache und eigentliche Offenbarung der innen geschauten und mit Gewißheit gewußten Sachen* (revelatio rerum intellectarum atque certarum)."[3]

---

[3] C. Adim. 28,2: Nam multa genera visionis in Scripturis sanctis inveniuntur. Unum secundum oculos corporis: sicut vidit Abraham tres viros sub illice Mambre, et Moyses ignem in rubo, et discipuli transfiguratum Dominum in monte... Alterum secundum spiritum quo imaginamur ea quae per corpus sentimus; nam et ipsa pars nostra cum divinitus assumitur, multa ei revelantur, non per oculos corporis aut aures aliumve sensum carnalem, sed tamen his similia: sicut vidit Petrus discum illum submitti e coelo cum variis animalibus. Ex hoc genere est etiam istud Isaiae (scl. ‚vidi Dominum sedentem in sede altissima')... Tertium autem genus visionis est secundum mentis intuitum, quo intellecta conspicitur veritas atque sapientia: sine quo genere illa duo quae prius posui, vel infructuosa sunt vel etiam in errorem mittunt. Cum enim ea, quae sive corpóreis sensibus, sive illi parti animae quae corporalium rerum imagines capit, divinitus demonstrantur, non solum sentiuntur his modis, sed etiam mente intelliguntur, tunc est perfecta revelatio. Ex hoc tertio genere est illa visio, quam commemoravi dicente Apostolo: ‚Invisibilia enim Dei a constitutione mundi per ea, quae facta sunt, intellecta conspiciuntur. Hac visione ut videatur Deus, per pietatem fidei et per actionem Dei morum optimorum corda mundantur. Quid enim profuit Balthasari regi, quod manum scribentem ante oculos suos in pariete conspexit? Cui visioni quia non potuit adiungere mentis aspectum, quaerebat adhuc videre quod viderat. Tali autem acie luminis, qua ista intelliguntur, Daniel praeditus, mente vidit, quod ille viderat corpore. Rursuṣ illa parte animi, quae imagines corporum capit, vidit somnium Nabuchodonosor rex. Et quoniam non habebat idoneum oculum mentis ad meliud videndum, quod viderat, id est ad intelligendum quod viderat, ideo ad interpretandum visum suum aspectum quaesivit alienum, eiusdum scilicet Danielis... Daniel autem revelante sancto Spiritu, et

2. Die erkenntnistheoretische Struktur

Der zitierte Text ist in seiner Struktur orientiert an der Struktur der augustinischen Erkenntnislehre ganz allgemein, das heißt, an Augustins Einteilung des menschlichen Erkennens in drei verschiedene Stufen: die *visio corporalis* (körperhafte Schau), die *visio spiritualis* (bildhafte, vorstellungsmäßige Schau) und die *visio intellectualis* (einsichthafte Schau). Augustins Offenbarungsverständnis korrespondiert offensichtlich seiner Erkenntnislehre. Diese soll deshalb im folgenden in angemessener Ausführlichkeit dargestellt werden, freilich immer im Blick auf die Offenbarungsproblematik. Grundlage dafür bildet vor allem das zwölfte Buch von *De genesi ad litteram* (414), in welchem sich Augustinus ausführlich mit revelatorischen Phänomenen befaßt und diese erkenntnistheoretisch analysiert und systematisiert[4]. Die Verknüpfung des Textes aus Contra Adimantum mit diesem 18 Jahre später verfaßten Buch ist dabei problemlos möglich, weil, wie leicht zu sehen sein wird, das erkenntnistheoretische und offenbarungstheologische Konzept Augustins auch über diese zeitliche Distanz hinweg unverändert blieb.

Zwei Texte aus *De genesi ad litteram,* die die Strukturen der augustinischen Erkenntnistheorie in prägnanter Form zum Ausdruck bringen, sollen als Ausgangspunkt für die weitere Untersuchung vorweg zitiert werden. Im ersten Text geht es Augustinus um die terminologische Unterscheidung der verschiedenen Schauweisen, im zweiten um deren innere Zuordnung und Rangordnung:

„Dies also sind die drei Schauweisen...: Die erste nennen wir die *körperhafte* (corporale), da sie durch den Körper geschieht und den Sinnen des Körpers dabei etwas vernehmbar gemacht wird. Die zweite *„geisthaft"* (spirituale = bildhaft, vorstellungsmäßig); denn alles, was nicht körperlich ist und doch etwas ist, kann mit Recht geisthaft (= seelisch) genannt werden. Und gewiß ist das Abbild eines abwesenden Körpers nicht Körper, obwohl es einem Körper ähnlich ist; und auch das Schauen selbst, in dem es wahrgenommen wird, geschieht nicht körperlich. Die dritte Schauweise aber nennen wir die *einsichthafte* (intellectuale), da sie von der denkenden Einsicht vollzogen wird."[5]

---

quid ille vidisset in somnis ea parte vidit qua corporum capiuntur imagines, et quid significaret mente conspexit. Non est autem propheta Dei veri et summi, qui oblata divinitus visa vel solo corpore vel etiam illa parte spiritus videt qua corporum capiuntur imagines, et mente non videt... Ad duo enim genera illa visionis pertinent figuratae demonstrationes; ad mentis autem, id est intelligentiae visionem simplex et propria pertinet revelatio rerum intellectarum atque certarum.

4   Siehe dazu M. Korger, Grundprobleme der augustinischen Erkenntnislehre. Erläutert am Beispiel von De genesi ad litteram XII, in: Recherches augustiniennes 2 (1962) 33—57. Vgl. auch Übersetzung und Einleitung des 12. Buches durch den gleichen Verfasser: Aurelius Augustinus, Psychologie und Mystik. De Genesi ad Litteram 12, Übers. und Einl. gemeinsam M.E. Korger und H. Urs von Balthasar, Einsiedeln 1960.

5   De gen. ad litt. 12,7,16: Haec sunt tria genera visionum... Primum ergo appellamus

Die verschiedenen Schauweisen „haben ihre Rangordnung, worin die eine vorzüglicher ist als die andere. Die bildhafte Schau (visio spiritualis) steht nämlich höher als die körperhafte (corporalis) und die einsichthafte (intellectualis) wiederum höher als die bildhafte. Denn die körperhafte kann ohne die bildhafte gar nicht sein. Im gleichen Augenblick nämlich, da ein körperlicher Gegenstand von einem Sinn des Körpers berührt wird, erscheint auch in der Seele etwas dergleichen; zwar keineswegs dasselbe, aber doch etwas Entsprechendes. Wäre dies nicht der Fall, dann gäbe es auch jenen Sinn nicht, durch den das, was von außen herkommt, wahrgenommen wird. Denn nicht der Körper nimmt wahr, sondern die Seele durch den Körper, den sie wie einen Boten benutzt, um das, was ihr von außen gemeldet wird, in sich selbst zu bilden. Daher kann keine körperhafte Schau sich ereignen, wenn nicht zugleich die bildhafte geschieht. Doch werden beide nicht unterschieden, außer wenn dem Körper die sinnliche Wahrnehmung entzogen ist, so daß das vorher mit den Sinnen Wahrgenommene im „Geist" (spiritus = sinnliches Gedächtnis) gefunden wird. Die bildhafte Schau aber kann auch ohne die körperhafte auskommen, da die Bilder abwesender Körper im „Geist" (spiritus) bereitstehen. Viele Bilder können dort auch nach eigenem Belieben erdacht werden oder ohne Zutun des eigenen Willens sich einstellen.

Desgleichen braucht auch die bildhafte Schau die einsichthafte, um beurteilt zu werden, während die einsichthafte der untergeordneten bildhaften nicht bedarf. Somit ist die körperhafte der bildhaften unterworfen, beide aber der Einsicht."[6]

Für die Offenbarungsproblematik Augustins ist, wie sich zeigen wird, ausschließlich die visio spiritualis und die visio intellectualis von Bedeutung. Die beiden folgenden Paragraphen sind deshalb vor allem diesen beiden Schauweisen und den offenbarungstheologisch relevanten Formen ihrer Vermittlung gewidmet. In zwei weiteren Paragraphen dieses Kapitels werden dann innerhalb des erarbeiteten Horizontes solche Texte Augustins interpretiert, die das Wort ‚Offenbarung' enthalten. Zunächst ist jedoch noch eine kurze Bemerkung zur Terminologie Augustins angebracht.

---

corporale, quia per corpus percipitur et corporis sensibus exhibetur. Secundum spirituale: quidquid enim corpus non est et tamen aliquid est, jam recte spiritus dicitur; et utique non est corpus, quamvis corpori similis sit, imago absentis corporis, nec ille ipse obtutus quo cernitur. Tertium vero intellectuale, ab intellectu...

6   De gen. ad litt. 12,24,51: Praestantior est enim visio spiritualis quam corporalis, et rursus praestantior intellectualis quam spiritualis. Corporalis enim sine spirituali esse non potest; quandoquidem momento eodem quo corpus sensu corporis tangitur, fit etiam in animo tale aliquid, non quod hoc sit, sed quod simile sit; quod si non fieret nec sensus ille esset, quo ea, quae extrinsecus adiacent, sentiuntur. Neque enim corpus sentit, sed anima per corpus, quo velut nuntio utitur ad formandum in seipsa quod extrinsecus nuntiatur. Non potest itaque fieri visio corporalis, nisi etiam spiritualis simul fiat; sed non discernitur, nisi cum fuerit sensus ablatus a corpore, ut id, quod per corpus videbatur, inveniatur in spiritu. At vero spiritualis visio etiam sine corporali fieri potest, cum absentium corporum similitudines in spiritu apparent, et finguntur multae pro arbitrio, vel praeter arbitrium demonstrantur. Item spiritualis visio indiget intellectuali ut diiudicetur, intellectualis autem ista spirituali inferiore non indiget; ac per hoc spirituali corporalis, intellectuali autem utraque subiecta sunt.

3. Zur Terminologie

Daß Augustinus die Termini ,corporalis' und ,intellectualis' zur Bezeichnung von sinnlicher Wahrnehmung und geistiger Einsicht verwendet, ist einigermaßen plausibel. Der Gebrauch des Wortes ,spiritus, spiritualis' für die zweite Schauweise jedoch überrascht. Denn das Wort hat hier nicht seine ursprüngliche Bedeutung von ,Geist'. Zwar versteht Augustinus unter ,spiritus' *auch* das Vernunftvermögen des Menschen, die ,mens rationalis et intellectualis', oder die menschliche Seele insgesamt[7]. Im Zusammenhang der drei Visionen aber meint ,spiritus' ungefähr das, was wir sinnliches Gedächtnis, Vorstellungsvermögen oder Einbildungskraft nennen. Augustinus hebt hervor, daß die geschauten Bilder zwar schon dem Bereich des Geistig-Seelischen angehören. Und er legt großen Wert auf die Feststellung, daß sie wie die Seele selbst immateriell seien, da sie sonst nicht in solchem Umfang in ihr imaginiert werden könnten[8]. Aber diese Bilder sind doch zugleich nichts anderes als Zeichen, deren vernünftige Bedeutung erst noch eingesehen werden muß[9]. Die visio spiritualis ist also nur imaginatives Sehen, nicht aber schon die Einsicht des Geistes.

Wie kommt Augustinus zu dieser Ausdrucksweise? In *De genesi ad litteram* versucht Augustinus, den Wortgebrauch biblisch zu begründen[10]. Er beruft sich dabei auf 1 Kor 14,14f, wo ,spiritus' und ,mens' einander gegenübergestellt sind und ,spiritus' folglich nach Augustins Meinung diese vom verstehenden Geist (mens) zu unterscheidende Einbildungskraft meint. Doch wird diese Ableitung dem paulinischen Text nicht gerecht. Vor allem wirkt sie wie eine Verlegenheitslösung. In Wahrheit ist Augustins Terminologie, wie das Konzept der drei Visionen insgesamt, neuplatonischen Ursprungs und entstammt der Pneuma-Spekulation des Porphyrius. Dies haben die Arbeiten

---

[7] Siehe De fide et symb. 10,23: Et quoniam tria sunt quibus homo constat, *spiritus*, anima et corpus, quae rursus duo dicuntur, quia saepe anima simul cum spiritu nominatur; pars enim quaedam eiusdem rationalis, qua carent bestiae, spiritus dicitur, principale nostrum spiritus dicitur; deinde vita qua coniungimur corpori, anima dicitur; postremo ipsum corpus, quoniam visibile est, ultimum nostrum est.

[8] De quant. anim. 5,9: Cur ergo cum tam parvo spatio sit anima quam corpus eius, tam magnae in ea possunt exprimi imagines ut et urbes et latitudo terrarum, et quaeque alia ingentia apud se possit imaginari?

[9] De gen. ad litt. 12,9,20: ... ut et videat in spiritu corporalium rerum significativas similitudines.

[10] De gen. ad litt. 12,8,19: ... quo *spiritus* a *mente* distinguitur evidentissimo testimonio. ,Si enim oravero, inquit, lingua, spiritus meus orat, mens autem mea infructuosa est...' Satis indicat eam se linguam hoc loco appellare, ubi sunt significationes velut imagines rerum ac similitudines, quae ut intelligantur, indigent mentis obtutu. Cum autem non intelliguntur, in *spiritu* eas dicit esse, non in *mente*.

von J.R. Taylor[11] und G. Verbeke[12] überzeugend dargelegt[13]. In *De civitate Dei* wird diese Abhängigkeit von Augustinus selbst bezeugt[14].

Indes besteht zwischen der porphyrischen und der augustinischen Verwendung von ‚spiritus' ein beachtlicher Unterschied. Während nämlich Porphyrius selbst das ‚pneuma' in einem materialistischen Sinne verstanden hatte, gehört für Augustinus ‚spiritus' eindeutig dem Bereich des Geistig-Seelischen an und ist immateriell[15]. Augustinus mußte also das Konzept des Porphyrius erheblich modifizieren. In diesem Tatbestand wird man die Ursache für Augustins nur zögerndes Bekenntnis zu seiner Quelle sehen müssen: So hat Martine Dulaey in ihrer interessanten Arbeit über den Traum im Leben und im Denken Augustins[16] gezeigt, daß Augustinus zwar schon sehr früh die porphyrische Psychologie gekannt haben muß, da sich schon seit 387 Spuren davon in seinen Schriften finden[17]; daß er aber, vermutlich weil er diese Psychologie inhaltlich modifizieren mußte, seine Abhängigkeit zunächst nicht artikuliert und sogar die Termini ‚spiritus, spiritualis' meidet: In dem oben zitierten Text *Contra Adimantum 28,2*, wo die Transposition des porphyrischen Schemas in Augustins eigenes Denken vollzogen ist, fehlt das Wort (nach der Textausgabe der Mauriner)[18]; Augustinus spricht vorwiegend umschreibend von ‚dem Seelenteil[19], der von den Körpern die Bilder aufnimmt'. Nur zuvor in 28,1 heißt es, Isaias habe Gott ‚spiritualiter' geschaut. In der 396 entstandenen Schrift *De diversis quaestionibus ad Simpli-*

---

[11] J.H. Taylor, The meaning of Spiritus in De genesi ad litteram 12, in: The modern Schoolman 26 (1949) 211—218.

[12] G. Verbeke, L'évolution de la doctrine du Pneuma du Stoicisme à St. Augustin, Louvain 1945.

[13] Vgl. auch P. Courcelle, Les lettres grecques en Occident: de Macrobe à Cassiodore, Paris 1948. 164ff weist Courcelle nach, daß Augustinus ‚De regressu animae' von Porphyrius in der Übersetzung des Marius Victorinus gekannt hat.

[14] De civ. Dei 10,9,2: ... utilem (scl. theurgiam) dicit (scl. Porphyrius) esse mundandae parti animae, non quidem *intellectuali* qua rerum intelligibilium percipitur veritas, nullas habentium similitudines corporum, sed *spirituali*, qua corporalium rerum capiuntur imagines.

[15] G. Verbeke, a.a.O. 504: „... il en résulte que le spiritus d'Augustin, tout en étant subordonné à l'intelligence, fait cependant partie de l'âme immatérielle, tandis que le caractère matériel de l'enveloppe pneumatique des néoplatoniciens est incontestable."

[16] M. Dulaey, Le rêve dans la vie et la pensée de saint Augustin, Paris 1973; zu dem hier Folgenden siehe S. 77f und 82ff.

[17] Siehe De quant. anim. 5,9; Epist. 7,4.

[18] Die Textkorrektur im CSEL 25,1: Alterum (scl. genus visionis) *secundum spiritum quo imaginamur* ea quae per corpus sentimus...; gegenüber der Marinerausgabe: ... *secundum quod imaginamur...*; ist problematisch. Denn die etwas holprige Ausdrucksweise im Text der Mauriner scheint durchaus dem Versuch Augustins zu entsprechen, der porphyrischen Terminologie auszuweichen.

[19] Der Ausdruck ‚pars animae' ist im übertragenen Sinne zu verstehen; er bezeichnet nicht Seelenteile, sondern Seelenvermögen. Siehe R. Holte, a.a.O. 244.

cianum[29] gebraucht Augustinus zwar den Terminus ‚spiritus‘, aber noch nicht die ganze porphyrische Terminologie ‚visio spiritualis‘ und ‚visio intellectualis‘. Diese taucht in aller Deutlichkeit erst 414 im 12. Buch von *De genesi ad litteram* auf. Aber auch hier bezieht sich Augustinus noch nicht auf Porphyrius, sondern stützt seine Terminologie auf 1 Kor 14,14f. Erst nachdem es ihm gelungen ist, sich biblisch abzusichern, so daß das porphyrische Schema in gewandelter Form zu seinem ureigenem geworden ist, kann er schließlich im 10. Buch von *De civitate Dei* seine eigentliche Quelle nennen, ohne Gefahr zu laufen, sein Seelenbegriff könnte mit dem spiritualistischen Materialismus des Porphyrius verwechselt werden.

§ 2   Imaginationen

1. Sinnliche Wahrnehmung, sinnliches Gedächtnis und schöpferische Imagination

a) Innerhalb der Hierarchie der drei augustinischen Visionen hat die visio corporalis keine Eigenständigkeit. Denn für sich allein ist sie noch nicht sinnliche Wahrnehmung, sondern nur Anstoß dazu. Sie ist der Sinneseindruck, der ‚sensus formatus‘, den erst die menschliche Seele zu einer Wahrnehmung macht, indem sie das von außen den Sinnen Dargebotene in schöpferischer Aktivität in sich abbildet[1].

Ohne die visio spiritualis kommt also die visio corporalis gar nicht zur Wahrnehmung. Denn nicht der Körper nimmt wahr, sondern die Seele durch den Körper: Im gleichen Augenblick, da der Körper einen Sinneseindruck erleidet, bildet die Seele in sich selbst aktiv das Bild dessen, was von außen her auf den Sinn einwirkt. Und nur dadurch geschieht sinnliche Wahrnehmung. Die Seele benutzt den Körper als einen ‚Boten‘, um dann selbst in sich bildhaft hervorzubringen, was von draußen gemeldet wird. Obwohl diese Imagination im Innern der Seele also anläßlich der visio corporalis geschieht, ist sie doch nicht von ihr bewirkt[2]. Die augustinische Erkenntnisbewegung geht nicht von außen nach innen, sondern umgekehrt von innen nach außen. Sie

---

[20] De divers quaest. ad Simpl. 2,1,1. Der Text wird zitiert und ausführlich besprochen in § 6,1 des 1. Teiles dieser Arbeit.

[1] De trin. 11,2,5: ... tria haec quamvis diversa: ... species corporis quae videtur, et imago eius impressa sensui quod est visio *sensusve formatus*, et voluntas animi quae rei sensibili sensum admovet.

[2] Vgl. De gen. ad litt. 12,16,33: Quamvis ergo prius videamus aliquod corpus, quod antea non videramus, atque inde incipiat imago eius esse in spiritu nostro, quo illud cum absens fuerit recordemur: tamen eamdem eius imaginem non corpus in spiritu, sed ipse spiritus in seipso facit celeritate mirabili, quae ineffabiliter longe est a corporis tarditate; cuius imago mox ut oculis visum fuerit, in spiritu videntis nullius puncti temporalis interpositione formatur.

ist gekennzeichnet durch eine intentionale Aktivität der Seele[3]: Die Seele ist aufmerksam darauf gerichtet, was der Körper von außen erleidet. Nur durch diese Aktivität der Seele wird das Erleiden des Körpers überhaupt erst als visio corporalis ermöglicht. Und diese intentionale Aktivität der Seele bringt, insofern sie der Seele selbst nicht verborgen bleibt, die visio spiritualis hervor[4].

Die genaue Relation zwischen Seelischem und Körperlichem, Innerem und Äußerem im erkenntnistheoretischen Konzept Augustins ist dabei letztlich unbestimmbar. Ein exakter Berührungspunkt der beiden Seinsbereiche läßt sich nicht angeben[5]. Denn wie soll man sich das Zusammenspiel von intentionaler Aktivität der Seele und dem Sinneseindruck denken? Worin sollte der Bote-Charakter des Sinnes genau bestehen, wenn doch für Augustinus der Syllogismus gilt, daß die Seele eine ontologisch andere und größere Qualität hat als alles Körperhafte; daß das, was aktiv ist, vorzüglicher ist als das, was etwas erleidet; und daß deshalb die Seele nicht von etwas Körperhaftem beeindruckt und informiert werden kann, sondern selbst das allein schöpferisch Agierende sein muß[6]? Diese in der intentionalen Aktivität zum Ausdruck kommende dominierende Rolle der Seele im Prozeß der sinnlichen

---

3 Vgl. J. Rohmer, L'intentionalité des sensations, in: Augustinus Magister I, Paris 1954, 491–498.

4 De mus. 6,5,10: Videtur mihi anima cum sentit in corpore, non ab ille aliquid pati, sed in eius passionibus *attentius* agere, et has actiones ... non eam latere... Sed iste sensus, qui etiam cum nihil sentimus, inest tamen, instrumentum est corporis, quod ea temperatione agitur ab anima, ut in eo sit ad passiones corporis cum *attentione* agendas paratior. Vgl. De gen. ad litt. 12,20,42: ... intercluso *itinere intentionis* a cerebro, qua dirigitur sentiendi modus ... ad corporalia *vim suae intentionis dirigere...*; 12,23,44: vias quibus animae, ut per carnem sentiret, *exserebatur ac niteretur intentio.*

5 Zu dem hier in Frage stehenden ontologischen Problem der augustinischen Sinneserkenntnis und der Kontinuität zwischen foris und intus siehe F. Körner, Abstraktion oder Illumination. Das ontologische Problem der augustinischen Sinneserkenntnis, in: Recherches augustiniennes 2, 1962, 81–109. Nach Körner besteht für Augustinus die kritische Frage darin, „wie zwischen der ihm selbstverständlich vorgegebenen Körperwelt da draußen und der auf einer ganz anderen Seinsebene stehenden Geistigkeit da innen angesichts ihrer Verschiedenheit überhaupt eine ... Relation zustande kommen" (87) kann. Obwohl Augustinus über die „ontologische Mittelstellung" des Sinnes, der „Glied eines räumlich ausgedehnten Körpers" ist und zugleich „Instrument der mit dem Körper vermischten Seele" (vgl. De mus. 6,5,10), zu einer Lösung komme, bekenne er in De civ. Dei 21,10,1: Modus, quo corporibus adhaeret spiritus..., omnino mirus est, nec comprehendi ab homine potest (93). J. Hessen, Augustins Metaphysik der Erkenntnis, Leiden ²1960, 42f, weist in diesem Zusammenhang auf den platonischen Dualismus in Augustins Anthropologie (Leib — Seele) und Kosmologie (mundus sensibilis — mundus intelligibilis), der eine Kontinuität verunmöglicht.

6 De gen. ad litt. 12,16,33: Nec sane putandum est facere aliquid corpus in spiritu, tanquam spiritus corpori facienti, materiae vice subdatur. Omni enim modo praestantius est, qui facit, ea re, de qua aliquid facit; neque ullo modo spiritu praestantius est corpus; imo perspicuo modo spiritus corpore.

Wahrnehmung ist aber Augustins eigentliches Anliegen, hinter dem die Frage nach dem Berührungspunkt der beiden Seinsbereiche im Menschen zurücktritt.

b) Die Dominanz der Seele, begründet in ihrer seinsmäßigen Überlegenheit über das Körperhafte, hat zur Folge, daß auch die in der Seele geschauten Bilder eine ontologisch andere und größere Qualität haben als die abgebildeten Körper in ihrem Sein selbst[7]; und weiter, daß zwar die visio corporalis nicht ohne die visio spiritualis sein kann, wohl aber umgekehrt die visio spiritualis ohne die visio corporalis.

Denn die intentionale Aktivität der Seele, die normalerweise über die Sinne den äußeren Dingen zugewandt ist und diese dabei in sich imaginiert und im Gedächtnis bewahrt[8], kann sich auch von diesen Sinnen abkehren und direkt den Bildern der Seele in den „weiten Hallen des Gedächtnisses"[9] zuwenden. Diese von der visio corporalis losgelöste Schau ist für Augustinus visio spiritualis im engeren und eigentlichen Sinn, der gegenüber er dann in einem weiteren Sprachgebrauch überall dort, wo körperliches und seelisches Sehen noch zusammenfallen, von visio corporalis sprechen kann[10]. Dieser bildhaften Schauweise im engeren Sinn gilt Augustins besondere Aufmerksamkeit. Er unterteilt sie in solche Visionen, die der Mensch willentlich hervorbringt, und solche, die sich ohne Zutun seines Wollens in seiner Seele zeigen[11]. Die willentlich hervorgebrachten Visionen wiederum gliedert er in zwei, ihrem Objekt nach unterschiedene geistige Akte: nämlich die *reproduzierende Imagination,* in welcher die Seele Bilder von ihr bekannten Dingen aus der Erinnerung ruft und so in sich aufscheinen läßt; und die *schöpferische Imagination,* in welcher die Seele Dinge, die sie aus Erfahrung nicht

---

[7] De gen. ad litt. 12, 16, 33: Hic existit quiddam mirabile, ut cum prior sit corpore spiritus, et posterior corporis imago quam corpus, tamen quia illud, quod tempore posterius est, fit in eo, quod natura prius est, praestantior sit imago corporis in spiritu, quam ipsum corpus in substantia sua.

[8] De gen. ad litt. 12,23,49: Certum est esse spiritualem quamdam naturam in nobis, ubi corporalium rerum formantur similitudiens: sive cum aliquod corpus sensu corporis tangimus, et continuo formatur eius similitudo in spiritu memoriaque reconditur, sive... — Es folgt eine sehr ausführliche Aufzählung der verschiedenen Arten der visio spiritualis.

[9] Conf. 10,8,12: ... lata praetoria memoriae; vgl. Conf. 10,8,14: ... in aula ingenti memoriae meae. Vgl. zur Frage des sinnlichen Gedächtnisses das ganze 8. Kapitel des 10. Buches der Confessiones; siehe dazu auch W.G. Schmidt-Dengler, Die ,aula memoriae' in den Konfessionen des heiligen Augustin, in: REA 14 (1968) 68—89.

[10] Siehe z.B. De gen. ad litt. 12,11,22: Cum enim legitur: ,Diliges proximum tuum tanquam teipsum', corporaliter litterae videntur, spiritualiter proximus cogitatur, intellectualiter dilectio conspicitur. Vgl. auch De gen. ad litt. 12,25,52; 12,12,25.

[11] Auf die verschiedenen Weisen der visio spiritualis bezogen sagt Augustinus in Epist. 162,5: Haec volentes agimus, illa praeter arbitrium patiamur. Siehe dazu auch M. Dulaey, a.a.O. 97.

kennt, die aber gleichwohl Wirklichkeit sind, in ihrer Phantasie sich vorstellt oder nach Belieben und Gutdünken irgendwelche Bilder in sich gestaltet und erfindet[12]. Dabei ist auch die schöpferische Imagination von den
Bildern des sinnlichen Gedächtnisses abhängig, da ihr diese als Ausgangsma-
terial ihrer Phantasie dienen[13]. In der zweiten Gruppe der Visionen unterscheidet Augustinus in prozeduraler Hinsicht drei Weisen des Zustandekom-
mens: den *Instinkt,* wenn bei wachem und geistesgegenwärtigem Zustand
der Seele irgendwelche Bilder auf einen verborgenen Antrieb (instinctus) hin
plötzlich einfallen; die *Ekstase,* in welcher, anders als beim Instinkt, die intentionale Aktivität der Seele gänzlich von den Sinnen des Körpers abgekehrt ist; und den *Traum* im Schlaf[14].

2. Mögliche Offenbarungen durch Instinkt, Traum und Ekstase

Auf diese zweite Gruppe innerhalb der verschiedenen Weisen der bildhaften
Schau zielt nun Augustins eigentliches Interesse. Denn die in ihr genannten,

---

[12] Siehe dazu M. Dulaey, a.a.O. 98ff (L'imagination réproductrice) und 107ff
(L'imagination créatrice). Die Verfasserin handelt darüber zwar vor allem im Hinblick
auf die besondere bildhafte Schau im Traum, doch haben ihre Ergebnisse allgemeine
Gültigkeit. − Augustinus macht diese Unterscheidung z.B. in De gen. ad litt. 12,12,25:
Sed cum vigilantes, nec a sensibus corporis alienata, in visione corporale sumus, discer-
nimus ab ea visione spiritualem, qua corpora absentia imaginaliter cogitamus, *sive* memoriter recordantes quae novimus, *sive* quae non novimus et tamen sunt, in ipsa spiritus cogitatione utcumque formantes, *sive* quae omnino nusquam sunt, pro arbitrio vel
opinatione fingentes. Vgl. De gen. ad litt. 12,23,49: ... *sive* cum absentia corpora iam
nota cogitamus ... *sive* cum alia quae vel non sunt vel esse nesciuntur, pro arbitrio vel
opinatione cogitamus.
[13] Vgl. Epist. 162,5: ... non solum ea quae absunt a sensibus corporis et in nostra reperiuntur memoria, vel quae nos ipsi ut libitum est, facimus, disponimus, *augemus,*
minuimus, situ, habitu, motu, innumerabilibus qualitatibus formisque *variamus.* −
Conf. 10,8,12: ... lata praetoria memoriae, ubi sunt thesauri innumerabilium imaginum de cuiuscemodi rebus sensis invectarum. Ibi reconditum est, quidquid etiam cogitamus, vel *augendo,* vel *minuendo* vel utcumque *variando* ea quae sensus attigerit. − In
De mus. 6,11,32 bezeichnet Augustinus die ,augendo, minuendo, variando' von Erfah-
rungsbildern zustandegekommenen Bilder der schöpferischen Imagination als ,tanquam
imaginum imagines, quae phantasmata dici placuit'.
[14] De gen. ad litt. 12,12,26: ... quae videntur ... sive *dormientibus* exhibentur, sive
vigilantibus..., sive illa quae dicitur *ecstasis,* alienato prorsus animo a sensibus corporis... − De gen. ad litt. 12,22,45: ... sive *dormienti,* sive *aliquid aliud* ex corpore, ut a
carnis sensibus alienaretur, patienti. *Vigilantibus* etiam nec ullo morbo afflictis nec
furore exagitatis, occulto quodam instinctu ingestas esse cogitationes quas promendo
divinarent... Vgl. auch die lange Liste der verschiedenen Weisen und Ursachen bildhafter Schau in De gen. ad litt. 12,23,49. − Daß Augustinus das Wort ,ecstasis' im technischen Sinne von Ekstase gebraucht, nicht in einer allgemeineren Bedeutung von Be-
wußtlosigkeit, hat Christine Mohrmann, Die altchristliche Sondersprache in den Sermones des hl. Augustinus, Nijmegen 1932 (Neudruck mit Nachtrag 1965), 177f, gezeigt. −
Das Wort ,instinctus' wird im folgenden immer unübersetzt mit ,Instinkt' wiedergege-
ben, um begriffsgeschichtliche Vergleiche zu erleichtern (s.u.).

dem Willen des Menschen nicht unterworfenen Formen der Vermittlung *können* Medien für göttliche Offenbarungen sein.

a) Selten spricht Augustinus dabei von ,Instinkt'. Offensichtlich bringt er dem Wort wenig Sympathie entgegen[15]. Obwohl er damit die ihm wichtige Vorstellung, daß Gott auf verborgene Weise im Menschen wirkt, treffend hätte zum Ausdruck bringen können, sind es bei ihm doch immer nur zweifelhafte, gottlose Gestalten, die von einem okkulten Instinkt gedrängt werden; zum Beispiel der Hohepriester Caiphas, der Pelagianer Julian oder heidnische Horoskopsteller:

In De Trinitate sagt Augustinus: „Vieles wird auch geweissagt auf irgendeinen *Instinkt* hin, wenn der imaginierende Geist ohne Wissen der Betroffenen dazu angetrieben wird: so wie Caiphas nicht wußte, was er sagte, aber ... doch weissagte."[16]
In De genesi ad litteram heißt es ähnlich: „Wir wissen, daß auch Wachenden ... durch irgendeinen verborgenen *Instinkt* Gedanken eingegeben werden, die sie als Weissagung hervorbringen sollen...: so wie der Hohepriester Caiphas weissagte, obwohl es gar nicht seine Absicht war zu weissagen."[17]
In De nuptiis et concupiscentia, wo Augustinus sich mit einer Schrift des Pelagianers Julian auseinandersetzt, erklärt er zu einem bestimmten Satz Julians: „Durch einen verborgenen *Instinkt* Gottes angetrieben sagt er hier etwas, womit er diesen ganzen Streitfall durch sein eigenes Bekenntnis auflöst."[18]
Und wiederum im Genesiskommentar heißt es: „Wenn die Horoskopsteller manchmal Wahres sagen, dann sagen sie es auf irgendeinen überaus verborgenen *Instinkt* hin, den der menschliche Geist ohne Wissen erleiden kann."[19]

Am Beispiel der Horoskopsteller macht Augustinus zugleich deutlich, daß der Instinkt durchaus nicht immer göttlichen Ursprungs ist, sondern auch ein dämonischer Instinkt sein kann, von trügerischen Geistern zur Verführung der Menschen eingegeben[20]. Augustinus bezeichnet mit dem Wort also

---

[15] Vgl. M. Seckler, Instinkt und Glaubenswille bei Thomas von Aquin, Mainz 1961, 13 und 39f. Eine Begriffsgeschichte des Wortes findet sich 32—50. — Es scheint, daß Augustinus einige der Sachverhalte, die Thomas durch Rekurs auf einen göttlichen Instinkt deutet, mit Hilfe der für ihn eindeutigeren Kategorie ,revelatio' expliziert: Außergewöhnliche Taten von alten Gerechten und Heiligen (Seckler 58f und in dieser Arbeit § 8 und 9,1 des 1. Teiles); inneres Movens zum Glauben hin (Seckler 94 und § 10,2 des 1. Teiles); rechte Gottesverehrung der alten Gerechten (Seckler 224 und § 8 des 2. Teiles).
[16] De Trin. 4,17,22: Multa etiam praedicuntur instinctu quodam et impulso spiritu nescientium; sicut Caiphas nescivit quid dixit, sed cum esset pontifex prophetavit.
[17] De gen. ad litt. 12,22,45: Vigilantibus etiam ... occulto quodam instinctu ingestas esse cogitationes quas promendo divinarent, ... sicut Caiphas pontifex prophetavit, cum eius intentio non haberet voluntatem prophetandi, ... novimus.
[18] De nupt. et concup. 2,33,55: Hinc iste (scl. Iulianus) pergit...: et occulto Dei compulsus instinctu dicit aliquid, ubi totum istum nodum sua confessione dissolvit.
[19] De gen. ad litt. 2,17,37: Ideoque fatendum est, quando ab istis vera dicuntur, instinctu quodam occultissimo dici, quem nescientes humanae mentes patiuntur.
[20] Ebd.: Quod cum ad decipiendos homines fit spirituum seductorum operatio est. —

kein theosoterisches Geschehen, und zwar auch dort nicht, wo er ausdrücklich von einem göttlichen Instinkt spricht. Er erklärt mit dem Wort allenfalls, wie auch Gottlose Werkzeuge der Vorsehung Gottes sein können.

b) Ganz anders ist das bei Traum und Ekstase. Sie nennt Augustinus unvergleichlich häufiger bei entsprechenden Überlegungen über die Vermittlung signifikativer bildhafter Schau. Und sie stellen auch, wie sich später noch zeigen wird, die eigentlichen Medien *solcher* göttlicher Eingebungen dar, die Augustinus mit der Kategorie ‚revelatio' bezeichnet und die, so qualifiziert, auf jeden Fall ein theosoterisches Geschehen bezeichnen. Freilich sind für Augustinus auch Traum und Ekstase durchaus ambivalente Phänomene. Sie *können* Offenbarungscharakter haben, müssen es aber nicht.

In De genesi ad litteram sagt Augustinus dazu: „Wenn die Seele in der bildhaften Schau ganz von den Sinnen des Leibes abgekehrt und allein mit den Bildern von Körpern beschäftigt ist, sei es im *Traum* oder in der *Ekstase,* und wenn dabei das, was sie sieht, nichts bedeutet, dann handelt es sich um *Imaginationen der Seele* selbst."[21]
In De anima et eius origine sagt er von den spirituellen Bildern: „Von dieser Art sind auch die Bilder, welche *von Gott her* gezeigt werden, sei es im *Traum* oder in der *Ekstase,* und die etwas anderes andeuten sollen."[22]
Und wiederum im Genesiskommentar heißt es, *Gott spreche* zu den Engeln weder durch äußere körperhafte Stimmen „noch durch Abbilder von Körperhaftem, wie sie in der Seele bei der imaginativen Schau entstehen, wie zum Beispiel im *Traum* oder bei einer Entrückung des Geistes, die man auf griechisch *Ekstase* nennt[23]."

c) Bevor die mit diesen Zitaten angesprochenen Fragen der religiösen Erkenntnis bei Augustinus näher entfaltet werden können, muß zuerst noch Augustins grundsätzliche Einschätzung der verschiedenen bildhaften Visionen ins rechte Licht gerückt und verdeutlicht werden. Im 12. Buch von *De genesi ad litteram* verwendet Augustinus eine „geradezu rabiate Sorgfalt"[24] darauf, allen möglichen Ursachen nachzuspüren, welche in der menschlichen Seele Phantasiebilder hervorbringen können. Er tut dies aber nicht in der Absicht, den besonderen Offenbarungscharakter bestimmter Visionen zu

---

Vgl. De Trin. 12,15,24: ... et eo modo affectas esse illorum mentes etiam vigilantium, instinctu spirituum malignorum atque fallacium...
[21] De gen. ad litt. 12,12,26: Sed cum spiritualis visio, penitus alienato a sensibus corporis animo, imaginibus corporalium detinetur, sive in somnis sive in ecstasi, si nihil significant quae videntur, ipsius animae sunt imaginationes.
[22] De anim. et eius orig.: 4,17,25: Ex hoc genere sunt etiam, quae aliqua sigificantia divinitus demonstrantur, sive in somnio sive in ecstasi.
[23] De gen. ad litt. 8,25,47: Intus ei quippe loquitur Deus ... neque per voces corporalibus auribus insonantes, neque per corporum similitudines, quales in spiritu imaginaliter fiunt, sicut in somnis, vel in aliquo excessu spiritus, quod graece dicitur ecstasis.
[24] M. Korger / H. Urs von Balthasar, in: Aurelius Augustinus, a.a.O. 21 (Einleitung zum 12. Buch von De genesi ad litteram).

erweisen, oder aus einer Lust am Mirakelhaften. Sein Werk ist eher ein solches der „*Entzauberung*"[25].

Ein Kennzeichen dieser Entzauberung ist, daß Augustinus die verschiedenen Formen der vom menschlichen Willen losgelösten Imagination bewußt nivelliert und von der psychologischen Ebene her als grundsätzlich *gleichwertige Phänomene* betrachtet. Die Vorstellungen, die er sich über sie macht, sind dabei vor allem am Modell des Traumes orientiert. Er vergleicht alle Gesichte mit den Traumgesichten im Schlaf[26]. In ihrem psychologischen Wesen unterscheidet sich also zum Beispiel die Vision des Isaias nicht von den Traumbildern irgendeines Träumers. Ganz besonders weist Augustinus auf die Gleichartigkeit von Traum und Ekstase.

„Wenn aber die Seele bei gesundem Leib und bei nicht im Schlaf fest eingeschlafenen Sinnen aufgrund eines verborgenen spirituellen Wirkens in die Gesichte entrückt wird, die den körperhaften ähnlich sind, dann ist deshalb nicht auch die Natur der Gesichte verschieden."[27]

Obwohl also im Traum und in der Ekstase die Ursache für die Abkehr der intentionalen Aktivität der Seele von den Sinnen des Körpers verschieden sein mag, so ist doch die Natur der Gesichte beidesmal dieselbe[28]. Augustinus kritisiert deshalb ausdrücklich diejenigen, die sich stärker für die Ekstase interessieren als für den Traum und sie für ‚wunderbarer' halten, nur weil sie nicht so alltäglich und so gewöhnlich ist wie der Traum[29]. Damit wehrt er sich zugleich gegen eine veräußerlichte religiöse Haltung, die mehr auf die Außergewöhnlichkeit prozeduraler Formen als auf die Wahrheit des sich mitteilenden Gottes selbst sieht[30]. Dessenungeachtet kann aber auch Augustinus selbst die Ekstase auf zweierlei Art verstehen: einmal als eine Entrückung der Seele in bildhafte Gesichte; zum anderen aber auch als eine

---

[25] Ebd.

[26] De gen. ad litt. 12,18,39: Ego visa ista omnia visis comparo somniantium.

[27] De gen. ad litt. 12,21,44: Cum autem sano corpore, nec somno sensibus consopitis, aliquo occulto opere spirituali in ea visa quae similia sunt corporalibus anima rapitur, non quia modus diversus est, ideo est etiam diversa natura visorum.

[28] De gen. ad litt. 12,21,44: quamvis diversa sit causa intentionis alienatae..., eadem tamen est natura visorum.

[29] De gen. ad litt. 12,18,40: Quisquis ergo ex me quaerit unde visa corporalibus similia in ecstasi appareant, quae rare accidit animae, vicissim quaero, unde appareant dormientibus, quae quotidie sentit anima, et nemo istuc aut non multum curat inquirere. Quasi vero ideo minus mira sit talium natura visorum, quia quotidiana est.

[30] Vgl. dazu M. Dulaey, a.a.O. 49ff; vor allem 51 und 55. Vgl. dazu auch die Bemerkung Augustins in De gen. ad litt. 12,18,40, er wundere sich mehr über das Zustandekommen der gewöhnlichen Sinneserkenntnis als über die Visionen in Traum oder Ekstase. Diese nüchterne Einstellung entspricht Augustins Haltung in der Wunderfrage: Gegenüber einer Wundergläubigkeit betont er die Wunderhaftigkeit der alltäglichen Welt. Vgl. P. de Vooght, Les miracles dans la vie de saint Augustin, in: RThAM 11 (1939) 6–16; ders., La théologie du miracle selon saint Augustin, a.a.O. 197–222.

weiterreichende Entrückung in solche Gesichte, die nicht mehr nur Bildhaftes zeigen, sondern die intelligible Wahrheit selbst[31]. Das wird später eingehender dargestellt. Im folgenden ist nur von den den Träumen entsprechenden bildhaften Ekstasen die Rede.

d) Ein weiteres Kennzeichen der entzaubernden und nüchternen Betrachtungsweise Augustins ist sein Bestreben, die verschiedenen bildhaften Visionen auf einen je gleichen *psychologischen Mechanismus* zurückzuführen. Augustinus erklärt *alle* von ihm namhaft gemachten visionären Phänomene, also auch die, welche sich ohne Zutun des menschlichen Willens zutragen, mit Hilfe seiner Theorie der intentionalen Aktivität der Seele bei der Sinneserkenntnis. Voraussetzung für das Zustandekommen bildhafter Visionen ist die psychologische Gegebenheit, daß die intentionale Aktivität der Seele auch dann weiterbesteht, wenn sie von den Sinnen des Körpers abgekehrt ist, und zwar unabhängig von der je besonderen Ursache der Abkehr, das heißt, unabhängig von der jeweiligen Befindlichkeit der Seele[32]. Am Beispiel des Schlafes und des in ihm produzierten Traumes kann Augustinus diesen Mechanismus wieder am einfachsten erläutern: Die intentionale Aktivität der Seele *(intentio)* ruht auch dann nicht, wenn es ihr wegen des Schlafes des Leibes nicht mehr möglich ist, sich über die Sinne des Leibes auf die äußeren Dinge zu richten. Vielmehr wendet sie sich dann von den Sinnen ab *(avertitur)* und den spirituellen Bildern, die sie in sich vorfindet, zu *(convertitur)*[33]. Ebenso verhält es sich, wenn diese Abkehr der intentionalen Aktivität der Seele andere körperliche Ursachen hat als den Schlaf, wie dies zum Beispiel bei bestimmten, durch geistige Anspannung, Affekte oder Krankheit hervorgerufenen ekstatischen Phänomenen der Fall ist[34].

Bei all diesen nichtwillentlichen Visionen richtet sich die von den Sinnen abgekehrte Intentionalität der Seele mit Notwendigkeit auf spirituelle Bilder. Und diese können entweder aus dem sinnlichen Gedächtnis der Seele selbst kommen *oder* die Wirkung einer außerseelischen, angelischen oder dämonischen Macht sein:

---

[31] Vgl. De gen. ad litt. 12,12,25: Quando autem penitus avertitur atque abripitur animi intentio a sensibus corporis, tunc magis dici ecstasis solet... Totus animi contuitus aut in corporum imaginibus est per spiritualem, aut in rebus incorporeis nulla corporis imagine figuratis per intellectualem visionem. — M. Dulaey geht auf diesen Sachverhalt nicht ein.

[32] Vgl. M. Dulaey, a.a.O. 96–98, über den Mechanismus des Traumes.

[33] De gen. ad litt. 12,21,44: qualia somniantes vident, quorum dormiendo avertitur intentio a sensu vigilandi, et in ea videnda convertitur.

[34] Vgl. De gen. ad litt. 12,21,44: ... cum et in illis causis quae de corpore existunt, sit utique differentia ... nam phrenetici non dormiendo potius perturbatas ... ut talia videant quam somniantes vident. — 12,12,25: Cum autem vel nimia cogitationis intentione vel aliqua vi morbi, ut phreneticis per febrem accidere solet ... ita corporalium rerum in spiritu exprimuntur imagines.

„Die intentionale Aktivität der Seele richtet sich dabei mit einer Art Notwendigkeit auf die Bilder, die sich ihr darbieten, sei es aus dem *sinnlichen Gedächtnis*, sei es aufgrund eines anderen verborgenen Wirkens, wenn der Seele spirituelle Bilder *durch irgendeine Macht* von gleicher spiritueller Substanz beigemischt werden."[35]

„Wenn der Weg der intentionalen Aktivität der Seele, über den die jeweilige Sinneswahrnehmung erfolgt, eingeschlafen, gestört oder auch vom Gehirn ganz abgeschnitten ist, und wenn es der Seele dann nicht mehr oder fast nicht mehr möglich ist, durch den Körper Körperhaftes wahrzunehmen bzw. die Kraft ihrer intentionalen Aktivität auf Körperhaftes hinzulenken, dann *ruft sie selbst*, weil sie aus eigenem Antrieb in diesem ihrem Tun nicht nachlassen kann, in ihrem imaginativen Teil Abbilder von Körpern hervor oder schaut dort solche, die ihr *eingegeben* worden sind."[36]

Aufgrund seiner psychologisch-nüchternen Betrachtungsweise gelingt es Augustinus also, die bildhaften Visionen zunächst in ihrer rein innerseelischen Funktion zu erklären und ihnen somit einen apriorischen Offenbarungscharakter abzusprechen. Nur auf diesem Hintergrund kann man Augustinus eigene Aufgeschlossenheit für revelatorische Phänomene richtig beurteilen. Das wird gleich noch näher ausgeführt. Normalerweise sieht Augustinus in den geschauten Visionen nichts anderes als Phantasiegebilde der Seele. Das gilt auch für die ekstatischen Visionen, wenngleich hier die Sachlage noch etwas komplizierter ist als beim Traum. Denn während der Traum ausgelöst wird durch eine *körperlich* verursachte Abkehr der Seele von der Sinneswahrnehmung und eben deshalb in der Regel bloße Phantasie der Seele ist, nicht Eingebung durch eine spirituelle Macht, kann bei der Ekstase auch schon diese Abkehr der Intentionalität der Seele durch „irgendeine verborgene spirituelle Macht" verursacht und die Seele auf diese Weise in spirituelle Gesichte entrückt worden sein, die dann notwendig eine Bedeutung haben[37]. Augustinus beschreibt diese ekstatische Ergriffenheit der Seele durch einen anderen Geist mit den Worten ‚rapere' und ‚assumere'[38]. Letztlich bleibt aber

---

[35] De Trin. 11,4,7: animi intentio quadam necessitate incurrat in eas quae occurrunt imagines, sive ex memoria, sive alia aliqua occulta vi, per quasdam spirituales mixturas similiter spiritualis substantiae.

[36] De gen. ad litt. 12,20,42: sed sopito, aut perturbato, aut etiam intercluso itinere intentionis a cerebro, qua dirigitur sentiendi modus, anima ipsa, quae motu proprio cessare ab hoc opere non potest, quia per corpus non sinitur, vel non plene sinitur corporalia sentire, vel ad corporalia vim suae intentionis dirigere, spiritu corporalium similitudines agit, aut intuetur obiectas.

[37] De gen. ad litt. 12,21,44: quamvis diversa sit causa intentionis alienatae, quando sano corpore vigilantis occulta quadam vi spirituali anima rapitur, ut vice corporum expressas corporalium rerum similitudines in spiritu videat...

[38] M. Dulaey, a.a.O. 121, weitet den Anwendungsbereich von rapere und assumere fälschlicherweise auf das Tun der spirituellen Mächte in allen von ihnen bewirkten Visionen aus: „L'action de l'ange est double: il produit les visions et dirige sur elles la ‚force intentionelle' de l'âme... Pour désigner cela, Augustin a recours à des termes qui métaphoriques ailleurs, prennent ici une résonance fort réaliste: adsumere, rapere." — Es ist jedoch von den Texten her eindeutig, daß die beiden Wörter nur die besondere Abkehr der intentionalen Aktivität der Seele von den Sinnen in der Ekstase bezeich-

auch die Ekstase ein grundsätzlich ambivalentes Geschehen. Denn auch sie hat normalerweise, wie gezeigt wurde, rein körperliche Ursachen.

3. Wahre und falsche Visionen

a) Alle Visionen, seien sie durch Instinkt, Traum oder Ekstase vermittelt, sind für Augustinus, was die Frage nach ihrer Offenbarungsqualität angeht, durchaus ambivalent. Nach diesem für ihn maßgeblichen Kriterium teilt er sie deshalb in zwei Gruppen ein, nämlich in wahre und falsche Visionen[39]:

„Ich vergleiche alle diese Visionen den Traumgesichten im Schlaf. Wie diese nämlich manchmal *falsch,* manchmal aber *wahr* sind; manchmal *verworren,* manchmal *ruhig und klar;* und die wahren selbst Zukünftiges manchmal in ganz deutlichen Bildern zeigen oder offen aussprechen, manchmal aber nur in sehr dunklen Zeichen und gleichsam übertragener Rede voraussagen: so ist es bei allen diesen Visionen."[40]

Die Einteilung der Visionen in falsche und wahre kehrt in anderslautenden Formulierungen wieder, die erläutern, was Augustinus unter ‚falsch' und ‚wahr' versteht. Das geschieht schon in dem zitierten Text: Die falschen Visionen kennzeichnet Augustinus zugleich als verworren (perturbata): denn sie kommen aus der unruhigen und begehrlichen menschlichen Seele; die wahren als ruhig und klar (tranquilla): denn sie sind göttlichen Ursprungs[41]. Dementsprechend heißt es in anderen Texten, die Visionen seien menschliche Phantasien *oder* inspirierte Gesichte, Trugbilder der Seele *oder* göttliche Ermahnungen:

„Die Seele selbst ... ruft (im Schlaf etc.) in ihrem imaginativen Teil Bilder von Körpern hervor oder schaut dort solche, die ihr eingegeben worden sind. Wenn sie sie selbst hervorruft, dann sind es Phantasien der Seele *(phantasiae).* Wenn sie aber ihr eingegebene schaut, dann sind es inspirierte Gesichte *(ostensiones).* "[42]

---

nen, eben die Entrückung der Seele. Im Schlaf ist diese Abkehr ja auf andere Weise schon erfolgt.

[39] Vgl. dazu M. Dulaey, a.a.O. 89ff: Classification des rêves.

[40] De gen. ad litt. 12,18,30: Ego visa ista omnia visis comparo somniantium. Sicut enim aliquando et haec falsa, aliquando autem vera, aliquando perturbata, aliquando tranquilla, ipsa autem vera aliquando futuris omnino similia vel aperte dicta, aliquando obscuris significationibus et quasi figuratis locutionibus praenuntiata: sic etiam illa omnia.

[41] Vgl. De gen. ad litt. 12,30,58: Sic in illo genere spirituali, in quo videntur corporum similitudines..., sunt quaedam excellentia et merito divina... Sunt autem alia visa usitata et humana... — Zur Interpretation von ‚perturbata' und ‚tranquilla' im Sinne von ‚falsch' und ‚wahr' siehe M. Dulaey, a.a.O. 90f. Die Verfasserin geht dort auch den Traditionsquellen dieser Einteilung nach.

[42] De gen. ad litt. 12,20,42: Anima ipsa ... spiritu corporalium similitudines agit, aut intuetur obiectas. Et si quidem ipsa eas agit, phantasiae tantum sunt; si autem obiectas intuetur, ostensiones sunt. — Zur Interpretation von phantasia (in Verbindung mit phantasma) siehe M. Dulaey, a.a.O. 93ff; zur Interpretation von ostensio im Sinne von demonstratio und revelatio siehe a.a.O. 109ff.

„Solche Phantasien sind auch die Gesichte, durch welche wir im Schlaf zum Narren gehalten werden *(deludimur)*, wenn wir darin nicht von Gott her ermahnt werden *(divinitus admonemur).*"[43]

Augustinus betrachtet die Visionen der Seele also sehr nüchtern. Sie sind für ihn kein privilegierter Ort der religiösen Erkenntnis, auch wenn in ihnen göttliche Mitteilungen ergehen *können.* Darin unterscheidet er sich deutlich von seiner Umwelt, für die diese Visionen seit Beginn der christlichen Zeit immer mehr zu einem *ausgezeichneten* Medium besonderer göttlicher Offenbarungen geworden sind[44]. Ein Zeugnis für den verbreiteten Offenbarungsoptimismus der Zeit und der demgegenüber nüchternen und vorsichtigen Beurteilung der Visionen durch Augustinus ist dessen *159. Brief* (um 414): Augustinus geht dort unter anderem der Frage nach, wie jene Visionen zustandekommen, „in denen Zukünftiges vorhergesagt wird"[45], und stellt sogleich ausdrücklich fest, daß es sich dabei um „überaus seltene Gesichte"[46] handelt. Er schließt den Brief mit den bezeichnenden Sätzen:

„Wenn ich doch wüßte..., wie man die Gesichte derer, die *zumeist irriger Wahn* oder Gottlosigkeit zum Narren hält, nach wahr und falsch unterscheiden kann, da sie doch fast alle wie Gesichte von Frommen und Heiligen erzählt werden. Wollte ich Beispiele solcher Gesichte aufzählen, würde es mir eher an Zeit mangeln als an deren großer Menge."[47]

b) Wenn Augustinus die Meinung vertritt, daß die meisten der angeblich göttlichen Visionen nur menschliche Einbildungen sind, dann sagt er zugleich, daß diese Visionen in der Regel keinerlei besonderen Informationswert haben. Diese Position Augustins ist in geistesgeschichtlicher Hinsicht von großer Bedeutung. Denn sie ist zum Beispiel der neuplatonischen Vorstellung entgegengesetzt, im Schlaf werde die Seele vom Körper befreit, so daß sie in ihren Traumgesichten der intelligiblen Welt von sich her näher-

---

[43] Epist. 162,5: Qualia sunt fortassis etiam illa quibus deludimur dormientes, quando non divinitus admonemur.

[44] Vgl. M. Dulaey, a.a.O. 30ff. 31: „Quant à l'attitude des anciens devant les révélations, qu'ils tiraient de leurs songes, on pourrait la caractériser ainsi: Je l'ai vu en songe, donc c'est vrai." 46f stellt sie bezüglich Tertullian fest: „Pour lui le rêve est sans aucun doute un moyen de révélation privilégié." Als Belege führt sie an De anima 47,2: et maior paene vis hominum ex visionibus deum discunt; und 46,3: quis autem tam extraneus humanitatis ut non aliquam aliquando visionem fidelem senserit? — Vgl. auch P. Stockmeier, a.a.O. 81 Anm. 35: „Diese nüchterne Einschätzung offenbarender Phänomene ist im Unterschied zu Cyprian für Augustin charakteristisch."

[45] Epist. 159,2: Visiones autem illae, futurorumque praedictiones quomodo fiant...

[46] Epist. 159,2: ... aliquid ac definire etiam de illis rarissimis visis.

[47] Epist. 159,5: ... utinam sic scirem ... quove modo distinguantur visa eorum quos error vel impietas plerumque deludit, quando visis piorum atque sanctorum similia pleraque narrantur; quorum exempla si commemorare voluissem, tempus mihi potius quam copia defuisset.

komme[48]. Augustinus betont, daß die Imaginationen der Seele Ausdruck ihrer der Sensibilität verhafteten, leiblichen Existenz sind. Schon im Jahre 389 weist er in einem Brief an Nebridius die erkenntnistheoretische Behauptung zurück, die Seele habe schon alle spirituellen Bilder der körperhaften Welt in sich, längst bevor sie sich der trügerischen Sinne zur Wahrnehmung sinnlicher Dinge bediene. Er lehnt die Theorie ab, die Sinne würden bei der sinnlichen Wahrnehmung nur die Erinnerung an bestimmte Bilder der Seele wachrufen; sie würden die Seele nur mahnen, die in ihr liegenden Bilder zu schauen. Denn diese Meinung impliziert, daß die Visionen der Seele im Traum oder im Wahnsinn, wo die Seele vom Vermittlungsdienst der Sinne getrennt ist, ursprünglicher und wahrer sind als der Sinneseindruck oder die äußeren Dinge selbst[49]. Wie es für Augustinus keine apriorischen spirituellen Bilder in der Seele gibt, die Seele also keine von der Sinneswahrnehmung unabhängige und ursprünglichere Quelle ihrer Imagination hat, so können auch die Visionen der Seele, die in ihr und aus ihr selbst aufscheinen, für ihn keinen über die gewöhnliche Sinneswahrnehmung hinausgehenden Wahrheitswert haben oder ursprünglichere Informationen liefern. Sie sind vielmehr Reflexe ihrer bewußten und willentlichen Imaginationen:

„Denn nicht nur im wachen Zustand wälzen die Menschen in Gedanken die imaginierten Gegenstände ihrer Sorgen und Wünsche, sondern auch im Schlaf träumen sie oft von dem, was ihnen fehlt. Auch dann treiben sie nämlich ihre Geschäfte aus dem Begehren ihrer Seele."[50]

Auch in ihren Visionen sprengt die Seele also nicht den Rahmen ihrer eigenen sinnlichen Erfahrung. Diese Überzeugung bildet den erkenntnistheoretischen Hintergrund dafür, daß Augustinus entschieden bestreitet, die Seele habe aus sich heraus die Fähigkeit zur Divination. Wo echte Divination oder

---

[48] Siehe M. Dulaey, a.a.O. 107.

[49] In Epist. 6,2 fragt Nebridius den Augustinus: Cur, quaeso te, non a se potius quam a sensu phantasiam habere omnes imagines dicimus? Potest enim, quemadmodum noster animus intellectualis ad intelligibilia sua videnda a sensu admonetur potius quam aliquid accipit, ita et phantasticus animus ad imagines suas contemplandas, a sensu admoneri potius quam aliquid assumere. – Augustinus antwortet in Epist. 7,2,3: Iam vero quod tibi videtur anima etiam non usa sensibus corporis corporalia posse imaginari, falsum esse convincitur isto modo. Si anima, priusquam corpore utatur ad corpora sentienda, eadem corpora imaginari potest, et melius, quod nemo sanus ambigit, affecta erat, antequam his fallacibus sensibus implicaretur, melius afficiuntur animae dormientium quam vigilantium, melius phreneticorum quam tali peste carentium; his enim afficiuntur imaginibus, quibus ante istos sensus vanissimos nuntios afficiebantur: et aut verior erit sol quem vident illi, quam ille quem sani atque vigilantes; aut erunt veris falsa meliora. Quae si absurda sunt, sicuti sunt, nihil est aliud illa imaginatio, mi Nebridi, quam plaga inflicta per sensus, quibus non, ut tu scribis, commemoratio quaedam fit, ut talia formentur in anima.

[50] De gen. ad litt. 12,30,58: Non solum enim vigilantes homines curas suas cogitando versant in similitudinibus corporum, verum etiam dormientes hoc saepe somniant, quo indigent: nam et negotia sua gerunt ex animi cupiditate...

Weissagung stattfindet, dort geschieht das nicht aufgrund einer naturhaft
der Seele inhärierenden Kraft, sondern allein durch außerseelische Einwir-
kungen:

„Einige behaupten zwar, die menschliche Seele habe in sich selbst eine gewisse Kraft
der *Divination*. Hat sie diese aber, warum kann sie dann nicht immer vorherschauen,
obwohl sie es doch stets möchte? Etwa, weil ihr dabei nicht immer geholfen wird?
Wenn ihr also geholfen wird, dann doch wohl von jemandem? Oder kann etwa der
Körper ihr dabei helfen? Wenn nicht, bleibt nur übrig, daß ihr von einem *Geiste* (spiritus) geholfen wird."[51]

4. Die mittlerische Funktion der Engel

a) Nach Augustins theosoterischer Grundeinstellung ist der Mensch in allem
auf die gnädige Zuwendung Gottes angewiesen. Der Mensch kann nicht von
sich aus Zukünftiges vorausschauen. Er vermag den Geschichtsplan Gottes
nicht einzusehen. Denn es ist ihm in seiner derzeitigen Seinslage nicht möglich, den unwandelbaren Gott selbst zu schauen, in dessen ewiger Wahrheit
das in Raum und Zeit Geschehende beschlossen ist. Wenn er in imaginativen
Visionen bisweilen dennoch Zukünftiges und Verborgenes zu sehen bekommt, dann geht das auf ein besonderes göttliches Wirken zurück. Dieses
Wirken Gottes vollzieht sich nach Augustins Vorstellung jedoch nicht in einem unmittelbaren Relationsgeschehen zwischen Gott und Mensch, sondern
durch die Vermittlung spiritueller Mächte, der Engel.

In De genesi ad litteram sagt er: „In der bildhaften Schau, in welcher wir die Bilder von
Körpern in einem dieser Schauweise eigentümlichen unkörperlichen Licht sehen, gibt
es bestimmte Gesichte von ganz überragender und wahrhaft *göttlicher* Art, welche uns
die *Engel* auf wunderbare Weise zeigen."[52]
Und in De cura pro mortuis gerenda (421/24) bemerkt er zu der Frage, wie Verstorbene und Märtyrer in den Träumen von Lebenden erscheinen können:
„Oder kommen diese Visionen auf *Befehl Gottes* durch die Vermittlung von *Engeln* zustande..., zum Wohl der Menschen?"[53] „Warum sollen wir nicht glauben, daß *Engel*
diese Visionen hervorbringen, und zwar gemäß der Anordnung der *Vorsehung Gottes*
(per dispensationem providentiae Dei)?"[54]

---

[51] De gen. ad litt. 12,13,27: Nonnulli quidem volunt animam humanam habere vim
quamdam divinationis in seipsa. Sed si ita est cur non semper potest, cum semper velit? An quia non semper adiuvatur ut possit? Cum ergo adiuvatur, numquid a nullo, aut
a corpore ad hoc adiuvari potest? Proinde restat ut a spiritu adiuvetur. — Vgl. M.
Dulaey, a.a.O. 113ff.
[52] De gen. ad litt. 12,30,58: In illo genere spirituali, in quo videntur corporum similitudines luce quadam incorporali ac sua, sunt quaedam excellentia et merito divina,
quae demonstrant Angeli miris modis...
[53] De cura pro mort. 17,21: An ista fiant Dei nutu per angelicas potestates ... ad
utilitatem hominum...
[54] De cura pro mort. 13,16: Cur non istas operationes angelicas credimus, per dispensationem providentiae Dei...

Die Engel fungieren als Vermittler bei der zeitlichen Entfaltung der ewigen Vorsehung Gottes[55]. Dieser Gedanke bestimmt Augustins Metaphysik der Engel insgesamt[56]. Schon bei der Schöpfung nehmen sie eine Art Mittlerstellung zwischen der unerschaffenen Idee der ewigen Weisheit und der Wirklichkeit in Raum und Zeit ein[57]. Dieser Mittlerstellung bedient sich Gott auch bei der Verwaltung des Geschaffenen in der Zeit. Die Engel schauen die ewigen Ideen Gottes in der Absolutheit des Ursprungs und wirken gemäß den Gesetzen und Weisungen dieser Ideen auf das zeitliche Geschehen ein[58]. In einem ganz besonderen Sinne ist ihrer Botentätigkeit die Verwaltung der Gleichnisbilder, der spirituellen Visionen anvertraut. Durch sie zeigen sie dem Menschen, der Gott nicht von Angesicht zu Angesicht schauen kann, was er jetzt von Gott her wissen soll[59].

b) Über die *technische* Frage, wie die Engel auf die Seele des Menschen einwirken und ihr bildhafte Visionen vermitteln können, macht sich Augustinus schon sehr früh Gedanken[60]. Und er befaßt sich zeit seines Lebens mit ihr in Auseinandersetzung mit den Vorstellungen seiner Zeit, insbesondere mit denen der porphyrischen Psychologie[61]. Dabei kann man feststellen, daß Augustinus dazu neigt, auf allzu detaillierte Erklärungen und genaue Festlegungen zu verzichten[62]. So läßt er zum Beispiel die Frage offen, ob die Engel zuerst in sich selbst Visionen hervorbringen und diese dann dadurch, daß sie ihren spirituellen Leib der Seele des Menschen ‚beimischen‘ (commixtione), der Seele zeigen; oder ob sie bestimmte Bilder der Seele des Menschen unmittelbar ‚einformen‘ (informatione):

[55] De gen. ad litt. 8,25,47: Quod autem attinet ad creaturae angelicae actiones, per quam universarum rerum generibus, maximeque humano *providentia Dei* prospicitur; ipsa extrinsecus adiuvat, et per illa visa quae similia sunt corporalibus, et per ipsa corpora, quae angelicae subiacent potestati.

[56] Einen guten Einblick in die Grundprobleme der augustinischen Engellehre gibt O. Lechner, Zu Augustins Metaphysik der Engel, in: Studia Patristica 9 (1966) 422–430. Vgl. auch B. Lohse, Zu Augustins Engellehre, in: ZKG 70 (1959) 278–291.

[57] Siehe dazu O. Lechner, Idee und Zeit in der Metaphysik Augustins, München 1964. Im Kapitel „Idee und Engel" 178ff handelt Lechner von Stellung und Funktion der Engel innerhalb der Schöpfungslehre Augustins: Die „primordiale Erkenntnis (scl. des angelischen Geistes), die zwischen der unerschaffenen Idee der ewigen Weisheit und der Wirklichkeit in Raum und Zeit steht, bedeutet die Translation der Idee aus der Absolutheit des Ursprungs in die Endlichkeit geschaffenen Geistes" (227).

[58] Siehe O. Lechner, Idee und Zeit, 207ff. Vgl. De quaest. divers. ad Simpl. 2,6: Quomodo ... sancti Angeli ... id quod in eo sempiterne iustum vident, pro congruentia rerum inferiorum temporaliter peragant.

[59] Siehe O. Lechner, Idee und Zeit, 208. Vgl. De Trin. 1,8,16: Dispensatio similitudinum per angelicos principatus et potestates et virtutes.

[60] Vgl. die diesbezügliche Anfrage des Nebridius an Augustinus in Epist. 8 und Augustins Antwort in Epist. 9; beide Briefe sind aus dem Jahre 389.

[61] Vgl. M. Dulaye, a.a.O. 81ff.

[62] Vgl. M. Dulaey, a.a.O. 121ff: Modalités de l'intervention des esprits.

„Ob sich die Engel dabei mit unserer Seele sozusagen mühelos und doch wirksam *verbinden oder vermischen* und so ihre eigenen Gesichte zu den unseren machen, oder ob sie es verstehen, irgendwie unser Schauen im imaginativen Teil unserer Seele zu *informieren,* das ist schwer zu begreifen und noch schwerer in Worte zu fassen."[63]

Es kommt Augustinus weniger auf die Modalitäten des Einwirkens der spirituellen Mächte an als vielmehr auf das Faktum, daß sie überhaupt mittlerisch tätig sind. Deshalb betont er des öfteren einfach den wunderbaren und geheimnisvollen Charakter dieses Wirkens[64]. Oder er beschreibt es auf sehr pauschale Weise, wobei er nur von dem spricht, was ihm wichtig erscheint: Die Engel wirken auf spirituelle, nicht auf materielle Weise. Und es handelt sich um ein innerliches, nicht um ein äußerliches Geschehen:

„Durch ein *spirituelles* Wirken zeigen sie (ingerant) manche Visionen den Augen der Seele bzw. des Geistes, nicht des Körpers; oder sie sprechen Worte, nicht von außen zum Ohr, sondern *innen* in der Seele des Menschen, wo sie sich auch selber befinden: so wie es im Buch der Propheten geschrieben steht: ‚Und es sagte mir der Engel, der *in* mir redete'."[65]

c) Nur dann, wenn die Visionen der Seele von einer spirituellen Macht eingegeben worden sind, haben sie eine Bedeutung, das heißt, divinatorische Qualität[66]:

„Wenn die Visionen der Seele nichts bedeuten, handelt es sich um Imaginationen der Seele selbst... Wenn sie dagegen etwas bedeuten..., dann ist das etwas ganz Außerordentliches; kann doch durch *Einmischung eines anderen Geistes* geschehen, daß dieser das, was er selbst weiß, durch solche Bilder dem zeigt, mit dem er in Verbindung tritt."[67]

---

[63] De gen. ad litt. 12,30,58: utrum visa sua facili quadam et praepotenti iunctione vel commixtione etiam nostra esse facientes, an scientes nescio quomodo nostram in spiritu nostro informare visionem, difficilis perceptu, et difficilior dictu res est. Vgl. De gen. ad litt. 12,22,48. – Bei M. Dulaey, a.a.O. 81ff, finden sich diese beiden Modi in ihrem Verhältnis zur Psychologie des Porphyrius näher dargestellt.

[64] De gen. ad litt. 12,12,26: mirus modus est; 12,30,58: miris modis; 12,21,44: aliquo occulto opere spirituali..., occulta quadam vi spirituali; De Trin. 11,4,7: aliqua occulta vi.

[65] Enchir. 15,59: angeli ... spirituali potentia quasdam visiones, non oculis corporeis, sed spiritualibus, vel mentibus ingerant, vel dicant aliquid non ad aurem forinsecus, sed intus animae hominis, etiam ipsi ibidem constituti: sicut scriptum est in Prophetarum libro: ‚Et dixit mihi angelus qui loquebatur in me' (Zach. 1,9). Vgl. Epist. 162,5, wo die gleiche Schriftstelle zitiert ist.

[66] J. Guitton, Le temps et l'éternité chez Plotin et saint Augustin, Paris 1959, zeigt in dem Kapitel „Le problème de l'avenir: La prescience" 261ff, daß für Augustinus die Zukunft nicht wie ein vor uns liegender Raum ist, in den der Seher hineinschauen könnte, und unterscheidet von daher zwischen Divination und dem Sehen spiritueller Bilder in der Seele. Diese sicher richtige Unterscheidung ist aber hier nicht zugrundegelegt. Das Wort ‚divinatorisch' soll hier lediglich die besondere Qualität der Bilder kennzeichnen.

[67] De gen. ad litt. 12,12,26: Si nihil significant quae videntur, ipsius animae sunt

„Ich glaube nicht, daß der Geist (spiritus) des Menschen von einem *guten Geist* (spiritus) zur Schau solcher Bilder ergriffen wird, wenn diese Bilder nichts bedeuten. Liegt hingegen eine körperliche Ursache dafür vor, daß sich der menschliche Geist (spiritus) intensiver auf spirituelle Gesichte richtet, ist nicht immer anzunehmen, daß sie etwas bedeuten; vielmehr bedeuten sie nur dann etwas, wenn sie *von einem zeichengebenden Geist eingegeben* werden (inspirantur)."[68]

Dieses Kriterium für die Beurteilung der Visionen hinsichtlich ihrer möglichen divinatorischen Qualität ist jedoch in sich noch einmal ambivalent. Denn die spirituellen Mächte, die die Seele in bildhafte Gesichte entrücken oder sonst irgendwie in ihr Visionen aufscheinen lassen, können *gute oder böse Geister* sein[69]. Entsprechend unterschiedlich sind die jeweiligen Visionen in ihrem Nutzen für den Menschen zu beurteilen:

„Wenn es ein *böser Geist* ist, der sie dahin entrückt, macht er sie zu Dämonisierten, zu Besessenen oder zu falschen Propheten. Ist es aber ein *guter Geist,* werden Gläubige aus ihnen, die Geheimnisse sprechen; oder wahre Propheten, wenn noch die Einsicht hinzukommt; oder solche, die das, was durch sie an den Tag kommen soll, zur bestimmten Zeit schauen und weiterkünden."[70]

Dabei stellt sich Augustinus die Wirkungsweise der bösen Geister nicht anders vor als die der guten. Das hängt damit zusammen, daß seiner Ansicht nach die angelische Natur der Dämonen unversehrt geblieben ist, die Dämonen also noch die natürlichen Fähigkeiten der Engel besitzen. Die beiden folgenden Texte fassen Augustins hier interessierende Gedanken sehr gut zusammen:

In De divinatione daemonum, einer 406/411 entstandenen Schrift, die ausdrücklich der hier angesprochenen Problematik gewidmet ist, heißt es: „Ihre Einflüsterungen vollfüh-

---

imaginationes... Si autem aliquid significant ... mirus modus est, si commixtione alterius spiritus fieri potest, ut ea, quae ipse scit, per huiusmodi imagines ei cui miscetur ostendat...

[68] De gen. ad litt. 12,22,45: Itaque bono quidem spiritu assumi spiritum hominis ad has videndas imagines, nisi aliquid significent, non puto: cum vero in corpore causa est, ut in eas expressius intuendas humanus intendatur spiritus, non semper aliquid significare credendum est; sed tunc significant, cum inspirantur a demonstrante spiritu.

[69] De gen. ad litt. 12,12,25: ... vel commixtione cuiusquam alterius spiritus seu mali seu boni... 12,13,28: Non sane mirum est si et daemonium habentes aliquando vera dicunt, quae absunt a praesentium sensibus; quod certe nescio qua occulta mixtura eiusdem spiritus fit... Cum autem spiritus bonus in haec visa humanum spiritum assumit aut rapit, nullo modo illas imagines signa rerum aliarum esse dubitandum est, et earum quas nosse utile est...

[70] De gen. ad litt. 12,19,41: Sed cum malus in haec arripit spiritus, aut daemoniacos facit, aut arrepticios, aut falsos prophetas: cum autem bonus, fideles mysteria loquentes, aut accedente etiam intelligentia veros prophetas, aut ad tempus quod per eos oportet ostendi, videntes atque narrantes. – Der Ausdruck ‚mysteria loquentes' erinnert an das spirituelle Zungenreden, dem noch die Einsicht fehlt; die ‚videntes atque narrantes' sind die, die auch noch in der Zeit der Kirche einzelne Offenbarungen empfangen. Siehe dazu die entsprechenden Paragraphen dieser Arbeit.

ren die *Dämonen* auf wunderbare und unsichtbare Weise. Sie durchdringen dank der Feinheit ihrer Körper die Körper der Menschen, ohne daß diese es merken, und *mischen sich ihren Gedanken* im wachen Zustand wie im Schlaf mit irgendwelchen imaginativen Gesichten bei."[71]

Und in De Trinitate sagt Augustinus: „Was bedeutet es Großes für den *Teufel und seine Engel*, durch *verborgene Eingebungen* (occultis inspirationibus) im Menschen imaginäre Trugbilder (phantasmata imaginum) hervorzurufen, die die Sinne der Menschen zum Narren halten sollen und durch welche er sie im wachen Zustand oder im Schlaf irreleiten oder im Wahnsinn umhertreiben kann."[72]

Die Visionen der Seele stehen demnach in einer doppelten Ambivalenz. Sie können einmal nur Imaginationen der Seele selbst sein und zum andern, wenn das nicht der Fall ist, immer noch das Produkt von Lügengeistern. Solche Lügengeister können auch dann im Spiel sein, wenn in den Visionen Wahres und für den Menschen Nützliches mitgeteilt wird. Denn die betrügerischen Dämonen geben nicht nur wirre Bilder ein, die keine wahre Bedeutung haben, sondern bisweilen, soweit das in ihren Kräften steht, auch solche von unbestreitbar divinatorischem Wert. Denn zwar sehen sie Zukünftiges nicht wie die Engel im Licht der unwandelbaren Wahrheit Gottes selbst. Aber aufgrund ihrer Natur können sie doch die Zeichen zukünftiger Dinge eher erkennen als der leibgebundene Mensch[73]. Mit solchen wahren Visionen wollen die Dämonen den Menschen allerdings betören, um ihn dann um so besser verführen zu können[74]. Weder die Einzigartigkeit der prozeduralen Vermittlung noch die Inhaltlichkeit der geschauten Visionen garantieren also die Göttlichkeit ihres Ursprungs, das heißt, ihre für das Heil des Menschen zuträgliche Wahrheit. Damit stellt sich das entscheidende Problem der Unterscheidung und Beurteilung des bildhaft Geschauten.

5. Das Problem der Unterscheidung und referenziellen Beurteilung der Visionen

Das den bildhaften Visionen wesentlich inhärente Problem besteht darin, wie die von guten Engeln vermittelten Visionen, die allein auf Gott zurückgehen und eine Gnadengabe Gottes darstellen[75], von allen anderen Visionen

---

[71] De divin. daem. 5,9: Suadent autem miris et invisibilibus modis, per illam subtilitatem corporum suorum corpora hominum non sentientium penetrando et se cogitationibus eorum per quaedam imaginaria visa miscendo, sive vigilantium sive dormientium.

[72] De Trin. 4,11,14: Quid magnum est diabolo et angelis eius ... occultis inspirationibus ad illudendos humanos sensus phantasmata imaginum machinari, quibus vigilantes dormientesve decipiat, vel furentes exagitat?

[73] Siehe De divin. daem. 3,7 und 5,9. Vgl. auch De gen. ad litt. 2,17,37 (siehe § 9,3 des 1. Teiles dieser Arbeit), wo Augustinus annimmt, die Dämonen würden manches auch durch ‚revelatio‘ erfahren.

[74] De gen. ad litt. 12,13,28: cum spiritus malignus ... vera dicit et utilia praedicat ... ad hoc, ut, cum illi in manifestis bonis creditum fuerit, seducat ad sua.

[75] De gen. ad litt. 12,13,28: Cum autem spiritus bonus in haec visa humanum spiritum assumit aut rapit...: Dei enim munus est.

der Seele, seien sie von dämonischen Geistern oder von der Seele selbst hervorgebracht, unterschieden werden können. Hier gilt nun: Weil die Visionen selbst in ihrer bildhaft geschauten Gestalt kein sicheres Kriterium der Beurteilung mitbringen, bedarf es dazu einer besonderen, zu den Visionen hinzukommenden Befähigung des Menschen[76].

a) Hinsichtlich des Problems der Unterscheidung der von guten oder bösen Geistern hervorgebrachten Visionen rekurriert Augustinus, gerade weil sich die bösen in verführerischer Absicht wie gute aufführen können, auf die besondere Gnadengabe der Unterscheidung der Geister nach 1 Kor 12,10:

„Eine Unterscheidung ist dann freilich äußerst schwierig, wenn ein dämonischer Geist (spiritus malignus) gleichsam ganz friedlich zu Werke geht und ohne den Leib zu quälen der Seele in der Ekstase sagt, was er zu sagen vermag. Wenn er überdies Wahres sagt und Nützliches vorausverkündet und sich auf diese Weise, wie geschrieben steht, gleichsam in einen Engel des Lichtes verwandelt (2 Kor 11,14), um sodann, wenn man sein offenkundig Gutes geglaubt hat, zu dem ihm Eigentümlichen zu verführen: in einem solchen Fall zu unterscheiden ist, wie ich glaube, nur *mit Hilfe jener Gabe* möglich, von welcher der Apostel bei der Behandlung der verschiedenen Gnadengaben Gottes sagte: ,Einem anderen wurde die Unterscheidung der Geister gegeben'."[77]

b) Fundamentaler stellt sich das Problem allerdings auf der allgemeinen erkenntnistheoretischen Ebene. Denn eine unterscheidende Beurteilung der bildhaften Visionen nach ihnen immanenten Kriterien ist letztlich *deshalb* unmöglich, weil innerhalb der augustinischen Erkenntnislehre die Bilder der imaginativen Schauweise, auch wenn sie göttlichen Ursprungs sind, von ihrem eigenen Wesen her unbestimmt und vieldeutig bleiben müssen. Ihre Unbestimmtheit kann nur im Licht der einsichthaften Schauweise aufgelöst werden. Diese gewinnt der menschliche Geist aber nicht mit Hilfe der Bilder aus sich selbst, sondern sie wird ihm durch göttliche Erleuchtung unmittelbar und gnadenhaft gegeben. Die bildhafte Schauweise partizipiert also nicht notwendigerweise an der Einsicht (visio intellectualis), und zwar auch dann nicht, wenn die geschauten Bilder von Gott her eingegeben wurden. Zur Einsicht gelangt der menschliche Geist nur, wenn Gott ihn zusätzlich erleuchtet. Und auch in diesem Fall kann die Einsicht unterschiedliches Ausmaß haben. Es ist möglich, daß die Bilder nur hinsichtlich ihres Wahrheitswertes

---

[76] Vgl. Epist. 159,5: ... utinam sic scirem ... quove modo distinguantur visa eorum quos error vel impietas plerumque deludit, quando visis piorum atque sanctorum similia pleraque narrantur.

[77] De gen. ad litt. 12,13,28: *Discretio sane difficillimum est,* cum spiritus malignus quasi tranquillius agit, ac sine aliqua vexatione corporis assumpto humano spiritu dicit quod potest; quando etiam vera dicit et utilia praedicat, transfigurans se, sicut scriptum est, ,velut angelum lucis', ad hoc ut cum illi in manifestis bonis creditum fuerit, seducat ad sua. Hunc discerni non arbitror, nisi dono illo, de quo ait Apostolus, cum de diversis Dei muneribus loqueretur, ,Alii diiudicatio spirituum'.

unterschieden und beurteilt, aber auch, daß sie weiter auf ihre wahre Bedeutung hin eingesehen werden. Warum Gott aber einmal Einsicht schenkt, ein andermal nicht, und einmal mehr, ein andermal weniger, und wie das im einzelnen Fall geschieht: das, so bekennt Augustinus, ist schwer zu verstehen und schwer zu erklären:

„Was aber in unserer Seele geschieht, daß wir einmal signifikative Bilder nur sehen, nicht aber wissen, *ob* sie wirklich etwas bedeuten; ein andermal zwar spüren, *daß* sie etwas bedeuten, nicht aber wissen, *was* sie bedeuten; und daß wieder ein andermal die menschliche Seele, gleichsam aufgrund einer volleren Kundgabe *(pleniore demonstratione)*, sowohl in ihrem imaginierenden Geist (spiritu) diese Bilder sieht als auch in ihrem verstehenden Geist (mente) deren Bedeutung: das zu wissen ist überaus schwierig, und wenn wir es wissen, überaus mühevoll in Worte zu fassen und zu erklären."[78]

c) Die bildhaften Visionen für sich allein sind demnach fruchtlos. Ihr offenbarungsmäßiger Wert ist null und nichtig, wenn nicht die Einsicht hinzukommt. Dies ist der eigentliche Grund für Augustins nüchternes und entzauberndes Urteil über die verschiedenen Imaginationen der Seele. Seinen treffendsten Ausdruck findet dieses Urteil darin, daß es Augustinus sogar für sinnvoll hält, diese im Innern der Seele aufscheinenden Visionen zusammen mit den körperhaften Dingen dem Seinsbereich des ‚*Draußen*' zuzuordnen:

„Sie sind zwar *innerlicher* (interius) als das Körperhafte, das der Seele durch den Leibessinn gemeldet wird. Weil sie dem Körperhaften aber doch ähnlich sind, so daß sie davon ... kaum unterschieden werden können, und weil sie *äußerlicher* (exterius) sind als das, was der mit Vernunft und Einsicht begabte Geist des Menschen (mens rationalis et intellectualis) in der unwandelbaren Wahrheit selbst schaut, in deren Licht er überhaupt erst alles bild- und körperhaft Geschaute erkennend beurteilt, muß man sie meiner Meinung nach zu den *äußerlichen* Dingen (quae extrinsecus fiant) rechnen."[79]

Die spirituellen Bilder gehören zusammen mit den körperhaften Dingen zur sensiblen Welt, die für Augustinus im Anschluß an platonisch-neuplatonisches Gedankengut[80] als ganze nur *Bild* (imago) der wahren, intelligiblen

---

[78] De gen. ad litt. 12,22,48: ... et quid fiat in spiritu nostro, ut aliquando cernantur tantummodo significantes imagines sed, utrum aliquid significent ignoretur; aliquando autem aliquid significare sentiantur, sed quid significent nesciatur; aliquando vero *tanquam pleniore demonstratione* anima humana et spiritu ipsas et mente quid significent videat: et scire difficillimum est et, si iam sciamus, disserere atque explicare operosissimum.

[79] De gen. ad litt. 8,25,47: ... quia et hoc genus visionum, quamvis interius fiat quam sunt ea quae animo per sensus corporis nuntiantur, tamen, quia simile est eis, ita ut, cum fit, discerni ab eis ... vix et rarissime possit, et quia exterius est quam illud, quod in ipsa incommutabili veritate mens rationalis et intellectualis intuetur, eaque luce de his omnibus iudicat, inter illa quae extrinsecus fiunt, arbitror esse deputandum.

[80] Zur Diskussion über die Art der Beziehungen Augustins zum Neuplatonismus siehe P. Courcelle, Recherches sur les Confessions de St. Augustin, Paris 1950. Während W. Theiler, Porphyrios und Augustin, Halle 1933, der Meinung war, Augustinus habe nur Prophyrius in der Übersetzung des Marius Victorinus gelesen (2f), weist P. Henry,

Welt ist, abbildlicher Schatten einer urbildlichen Idealwelt; die nicht das intelligible Wahre selbst ist, sondern nur das *Gleichnis des Wahren* (veri simile), das das Wahre Repräsentierende[81]. In den repräsentierenden Abbildern, seien es spirituelle Visionen oder sensible Dinge, wird die Wahrheit nur auf mittelbare und vermittelte, äußerliche und veräußerlichte Weise vernehmbar. Das impliziert Vieldeutigkeit und Ungewißheit. Gewißheit dagegen ermöglicht allein die auf unmittelbare und unvermittelte, innerliche und ursprüngliche Weise geschaute Wahrheit selbst. Damit richtet sich der Blick notwendig auf die im eigentlichen Sinne innerliche *visio intellectualis* und die sie ermöglichende *Illumination* durch das Licht der Wahrheit.

§ 3 Illumination

1. Die Einsicht

Die visio intellectualis, auf die alles Wahrnehmen und Erkennen hinzielt[1], ist die Einsicht des *Intellekts* in die Bedeutung des bild- oder körperhaft Geschauten oder die von aller Bildhaftigkeit losgelöste Schau von *intelligibler Wahrheit*[2]. Ohne diese einsichthafte Schau kann zwar die bildhafte

---

Plotin et l'Occident, Louvain 1934, in einer Gegenthese nach, daß Marius Victorinus auch einen Teil der Enneaden des Plotin übersetzt und Augustinus diese Übersetzung gekannt hat (siehe bes. 19—21, 46f, 95, 104—124, 143—145, 210—222). Courcelle kommt zu dem Ergebnis, daß Augustinus einerseits über Ambrosius sowohl mit Plotin (a.a.O. 106—132) als auch mit Porphyrius (133—138) bekannt geworden ist, zum anderen im Juni 386 selbst Texte von Plotin und Porphyrius gelesen hat (157). Die wiederholt zitierte Arbeit von M. Dulaey hat deutlich gemacht, daß der Einfluß porphyrischer Gedanken auf Augustinus nicht zu unterschätzen ist.

[81] C. Ac. 3,17,37: Platonem sensisse duos esse mundos: unum intelligibilem, in quo ipsa veritas habitaret; istum autem sensibilem, quem manifestum est nos visu tactuque sentire. Itaque illum verum, *hunc veri similem et ad illius imaginem factum*. Et ideo de illo in ea, quae se cognosceret, anima velut expoliri et quasi serenari veritatem; de hoc autem in stultorum animis non scientiam, sed opiniones posse generari. — Zur Interpretation dieses Textes, speziell der Thematik des ‚veri simile‘, der Zeichenhaftigkeit und insofern Uneigentlichkeit der sensiblen Welt gegenüber der intelligiblen, siehe C.P. Mayer, Die Zeichen in der geistigen Entwicklung und in der Theologie des jungen Augustins, Würzburg 1969, 173—177 (1. Band einer auf insgesamt fünf Bände geplanten Arbeit, die jeweils einem Lebensabschnitt Augustins gewidmet sind). Zur Bedeutung von similitudo und dissimilitudo innerhalb der Welt der Zeichen vgl. a.a.O. 146f (regio dissimilitudinis) und die zusammenfassende Darstellung 350ff. 284 zeigt Mayer, daß Augustinus das Wort ‚imago‘ in der Regel nicht auf die äußeren Sinnendinge anwendet, sondern nur auf die inneren spirituellen Bilder bezieht.

[1] De gen. ad litt. 12,11,24: ... satis apparet corporalem visionem referri ad spiritualem, eumque spiritualem referri ad intellectualem.

[2] Vgl. dagegen De gen. ad litt. 12,10,21, wo Augustinus das ‚intelligibile‘ und das ‚intellectuale‘ gleichsetzt und die Frage, ob es etwas geben könne, was nur intelligibel

Schau als sinnliche Wahrnehmung oder als Imagination der Seele zustandekommen, nicht aber auf ihre Bedeutung hin unterschieden und beurteilt
oder in ihrem Verweischarakter auf Intelligibles erkannt werden. Die bildhafte Schau bedarf also der einsichthaften Schau. Diese aber kann auch
ohne die niederen Visionen sein.

a) Die Einsicht ist gekennzeichnet durch Innerlichkeit, Unmittelbarkeit,
Untrüglichkeit und Gnadenhaftigkeit. Sie ist eine innere, in sich ruhende
Schau[3], in welcher der unmittelbar vom göttlichen Licht erleuchtete Geist
des Menschen das in diesem Licht aufleuchtende Intelligible unmittelbar
sieht oder Sensibles und Bildhaftes hinsichtlich seiner wahren Bedeutung
beurteilt. Im Gegensatz zur bild- und körperhaften Schau, in welcher die
Seele Täuschungen unterliegen kann, weil sie das hier Geschaute aufgrund
ihrer Meinungen, Vermutungen und Einbildungen für etwas anderes halten
kann als es in Wirklichkeit ist[4], ist die einsichthafte Schau immer wahr:

„Denn entweder einer sieht nicht ein: das ist der Fall, wenn er etwas meint, was in
Wahrheit anders ist. Oder er sieht ein: dann ist es notwendig wahr."[5]

Diese Untrüglichkeit der Einsicht hat ihren Grund darin, daß sie nicht vom
Menschen selbst geleistet, sondern durch göttliche Erleuchtung gnadenhaft
geschenkt wird[6]. Sie hat, erkenntnistheoretisch gewendet, ihren Grund in
der Unmittelbarkeit und Ursprünglichkeit der Einsicht[7].

---

ist, selbst aber nicht mit Intellekt begabt, also intellectuale ist, als sehr schwierig zu-
rückstellt. — Siehe dazu M. Korger, Grundprobleme der augustinischen Erkenntnislehre, a.a.O. 44: „... scheint Augustinus einen absoluten dialektischen Idealismus gleich
dem Plotins oder Hegels zu postulieren, in dem erkennender Geist und Erkenntnisob-
jekt identisch sind." — Vgl. auch J. Pépin, Une hésitation de saint Augustin sur la
distinction de l'intelligence et de l'intelligible et sa source plotinienne, in: Actes du 11e
Congrès International de Philosophie, Bruxelles 1953, Bd. 7, 137—147.
[3] De util. cred. 28: Quod autem intellectu capitur, intus apud animum est, nec id
habere quidquam est aliud quam *videre.*
[4] De gen. ad litt. 12,25,52: *Illuditur* autem anima similitudinibus rerum, non earum
vitio, sed opinionis suae... *Fallitur* ergo in visione corporali, cum in ipsis corporibus
fieri putat quod fit in corporis sensibus...; aut cum putat hoc esse, quod similiter ...
est... In visione autem spirituali, id est in corporum similitudinibus, quae spiritu videntur, *fallitur anima,* cum ea quae sic videt, ipsa corpora esse arbitratur vel, quod sibi
suspicione falsaque coniectura finxerit, hoc etiam in corporibus putat, quae non visa
coniectat.
[5] De gen. ad litt. 12,14,29: Intellectualis autem visio non fallitur. Aut enim non intelligit, qui aliud opinatur quam est, aut, si intelligit, continuo verum est. — Vgl. 12,25,52.
[6] In evang. Ioh. 15,19: Hoc ipsum animae, quod intellectus et mens dicitur, illuminatur luce superiore. Iam superior illa lux, qua mens humana illuminatur, Deus est. — Vgl.
auch En. in psalm. 41,2: Omnis qui intelligit, luce quadam non corporali, non carnali,
non exteriore, sed interiore illustratur. Est ergo, fratres, quaedem lux intus, quam non
habent, qui non intelligunt.
[7] Vgl. die ‚Notes complémentaires' von P. Agaesse und A. Solignac zu De genesi ad

b) Der *Intellekt*, die Fähigkeit zur Einsicht, ist für Augustinus die höchste Fähigkeit des denkenden Geistes. Sie steht höher als die der *Ratio* zu diskursivem Denken[8]. Der Mensch besitzt Ratio, schon bevor er zur Einsicht gelangt. Ja, er könnte gar nicht nach Einsicht streben, hätte er die Fähigkeit der Ratio nicht[9]. Denn nur weil die Seele (anima) mit Ratio begabt ist, wird das durch die Seele (spiritus) in ihr selbst hervorgebrachte Bild des von den Sinnen Gemeldeten über die Ratio dem Intellekt weitergemeldet; falls das Bild ein Zeichen für etwas ist, stellt sich dann entweder sogleich Einsicht ein in das, was es bedeutet, oder es wird erst noch nach dieser Bedeutung gesucht[10]. Dieses Suchen obliegt wiederum der Ratio. Denn sie ist die Bewegung des Geistes, welche durch Unterscheidung und Verknüpfung von schon Gewußtem schlußfolgernd von einer Erkenntnis zur anderen fortschreitet[11]. Aber kann die Ratio durch ihre Tätigkeit die Einsicht hervorbringen? Was leistet ihr Suchen? Welche genaue Funktion hat die Erleuchtung im Erkenntnisprozeß? In welchem Verhältnis stehen Illumination und Imagination in der Erkenntnis des Menschen, der noch der sensiblen Welt verhaftet ist?

2. Der inhaltliche Charakter der Illumination

Die augustinische Illumination[12] kann nicht mit der aristotelisch-thomistischen Abstraktion harmonisiert oder in deren Sinn uminterpretiert wer-

---

litteram in: Œvres de saint Augustin 49, II, Paris 1972, 577f über ‚L'infaillibilité de la vision intellectuelle‘.

8 Zur Unterscheidung der Begriffe mens, ratio und intellectus bzw. intelligentia siehe E. Gilson, Der heilige Augustinus, Breslau 1930, 465 Anm. 1 zu 85. – Die von Gilson getroffene und hier übernommene Festlegung der Termini trifft für die Frühschriften Augustins nur teilweise zu. Siehe dazu E. König, Augustinus philosophus. Christlicher Glaube und philosophisches Denken in den Frühschriften Augustins, München 1970, 69ff, bes. 70 Anm. 299.

9 Sermo 43,2,3: Aliud est intellectus, aliud ratio. Nam rationem habemus et antequam intelligamus, sed intelligere non valemus, nisi rationem habeamus... Animal rationale cui natura inest ratio, et antequam intelligat, rationem habet. Nam ideo vult intelligere, quia ratio praecedit.

10 De gen. ad litt. 12,11,22: Cum aliquid oculis cernitur, continuo fit imago eius in spiritu... Et siquidem spiritus irrationalis est, veluti pecoris, hoc usque oculi nuntiant. Si autem anima rationalis est, etiam intellectui nuntiatur, qui et spiritui praesidet, ut, si illud quod hauserunt oculi atque id spiritui, ut eius illic imago fieret, nuntiaverunt, alicuius rei signum est, aut intelligatur continuo quid significet, aut quaeratur.

11 De ord. 2,11,30: Ratio est mentis motio ea, quae discuntur, distinguendi et connectendi potens; qua duce uti ad Deum intelligendum...

12 Einen Überblick über die verschiedenen Interpretationen der augustinischen Illuminationslehre findet sich bei E. Schützinger, Die augustinische Erkenntnislehre im Lichte neuerer Forschung, in: Recherches augustiniennes 2 (1962) 177–203. Zur Metapher ‚Licht‘ siehe F.J. Thonnard, La notion de lumière en philosophie augustinienne, in: Recherches augustiniennes 2 (1962) 125–175.

den[13]. Das ist gültiger Konsens in der Augustinusforschung[14]. So wie es bei der sinnlichen Wahrnehmung keine genau bestimmbare Kontinuität zwischen den äußeren, sensiblen Dingen und dem inneren, spirituellen Bild gibt, so gibt es bei der Intellektualerkenntnis keine einfache Kontinuität von diesem spirituellen Bild hin zur intellektuellen Einsicht in das von dem Bild Bedeutete. Denn das Niedere kann in Augustins Denken nicht auf das Höhere einwirken und dieses verursachen. Wenn nun aber die Illumination nicht mit Hilfe der Abstraktion gedeutet werden kann, was ist sie dann? Welche Funktion hat für Augustinus die sinnliche und zeichenhafte Wahrnehmung bei der Wahrheitserkenntnis? Verfällt er unweigerlich dem Ontologismus, nach welchem Gott, das ‚primum ontologicum', zugleich das ‚primum intelligibile' ist, das Ersterkannte, in dem alles andere erkannt wird[15]? Ist für Augustinus Voraussetzung jeglichen Wissens eine wirkliche und unmittelbare Schau Gottes und seiner Ideen? Gibt es für ihn nur im göttlichen Intellekt selbst ein Wissen von den Dingen? Widerspricht dieser Annahme aber nicht die Tatsache, daß Augustinus entschieden den Unterschied zwischen der derzeitigen Seinslage des gefallenen Menschen und seinem eschatologischen Telos hervorhebt, ein Unterschied, der von einem ontologistischen Konzept her infrage gestellt wäre? Und müßte ein solches ontologistisches Konzept nicht auch das Leitmotiv der augustinischen Theologie, das ‚credo ut intelligam', umwerfen[16]? Zur Klärung dieser Fragen sollen zuerst die entsprechenden Positionen von E. Gilson und J. Hessen kurz skizziert werden.

a) Nach Gilsons Interpretation[17] ist für Augustinus der menschliche Geist nicht nur bei der Sinneserkenntnis aktiv tätig, indem er die spirituellen Bilder hervorbringt, sondern auch gegenüber den so erzeugten Einzelbildern, die er sammelt, sondert, vergleicht, und in denen er das geistig Erfaßbare unmittelbar liest. Der Augustinismus sei eine Lehre, wonach das Denken befähigt ist, unmittelbar im Bilde zu lesen. Aber es vermag mit dem Gelesenen zunächst nichts anzufangen, da ihm das wahre Urteil darüber fehlt. Hier nun wirke die göttliche Erleuchtung. Die Wahrheit des Urteils sei der Bestand-

---

[13] Diese Interpretation findet sich zum Beispiel bei E. Portalié, art. Augustin (Saint), in: Dictionnaire de Théologie catholique I (1909) 2334ff; und bei Ch. Boyer, a.a.O. 206ff.

[14] Siehe z.B. E. Gilson, a.a.O. 160; B. Kälin, Die Erkenntnislehre des Heiligen Augustinus, Sarnen 1920, 41ff. G. de Plinval, Pour connaître la pensée de saint Augustin, Paris 1954, 143; J. Hessen, a.a.O. 42ff, 84; F. Körner, Abstraktion oder Illumination, a.a.O. 101ff; M. Korger, Grundprobleme der augustinischen Erkenntnislehre, a.a.O. 53f; R. Holte, a.a.O. 331f, 339ff; V. Warnach, Erleuchtung und Einsprechung bei Augustinus, in: AM I (1954) 429–450; R. Lorenz, Gnade und Erkenntnis, a.a.O. 21–78; U. Duchrow, Sprachverständnis und biblisches Hören bei Augustinus, Tübingen 1965, passim.

[15] J. Latour, Art. Ontologismus, in: LThK VII^2 (1962) 1162.

[16] Vgl. R. Holte, a.a.O. 349.   [17] E. Gilson, a.a.O. 159ff.

teil im Erkenntnisprozeß, den das Denken nicht selbst hervorbringen kann, sondern empfangen muß. Im Lichte der Erleuchtung schaue unser Verstand also nicht den Inhalt seiner Ideen, sondern die Wahrheit seiner Urteile. Letztlich gehe es Augustinus gar nicht so sehr um die Bildung von Begriffen und Ideen als vielmehr um das Schauen der göttlichen Wahrheit, die alle Begriffe übersteigt. Abschließend stellt Gilson fest: „Wir glauben also sagen zu dürfen, ... daß der genaue Anwendungsfall für die Erleuchtung im Sinne Augustins nicht so sehr die Fähigkeit des Begreifens (concevoir), sondern des Urteilens ist, weil in seinen Augen die geistige Erfaßbarkeit des Begriffs weniger in der Allgemeinheit seines Umfanges als in dem normativen Charakter besteht."[18] Und: „Obgleich die Einwirkung der göttlichen Ideen auf das Denken unmittelbar und damit intuitiv ist, so schließt sie doch keinen Ontologismus ein, weil sie ihrem Wesen nach anleitet (elle est essentiellement régulatrice), aber keinen Inhalt mitbringt."[19]

Gilson ist in seinem Urteil sehr vorsichtig. Zuweilen bleibt er in seinen Formulierungen bewußt in der Schwebe, weil sich seiner Ansicht nach das augustinische Denken nicht einfach auf einen Begriff bringen läßt[20]. Nun ist aber die Frage, ob sich nicht in manchen dieser vorsichtigen Wendungen gerade die Problematik seiner Interpretation zeigt. So fragt Hessen in seiner Auseinandersetzung mit Gilson: Wenn Gilson sagt, der genaue Anwendungsfall der Erleuchtung sei *„nicht so sehr"* die Fähigkeit des Begreifens, sondern des Urteilens; Augustinus habe *„nicht so sehr"* die Bildung von Begriffen als vielmehr die Erkenntnis der Wahrheit Gottes im Auge: gibt er dann nicht zu, daß es bei der Illumination eben doch auch um Vermittlung intelligibler Inhalte geht[21]? Um diese Inhaltlichkeit der Illumination aber geht es Hessen in seiner eigenen Interpretation: „Die Wahrheit ist ihm (dem Augustinus) nicht bloß Lichtquelle der Gewißheit im kausalen Sinn; aus ihr fließen vielmehr unserer Seele bestimmte Erkenntnisinhalte zu."[22] Und: „Was will Augustinus mit der Bezeichnung ‚Licht' und ‚Erleuchtung' sagen? Es ist das eigenartige Sichoffenbaren, Sichkundtun der Wahrheit... Die ewigen Wahrheiten, die Inhalte der intelligiblen Welt, offenbaren sich dem Menschengeist, sodaß dieser sie nicht aus der sinnlichen Wahrnehmung und dem Gebiet des niederen Wissens (scientia) erarbeitet, sondern als von oben gegeben in sich antrifft."[23] Diese Deutung Hessens ist dem augustinischen Den-

---

[18] Ders., a.a.O. 169.

[19] Ders., a.a.O. 170; der französische Text ist dem Original, E. Gilson, Introduction à l'étude de St. Augustin, Paris 1929, 124, entnommen.

[20] Ders., a.a.O. passim; vor allem im Schlußkapitel 390ff.

[21] J. Hessen, a.a.O. 92f. Nach Hessen bewegt sich Gilsons Auffassung von der Illumination in der Linie von Bonaventuras Interpretation der augustinischen Illuminationslehre; siehe dazu 85ff.

[22] Ders., a.a.O. 70.

[23] Ders., a.a.O. 84; vgl. auch 50f: „Der metaphysische Grund, auf dem die objektive

ken sicherlich angemessen und wird von der Forschung heute weitgehend geteilt[24]. Aber auch Gilson verfolgt ein diesem Denken gerecht werdendes Anliegen. Beides soll im folgenden entfaltet werden.

b) Dazu sollen zunächst Argumente aus *De magistro* herangezogen werden, einer Frühschrift Augustins, in welcher er die Prinzipien seiner vom platonschen Dualismus geprägten, ins Christliche integrierten und von Theozentrik geleiteten Erkenntnistheorie formuliert[25], von denen er zeit seines Lebens nicht mehr abgeht[26]. Ein solcher Grundsatz lautet, daß die beiden menschlichen Erkenntnisweisen, Sinnes- und Intellektualerkenntnis (die Imagination der Seele gehört nach dem bisher Gesagten zum Bereich der Sinneserkenntnis), keine eigentliche Verbindung miteinander haben. Zwischen beiden besteht vielmehr eine Art unverbundener Parallelismus[27]:

„Alles, was wir wahrnehmen, nehmen wir *entweder* vermittels des Leibessinnes *oder* vermittels des Geistes wahr. Das einemal handelt es sich um Sensibles, das anderemal um Intelligibles."[28]

Das einemal richtet sich die Seele auf den Seinsbereich des *Draußen*, das an-

Wahrheit unserer Erkenntnis beruht, ist die substantielle Wahrheit, Gott. Das apriorische Element in unserer Erkenntnis, die obersten Erkenntnisprinzipien, haben nicht in den Gegenständen noch auch im menschlichen Intellekt, sondern in Gott bzw. in der intelligiblen Welt ihren logischen und metaphysischen Ursprung."

[24] Siehe z.B. O. Lechner, Idee und Zeit: „Die Besinnung auf das Urteilen des Verstandes offenbart die Gegenwart einer Norm, nach der geurteilt wird... So sehr die Rolle der Ideen also zunächst regulativ erscheint, so ist das nicht ihr Wesen in sich selbst" (55); „Der inhaltliche Charakter der Einstrahlung steht gegenüber der mehr formalen Deutung E. Gilsons fest" (65).

[25] Zur Interpretation von De magistro siehe C.P. Mayer, Die Zeichen I, 223ff. 232 und 241ff geht Mayer dem platonschen Dualismus in Augustins Lehre von den Zeichen nach. 224 spricht er sich für die Annahme aus, Augustinus habe De magistro gleichsam als wissenschaftstheoretische Präambel für eine noch zu redigierende Enzyklopädie der Wissenschaften geschrieben: „Um dem Sog profanen Wissensdünkels ein für allemal entgehen zu können, verlegte er den gesamten Lehr- und Lernprozeß ins christlich Religiöse und integrierte seine Erkenntnistheorie, speziell seine Illuminationslehre, in die Christologie." — Zur Kritik der einseitig christologischen Deutung der Illuminationslehre und damit der christozentrischen Deutung des augustinischen Denkens überhaupt, siehe den Exkurs am Ende dieses Abschnitts.

[26] Siehe C.P. Mayer, Die Zeichen I, 224: „Wie sehr Augustinus mit diesem Frühwerk einverstanden war, beweist die Tatsache, daß es im ersten Teil seiner Retraktationen das einzige ist, an dem er überhaupt nichts auszusetzen hatte (Retr. 1,5)." 225: „Da Augustinus keine eigenen erkenntnistheoretischen Schriften verfaßte, sondern nur sporadisch seine diesbezüglichen Theorien darlegte, ist die Schrift De magistro gleichsam der Angelpunkt aller seiner gnoseologischen Erörterungen."

[27] Zur Parallelität der beiden Erkenntnisweisen siehe J. Hessen, a.a.O. 43f, und C.P. Mayer, Die Zeichen I, 232.

[28] De mag. 12,39: Omnia quae percipimus, aut sensu corporis, aut mente percipimus. Illa sensibilia, haec intelligibilia.

deremal auf den des *Drinnen*[29]. Das einemal befragen wir mit Hilfe unserer Sinne das äußere Licht über die Körperdinge, das anderemal mit Hilfe unserer Vernunft die innere Wahrheit über die in ihrem Licht sich zeigenden intelligiblen Dinge[30]. Damit gilt für die Erkenntnis sowohl des Sensiblen als auch des Intelligiblen in je spezifischer Weise das Gesetz der Unmittelbarkeit. Denn beides, Sensibles wie Intelligibles, ist für Augustinus ein in je spezifischer Weise Gegebenes und Vorgefundenes. In *De Trinitate* heißt es später prägnant, in der unkörperlichen Natur sei das Intelligible den Blicken des Geistes so zugegen wie in der räumlichen Welt das Sichtbare und Berührbare den Sinnen des Leibes[31]. Der Parallelismus wird freilich dadurch in sich erheblich modifiziert, daß es sich einmal um ein Wahrnehmen der Seele von ihr ontologisch Tieferstehendem handelt, das anderemal um ein Gewahrwerden von ihr ontologisch Gleichem oder Höherstehendem; die Seele also einmal aktiv die Sinne benützt, das anderemal rezeptiv auf die Wahrheit hin geöffnet ist.

Dieser Sachverhalt hat nun für Augustins Theorie von den *Zeichen*[32] eine beträchtliche Konsequenz. Ein Zeichen soll, so vermutet man, die von ihm bedeutete Sache dem denkenden Geist vermitteln. Augustinus aber fragt in *De magistro:*

„Wenn mir ein Zeichen gegeben wird und ich weiß nicht, für welche Sache es Zeichen sein soll, dann kann es mir nichts sagen. Wenn ich es aber weiß, was sagt mir dann das Zeichen Neues?"[33]

---

[29] C.P. Mayer, Die Zeichen I, 240 Anm. 61, weist darauf hin, wie sich gegen Ende des Dialogs De magistro die Begriffe ‚foris' und ‚intus' häufen. — Die grundlegende Bedeutung der foris-intus-Struktur für das augustinische Denken hat F. Körner in seinen Untersuchungen herausgearbeitet: F. Körner, Das Prinzip der Innerlichkeit in Augustins Erkenntnislehre, Würzburg 1952; ders., Die Entwicklung Augustins von der Anamnesis- zur Illuminationslehre im Lichte seines Innerlichkeitsprinzips, in: ThQ 134 (1954) 397—447; ders., Deus in homine videt. Das Subjekt der menschlichen Erkennens nach der Lehre Augustins, in: PhJ 64 (1956) 166—217; ders., Das Sein und der Mensch. Die existentielle Seinsentdeckung des jungen Augustin, Freiburg 1959. — Zur Kritik an der einseitig existentiellen und personalen Interpretation Augustins durch Körner siehe C.P. Mayer, Die Zeichen I, 240 Anm. 61 und 186 Anm. 59.

[30] De mag. 12,39: ... de coloribus lucem et de caeteris, quae per corpus sentimus, elementa huius mundi eademque corpora...; de his autem quae intelliguntur, interiorem veritatem ratione consulimus.

[31] De Trin. 12,23: In natura incorporali sic intelligibilia praesto sunt mentis aspectibus, sicut ista in locis visibilia vel contrectabilia corporis sensibus.

[32] Einen guten Einblick in die Problematik der Zeichen bei Augustinus — einerseits Abwertung der Zeichen, andererseits Angewiesenheit des Menschen auf sie — geben die folgenden Arbeiten: C.P. Mayer, Die Zeichen I; ders., Die Zeichen II; ders., Signifikationshermeneutik im Dienst der Daseinsauslegung. Die Funktion der Verweisungen in den Confessiones X—XIII, in: Augustiana 24 (1974) 21—74; A. Holl, Die Welt der Zeichen bei Augustinus. Religionsphänomenologische Analyse des 13. Buches der Confessiones, Wien 1963; ders., Signum und Chiffer. Eine religionsphilosophische Konfrontation Augustins mit Karl Jaspers, in: REA 12 (1966) 157—182.

[33] De mag. 10,33: Cum enim mihi signum datur, si nescientem me invenerit, cuius rei

Auf die Sprache als ein besonderes Zeichensystem angewandt, heißt das: Wenn ich die mit dem Wort gemeinte Sache nicht kenne, dann ist mir dieses Wort nur akustisches Geräusch. Daß es aber ein Zeichen ist, habe ich dann begriffen, wenn ich herausgefunden habe, für welche Sache es Zeichen ist. Diese Sache aber lerne ich nicht durch die verweisende Bezeichnung des Zeichens (significatu), sondern nur durch ihre unmittelbare Gegenwärtigsetzung (aspectu)[34]. Der entscheidende Satz lautet nun:

„Deshalb wird eher das Zeichen vermittels der erkannten Sache als die Sache vermittels des gegebenen Zeichens gelernt."[35]

Die äußeren Zeichen verlieren damit ihre wissensvermittelnde Rolle. Sie lehren uns keine neuen Inhalte, sondern machen uns allenfalls darauf aufmerksam, *daß* da etwas ist. Sie „haben *keine semantische Funktion*"[36], sondern nur eine *exzitatorische:* Denn entweder wir wissen schon, was sie bedeuten. Dann wecken sie in uns nur die Erinnerung an schon Gewußtes und dem Gedächtnis Eingeprägtes, seien es spirituelle Bilder sensibler Sachen oder intelligible Sachverhalte. Oder wir wissen nicht, was sie bedeuten, dann *ermahnen* (admonere) sie uns nur, die bezeichnete Sache zu suchen. Belehrt aber werden wir nur, wenn uns diese Sachen selbst dargeboten werden, den Sinnen des Leibes die sensiblen und dem Intellekt die intelligiblen[37].

Für die hier entscheidende Frage nach der Erkenntnis des nicht der Sinnenwelt angehörenden und folglich nicht von außen erfahrbaren Intelligiblen gilt demnach: Wenn dem Geist des Menschen Worte oder andere bildhafte Zeichen aus der sensiblen Welt oder auch aus dem sensiblen Gedächtnis gemeldet werden, die auf Intelligibles verweisen sollen, und wenn der Mensch die äußeren Zeichen auf dieses Intelligible hin einsieht, dann ist es die Wahrheit Gottes selbst, die diesem Menschen in ihrem Licht, das heißt durch Illumination, die intelligible Sache unmittelbar schauen läßt. Denn nicht die

---

signum sit, docere me nihil potest; si vero scientem, quid disco per signum?

[34] De mag. 10,33: Reperi vocabulum esse rei quae mihi erat videndo notissima. Quod priusquam reperissem, tantum mihi sonus erat hoc verbum; signum vero esse didici, quando cuius rei signum esset inveni; quam quidem, ut dixi, non significatu, sed aspectu didiceram.

[35] Ebd.: Itaque magis signum re cognita, quam signo dato ipsa res discitur. – Siehe dazu auch R. Holte, a.a.O. 329ff: „Enseignement extérieur et intérieur d'après le De magistro".

[36] C.P. Mayer, Die Zeichen I, 241. Der in Anm. 35 zitierte Satz De mag. 10,33 durchzieht wie ein Leitmotiv auch den 2. Band der Studie Mayers, Die Zeichen II: siehe 156, 246, 293, 349, 360, 383.

[37] De mag. 11,36: Verissime dicitur, cum verba proferuntur, aut scire nos quid significant, aut nescire: si scimus, commemorari potius quam discere; si autem nescimus, ne commemorari quidem, sed fortasse ad quaerendum admoneri. – Ebd.: ... verba ... admonent tantum ut quaeramus res, non exhibent ut norimus. Is me autem aliquid docet, qui vel oculis, vel ulli corporis sensui, vel ipsi etiam menti praebet ea quae cognoscere volo.

äußeren Worte des Sprechenden lehren, „sondern die *von Gott im Innern dargebotenen* und manifesten Sachen selbst"[38]. Man kann mit einem äußeren Zeichen die gemeinte intelligible Sache niemals einholen. Die ontologische Differenz zwischen Zeichen und Sache ist von außen nicht überbrückbar. Die Zeichen sind nur Mahner zur Hinwendung nach innen, wo die dem Menschen innerliche und ihn zugleich transzendierende Wahrheit[39] spricht, wo im Licht der göttlichen Wahrheit Intelligibles aufleuchtet. Die Illumination vermittelt demnach nicht nur die wahren Urteile des menschlichen Intellekts, sondern auch die wahren intelligiblen Inhalte, von denen her Zeichenhaftes überhaupt erst in seiner Zeichenhaftigkeit und in seinem Verweischarakter erkannt und beurteilt werden kann.

Exkurs I: Zur christologischen Deutung der Illumination

In *De magistro* identifiziert Augustinus die den Menschen innerlich erleuchtende Wahrheit mit Christus, der unwandelbaren und ewigen Weisheit Gottes[40]. Daraus wird in der Augustinusforschung fast durchgängig der Schluß gezogen, Augustinus habe seine Erkenntnislehre in die Christologie integriert, sein Denken sei also von einer klaren Christozentrik bestimmt[41]. Dieser Schluß muß jedoch kritisch hinterfragt werden. Denn Augustins Terminologie ist durchaus nicht einheitlich. Statt von Christus spricht er auch ganz allgemein von Gott als dem inneren Lehrer[42]. Müßte man vielleicht eher von einer grundlegenden und vorgängigen Theozentrik sprechen?
Schon E. Dinkler hat in seiner Monographie über die augustinische Anthropologie eine Christozentrik bei Augustinus energisch bestritten. Es gehe dem Augustinus nicht um eine „paulinische Christusmystik, sondern um eine betonte, durch den Neuplatonismus beeinflußte Gottesmystik"[43]. Ganz in diesem Sinne weist O. du Roy in einer neueren Untersuchung über die Entwick-

---

[38] De mag. 12,40: Docetur enim non verbis meis, sed ipsis rebus, Deo intus pandente, manifestis.

[39] Vgl. Conf. 3,6,11: Tu autem eras interior intimo meo, et superior summo meo. − Die Hinwendung nach innen, der Einstieg, bedeutet deshalb zugleich Aufstieg, Transzendieren; siehe C.P. Mayer, Die Zeichen I, 143. M. Korger, a.a.O. 46, sagt von daher mit Recht, „daß Erkenntnis für Augustinus ein immerwährendes Transzendieren ist: von der Sinnlichkeit auf den eigenen Geist, von da aber auf Christus, den intus magister, der kein göttlicher Seelengrund ist, sondern der absolut transzendente und doch gerade deswegen abgründig nahe Erlöser.

[40] Siehe De mag. 11,38: Ille autem, qui consulitur, docet, qui in interiore homine habitare dictus est Christus (Eph 3,16f), id est incommutabilis Dei Virtus atque sempiterna Sapientia. Vgl. auch Retract. 1,11 zu dieser Stelle.

[41] Siehe z.B. E. Gilson, a.a.O. 99f; M. Korger, a.a.O. 46; C.P. Mayer, Die Zeichen I, 224; P. Stockmeier, a.a.O. 82f.

[42] Siehe De mag. 12,40: Deo intus pandente...

[43] E. Dinkler, Die Anthropologie Augustins, Stuttgart 1934, 164.

lung von Augustins Trinitätstheologie darauf hin, daß Augustins geistiger Werdegang dadurch gekennzeichnet sei, daß er zuerst dank der Lektüre neuplatonischer Schriften Gott und die göttliche Trinität ‚entdeckt' habe, und erst danach dank der Lektüre paulinischer Briefe den inkarnierten Christus[44]; und daß diese biographische Gegebenheit sich in einer fundamentalen Struktur der augustinischen Theologie insgesamt widerspiegele: eben in der Vorgängigkeit des Trinitätsdenkens vor einer theologischen Reflexion der Inkarnation[45]. Zur Frage der christologischen Deutung der Illumination kann von hierher gesagt werden: Wenn Augustinus in De magistro den inneren Lehrer mit Christus identifiziert, dann ist das zunächst Ausdruck dieses vorgängigen Trinitätsdenkens, stellt aber noch keine am Inkarnationsgedanken differenziell-diakritisch ausgewiesene Christozentrik dar.

Die Ergebnisse der Arbeit von E. König über das Verhältnis von christlichem Glauben und philosophischem Denken in den Frühschriften Augustins bestätigen diese Interpretation. König zeigt, daß Augustinus schon in seinen Frühschriften christlicher Philosoph sei. Denn es gehe ihm darum, die Aussagen des christlichen Glaubens, die er als unbedingt wahr glaube, philosophisch als wahr zu erweisen. Er tue dies aber gerade dadurch, daß er den christlichen Glauben mit bestimmten, von ihm als wahr erkannten philosophischen Theorien identifiziere[46]. Von daher könne in Augustins Terminologie zwar biblischer Wortlaut vorliegen, gleichwohl aber eine ‚unorthodoxe' Theorie gemeint sein[47]. In diesem Zusammenhang weist König nach, daß der frühe Augustinus in seiner Trinitätsauffassung modalistisch[48] und in seiner Inkarnationsauffassung photinianisch dachte[49]. Im Blick auf die christologische Deutung der Illumination heißt das: Wenn Augustinus trotz modalistischer Trinitätslehre und trotz photinianischer Christologie Christus als den inneren Lehrer bezeichnet, dann ist das ein Hinweis dafür, daß diese Deutung eher eine nur nominelle Christozentrik darstellt, hinter der in Wahrheit

---

[44] Vgl. Augustins eigenes Zeugnis in Conf. 7,9ff.

[45] O. du Roy, L'intelligence de la foi en la Trinité selon saint Augustin. Genèse de sa théologie trinitaire jusqu'en 391, Paris 1966, 21.

[46] E. König, a.a.O. 51, 77, 114, 123f, 137f, 140. R. Lorenz, Zwölf Jahre Augustinusforschung, in: Theologische Rundschau 39 (1974) 263ff, kritisiert allerdings zurecht den positivistischen Philosophiebegriff, mit dem König an Augustinus herangehe und der ihn veranlasse, seine Hypothese, Augustinus interpretiere den Glauben mit ihm bekannten philosophischen Theorien, im Sinne einer petitio principii zu überziehen. Lorenz anerkennt jedoch einzelne historische Ergebnisse der Arbeit an.

[47] E. König, a.a.O. 138. Siehe auch schon K. Adam, Die geistige Entwicklung des hl. Augustinus, Augsburg 1931, 29.

[48] E. König, a.a.O. 125.

[49] Ders., a.a.O. 126ff; gegen die Meinung der traditionellen Augustinusforschung, die beim frühen Augustinus eine orthodoxe Christologie annahm: z.B. J. Nörregaard, Augustins Bekehrung, Tübingen 1923, 163ff und T.J. van Bavel, Recherches sur la christologie de saint Augustin. L'humain et le divin dans le Christ d'après saint Augustin, Fribourg, 1954, 5ff.

eine Theozentrik steht. Daß Augustinus an dieser grundlegenden Theozentrik durch alle seine theologischen Entwicklungen hindurch festhält, wird im Verlauf der vorliegenden Untersuchung immer wieder sichtbar werden.

3. Bleibende Angewiesenheit auf Imagination

Die Erleuchtung des menschlichen Geistes durch das Licht und die Wahrheit Gottes ermöglicht unmittelbare Schau von unveränderlich Wahrem. Das war das Anliegen Hessens. Jedoch muß diese Aussage noch weiter differenziert werden. Man muß fragen, welche Qualität und Tragweite die geschauten intelligiblen Inhalte im aktuellen Erkennen des der Sensibilität verhafteten Menschen haben. Denn die Schau des Intelligiblen müßte ontologistisch verstanden werden, wäre sie nur annähernd umfassend und vollkommen[50]. Das ist sie aber nicht, wie im folgenden aufgezeigt werden soll[51].

a) Das unveränderlich Wahre und Intelligible, das der Mensch durch Erleuchtung in sich schauen kann und das Augustinus in seiner Totalität in den platonschen Begriff des *mundus intelligibilis*[52] zusammenfaßt, ist in sich selbst von unterschiedlicher Tragweite und Bedeutung. Auch innerhalb von begründender Wahrheit lassen sich Stufungen erkennen. Einmal handelt es sich zum Beispiel um die leichter einsichtigen mathematischen Wahrheiten, die Wahrheiten der einzelnen wissenschaftlichen Disziplinen, die Regeln der Schönheit, die Ideen der Tugenden. Dann sind es aber auch die umfas-

---

[50] Siehe O. Lechner, a.a.O. 65.

[51] Auch J. Hessen weist eine ontologistische Deutung zurück. A.a.O. 75 bemerkt er zu De gen. ad litt. 12,31,59: „Die vorliegende Stelle ist eine der für die Feststellung der augustinischen Theorie bedeutsamsten. Sie läßt einigermaßen erkennen, wie Augustinus sich den Vorgang der göttlichen Erleuchtung gedacht hat. Gott ist ihm hiernach die Lichtquelle, die ihr Licht in die Seele hineinscheinen läßt. Diese sieht nun, vom Lichte durchleuchtet, das Intelligible, das gleichsam in ihr aufleuchtet; die Lichtquelle selbst aber sieht sie nicht." Vgl. ders., a.a.O. 78: „Gott ist ... mehr ‚effective' als ‚objective' bei der höheren Erkenntnis unseres Geistes gegenwärtig; nicht seine Substanz, sondern die Wirkung, die von ihr ausgeht, erscheint unserm Geiste." Der Vorwurf des Ontologismus, den R. Holte, a.a.O. 349, gegen die Deutung Hessens erhebt, erweist sich von daher als nicht gerechtfertigt. Gegen Hessen ist im Gegenteil hervorzuheben, daß nach Augustins Illuminationslehre das einzelne Wahre eben doch *durch* die Wahrheit selbst geschaut wird, Gott sich also bei der Erleuchtung immer auch selbst erschließt. Siehe dazu weiter unten. O. Lechner, a.a.O. 65, kritisiert mit Recht: „Für die Unterscheidung des intelligiblen Lichtes in das unerschaffene der subsistierenden Wahrheit und in das erschaffene Licht der Inhalte der intelligiblen Welt, wie sie Hessen vornimmt (a.a.O. 97), gibt sich von seiten des erleuchtenden Lichts kein Anhaltspunkt."

[52] Vgl. J. Ritter, Mundus intelligibilis. Zur Aufnahme und Umwandlung der neuplatonischen Ontologie bei Augustinus, Frankfurt/M 1937. Ritter sieht in der Tatsache, daß Augustinus den mundus intelligibilis in den göttlichen Geist selbst verlegt, den Grund für die Erhaltung der platonischen Ontologie bei Augustinus (33ff).

senderen und deshalb schwerer zugänglichen obersten Begriffe und Prinzipien der Philosophie, die Wesenszüge von Sein. Und schließlich ist es die Idee von Weisheit und Wahrheit überhaupt, die selbst als begründende Wahrheit anderem Wahren zugrundeliegt[53].

Diese Stufung innerhalb des Intelligiblen weist letztlich auf die ‚Differenzidentität' von unveränderlich Wahrem und der umgreifenden Wahrheit, die Augustinus in den *Soliloquien* einführt. Er unterscheidet dort ausdrücklich zwischen einzelnem Wahren (verum) und der Wahrheit (veritas) selbst als zwei verschiedenen Sachen[54]. Aber alles Wahre gründet doch in der einen Wahrheit, die Gott ist, ,,in dem, von dem her und durch den wahr ist, was immer wahr ist"[55]. Alles lichthaft Intelligible gründet in dem einen intelligiblen Licht, das Gott ist, ,,in dem, von dem her und durch den in Intelligibilität leuchtet, was immer intelligibel leuchtet"[56]. Diese Sätze besagen: Nur im Ursprung kann Intelligibles ganz in sich licht und bei sich selbst sein. Aber dieser Ursprung ist auch Quelle des Leuchtens auf Geschaffenes hin. Er trägt sein Lichtsein durch und vermittelt es dem verstehenden Geist als einleuchtend[57]. Nur im ursprünglichen Licht, in der einen Wahrheit, ist also die Fülle des Wahren, die Totalität der intelligiblen Welt, in deren ,,strukturierte Einheit"[58] hinein sich die eine Wahrheit entfaltet. Deshalb kann auch nur in diesem Licht, in der alles Wahre in sich begreifenden Wahrheit, im Ursprung selbst, das Wahre in seiner ursprünglichen Fülle und in seiner ursprünglichen Lichthaftigkeit geschaut werden. Die *Engel* partizipieren an diesem Ursprungsgeschehen[59]. Ihre ,,primordiale Erkenntnis"[60] ermöglicht ihnen eine vollkommene Schau des Wahren in seiner Totalität, das heißt, in seiner ursprünglichen Differenzidentität mit der Wahrheit selbst. Der *Mensch* aber ist aufgrund der Sünde, in welcher er sich aus Selbstüberhebung (superbia) von der Einheit des Ursprungs abgewandt und der Vielheit des Geschaffenen zugewandt hat, von diesem Ursprungsgeschehen entfremdet[61]. Sein inneres Auge hat die Reinheit und Klarheit verloren, die

---

53 Siehe dazu O. Lechner, a.a.O. 52ff, 57; J. Hessen, a.a.O. 26f, 35; C.P. Mayer, Die Zeichen I, 70f.

54 Soliloq. 1,15,27: R. Primo itaque illud videamus, cum duo verba sint veritas et verum, utrum tibi etiam res duae istis verbis significari an una videatur. A. Duae res videntur.

55 Soliloq. 1,3: Deus veritas, in quo et a quo et per quem vera sunt quae vera sunt omnia.

56 Soliloq. 1,3: Deus intelligibilis lux, in quo et a quo et per quem intelligibiliter lucent quae intelligibiliter lucent omnia.

57 O. Lechner, a.a.O. 64.   58 Ders., a.a.O. 54.

59 Vgl. ders., a.a.O. 178ff (das Kapitel über ,,Idee und Engel").

60 Ders., a.a.O. 227.

61 Vgl. zum Beispiel De gen. c. Manich. 2,4,5f: Ante peccatum vero ... irrigabat eam *fonte* interiore, loquens in intellectum eius: ut non extrinsecus verba exciperet...; sed fonte suo, hoc est de intimis suis manente veritate, satiaretur... Quando autem anima

Voraussetzung für die Schau der Wahrheit sind[62]. Zwar wird er noch immer erleuchtet und sieht so Wahres, Lichtes, Intelligibles. Zwar ist ihm auch Gott grundsätzlich erkennbar. Denn zur Erleuchtung gehört, daß auch Gott selbst sich erschließt. Das erleuchtende Licht zeigt nicht nur einzelnes Wahres, sondern stets auch sich selbst und somit Gott[63]. Aber weil der Mensch in seiner Schwachheit dieses ursprüngliche Licht Gottes nicht in ungebrochenem Glanz sehen kann, deshalb sieht er auch das Intelligible nicht in seiner ursprünglichen Lichthaftigkeit und Totalität. Er sieht es zwar immer noch unmittelbar, aber doch gebrochen, partiell, begrenzt[64].

b) Sehr deutlich zeigt sich diese Begrenztheit dort, wo Augustinus den mundus intelligibilis identifiziert mit den ewigen und unwandelbaren Schöpfungsideen Gottes[65]; wo er also, wie Lechner formuliert, „die ontologische Bedeutung von Idee als Grund und Ursprung von Seiendem"[66] reflektiert. In der *Quaestio 46 ,De ideis'* nennt er diese Ideen Ursprungsformen (principales formae), beständige und unwandelbare Seinsgründe (rationes rerum stabiles atque incommutabiles), die in Gott selbst ihren Ort haben[67]. Sie

---

tali fonte irrigabatur, nondum per *superbiam* proiecerat intima sua... Et quoniam in exteriora per superbiam tumescens coepit non irrigari fonte intimo.

[62] Vgl. De divers. quaest. 83 qu. 46,2.

[63] So dürfte das „in illo" in De gen. ad litt. 12,31,59 (s.u. Anm. 64) aufzufassen sein. Siehe R. Lorenz, Gnade und Erkenntnis, 50. — Aufgrund dieses Sachverhaltes vertritt E. von Ivanka, Die unmittelbare Gotteserkenntnis als Grundlage des natürlichen Erkennens und als Ziel des übernatürlichen Strebens bei Augustin, in: Scholastik 13 (1938) 521—43, die These, Augustinus gehe es eher um eine Theorie des *religiösen* Erkennens als um eine allgemeine Erkenntnistheorie (538). „Augustinus trennt nicht Begriffserkenntnis von Gotteserkenntnis, die Sphäre des Nous von der Sphäre Gottes... Aber ... er macht darum die Gotteserkenntnis nicht zu einer rationalen Erkenntnis wie Platon, sondern schreibt umgekehrt den mystischen Charakter, die ‚Blitzartigkeit' der innerlichen Gotteserkenntnis auch der Begriffserkenntnis zu" (541). Damit trifft von Ivanka zweifellos den Kern der augustinischen Gnoseologie.

[64] Vgl. De gen. ad litt. 12,31,59: In illo genere intellectualium visorum *alia* sunt, quae in ipsa anima videntur, velut virtutes... *Aliud* autem est ipsum lumen, quo illustratur anima, ut omnia *vel in se vel in illo* veraciter intellecta conspiciat: nam illud iam ipse Deus est, haec autem creatura, quamvis rationalis et intellectualis ad eius imaginem facta, quae cum conatur lumen illud intueri, palpitat infirmitate, et minus valet. Inde est tamen quidquid intelligit sicut valet.

[65] Vgl. Retract. 1,3,2 (zu De ord. 1,11,32): Mundum quippe intelligibilem nuncupavit (scl. Plato) ipsam rationem sempiternam atque incommutabilem, qua fecit Deus mundum. — Zur Aufnahme und Korrektur neuplatonischer Gedanken in dieser Frage siehe O. Perler, Der Nus bei Plotin und das Verbum bei Augustinus als vorbildliche Ursache der Welt, Freiburg (Schweiz) 1931, 78ff.

[66] O. Lechner, a.a.O. 49.

[67] De divers. quaest. 83 qu. 46,2: Sunt namque ideae principales quaedam formae, vel rationes rerum stabiles atque incommutabiles, quae ipsae formatae non sunt, ac per hoc aeternae ac semper eodem modo sese habentes, quae in divina intelligentia continentur.

sind unvergänglich, ewig und deshalb wahr[68]; denn die Wahrheit ihres Seins kennt keine Aufhebung oder Minderung. Der Teilhabe an diesen göttlichen Schöpfungsideen verdankt ein jedes Seiendes sein Sosein[69].

Die vernunftbegabte Seele ist nun zwar grundsätzlich dafür bestimmt, diese Ideen im Ursprung, in Gott, zu schauen. Diese Schau ist ihr eigentliches, beseligendes Telos[70]. In ihrer gegenwärtigen Seinslage ist sie dazu aber noch nicht fähig. Das ändert sich erst, wenn sie selber in ihrem Sein diesen Ideen ähnlich geworden ist, das heißt, wenn sie rein, heilig, heil, lauter und hell geworden ist[71]. Augustinus geht deshalb davon aus, daß selbst einem frommen und in der wahren Religion stehenden Menschen die volle Einsicht noch nicht möglich ist[72]. Je mehr sich die Seele aber in Liebe mit Gott verbindet, desto heller wird sie von intelligiblem Licht erleuchtet und desto heller schaut sie die Ideen[73]. Der Grad der liebenden Verbindung mit Gott bestimmt den Grad von Erleuchtung und Einsicht. Entscheidend für die hier verhandelte Problematik ist jedoch, daß der Mensch bei der Erkenntnis von unveränderlich Wahrem, von Idee, in diesem Leben immer an das von der Idee her gewordene Seiende gebunden bleibt. In *De genesi ad litteram* sagt Augustinus deutlich, daß die menschliche Seele geschaffenes Seiendes nicht apriorisch über dessen Idee im göttlichen Intellekt zu erkennen vermag[74]. Vielmehr muß sie bei ihrer Wahrheitssuche von diesem Geschaffenen ausgehen, wenngleich sie Erleuchtung unmittelbar von Gott erhofft. Und auch wenn ihr Erleuchtung zuteil wurde und sie Intelligibles erblicken konnte, ist sie doch immer wieder auf das in Raum und Zeit Geschaffene, auf Bild- und Zeichenhaftes zurückgeworfen. Solange sie durch die Körperlichkeit

---

— Zur Interpretation dieser Quaestio siehe O. Lechner, a.a.O. 49ff, und C.P. Mayer, Die Zeichen I, 254ff.

[68] Qu. 46,2: Ipsae verae sunt, quia aeternae sunt, et eiusdem modi atque incommutabiles manent.

[69] Qu. 46,2: Hae rerum omnium creandarum creaturumve rationes in divina mente continentur. ... quarum participatione fit ut sit quidquid est, quoquomodo est. Vgl. O. Lechner, a.a.O. 54: „Idee ist das Was eines Seienden (daß es schön, gut, groß ist), erhoben in seine Eigentlichkeit, Ursprünglichkeit, Vollkommenheit, überschritten in seine Einfachheit, wo es nicht mehr von einem Seienden gehabt, getragen wird, sondern in sich selber ist.“

[70] Qu. 46,2: Istas rationes, quarum visione fit beatissima.

[71] Qu. 46,2: Anima ... quae sancta et pura fuerit, haec asseritur illi visioni esse idonea; id est, quae illum ipsum oculum quo videntur ista, sanum, et sincerum, et serenum, et similem his rebus quas videre intendit, habuerit.

[72] Qu. 46,2: Quis autem religiosus et vera religione imbutus, quamvis nondum possit haec intueri...

[73] Qu. 46,2: Deo ... in quantum caritate cohaeserit, in tantum ab eo lumine illo intelligibili perfusa quodam modo et illustrata cernit ... istas rationes.

[74] De gen. ad litt. 5,16,34: Nec idonea est ipsa mens nostra, in ipsis rationibus quibus facta sunt, ea videre apud Deum, ut per hoc sciamus quot et quanta qualiaque sint, etiamsi non ea videamus per corporis sensus.

des Menschen in die sensible Welt eingebunden ist, bleibt sie auf Imagination angewiesen[75].

c) Zwar ist der Mensch mit den ewigen Ideen irgendwie verbunden. Und nur dadurch kann er überhaupt, wenn auch nur anfanghaft, Wahres erkennen. Nur dadurch kann er die Dinge dieser Welt richtig beurteilen[76]. Zwar sieht der Mensch also die Ideen. Aber er sieht sie doch nicht klar und deutlich. Es handelt sich eher um eine partielle Schau oder gar nur um eine dunkle Vorahnung, die aber doch die Liebe zur Wahrheit und das Verlangen nach immer tieferem Erkennen entzündet[77]. Augustinus faßt diesen Sachverhalt begrifflich mit dem Terminus ‚notio‘. In *De libero arbitrio* verdeutlicht er das damit Gemeinte am Beispiel des Seligkeitsstrebens des Menschen: Alle Menschen sehnen sich nach Glückseligkeit (beatitudo) und nach Weisheit (sapientia), durch welche das beseligende Gut ergriffen und geschaut wird. Die Frage ist nun, wie der Mensch überhaupt Wahres über das Glück und die Weisheit sagen und nach ihrem Besitz streben kann, obwohl er die Glückseligkeit und die Weisheit noch nicht kennt. Denn würde er sie kennen, dann wäre er schon jetzt glücklich und weise. Das ist aber nicht der Fall. Die Antwort Augustins lautet: Wir finden die Idee von Glückseligkeit und von Weisheit immer schon irgendwie in uns vor. Wir haben einen *vorläufigen Begriff (notio)* von ihr, der unserem Geist vor allem Begreifen eingeprägt ist und der es uns ermöglicht, Wahres über das Glück und die Weisheit zu denken und beides in unserem Handeln konkret anzustreben, obwohl wir noch Unwissende sind, die Weisheit und Wahrheit also noch nicht haben[78].

---

[75] Vgl. A. Holl, Die Welt der Zeichen, 83: „Die Imagination erweist sich somit als *conditio humana.*“

[76] De lib. arb. 3,5,13: Humana guippe anima naturaliter divinis ex quibus pendet connexa rationibus, cum dicit: Melius hoc fieret quam illud; si verum dicit, et videt, quod dicit, in illis quibus connexa est rationibus videt.

[77] R. Holte, a.a.O. 350: „... une connaissance partielle des idées (= prolepsis), distincte de leur connaissance parfaite qui n'appartient qu'à la vision.“ Ders., a.a.O. 352: „Il ‚voit‘ la norme de la vérité qui se trouve dans la raison comme quelque chose de supérieur à celle-ci, et cependant, ce n'est pas une claire vision, mais plutôt un obscur pressentiment, suffisant pourtant pour éveiller désir et amour.“

[78] De lib. arb. 2,9,26: Sicut ergo antequam beati simus, mentibus tamen nostris *impressa est notio* beatitatis — per hanc enim scimus, fidenterque et sine ulla dubitatione dicimus beatos nos esse velle —; ita etiam priusquam sapientes simus, *sapientiae notionem in mente habemus impressam,* per quam unusquisque nostrum si interrogetur velitne esse sapiens, sine ulla caligine dubitationis se velle respondet. De lib. arb. 2,15, 40: ... nisi *notio* sapientiae menti eius inhaereret... Vgl. auch De Trin. 10,1,1: Nisi breviter impressam cuisque doctrinae haberemus in animo *notionem,* nullo ad eam discendam studio flagraremus. — Zum Ausdruck ‚notio impressa‘ siehe O. Lechner, a.a.O. 57: Das Phänomen, daß Idee dem menschlichen Geist wie ein Licht aufleuchtet, finde bei Augustinus verschieden akzentuierte Deutungen, „von einer Annäherung an

Der Ausdruck ‚notio', den Augustinus hier einführt, unterscheidet genau die oben erwähnte partielle Schau von der noch ausstehenden vollkommenen Schau der intelligiblen Welt[79]. In dieser Unterscheidung liegt die Möglichkeit eines ständigen Fortschritts in der Qualität und Tragweite der erleuchteten Schau begründet. Sie signalisiert aber zugleich die dauernde Defizienz dieser Schau in dieser Weltzeit[80]. Es ist jedoch festzuhalten, daß auch die noch so geringe, vorläufige Schau schon reale, wenn auch sehr unterschiedlich graduierte Teilhabe an dem einen Ziel der unüberbietbaren Anschauung ist. Von der untersten Stufe bloßer Vorahnung bis zur höchsten Verwirklichung der beseligenden Schau ist ein kontinuierlicher Übergang[81].

Diese Vorstellung eines kontinuierlichen Fortschritts vertritt Augustinus auch im Blick auf die alles übersteigende und alles Wahre in sich begreifende Schau Gottes. Im *Kommentar zum Johannesevangelium* sagt er dazu:

„Wir suchen Gott als einen, der noch gefunden werden muß. Wir suchen ihn weiter als schon Gefundenen. Damit er als noch zu Findender gesucht wird, ist er verborgen. Damit er als schon Gefundener weitergesucht wird, ist er unermeßlich... Er sättigt den Suchenden nach dessen Fassungsvermögen, und den Findenden macht er aufnahmefähiger, damit er von neuem nach Sättigung verlangt, sobald er aufnahmefähiger geworden ist...: bis wir zu jenem Leben gelangen, wo wir so erfüllt sein werden, daß wir nicht noch empfänglicher werden können."[82]

Wie die Erkenntnis des Intelligiblen ganz allgemein, so vollzieht sich nach Augustins erkenntnistheoretischem Konzept auch die Gotteserkenntnis, die mit der Erkenntnis des Intelligiblen notwendig mitgegeben ist, in einem kontinuierlichen Fortschritt. Zu Recht betont deshalb E. von Ivanka, daß Augustinus nicht verschiedene, nebeneinander hergehende Formen der Er-

---

die platonische Anamnesislehre in den Frühschriften über eine Neigung zur Annahme angeborener Ideen bis zur ausgeprägten Illuminationslehre". Siehe dazu auch F. Körner, Die Entwicklung Augustins von der Anamnesis- zur Illuminationslehre. Vgl. in diesem Zusammenhang auch E. von Ivanka, a.a.O. 533f, der zeigt, „daß ein Funken dieser Erkenntnis Gottes und der Liebe zu Gott unverlierbar im Wesen der Seele erhalten bleiben und ihre unveränderliche Natur ausmachen muß, weil sonst die Möglichkeit des Strebens zu Gott, die ihr Wesen ausmacht, gar nicht bestünde" (534).

[79] Das zitierte Beispiel Augustins wird thematisiert in der Arbeit von Aimé Becker, De l'instinct du bonheur à l'extase de la béatitude. Théologie et pédagogie du bonheur dans la prédication de saint Augustin, Paris 1968; zu De lib. arb. 2,9,26 siehe 177ff.

[80] Vgl. A. Holl, Die Welt der Zeichen, 81: „Die Illumination stellt also einen Vorgang dar, der seine Grade hat... Der Prozeß der Illumination dauert an, solang der Mensch lebt: seine Erkenntnis bleibt immer unsicher, Tag und Nacht sind in ihr (auch beim Gläubigen) zu unterscheiden."

[81] Siehe E. von Ivanka, a.a.O. 535f.

[82] In evang. Ioh. 63,1: Quaeramus inveniendum, quaeramus inventum. Ut inveniendus quaeratur, occultus est; ut inventus quaeratur, immensus est... Satiat enim quaerentem in quantum capit; et invenientem capaciorem facit, ut rursus quaerat impleri, ubi plus capere coeperit..., donec ad illam vitam veniamus, ubi sic impleamur, ut capaciores non efficiamur.

kenntnis Gottes unterscheide, „deren eine auf die intellektuelle Natur des Menschen, die andere auf die besondere mystische Gnade, die dritte auf das von der intellektuellen und der mystischen Erkenntnis prinzipiell verschiedene Licht der Glorie begründet wäre"[83]. Es gehe vielmehr um ein kontinuierliches Aufsteigen, um „ein und dasselbe Streben zu Gott, das nur nach dem Mehr oder Minder der Verwirklichung, dem Näher oder Ferner in Bezug auf den Endpunkt", als verschiedene Stufen der Teilhabe an dem einen und selben Ziel gedeutet wird[84].

d) Freilich bewegt sich der augustinische Mensch in der Regel erst auf den allerersten Stufen. Und an dieser Stelle kommt nun wieder das Anliegen Gilsons zu seinem Recht. Gilson sieht, wie gezeigt wurde, die Eigenart des augustinischen Denkens weniger in dem Bestreben nach inhaltlicher Definition von wahren Begriffen und Ideen als vielmehr in der Suche nach der einen, undefinierbaren, alles übersteigenden Wahrheit selbst; in dem mehr von vorgreifender Liebe als von schon erfülltem Wissen geleiteten beständigen Kreisen um Gott als dem allein angestrebten und letztlich doch nie erreichten Zentrum. Er macht diese Eigenart sehr gut deutlich an der kompositorischen Methode, mit der Augustinus das von ihm Angezielte reflektierend zur Sprache bringt und die auf den ersten Blick verwirrend ist und einen Mangel an systematischer Ordnung erkennen läßt. Denn Augustins Werk scheint zuweilen eher aus unzähligen Exkursen zu bestehen als aus geradlinigen, systematischen Darstellungen. Aber Gilson erblickt in diesem scheinbaren Mangel an Ordnung nur eine besonders geartete Ordnung. Gerade weil Augustinus sich wie kaum jemand sonst bewußt ist, daß er die von ihm angezielte Wahrheit im ontologisch defizienten Bereich der Zeichenwelt und deshalb immer auf defiziente Weise denken muß, folgt sein Werk nicht einer systematischen, geradlinigen Ordnung, wie das vielleicht bei der Darstellung rational erfaßbarer Lehren der Fall sein könnte. Die zahlreichen Exkurse, die scheinbar die Ordnung durchbrechen, sind nichts anderes als der Versuch, das Unsagbare immer wieder neu und von anderen Seiten her zu sagen. Sie wollen dem Leser weniger bestimmte Lehren vermitteln als vielmehr seine Sehnsucht wecken. Sie wollen ihn in Augustins eigene Bewegung des unaufhörlichen Gott-Suchens miteinbeziehen[85].

Im Blick auf diese eine Wahrheit Gottes müssen die Inhalte des schon erkannten Intelligiblen verblassen. Im Blick auf das eine erstrebte Zentrum verbleiben sie im Vorfeld, mehr oder weniger an der Peripherie. Das aber bedeutet zugleich, daß der Mensch bei der Erkenntnis Gottes an die Welt der Zeichen und an die Imagination gebunden bleibt. Gotteserkenntnis ist in dieser Welt notwendigerweise gleichnishaft gebrochen. Sie bleibt eine Ange-

---

83 E. von Ivanka, a.a.O. 337f.   84 Ders., a.a.O. 338.
85 E. Gilson, a.a.O. 390f. Vgl. auch R. Holte, a.a.O. 333.

legenheit der Verweisungen[86]. „Die Imagination", so formuliert A. Holl, „kann mitnichten verabschiedet werden; so lang wir leben, bleiben wir an ihre Unzulänglichkeit gebunden."[87] Die Bemühung des Menschen um Einsicht in ewige Wahrheit steht somit in einem dauernden Spannungsverhältnis: *zwischen Imagination und Illumination.* Deren Beziehung zueinander soll nun etwas näher bestimmt werden.

4. Die Dialektik von Imagination und Illumination

a) Die erkenntnistheoretische Position von *De magistro* besagte, daß es keine semantische Kontinuität vom sensiblen Zeichen hin zur intelligiblen Sache geben könne, die Zeichen vielmehr nur eine exzitatorische Aufgabe haben. Sie sollen zur Suche nach dem mit dem Zeichen Gemeinten anleiten. Damit sie aber diese Funktion erfüllen können, müssen sie schon vorgängig in ihrer Zeichenhaftigkeit und ihrem Verweischarakter erkannt sein. Denn sonst könnte der Mensch auf die Zeichen gar nicht reagieren. Das wiederum impliziert, wie C.P. Mayer in seinen Arbeiten über die Zeichen bei Augustinus immer wieder zeigen konnte, die Notwendigkeit einer anfanghaften apriorischen Kenntnis des in den Zeichen repräsentierten Intelligiblen[88]. Es bedeutet die Forderung, „Geistiges müsse im Geist bereits aufgeleuchtet sein, ehe man ihm ‚nachgehen' und seine Spuren in der sichtbaren Welt verfolgen könne"[89]. Das gnoseologische Schema der Einsicht in das durch Imagination zeichenhaft Repräsentierte offenbart demnach einen hermeneutischen Zirkel[90]. Denn das bildhafte Zeichen muß eben schon vorgängig von der repräsentierten Sache her gedacht werden[91], damit es überhaupt exzita-

---

[86] C.P. Mayer, Signifikationshermeneutik, 29.

[87] A. Holl, Die Welt der Zeichen, 85.

[88] Siehe z.B. C.P. Mayer, Signifikationshermeneutik, 30: „Entscheidend ist somit auch hier das Sehen der signum-res-Struktur und der damit gegebenen Forderung nach einer in gewisser Hinsicht apriorischen Kenntnis der Transzendenz, sollen die Dinge der Schöpfung überhaupt ihrer Verweisungsfunktion nachkommen können."

[89] Ders., Die Zeichen I, 194. Vgl. auch R. Lorenz, Die Wissenschaftslehre Augustins, 242ff.

[90] Ders., Signifikationshermeneutik, 29f. Mayer zeigt dort den hermeneutischen Zirkel in der Technik des vom Neuplatonismus geprägten Aufstiegs a corporalibus ad incorporabilia, a visibilibus ad invisibilia. Der hermeneutische Zirkel ist die Bedingung der Möglichkeit eines solchen Aufstiegs. Vgl. auch ders., Die Zeichen I, 185—211. Der Aufweis dieses Zirkels ist eines der Grundanliegen Mayers. — Vgl. dazu die interessante Darstellung der „Dialektik des Suchens und Findens" von A. Schöpf, Augustinus. Einführung in sein Philosophieren, Freiburg/München 1970, 39—46.

[91] Vgl. dazu bes. C.P. Mayer, Die Zeichen I, 193, wo die Struktur dieses Schemas als ein Dreischritt dargestellt wird: „1. Erkenntnis, daß alles sinnlich Gegebene in gewisser Hinsicht ,falsch' ist; daher Abwendung vom Sinnlichen. 2. Hinwendung, Hinordnung zum rein Geistigen; Schau und Übernahme einer transzendentalen Ordnung. 3. Weil dem so Geordneten selbst alles geordnet erscheint, zeigen sich ihm als Betrachter die

torisch wirken kann. Die Beziehung von Imagination und Illumination bei der Vermittlung von Einsicht in ewige Wahrheit verläuft also nicht einseitig, sondern in einer dialektischen Bewegung: „In der Angewiesenheit der Vernunft auf Zeichen, aber auch in der Herrschaft der Vernunft über die Zeichen aus Kenntnis der Sachen, in dieser eigenartigen dialektischen Beziehung von *außen* und *innen* wächst nach Augustin bei aller Reserve gegen das Außen und gegen die Zeichen die Einsicht in die Transzendenz."[92]

b) Innerhalb dieser dialektischen Beziehung läßt sich nun auch die *Funktion der Ratio* im Erkenntnisprozeß näher beschreiben: Zur Erlangung von Einsicht in unveränderlich Wahres ist zwar rationale Denkbemühung notwendig. Das Suchen der Ratio kann aber nicht kontinuierlich vom Zeichen hin zur intelligiblen Sache führen; denn diese wird allein durch göttliche Erleuchtung geschenkt. Indem die Ratio jedoch schon Gewußtes diskursiv denkt, trainiert sie den Geist, schärft sie sein Sehvermögen, macht sie ihn aufnahmefähig für das Licht des Intelligiblen. Das Suchen der Ratio bedeutet demnach eine Einübung der Geistesschärfe, eine ‚*exercitatio*'. Dies zeigt sehr gut Marrou, indem er wie Gilson auf die besondere schriftstellerische Methode Augustins verweist: auf die von Augustinus gewollten ständigen Exkurse und Digressionen, die Augustinus selbst ausdrücklich als Training des Geistes (exercitatio) versteht[93]. Nach Gilson bestand der Zweck des rationalen Suchens mehr im Erwecken der Liebe, im Entfachen der Sehnsucht nach der göttlichen Wahrheit. Aber Einübung der Geistesschärfe und Entfachen der Sehnsucht laufen letztlich auf das Gleiche hinaus. Sie bedeuten ein Sichbereitmachen der Seele für das Intelligible. Zwar kann die Ratio die gnoseologische Einholung der sensiblen Zeichen nicht erzwingen. Aber ihre Tätigkeit kann die Seele doch öffnen, so daß ihr vielleicht ‚ein Licht aufgeht' und die unmittelbare Erleuchtung durch Gott ihr die Einsicht erschließt. In dieser Hinordnung der Ratio auf die sich gnadenhaft erschließende Einsicht zeigt sich die theosoterische Grundstruktur des augustinischen Denkens überhaupt.

5. Punktuelle Antizipation der vollkommenen Schau in der Ekstase

Die dialektische Verbindung von Imagination und Illumination dauert in dieser Weltzeit notwendig an. Nur in Ausnahmen kann sie punktuell aufgehoben werden, und zwar dort, wo die Schau von Wahrheit auf prozedural

---

‚res' nicht mehr in einer ‚diverberata immensitas', sondern als Abschattung jener geistigen Welt, als umbrae, imagines und signa."
[92] Ders., Signifikationshermeneutik, 69.
[93] H.I. Marrou, Saint Augustin et la fin de la culture antique, 299ff (Kapitel VI: Reductio artium ad philosophiam. Exercitatio animi). Hier finden sich auch die betreffenden Augustinuszitationen. Marrou zeigt, daß das Motiv der exercitatio nicht nur die frühen Dialoge bestimmt (306ff), sondern auch noch das Spätwerk De Trinitate (315ff).

außerordentliche Weise durch *Ekstase* zustandekommt. Die Ekstase vermittelt nämlich nicht nur bildhafte Schau, sondern kann auch Einsicht in Intelligibles erschließen. In *De genesi ad litteram* sagt Augustinus dazu:

„Wenn die intentionale Aktivität der Seele von den Sinnen des Leibes gänzlich abgekehrt und entrückt ist, dann nennt man das gewöhnlich Ekstase. Dann ... ruht der ganze Blick der Seele entweder auf körperähnlichen Bildern in der imaginativen Schau (visio spiritualis) oder auf unkörperlichen und durch keine Bilder von Körpern figürlich dargestellten Sachen in der geistigen Schau (visio intellectualis)."[94]

Diese ekstatische Schau von Wahrheit kann mehr sein als die beschriebene partielle Schau, mehr als nur ein geistiges Erspüren der alles übersteigenden Wahrheit Gottes, nämlich wirkliche Antizipation der ‚*visio beatifica*‘, vollkommene Schau des Wesens Gottes[95].

„Wenn die Seele, so wie sie vom Leibessinn entrückt wurde, so daß sie bei den durch den imaginierenden Geist (spiritus) geschauten bildhaften Erscheinungen von Körpern war, nun auch noch von diesen Bildern entrückt wird, so daß sie gleichsam in jene Region des Geistigen und Intelligiblen gelangt, wo ohne jegliches körperähnliche Bild *die offenbare (perspicua) Wahrheit* geschaut wird, dann wird sie nicht mehr durch die Nebel falscher Meinungen verdunkelt... Eine einzige Tugend ist dort: zu lieben, was du siehst. Und das höchste Glück besteht darin, was du liebst, auch zu haben. Dort wird nämlich das glückselige Leben aus seinem Quell getrunken; von dort taut auch ein wenig auf dieses menschliche Leben herab... Um dorthin zu gelangen, wo die Ruhe ohne Sorge und die Schau der Wahrheit unaussprechlich sein wird, nehmen wir jetzt Mühen auf uns... Dort wird der Glanz und die Helle des Herrn geschaut, nicht in einer in Zeichen verhüllten Schau, ob körperhaft, wie auf dem Berg Sinai (Ex 19,18), oder bildhaft, wie Isaias sah (Is 6,1) oder Johannes in der Apokalypse, sondern in einer Wesensschau *(per speciem)*, nicht mehr nur in dunklen Andeutungen *(per aenigmata)*."[96]

---

[94] De gen. ad litt. 12,12,25: Quando autem penitus avertitur atque abripitur animi intentio a sensibus corporis, tunc magis dici ecstasis solet. Tunc ... totus animi contuitus aut in corporum imaginibus est per spiritualem, aut in rebus incorporeis nulla corporis imagine figuratis per intellectualem visionem. − Vgl. De gen. ad litt. 12,13,27: Ipsa (scl. anima) prorsus in haec assumitur, sive tantum spiritualiter cernenda, sive etiam intellectualiter cognoscenda.

[95] J. Hessen, a.a.O. 199−203, und J. Maréchal, La vision de Dieu au sommet de la contemplation d'après Saint Augustin, in: Nouvelle Revue théologique 57 (1930) 191−214, nehmen an, Augustinus sei der Überzeugung gewesen, die Schau des Wesens Gottes als Antizipation der visio beatifica sei schon in diesem Leben möglich. Die meisten anderen Forscher bestreiten diese Annahme. Siehe dazu M. Korger, a.a.O. 50ff. Die augustinischen Textbelege zu „Offenbarung durch Ekstase" (siehe § 4,4 des 1. Teiles dieser Arbeit) werden die Annahme Hessens und Maréchals bestätigen.

[96] De gen. ad litt. 12,26,54: Porro autem, si quemadmodum raptus est a sensibus corporis, ut esset in istis similitudinibus corporum, quae spiritu videntur, ita et ab ipsis rapiatur, ut in illam quasi regionem intellectualium vel intelligilium subvehatur, ubi sine ulla corporis similitudine perspicua veritas cernitur; nullis opinionum falsarum nebulis offuscatur... Una ibi et tota virtus est amare quod videas, et summa felicitas habere quod amas. Ibi enim beata vita in fonte suo bibitur, unde aspergitur aliquid huic humanae vitae... Propter illud quippe adipiscendum, ubi secura quies erit et ineffabilis visio veritatis, labor suscipitur... Ibi videtur claritas Domini, non per visionem signifi-

Diese außerordentliche Ekstase entrückt die Seele allem Zeichenhaften. Sie ermöglicht ihr nicht nur die Deutung von irgendwelchen Zeichen, sondern zeigt ihr die Sache selbst, und zwar nicht nur einzelnes vom Licht erleuchtetes Intelligibles, sondern auch das Licht selbst in seiner ursprünglichen Fülle[97]. Für den noch der sensiblen Welt angehörenden Menschen aber kann diese alles überragende und alles unwandelbar Wahre in sich begreifende Schau nur von kurzer Dauer sein. Es kann sich nur um eine flüchtige Berührung handeln, die der Mensch aber nicht festhalten kann. Denn der Blick seines wandelbaren Geistes kann das unwandelbare Licht Gottes noch nicht dauerhaft ertragen. Wegen seiner Schwäche (infirmitas, aegritudo, languor) muß er von Gott wieder zurück zum Menschen; und das heißt, von der lichten Schau zurück zur schattenhaften Imagination[98].

§ 4   Revelatio spiritualis und revelatio intellectualis

1.   Grundsätzliche Unterscheidung und dialektische Verbindung

a) Die augustinische Kategorie ‚Offenbarung‘ fügt sich nun in die beschriebene Struktur der drei Arten des Sehens ein. Der anfangs zitierte Text *Contra Adimantum* 28,2 sowie alle übrigen erhobenen Belegstellen für ‚revelare — revelatio‘ zeigen, daß Augustinus mit dem Wort nicht sinnenfällige Theophanien oder andere körperhafte Erscheinungen bezeichnet, sondern allein das von Gott her veranlaßte Geschehen im Innern der Seele, sei es imaginativer oder erleuchtender Art. ‚Offenbarung‘ hat es also nicht mit körperhafter Schau zu tun, bei der die menschliche Seele aktiv beteiligt ist, sondern allein mit nicht vom Menschen hervorgebrachter bildhafter Schau und mit einsichthafter Schau. ‚Offenbarung‘ ist demnach eine gnoseologische Kategorie, die ein dem menschlichen Leistungsvermögen und Verfügungswillen

---

cantem, sive corporalem, sicut visa est in monte Sina, sive spiritualem, sicut vidit Iohannes in Apocalypsi: sed per speciem, non per aenigmata.

[97] De gen. ad litt. 12,31,59: Aliud autem est ipsum lumen, quo illustratur anima... Cum ergo illuc *rapitur* ... etiam supra se videt, quo adiuta videt quidquid etiam in se intelligendo videt.

[98] Sermo 52,6,16: ‚Ego dixi in ecstasi mea‘. *In ecstasi* tua quid dixisti? ‚Proiectus sum a facie oculorum tuorum.‘ Etenim videtur mihi iste qui hoc dixit, levasse ad Deum animam suam, et effudisse super se animam suam, cum ei diceretur quotidie, ‚ubi est Deus tuus?‘, pervenisse spirituali quodam contactu ad illam incommutabilem lucem, eamque infirmitate conspectus ferre non valuisse; et in suam quasi aegritudinem atque languorem iterum recedisse, et comparasse se illi, et sensisse adhuc contemperari non posse aciem mentis suae luci sapientiae Dei. Et quia hoc in ecstasi fecerat, abreptus a sensibus corporis et subreptus in Deum, ubi quodam modo a Deo ad hominem revocatus est, ait, ‚Ego dixi in ecstasi mea‘.

entzogenes, aktuelles Sichzeigen von signifikativen Bildern und von intelligiblen Sachen im Innern der Seele selbst meint.

In *Contra Adimantum* 28,2 bedeutet das Wort einmal eine bildhafte Offenbarung: Wenn der imaginative Teil der Seele von Gott her ergriffen wird, „wird vieles *offenbart*" (1). Zweimal bedeutet es eine einsichthafte Offenbarung: Wenn das, was von Gott her veranschaulicht wurde, eingesehen wird, „geschieht vollkommene *Offenbarung*" (2); die einsichthafte Schau wird ermöglicht durch „die einfache und eigentliche *Offenbarung* (4) der innen geschauten und gewissen Sachen". Und einmal schließlich sind beide Arten von Offenbarung zugleich gemeint: „Durch *Offenbarung* des heiligen Geistes" (3) sah Daniel sowohl die Traumbilder und schaute zugleich, was sie bedeuten[1].

b) Zwar gebraucht Augustinus hier und auch sonst das Wort ‚Offenbarung‘ unterschiedslos für beiderlei göttliches Wirken, für die Vermittlung bildhafter Schau *und* für die Erleuchtung der Einsicht. Der Text macht aber doch auch deutlich, daß die Offenbarung von signifikativen Bildern für sich allein nur mit Einschränkung Offenbarung genannt werden kann. Denn wenn die geschauten Bilder nicht auf ihre Bedeutung hin eingesehen werden, dann bleibt die bildhafte Offenbarung fruchtlos. Erst wo auch diese Einsicht gegeben wird, geschieht Offenbarung im eigentlichen Sinn oder, im Blick auf die noch unverstandene bildhafte Offenbarung, zum Ziel gekommene Offenbarung, *revelatio perfecta*. Analog zu dieser Aussage in *Contra Adimantum* 28,2 heißt es in einem *Brief* aus dem Jahre 415:

Die Visionen, die in der Seele aufscheinen „durch eine *bildhafte Offenbarung* (revelatio spiritualis), die durch körperähnliche, aber doch unkörperliche Formen erfolgt, können überhaupt nicht unterschieden werden, wenn sie nicht durch Gottes Hilfe *weiter offenbart* (plenius revelentur) und so durch die Einsicht des Geistes beurteilt werden"[2].

Deshalb zählt Augustinus diese bildhaften Visionen auch zusammen mit den äußeren Erscheinungen zu den figürlichen Veranschaulichungen[3], die zunächst nichts anderes sind als dunkle, geheimnisvolle Zeichen. Zuweilen benennt er deshalb auch *nur* das Einsicht eröffnende Wirken Gottes mit dem Wort ‚Offenbarung‘. Das ist zum Beispiel der Fall in einem Text aus *De*

---

[1] Die Zahlen in Klammern entsprechen den Orientierungszahlen in dem in § 1,1 dieses Kapitels aufgeführten Zitat C. Adim. 28,2.

[2] Epist. 169,3,11: Visiones, quae apparent spiritui ... per aliquam revelationem spiritualem, quae fit per formas incorporeas corporibus similes; quae discerni omnino non possunt, nisi divino adiutorio plenius revelentur, et mentis intelligentia diiudicentur. – Vgl. die parallele Formulierung ‚pleniore demonstratione‘ in De gen. ad litt. 12,22,48; zitiert in § 2,5 des 1. Teiles.

[3] Siehe die Subsumierung beider unter die figürlichen Veranschaulichungen in C. Adim. 28,2; vgl. vor allem auch die Zurechnung der visio spiritualis zum Bereich des ‚Draußen‘ in De gen. ad litt. 8,25,47 (zitiert in § 2,5 dieses Kapitels).

genesi ad litteram. Im Anschluß an 1 Kor 14,14 vergleicht Augustinus dort die bildhaften Visionen mit den beim Zungenreden hervorgebrachten Zeichen, der *‚lingua‘,* die zunächst niemand versteht und die deshalb dem imaginativen Teil der Seele zugehört, nicht dem verstehenden Geist. Erst wenn die Einsicht hinzukommt, geschieht wirkliche Offenbarung:

„In dem paulinischen Satz ‚Wenn ich nämlich in Zungen (lingua) bete, so betet mein imaginierender Geist (spiritus), mein verstehender Geist (mens) aber bleibt unfruchtbar‘: in diesem Satz bedeutet *‚lingua‘* ein Reden in dunklen und geheimnisvollen Zeichen, die, wenn nicht die Einsicht des verstehenden Geistes hinzukommt, niemanden auferbauen, da man in diesem Fall nur hört, was man nicht versteht... Der Apostel zeigt hier zur Genüge, daß er an dieser Stelle mit *‚lingua‘* das benennt, was in Zeichen da ist, die wie Bilder von Sachen und wie rätselhafte Gleichnisse sind, welche, um eingesehen zu werden, noch des Blickes des verstehenden Geistes bedürfen. Solange sie aber nicht eingesehen werden, seien sie, so sagt er, im imaginierenden Geist (in spiritu), nicht im verstehenden Geist (in mente)... In übertragener Rede also nannte er *‚lingua‘* jedes Hervorbringen von Zeichen, noch bevor diese eingesehen werden. Kommt aber dann die Einsicht hinzu, die allein den verstehenden Geist auszeichnet, dann geschieht *Offenbarung,* oder Erkenntnis, oder Weissagung, oder Lehre.“[4]

c) Die einsichthafte Offenbarung bleibt in diesem Leben in der Regel an Bildhaftes und somit an geschöpfliche Vermittlung gebunden. Außer im Fall der besonderen Ekstase zeigt sie die göttliche Wahrheit nicht in ihrer ursprünglichen Lichthaftigkeit und Totalität. Sie läßt Gott nicht in seinem lichten Sein selbst schauen, sondern bleibt eine Sache unzulänglicher Verweisungen. Diese bleibende Differenz zwischen lichter Schau und einsichthafter Offenbarung zeigt sich deutlich in einem Text aus dem *Kommentar zum Johannesevangelium.* Auf das johanneische Zeugnis hin, Gott sei noch nie von einem Menschen gesehen worden (Joh 1,18), fragt Augustinus, woher dann Moses, durch den doch das Gesetz Gottes gegeben wurde, von Gott wußte:

„Und woher wurde Gott dem Moses dann bekannt? Weil der Herr (sich) seinem Diener *geoffenbart* hat.“[5]

---

4 De gen. ad litt. 12,8,19: ‚Si enim oravero, inquit, lingua, spiritus meus orat, mens autem mea infructuosa est.‘ Cum ergo lingua intelligatur hoc loco dicere obscuras et mysticas significationes, a quibus si intellectum mentis removeas, nemo aedificatur, audiendo quod non intelligit... Satis indicat eam se linguam hoc loco appellare, ubi sunt significationes velut imagines rerum ac similitudines, quae ut intelligantur, indigent mentis obtutu. Cum autem non intelliguntur, in spiritu eas dicit esse, non in mente... Translato verbo linguam appellavit quamlibet signorum prolationem priusquam intelligantur: quo cum intellectus accesserit, qui mentis est proprius, fit revelatio, vel agnitio, vel prophetia, vel doctrina. – Die letzte Aufzählung orientiert sich zwar an 1 Kor 14,6; Augustinus gebraucht das Wort ‚revelatio‘ hier aber doch in dem ihm eigenen Sinne. In dem zitierten Text versucht Augustinus, wie in § 1,3 dieses Kapitels dargestellt wurde, seinen Sprachgebrauch von ‚spiritus‘ biblisch zu begründen.
5 In evang. Ioh. 3,17: Unde innotuit Moysi Deus? Quia revelavit servo suo Dominus.

Moses kannte Gott also durch Offenbarung. Aber das in der Offenbarung Gezeigte ist doch nicht Gott selbst in seinem lichten Sein, sondern es verweist nur auf Gott. Und diese Verweisung wird in der Offenbarung durch das Licht Gottes verstanden.

d) Die einsichthafte Offenbarung kann das Bildhafte mehr oder weniger deutlich auf das Intelligible hin auflösen. Und sie kann mehr oder weniger nah an die eine Wahrheit Gottes heranreichen. In einem Text in *De genesi ad litteram* kommt Augustinus selbst auf diese unterschiedliche Tragweite von Offenbarung zu sprechen. Er fragt dort, was Paulus wohl mit dem dritten Himmel gemeint habe, in den er entrückt worden sei. Seine Antwort lautet, es sei dies die dritte Weise des Sehens, also die ‚visio intellectualis', in welcher Gott selbst in seinem Sein geschaut wird[6]. Augustinus identifiziert also in einer für ihn typischen spiritualisierenden Interpretationsweise die drei Himmel mit den drei Schauweisen. Deshalb lehnt er auch die von manchen Leuten vorgetragene Meinung, man müsse sich über den dritten Himmel weitere Himmel denken, wegen der damit verbundenen räumlich-quantitativen Vorstellungen ab[7]. Schon eher hält er es für möglich, daß es innerhalb des Bildhaften oder des Einsichthaften selbst Abstufungen gibt:

„Es kann aber sein, daß jemand ... nachweist, daß es auch innerhalb des Bildhaften oder des Einsichthaften sozusagen viele Stufen gibt, die voneinander unterschieden werden können nach den fortschreitenden Stufen mehr oder weniger erleuchteter *Offenbarungen."*[8]

Augustinus zögert zwar auch hier, im Bildhaften und im Einsichthaften selbst Abstufungen anzunehmen; zumindest bekennt er sein Unwissen darüber, welche und wieviele solcher Abstufungen es geben könne[9]. Darin zeigt sich vermutlich noch einmal seine Abwehr räumlich gedachter Quantifizierungen[10]. Das Faktum unterschiedlich graduierter Offenbarungen aber ist

---

6 De gen. ad litt. 12,28,56: Quapropter si hoc tertium visionis genus ... tertium coelum appellavit Apostolus...

7 De gen. ad litt. 12,29,57: Si autem sic accipimus tertium coelum quo Apostolus raptus est, ut quartum etiam, et aliquot ultra superius coelos esse credamus... – Siehe dazu M. Korger / H. Urs von Balthasar, Aurelius Augustinus, 97 Anm. 40.

8 De gen. ad litt. 12,29,57: Potest autem fieri, ut etiam in spiritualibus vel intellectualibus multos quosdam gradus quisquam esse contendat, aut si possit, ostendat, eosque distinctos iuxta aliquem provectum magis minusve illustrium revelationum.

9 De gen. ad litt. 12,29,57: Sed quot et quantae singulorum generum sint differentiae, ut in unoquoque aliud alio gradatim superferatur, ignorare me fateor.

10 Eine Stufung innerhalb des Intelligiblen ist Augustinus sonst, wie weiter oben gezeigt wurde (§ 3,3 dieses Kapitels), geläufig. Schwieriger ist die Frage nach der Stufung innerhalb des Bildhaften. Man könnte sie beantworten im Sinne einer unterschiedlichen Affinität des bildhaften Zeichens zu dem von ihm bedeuteten Intelligiblen. Diese unterschiedliche Affinität ließe sich explizieren an der im *ontologischen* Sinne verstandenen Kategorie ‚similitudo'. Siehe dazu E. Gilson, a.a.O. 361 und 372; ders.,

ihm gewiß: Die Stufenleiter der durch Erleuchtung des menschlichen Geistes geschehenden einsichthaften Offenbarung kommt in diesem Leben an kein Ende — es sei denn, diese Offenbarung erfolgt als außerordentliche und alles Irdische übersteigende Ekstase.

e) Anzumerken ist noch, daß in allen bisher angeführten Belegstellen für ‚revelare — revelatio‘ das Wort ‚Offenbarung‘ im aktiven Sinne gebraucht wurde. ‚Offenbarung‘ meint also nicht die geoffenbarte Sache selbst, sondern ist ein je aktuelles Geschehen im einzelnen, welches diese Sache in je unterschiedlicher Intensität und Tragweite sehen läßt. Das wird besonders deutlich in dem zuletzt zitierten Text, in welchem die Sachen, die ‚spiritualia‘ und die ‚intellectualia‘, von den Offenbarungen, die diese Sachen zeigen, unterschieden werden. Offenbarung ist ein akthaftes göttliches Geschehen, in welchem dem einzelnen signifikative Bilder gezeigt werden; und sie ist die Erschließung dieser Bilder. Vor allem in diesem zweiten Sinn bleibt die ursprüngliche Semantik des Wortes ‚re-velare‘ erhalten.

2. Offenbarung als Qualifikator bildhafter Eingebungen

a) Die bildhafte Offenbarung trägt sich zu in den vom Willen des Menschen unabhängigen Formen der ‚visio spiritualis‘; vor allem in Traum und Ekstase, seltener in plötzlichen Eingebungen bei wachem und geistesgegenwärtigem Zustand[11]. Vermittelt wird sie durch *Engel*. Dies entspricht der bei Augustinus immer wieder begegnenden Vorstellung, daß Gott sich bei der Verwirklichung seiner ewigen Vorsehung in die sensible und veränderliche Welt hinein des Vermittlungsdienstes der Engel bedient, denen in besonderer Weise die Verwaltung der Körperdinge und der spirituellen Bilder anvertraut ist. In *De genesi ad litteram* sagt Augustinus dazu:

„Die heiligen Engel stehen den Körperdingen vor, um über sie zu bestimmen und sie zu verwalten... Ihre signifikativen Abbilder im imaginativen Teil der Seele unterscheiden sie so deutlich und handhaben sie gewissermaßen mit einer solchen Macht, daß sie sie auch den bildhaften Vorstellungen der Menschen durch *Offenbarung* beimischen können."[12]

‚Regio dissimilitudinis‘ de Platon à Saint Bernard de Clairvaux, in: Medieval Studies 9 (1947) 108—130; ders., Notes sur l'être et le temps chez saint Augustin, in: Recherches augustiniennes 2 (1962) 205—223; M.F. Berrouard, ‚Similitudo‘ et la définition du réalisme sacramentel d'après l'Epître 98, 9—10 de saint Augustin, in: REA 7 (1961) 327—337.

[11] Vgl. Epist. 169,3,11 (zitiert unten in Anm. 13), wo alle drei Formen genannt sind.

[12] De gen. ad litt. 12,36,69: Angeli et his corporalibus iudicandis atque administrandis praesunt ... et eorum significativas similitudines in spiritu ita discernunt, et tanta potentia quodammodo tractant, ut eas possint etiam hominum spiritibus revelando miscere.

Nun hat sich freilich schon bei der Darstellung der ‚visio spiritualis' gezeigt, daß Augustinus Traum, Ekstase und plötzliche Eingebungen als durchaus ambivalente Phänomene betrachtet. Denn auch Dämonen können auf diese Weise im Menschen Visionen hervorbringen. Das Wort ‚Offenbarung' dagegen bezeichnet immer ein eindeutig göttliches Mitteilungsgeschehen. Augustinus behält es ausschließlich dem Tun der Engel bzw. dem Wirken Gottes vor. ‚Offenbarung' qualifiziert also die in Traum, Ekstase oder plötzlicher Eingebung geschauten Visionen der menschlichen Seele, auch wenn diese noch nicht oder nur unvollkommen auf ihre Bedeutung hin eingesehen werden, eindeutig als von Gott her inspiriert und wahr. In diesem Sinne unterscheidet Augustinus in dem schon zitierten *169. Brief* zwischen betrügerischer Gaukelei von Dämonen und bildhafter Offenbarung:

„Es gibt Visionen, die in der Seele aufscheinen gleichsam wie vor den Sinnen des Leibes, nicht nur bei Schlafenden oder außer sich Geratenen, sondern bisweilen auch bei Wachenden mit klarem Verstand; und zwar nicht nur durch die *betrügerische Gaukelei von Dämonen,* sondern durch eine *bildhafte Offenbarung.*"[13]

Diese *Qualifikation* ist das eigentliche Spezifikum der ‚Offenbarung' genannten Eingebungen gegenüber allen anderen bildhaften Visionen der Seele. Die besondere Klarheit, die M. Dulaey als Spezifikum ausgibt[14], ist nicht notwendigerweise Kennzeichen der offenbarten Visionen. Denn zwar ist die bildhafte Offenbarung zumeist mit einer einsichthaften Offenbarung verbunden. Doch handelt es sich bei dieser einsichthaften Offenbarung um einen zweiten, zur bildhaften Offenbarung hinzukommenden offenbarenden Akt Gottes, der prinzipiell auch ausbleiben kann. Vor allem kann Augustinus die Qualität der mit dem bildhaft Offenbarten verbundenen Einsicht sehr unterschiedlich beurteilen.

b) Dieser eindeutig qualifizierende Charakter des Wortes ‚Offenbarung' wird auch durch einen Vergleich mit anderen Offenbarungstermini sichtbar. Hier ist besonders das Wort ‚inspiratio' von Wichtigkeit. Einerseits bedeuten nämlich ‚revelatio' und ‚inspiratio' des öfteren das Gleiche: Zumeist bezeichnet ‚inspiratio' in diesen Fällen eine von Gott her gewirkte Eingebung auf der Ebene der bildhaften Schau[15], seltener eine Einsicht eröffnende Erleuchtung[16]. Andererseits ist das Wort ‚inspiratio' doch kein volles Äquivalent

---

[13] Epist. 169,3,11: ... sunt visiones, quae apparent spiritui tanquam corporis sensibus, non solum dormientibus vel furentibus, sed aliquando sanae mentis vigilantibus; non per fallaciam illudentium daemonum, sed per aliquam revelationem spiritualem...
[14] M. Dulaey, a.a.O. 112.
[15] De gen. ad litt. 12,22,45: ... sed tunc significant, cum *inspirantur* a demonstrante spiritu; Quaest. in Hept. 7,36: ... qui ei tanquam prophetae revelatione atque *inspiratione* iussit; De civ. Dei 15,8,1: ... Deum, quo ista *inspirante* conscripta sunt; De civ. Dei 16,37: ... si haec non superna *inspiratione,* sed terreno more gererentur.
[16] De divers. quaest. ad Simpl. 2,1,1: Afficit autem non omnes eodem modo, sed

für die Kategorie ‚revelatio'. Denn es bezeichnet eben nicht nur göttliche, sondern auch dämonische Eingebungen[17]. ‚Inspiratio' ist also im Gegensatz zu ‚revelatio' kein eindeutig qualifizierter Terminus. Dieser Sachverhalt kommt auf sehr prägnante Weise in einem kurzen Text zum Ausdruck, in welchem Augustinus erklärt, was er unter Ekstase versteht:

„Auf eine andere Weise spricht man von *Ekstase,* wenn der Geist nicht durch Schrecken außer sich gerät, sondern von der *Eingebung einer Offenbarung (inspiratione revelationis)* ergriffen wird."[18]

Der Ausdruck ‚inspiratio revelationis' ist einerseits ein Pleonasmus, da beide Worte den gleichen Vorgang bezeichnen. Andererseits kann man den Ausdruck so erklären, daß darin der an sich ambivalente Sachverhalt einer in der Ekstase erfolgenden bildhaften Eingebung (inspiratio) durch den beigefügten Terminus ‚revelatio' eindeutig qualifiziert wird: Es handelt sich um eine göttliche, nicht um eine dämonische Eingebung, um Offenbarung, nicht um betrügerische Gaukelei.

3. Offenbarung und Vernunft

a) Das Spezifikum offenbarender Phänomene, göttlichen Ursprungs zu sein, erweist sich in aller Klarheit und Unmißverständlichkeit erst bei der einsichthaften Offenbarung. Denn diese geschieht, im Gegensatz zu der noch von Engeln vermittelten bildhaften Offenbarung, unmittelbar durch Gott. Sie ist identisch mit der Erleuchtung des menschlichen Geistes durch das göttliche Licht: Gott selbst, insofern er Licht ist, verleiht dem Menschen ursprüngliche und untrügliche Einsicht in die Bedeutung von bildhaften Zeichen[19].

Ganz deutlich parallelisiert Augustinus Illumination und Offenbarung in einem Text aus De genesi ad litteram: „Der imaginative Teil der Seele des Pharao wurde im Traum informiert, so daß er Bilder sah. Der Geist des Joseph aber wurde *erleuchtet* (illuminata), so daß er einsah... Dem Daniel stellten sich in seiner Seele die Bilder von Körpern dar; und zugleich wurde deren Bedeutung (intellectus) in seinem Geist *offenbart* (revelatus)."[20]
Und im Psalmenkommentar heißt es: „Laß dein Licht über uns leuchten (illumina

---

alios per informationem spiritus eorumdem hominum...; alios per fructum mentis ad intelligentiam; alios utraque *inspiratione.*
[17] De Trin. 4,11,14: Quid magnum est diabolo et angelis eius ... etiam occultis *inspirationibus* ad illudendos humanos sensus phantasmata imaginum machinari.
[18] En. in psalm. 115,3: Alio modo dicitur ecstasis, cum mens non pavore alienaretur, sed aliqua inspiratione revelationis assumitur.
[19] En. in psalm. 118 sermo 18,4: Deus itaque per seipsum quia lux est, illuminat pias mentes, ut ea quae divina dicuntur vel ostenduntur, intelligant.
[20] De gen. ad litt. 12,9,20: Illius enim spiritus informatus est, ut videret; huius mens illuminata, ut intelligeret... Et ipsae quippe imagines corporales in spiritu eius expressae sunt, et earum intellectus revelatus in mente.

super nos), damit uns, was uns verborgen war, erschlossen werde; damit das, was war, uns aber verborgen war, über uns *offenbart*, das heißt *erleuchtet* werde."[21]

Alles, was über die göttliche Erleuchtung gesagt wurde, gilt folglich in gleicher Weise von dem Vorgang der einsichthaften Offenbarung. Sieht man einmal ab von dem besonderen Fall der Ekstase, die nicht mehr nur signifikative Bilder auf ihre Bedeutung hin erschließt, sondern das Göttliche unabhängig von allen Bildern schauen läßt, dann geschehen beide, Erleuchtung und Offenbarung, in einem Verstehensprozeß des Menschen, der noch in seinem ganzen Sein in diese sensible Welt eingebunden ist. Und dieser Verstehensprozeß ist beidesmal dem menschlichen Verfügungswillen und Leistungsvermögen entzogen. Beide ermöglichen dem menschlichen Geist ein verstehendes Urteil über bildhaftes Material, eine mehr oder weniger weitreichende Einsicht in dessen Bedeutung. In beiden zeigt Gott selbst dem menschlichen Geist mehr oder weniger deutlich die ,,innen geschauten und gewissen intelligiblen Sachen" im Anschluß an zeichenhafte Bilder, also unter den Bedingungen des der Sensibilität verhafteten menschlichen Seins. Beide Kategorien kennzeichnen ein Sichoffenbaren, Sichkundtun der Wahrheit im Innersten des Menschen, in der ,Tiefe der Vernunft' (Tillich), und signalisieren so gleicherweise die *theosoterische Grundstruktur* der augustinischen Anthropologie.

b) Dem augustinischen Denken unangemessen ist es, in diesem Zusammenhang *Vernunft und Offenbarung* zu scheiden. Das bedeutet zweierlei. *Einerseits* ist bei Augustinus Offenbarung nicht etwas der menschlichen Vernunft Übergestülptes. Das Offenbarte ist per definitionem vernünftig, das heißt vernunftgemäß und einsichtig. Es bedarf keiner außerhalb seiner selbst liegenden Bewahrheitungskriterien. Eben weil sich Offenbarung im Innersten der Vernunft ereignet und dieser zu ihrer eigenen Bestimmung verhilft, ist sie kein heteronomes Geschehen am Menschen. *Andererseits* ist nun aber *alle* Wahrheitserkenntnis strukturell Offenbarungsgeschehen. Erkennen insgesamt wird vom Modell der Offenbarung her gedacht. Darauf hat schon Warfield in seinem 1907 zum erstenmal veröffentlichten Aufsatz über Augustins Erkenntnislehre hingewiesen[22]. Warfield sieht gerade in dieser Deutung der Illumination vom Offenbarungsbegriff her, das heißt in der von Augustinus verfochtenen steten Angewiesenheit des menschlichen Geistes auf die sich

---

[21] En. in psalm. 66,4: Illumina super nos, ut, quod nos latebat, aperiatur nobis, et quod erat, sed nobis absconditum erat, reveletur super nos, hoc est illuminetur.

[22] B.B. Warfield, Augustine's Doctrine of Knowledge and Authority, in: ders., Calvin and Augustine, Edited by S.G. Craig, Philadelphia 1956, 387—477; erstmals veröffentlicht in: The Princeton Theological Review, 1907, 353—397. 413: ,,We have seen him openly teaching that ... all truth is the reflection into the soul of the truth that is God; in a word, that the condition of all knowledge for dependent creatures is *revelation*, in the wider sense of that word."

gnadenhaft erschließende Wahrheit Gottes, den Unterschied Augustins zur philosophischen Tradition vor ihm[23]. Ähnlich charakterisiert auch Dinkler die augustinische Illumination: „Grundgedanke bleibt dabei, daß Erkennen und Denken ... letztlich immer Offenbarungstätigkeit Gottes sind."[24] Und Hessen formuliert vorsichtig: „Wenn Augustinus Christus als unseren einzigen Lehrmeister hinstellt, wenn er unsere Erkenntnis bewirkt sein läßt durch den Logos, der jeden Menschen erleuchtet, der in diese Welt kommt, so scheint der Unterschied zwischen Vernunft und Offenbarung beinahe aufgehoben zu sein... Dementsprechend ist auch das Verhalten des Menschen gegenüber den uns zugestrahlten göttlichen Ideen und den übernatürlichen Wahrheiten wesentlich das gleiche, nämlich rezeptiv."[25]

Wenn aber Augustinus die Illumination vom Offenbarungsbegriff her versteht, dann kann auch die kategoriale Unterscheidung zwischen natürlicher und übernatürlicher Wahrheit, zwischen natürlicher und gnadenhaft erhobener Erleuchtung, nur mit Vorbehalt in das augustinische Denken hineingetragen werden[26]. Denn eine solche Unterscheidung weist letztlich doch wieder in eine bestimmte Antinomie von Vernunft und Offenbarung zurück, wie sie Augustinus fremd ist. Alle Wahrheitserkenntnis ist ihm in ihrer Struktur revelatorisch und in ihrer Intentionalität religiös[27]. Eine Unterscheidung von natürlicher und übernatürlicher Erleuchtung hat nur insofern eine Berechtigung, als sie Momente der geistigen Erhebung akzentuiert, die freilich unsere Begrifflichkeit schärfer trennt als Augustinus[28].

---

[23] B.B. Warfield, a.a.O. bes. 395ff. Zur Tradition vor Augustinus siehe z.B. die Bemerkungen von R. Holte, a.a.O. 56ff, über die Autarkie des menschlichen Geistes bei Plotin.
[24] E. Dinkler, a.a.O. 54.
[25] J. Hessen, a.a.O. 103. Vgl. auch R. Lorenz, Die Wissenschaftslehre Augustins, 236: „Das Lernen, das in der Belehrung durch das innere Licht zustande kommt, nähert sich dem Begriff der Inspiration."
[26] Vgl. die Unterscheidung Hessens zwischen natürlicher, rationaler Intuition und übernatürlicher, mystischer Schau, a.a.O. 208—226. Die Unterscheidung von R. Allers, Illumination et véritas éternelles. Une étude sur l'apriori augustinien, in: AM I (1954) 477—490, zwischen ‚vision intellectuelle' und ‚vision surnaturelle' (477—480); sowie die entsprechende Zuordnung von ‚revelatio' und übernatürlicher Erleuchtung bei R. Hardy, a.a.O. 145, liegen auf der gleichen Ebene.
[27] Siehe dazu O. Lechner, Idee und Zeit, 58ff. In seinen Überlegungen über die augustinische Illumination sagt Lechner S. 58, daß „für Augustinus alle Erkenntnis ... in den Voraussetzungen (der Reinheit des geistigen Auges) wie in der Intentionalität auf Wahrheit hin immer schon religiöser Natur ist, wie umgekehrt ‚religiöse Erfahrung' durch ein stufenweises Transzendieren, durch Überschreiten des Endlichen vermittelt ist". Vgl. auch F. Cayré, Initiation à la philosophie de saint Augustin, Paris 1947, 241: „Cette doctrine est non seulement philosophique, mais religieuse au premier chef."
[28] Siehe O. Lechner, a.a.O. 59 Anm. 72. Unter diesem Vorbehalt urteilt Lechner dort über die Deutung der Illumination von F. Cayré (a.a.O. 239ff): „Cayré wahrt den durchgängigen Zusammenhang bei seiner Unterscheidung von natürlichem, übernatürlichem und mystischem Erkennen. Die natürliche Intuition (soutenue par la Vérité pure)

Das Problem der augustinischen Position besteht also nicht in irgendeiner innerlichen Scheidung zwischen Vernunft und Offenbarung, sondern gerade in der Art ihrer Einheit; in der „Gefahr des Ineinanderfließens von Natur und Gnade", wie es Lorenz in seiner Strukturanalyse von Gnade und Erkenntnis bei Augustinus nennt[29]. Wenn nämlich für Augustinus jede Wahrheitserkenntnis von ihrer Struktur her innerliche Offenbarung ist, dann kann man bei ihm nicht mehr ohne weiteres von einer schöpfungsmäßig freigesetzten, ontologischen Natur des Menschen sprechen. Vielmehr muß man darin eine Tendenz Augustins sehen, Natur überhaupt in den schöpferischen Dynamismus des Gnadenhandelns Gottes aufgehen zu lassen[30]. Diese Auflösung der Natur in Gnade muß aber notwendig in eine anthropologische Aporie führen, wie sie in der unversöhnlichen Prädestinationsvorstellung Augustins zum Ausdruck kommt[31]. Im Zusammenhang mit der Problematisierung des augustinischen Offenbarungsbegriffs muß dieser Sachverhalt später noch einmal aufgegriffen werden.

c) Trotz der strukturellen und intentionalen Parallelen von Illumination und Offenbarung handelt es sich hier doch nicht einfach um austauschbare Wörter. Vielmehr kann man die einsichthafte Offenbarung als einen Spezialfall der Erleuchtung ansehen. Die Texte zeigen nämlich, daß Augustinus das Wort ‚Offenbarung‘, wiederum unter Absehung des besonderen Sachverhalts der ekstatischen Schau Gottes, nur auf die Einsicht der von Gott her auf *außerordentliche* Weise in Erscheinung gebrachten figürlichen Veranschaulichungen bezieht; also nur auf die Einsicht in die Bedeutung der von Gott *geschichtlich gesetzten Zeichen,* nicht aber auf die Einsicht in die Verweisung des *Geschaffenen ganz allgemein.* Eine solche Einsicht durch Offenbarung trägt sich zum Beispiel zu in der Prophetie, die zugleich mit einer bildhaften Offenbarung verbunden ist; oder beim Verstehen der Schrift, wo schon vorgegebene Zeichen eingesehen werden. Der Anwendungsfall der Erleuchtung dagegen ist allgemeiner.

---

wird in der übernatürlichen (im Glaubenslicht) von derselben höchsten Wahrheit erhoben (surélevée) und in der mystischen noch außerordentlich herausgehoben (puissament soulevée), ohne daß die natürliche Grundlage aufgehoben würde.“

[29] R. Lorenz, Gnade und Erkenntnis, 59; vgl. auch 76. Zum Naturbegriff Augustins siehe auch ders., Die Wissenschaftslehre Augustins, 52ff.

[30] R. Lorenz, Gnade und Erkenntnis, 60ff, erklärt diese Tendenz damit, daß sich von Augustins Metaphysik her Gottes Schöpfersein und Gottes Gnadenhandeln angleichen müssen. Dies widerspreche nicht der Tatsache, daß Augustinus in anthropologischer Sicht gefallene Natur und Gnade strikt trennt (74).

[31] R. Lorenz, a.a.O. 71ff. — Vgl. in diesem Zusammenhang auch M. Seckler, Instinkt und Glaubenswille, 98—104 und 146; Seckler zeigt, daß in der Gnadenproblematik die Leistung des Thomas von Aquin gegenüber Augustinus darin bestehe, daß er über die Idee des inneren Instinktes als eines ontologischen, „naturgewordenen Ratschlages Gottes" dem Dilemma des psychologisch-aktualistischen Ansatzes der Gnade bei Augustinus entgeht.

Das kommt indirekt in dem anfangs zitierten Text *Contra Adimantum* 28,2 zum Ausdruck[32]. Danach geschieht göttliche Erleuchtung einerseits dann, wenn das Unsichtbare Gottes, wie zum Beispiel seine Weisheit und seine Gerechtigkeit, vermittels der Schöpfungsdinge eingesehen und geschaut wird[33]; und andererseits dann, wenn der Mensch das, was von Gott her auf außerordentliche Weise gesagt und gezeigt wurde, aufgrund der reinigenden Kraft des demütigen Glaubens immer mehr in seiner Verweisung auf die Wahrheit Gottes hin einsieht[34]. Die Offenbarung dagegen bezieht sich nur auf diesen zweiten Fall. Das Verhältnis beider zueinander, das sich an der zitierten Stelle von *Contra Adimantum* schon abzeichnet — die Erleuchtung im Anschluß an die Schöpfungsdinge wird erst wieder voll aktualisiert, wenn der gefallene Mensch über den Glauben an ein besonderes geschichtliches Handeln Gottes und ein darauf bezogenes innerliches Offenbarungsgeschehen zu Gott zurückgeführt ist[35] — dieses Verhältnis wird im Verlauf dieser Untersuchung wiederholt zur Sprache kommen.

4. Offenbarung durch Ekstase

a) Augustinus ist geneigt, das Wort ,Ekstase' mit ,Offenbarung' zu assoziieren. Ekstase läßt auf Offenbarungsgeschehen schließen. Das zeigt seine Interpretation von Bibelstellen, in denen er auf dieses Wort stößt. So sagt er im *Psalmenkommentar:*

„Das Wort *,Ekstase',* das dem Titel des Psalmes beigefügt ist, bedeutet ein Außersichgeraten des Geistes, das entweder aufgrund eines Schreckens geschieht oder in einer *Offenbarung.*"[36]

---

[32] C. Adim. 28,2: Ex hoc tertio genere est visio illa quam commemoravi, dicente Apostolo ,Invisibilia enim Dei a constitutione mundi per ea quae facta sunt intellecta conspiciuntur'. Hac visione videtur Deus, cum per pietatem fidei et per agnitionem Dei morum otpimorum corda mundantur.

[33] Vgl. De divers. quaest. ad Simpl. 2,1,1 (wo Augustinus diese Einsicht ausdrücklich von der prophetischen Einsicht unterscheidet): Cum vero ita mens afficitur, ut non rerum imagines coniecturali examinatione intelligat, sed res ipsas intueatur, sicut intelligitur sapientia et iustitia omnisque incommutabilis et divina species, ad prophetiam de qua nunc agimus non pertinet.

[34] Vgl. En. in psalm. 118 sermo 18,4: Deus itaque per seipsum, quia lux est, illuminat pias mentes, ut ea, quae divina dicuntur vel ostenduntur, intelligant.

[35] Vgl. dazu R. Holte, a.a.O. 345ff (Kapitel 28: „Révélation scripturaire et illumination de la création"). Holte gebraucht hier zwar das Wort Offenbarung in einem unaugustinischen Sinn, da er damit die objektiv gegebene Schrift bezeichnet; er behandelt in dem genannten Kapitel aber doch das angezeigte Problem. Vgl. auch G. Madec, Connaissance de Dieu et action de grâce. Essai sur les citations de l'Epître aux Romains 1,18—25 dans l'œuvre de saint Augustin, in: Recherches augustiniennes 2 (1962) 273—309.

[36] En. in psalm. 30,I,1: Nam et ecstasis, quae addita est titulo, excessum mentis significat, quae fit vel pavore, vel aliqua revelatione.

„Die *Ekstase* ist ein Außersichgeraten des Geistes. Sie ereignet sich manchmal aufgrund eines Schreckens, bisweilen aber auch durch eine *Offenbarung* in einer Abkehr des Geistes von den Sinnen des Leibes, damit so der imaginierenden Seele gezeigt wird, was ihr gezeigt werden soll."[37]

Die hier von Augustinus anvisierte ekstatische Offenbarung ist zunächst nur bildhaft. Sie vermittelt eine ‚visio spiritualis'. Es wurde aber schon gezeigt, daß nach Augustinus in der Ekstase nicht nur bildhafte, sondern auch einsichthafte Schau vermittelt werden kann. Infolgedessen kann die Ekstase auch ein mögliches Medium für einsichthafte Offenbarung sein. In *De genesi ad litteram* sagt Augustinus:

„Wenn daher die Seele in jene Gesichte *entrückt* wird, die in der Vorstellung geschaut werden und Körperhaftem ähnlich sind, wobei sie von den Leibessinnen gänzlich abgekehrt ist, und zwar stärker als im Schlaf, aber weniger als im Tod..., und wenn dort Zukünftiges gesehen wird, so daß auch wirklich als Zukünftiges erkannt wird, wovon gegenwärtige Bilder gesehen werden, sei es, daß Gott dem Geist des Menschen dabei hilft, sei es, daß irgend jemand inmitten der Gesichte selbst darlegt, was sie bedeuten sollen..., dann ist das eine große *Offenbarung.*"[38]

Allerdings ist die hier beschriebene Offenbarung immer noch dem Bereich des Sensiblen verhaftet. Zwar kommt zu den gesehenen Bildern eine von Gott her veranlaßte oder von ihm selbst gewirkte Einsicht in ihre Bedeutung hinzu. Aber die Bilder sind doch nur Zeichen für zukünftige, weltimmanente Ereignisse. Die Ekstase reicht noch nicht in die eigentliche „Region des Intelligiblen"[39] hinein.

b) Augustinus rechnet aber, wie oben gezeigt wurde, auch mit einer solchen überragenden Ekstase. Im *Kommentar zu Psalm 30* spricht er von einer Entrückung (excessus) des Geistes, in welcher der Mensch ganz auf Himmlisches (superna) gerichtet ist und alles Irdische (inferna) aus seinem Gedächtnis irgendwie herausfällt. Diese Ekstase ist Medium ganz außerordentlicher Offenbarungen:

„In dieser *Ekstase* waren alle Heiligen, denen die über diese Welt hinausgehenden Geheimnisse (arcana) Gottes *geoffenbart* worden sind."[40]

---

[37] En. in psalm. 67,36: Ecstasis namque est mentis excessus: quod aliquando pavore contingit; nonnumquam vero per aliquam revelationem alienatio mentis a sensibus corporis, ut spiritui quod demonstrandum est demonstretur.

[38] De gen. ad litt. 12,26,53: Quapropter cum rapitur anima in ea visa, quae spiritu cernuntur similia corporibus, ita ut omnino a sensibus corporis avertatur amplius quam in somno solet, sed minus quam in morte... Ibi si etiam videntur futura, ita ut omnino futura noscantur, quorum imagines praesentes videntur, sive ipsa hominis mente divinitus adiuta, sive aliquo inter ipsa visa quid significent exponente ... magna revelatio est.

[39] De gen. ad litt. 12,26,54: ... ut in illam quasi regionem intellectualium vel intelligibilium subvehatur.

[40] En. in psalm. 30,II sermo 1,2: Excessus autem mentis proprie solet ecstasis dici.

Hier geht es um eine ekstatische Offenbarung, die wirklich ganz über den sensiblen Bereich hinausreicht; die den menschlichen Geist das Intelligible ohne alle Bilder schauen läßt. In ihr sieht der Mensch das unwandelbar Wahre in seinem Ursprung, durch das ursprüngliche Licht Gottes selbst. In ihr sieht der Mensch, was Gott sieht:

„Das also meint der Apostel, wenn er sagt ‚Ob wir nun entrückt waren für Gott‘ (2 Kor 5,13). Jener (Gott) nämlich sieht, was wir in der Entrückung des Geistes sehen. Jener allein *offenbart* seine Geheimnisse (secreta)."[41]

In der Ekstase verliert sich der Menschengeist in Gott hinein, so daß nun „Gott selbst im Menschen sieht"[42]. Dieser metaphorisch zu verstehende Ausdruck bedeutet: Gott allein, er unmittelbar durch sich selbst, ermöglicht es hier, das Göttliche zu schauen. Die ekstatische Offenbarung verwirklicht sich im ursprünglichen, ungebrochenen Licht, das Gott selbst ist. Und sie zeigt so das im Licht leuchtende Wahre in seiner ursprünglichen Lichthaftigkeit und Fülle. In ihr vollendet sich, was schon bei jeder Wahrheitserkenntnis anfanghaft geschieht und was das Wesen der Illumination ausmacht: Gott ist das eigentliche Ziel und der wirkliche Ursprung unseres wahren Erkennens. Er ist nicht nur selber die gesuchte Wahrheit, sondern auch der Lichtquell unserer suchenden Vernunft. „Wir finden den ‚Deus veritas‘ also nicht nur auf der Objektseite, sondern auch auf der Subjektseite der menschlichen Erkenntnisrelation."[43]

c) Nur sehr wenigen Menschen wird schon in diesem Leben diese vollkommene Offenbarung zuteil. Augustinus spricht in dem oben zitierten Text von „allen Heiligen" und nennt ausdrücklich Paulus, anderswo Moses[44]. Hieraus kann man schließen, daß es sich bei den Heiligen um von Gott besonders beauftragte und deshalb in ihrem gottbezogenen Fassungsvermögen besonders herausgehobene Menschen handelt. Moses und Paulus als den zwei größten Propheten und Exponenten des Alten und Neuen Bundes kommt dabei besonders exemplarische Bedeutung zu. Es ist aber sehr wahrscheinlich, daß Augustinus annahm, auch anderen Auserwählten sei diese Antizipation der eschatologischen Schau gewährt worden[45].

In excessu vero mentis duo intelliguntur: aut pavor, aut intentio ad superna, ita ut quodammodo de memoria labantur inferna. In hac ecstasi fuerunt omnes sancti, quibus arcana Dei mundum istum excedentia revelata sunt.

[41] En. in psalm. 30,II sermo 1,2: Hoc ergo ait, Sive mente excessimus Deo: ille enim videt quod nos videmus in mentis excessu, ille solus revelat secreta sua.

[42] Vgl. Conf. 13,31,46: Qui autem per spiritum tuum vident ea, tu vides in eis.

[43] F. Körner, Deus in homine videt, 201f.

[44] De gen. ad litt. 12,27,55 (siehe dazu M. Korger, a.a.O. 50f) und Epist. 147,13,32 (dieser Brief handelt ausdrücklich über das Thema ‚De videndo Deo‘).

[45] Diese Meinung vertritt M. Korger, a.a.O. 51, in vorsichtiger Übernahme der These Maréchals und Hessens. – Siehe z.B. In evang. Ioh. 43,16 zu Abraham.

Am Beispiel des Paulus zeigt Augustinus jedoch, daß diese Heiligen nicht bei der Schau jener „höheren und innerlichen Dinge" (superiora et interiora), bei der Kontemplation der himmlischen Wahrheit bleiben dürfen. Sie müssen wieder zu den „unteren Dingen" (inferiora) zurück. Denn sie haben an den Schwachen einen Dienstauftrag zu erfüllen. Sie dürfen diese Schwachen, denen solch überragende Schau von Gott nicht gegeben wurde, nicht verachten, sondern müssen sich ihrer Schwachheit anpassen. Sie müssen zu ihnen wieder in abgeschatteter, bildhafter Rede sprechen, um sie gerade so für das Licht der „höheren und innerlichen Dinge" aufnahmefähiger zu machen[46].

Augustinus bindet also die außerordentliche Offenbarung an einzelne ausdrücklich an einen Verkündigungsauftrag. Innerliche Offenbarung hat einen kirchlich-sozialen Aspekt. Korger sagt dazu: „Es ist kennzeichnend für den biblischen Prophetismus Augustins, daß ... Wesensschau Gottes für ihn mit prophetisch-geschichtlicher Aussage untrennbar verbunden ist... Während für Eckhard Gottesschau vornehmlich Versenkung des Einzelchristen in den göttlichen Grund der einzelnen Seele ist..., ist sie für Augustin die gnadenhafte Entrückung weniger Charismatiker, die mitten in der Realität der Offenbarungsgeschichte und des kirchlichen Lebens stehen... Die Schau des Wesens Gottes ist also für Augustin keineswegs Vorrecht weltflüchtiger Platoniker, sondern immer verbunden mit der Liebestat der charismatischen Verkündigung im Raum der Kirche."[47]

d) Allein die durch besondere Ekstase geschehende einsichthafte Offenbarung kann in diesem Leben zur unmittelbaren und vollkommenen Schau Gottes führen. Ja, genau genommen trägt sich diese Offenbarung gar nicht in diesem Leben zu. Denn die Ekstase stellt gerade eine Entrückung des Menschengeistes aus diesem Leben in das himmlische Leben dar. Mit Hilfe dieses Gedankens löst Augustinus in dem Brief *De videndo Deo* die Frage,

---

[46] En. in psalm. 30,II sermo 1,1: De hoc mentis excessu, id est ecstasi, Paulus cum loqueretur, *seipsum insinuans,* ait: Sive enim mente excessimus Deo, sive temperantes sumus vobis, caritas enim Christi compellit nos (2 Kor 5,13). Hoc est, si ea tantum agere vellemus, et ea tantum contemplari, quae mentis excessu intuemur, vobiscum non essemus, sed essemus in supernis, tanquam contemptis vobis: et quando nos ad illa superiora et interiora infirmo passu sequeremini, nisi rursus compellere nos caritate Christi ... nos consideraremus esse servos, et non ingrati ei a quo accepimus altiora, propter eos qui infirmi sunt non contemneremus inferiora, et temperaremus nos eis qui non possunt nobiscum videre sublimia?

[47] M. Korger, a.a.O. 51f. — Daß die überragende Schau der göttlichen Wahrheit bei Augustinus notwendig zurückführen muß zum demütigen Dienst der Verkündigung zeigt auch M.F. Berrouard, Saint Augustin et le ministère de la prédication. Le thème des anges qui montent et qui descendent, in: Recherches augustiniennes 2 (1962) 447–501. Zu dem eben zitierten Text En. in psalm. 30,II sermo 1,2 siehe 462f. Berrouard zeigt in seinem Aufsatz, daß für Augustinus die Erfahrung des Paulus Typos der Erfahrung jedes Predigers ist (455), hinter beiden aber wiederum das Beispiel der humilitas Christi steht (475ff).

wie denn von einigen noch in dieser Welt Lebenden Gottes Sein geschaut werden könne, obwohl doch dem Menschen gesagt wurde: Keiner kann Gott sehen und am Leben bleiben (Ex 33,20).

Das ist möglich, „weil der menschliche Geist von Gott her aus diesem Leben in das der Engel entrückt werden kann, noch bevor er durch den gewöhnlichen Tod vom Fleisch losgelöst wird. So wurde zum Beispiel der entrückt, der in der Entrückung unaussprechliche Worte hörte, die ein Mensch nicht sagen darf. Die Abkehr der Intentionalität von den Sinnen dieses Lebens war dabei so stark, daß er nicht sagen konnte, ob er im Körper oder außerhalb des Körpers entrückt wurde, das heißt, ob der Geist, wie es in heftigen Ekstasen zu geschehen pflegt, aus diesem Leben in jenes andere entrückt wurde, das Band des Leibes dabei aber erhalten blieb, oder ob eine vollständige Trennung stattfand, wie sie sich nur im eigentlichen Tod ereignet. Auf diese Weise ist es möglich, daß sowohl der Satz wahr ist ,Niemand kann Gott sehen und leben‘, weil der Menschengeist notwendig aus diesem Leben herausgenommen werden muß, wenn er in das Unaussprechliche jener Schau aufgenommen wird; und es ist zugleich nicht unglaublich, daß *einigen Heiligen,* auch wenn sie noch nicht so im Tode waren, daß nur ihre Leichname zurückblieben, sogar diese *überragende Offenbarung* (istam excellentiam revelationis) gewährt worden ist." Diese Offenbarung erfuhren vielleicht einige Apostel, falls sie Christus so sahen, daß sie auch dessen Gottheit schauten; ganz sicher aber „Paulus, der selbst von jener seiner *unaussprechlichen Offenbarung* sprach"[48].

Der ganze Text ist zwar inspiriert von 2 Kor 12,1—7, wo Paulus von seiner Entrückung und dem „Übermaß der Offenbarungen" spricht, die er empfangen hat. Der Gebrauch des Wortes ,Offenbarung‘ im Zusammenhang der ekstatischen Schau Gottes ist also sicher mit von Paulus beeinflußt. Dennoch zitiert Augustinus nicht einfach Paulus, sondern interpretiert ihn in der Linie seines eigenen Denkens. Augustinus theoretisiert die religiöse Erfahrung des Paulus und konzentriert seine Reflexion ganz auf die unüberbietbare Qualität und Tragweite einer ganz bestimmten Art von Offenbarung, näm-

---

[48] Epist. 147,13,31: Deinde potest movere quomodo iam ipsa Dei substantia videri potuerit a quibusdam in hac vita positis, propter illud quod dictum est ad Moysen: nemo potest faciem meam videre et vivere: nisi quia potest humana mens divinitus rapi ex hac vita ad angelicam vitam, antequam per istam communem mortem carne solvatur. Sic enim raptus est qui audivit illic ineffabilia verba quae non licet homini loqui: ubi usque adeo facta est ab huius vitae sensibus quaedam intentionis aversio, ut sive in corpore, sive extra corpus fuerit, id est, utrum, sicut solet in vehementiori ecstasi, mens ab hac vita in illam vitam fuerit alienata, manente corporis vinculo, an omnino resolutio facta fuerit, qualis in plena morte contingit, nescire se diceret. Ita fit, ut et illud verum sit, quod dictum est: Nemo potest faciem meam videre et vivere; quia necesse est abstrahi ab hac vita mentem, quando in illius ineffabilitatem visionis assumitur; et non sit incredibile quibusdam sanctis nondum ita defunctis, ut sepelienda cadavera remanerent, etiam istam excellentiam revelationis fuisse concessam. Quod existimo cogitasse illum (scl. Ambrosium) qui noluit dicere: Nec Apostoli Christum videbant; sed ait ,nec Apostoli omnes Christum videbant‘: credens quibusdam eorum divinitatis quoque ipsius visionem de qua loquebatur, etiam tunc potuisse donari; certe propter beatum Paulum, quia et ipse quamvis novissimus, utique apostolus erat, qui de sua illa ineffabili revelatione non tacuit.

lich der alles Irdische übersteigenden ekstatischen Offenbarung, die sich eigentlich gar nicht mehr unter den Bedingungen dieses Lebens abspielt.

§ 5 Sprechen Gottes

1. Das Sprechen Gottes innerhalb der Struktur der drei Arten des Sehens

a) Ein offenbarungstheologisch wichtiger Topos ist die Rede vom Sprechen Gottes. Daß Gott spricht, und daß er auf vielerlei Weise zum Menschen spricht, ist für Augustinus eine Selbstverständlichkeit. Doch welche Vorstellungen macht er sich im einzelnen darüber? Wie ordnet sich die Kategorie ,Offenbarung' in den umfassenderen Kontext des Sprechens Gottes ein? Zur Klärung der Fragen sollen im folgenden Texte analysiert werden, in denen Augustinus das Sprechen Gottes ausdrücklich thematisiert. Besondere Bedeutung haben dabei wieder Texte aus *De genesi ad litteram,* dem großen Genesiskommentar Augustins. Zweimal fragt Augustinus dort, wie Gott wohl mit Adam im Paradies gesprochen habe[1]. Er kann darauf keine sichere Antwort geben. Aber anläßlich dieser Frage äußert er sich allgemein darüber, wie Gott überhaupt spricht:

„Ganz unzweifelhaft müssen wir festhalten, daß Gott entweder durch sein *Sein* selbst spricht oder durch ihm untergebenes *Geschaffenes.* Durch sein Sein spricht er zu allen Naturen, um sie dadurch zu erschaffen; zu den geistigen und mit Intellekt begabten aber nicht nur, um sie zu erschaffen, sondern auch, um sie (1) *zu erleuchten,* falls sie sein Sprechen, so wie es in seinem Verbum geschieht, das im Anfang bei Gott war..., schon fassen können. Zu jenen aber, die dieses Sprechen noch nicht fassen können, spricht Gott, wann immer er spricht, nur durch Geschaffenes; und zwar (2) entweder nur durch *Imaginatives,* durch die vorstellungsmäßigen Entsprechungen von körperhaften Dingen, sei es im Traum oder in der Ekstase, (3) oder auch durch das *Körperhafte* selbst, wenn sich zum Beispiel dem Leibessinn eine äußere Erscheinung zeigt, oder wenn Stimmen gehört werden."[2]

Augustinus unterscheidet in diesem Text zunächst zwischen schöpferischem und offenbarendem Sprechen Gottes. Allein das offenbarende

---

[1] Anläßlich Gn 2,17 fragt Augustinus in De gen. ad litt. 8,27,49: Si modum quaerimus quomodo ista locutus sit Deus, modus quidem ipse a nobis proprie comprehendi non potest...; und ähnlich anläßlich Gn 2,1 in De gen. ad. litt. 9,2,3: Nunc iam videamus accipiendum quod dixit Deus...

[2] De gen. ad litt. 8,27,49: Certissime tamen tenere debemus, Deum aut per suam substantiam loqui, aut per sibi subditam creaturam; sed per substantiam suam non loqui nisi ad creandas omnes naturas, ad spirituales vero atque intellectuales non solum creandas, sed etiam illuminandas, cum iam possunt capere locutionem eius, qualis est in Verbo eius quod in principio erat apud Deum... Illis autem, qui eam capere non possunt, cum loquitur Deus, nonnisi per creaturam loquitur, aut tantummodo spiritualem, sive in somnis, sive in ecstasi in similitudine rerum corporalium; aut etiam per ipsam corporalem, dum sensibus corporis vel aliqua species apparet, vel insonant voces.

Sprechen ist hier von Interesse. Augustinus beschreibt es innerhalb der Struktur der drei Schauweisen. Demnach vollzieht sich das offenbarende Sprechen Gottes in drei qualitativ unterschiedlichen Weisen: Die äußerlichste und veräußerlichteste Weise des Sprechens ist die durch körperhafte Erscheinungen. Innerlicher, aber immer noch geschöpflich vermittelt vollzieht sich das der bildhaften Schauweise korrespondierende Sprechen, als dessen Medien Augustinus wieder wie selbstverständlich Traum und Ekstase angibt. Die innerlichste und unmittelbarste Weise des Sprechens Gottes schließlich ist die durch Erleuchtung vom Sein Gottes selbst.

b) Was bedeutet nun die Rede vom *Sprechen* Gottes? In welchem Verhältnis stehen die drei Weisen des *Sprechens* Gottes zu den drei *Schauweisen* des Menschen? Handelt es sich hier um einen vom visuellen Wahrnehmen der Wahrheit abgehobenen sprachlichen und auditiven Modus der Mitteilung? Oder zeigt nicht gerade die Tatsache, daß Augustinus das Sprechen Gottes innerhalb der Struktur der drei Schauweisen erörtert, daß er sich auch dieses Sprechen vorwiegend vom Modell des Zeigens und Sehens her denkt? In dieser zur Erfassung der Grundstrukturen des augustinischen Denkens wichtigen Frage kann auf die Ergebnisse der hervorragenden Arbeit von U. Duchrow über „Sprachverständnis und biblisches Hören bei Augustinus" verwiesen werden. Duchrow zeigt, daß in Augustins Denken durchgängig und insgesamt das Visuelle über das Sprachliche dominiert[3]. In Auseinandersetzung mit V. Warnach, der nachzuweisen versucht, daß die Bezeichnung der Illumination als ein innerliches Sprechen Gottes nicht nur metaphorisches Bild für den Vorgang der inhaltlichen Erleuchtung ist[4], sondern wirklich die Worthaftigkeit dieser Erleuchtung zum Ausdruck bringt[5], weist Duchrow nach, daß die irdischen Kategorien im intelligiblen Bereich einerseits nur metaphorisch anzuwenden sind, weil dort eines Wesens ist, was hier getrennt auftritt, daß Augustinus andererseits aber doch das sprachliche Moment des inneren Erkennens, wo er kann, auf ein Sehen zurückführt[6]. Der tiefere Grund für diese Dominanz des Visuellen liegt, wie schon Kamlah hervorhebt, darin, daß Augustinus in einem ontologischen Vorgriff Sein immer schon als Anschaubarsein versteht, als ‚praeesse' im Sinne von

---

[3] U. Duchrow, Sprachverständnis und biblisches Hören bei Augustinus, Tübingen 1965, bes. 18f, 37, 109ff, 190ff, 242. Siehe dazu schon M. Comeau, St. Augustin exégète du 4ème évangile, Paris 1930, 384. Vgl. auch O. Lechner, a.a.O. 50; und vor allem A. Schindler, Wort und Analogie in Augustins Trinitätslehre, Tübingen 1965, 218 und 233ff (im Zusammenhang der Problematik des inneren Wortes).

[4] Dies ist die Meinung von J. Hessen, a.a.O. 74.

[5] V. Warnach, Erleuchtung und Einsprechung, 429ff.

[6] U. Duchrow, a.a.O. 187ff. R. Hardy, a.a.O. 65ff, übersieht diesen Sachverhalt, wenn er die Kategorie des Hörens von der des Sehens in bezug auf Gott inhaltlich unterscheidet. A. Schindler, a.a.O. 234f, trifft sich in seiner Kritik an Warnach mit der Duchrows.

‚prae oculis esse'[7]. Kamlah kennzeichnet von daher das augustinische Denken treffend als „Ontologie des Anschaubaren"[8].

Diese Ergebnisse sind für das Verständnis des Offenbarungsbegriffs Augustins von großer Bedeutung. Denn sie bringen in einem umfassenderen Sinn zum Ausdruck, was sich bisher schon an der Kategorie Offenbarung gezeigt hat: Offenbarung ereignet sich nicht sprachlich, sondern ist eine Sache des Sehens, weil sie letztlich eine Sache des unmittelbaren Erkennens ist. Dieser Sachverhalt und die mit ihm verbundenen Probleme des augustinischen Offenbarungsbegriffs werden im Verlauf dieser Arbeit wiederholt zur Sprache kommen. Jetzt soll jedoch zuerst gefragt werden, wie sich das Wort ‚Offenbarung' konkret in den Kontext des Sprechens Gottes einordnet. Dadurch soll der Stellenwert dieses Wortes im Denken Augustins weiter erhellt und präzisiert werden.

2. Sprechen Gottes und Offenbarung

a) In einem zweiten Text des Genesiskommentars, in welchem Augustinus — wiederum auf die Frage, wie Gott zu den ersten Menschen im Paradies gesprochen habe — die verschiedenen Möglichkeiten des Sprechens Gottes erörtert, kommt Augustinus auch auf ‚Offenbarung' zu sprechen. Es heißt dort:

„Vielleicht hat Gott das (1) *im Geist* dieses Menschen gesprochen, so wie er mit manchen seiner Diener in diesen Dienern selbst spricht. Einer von diesen war jener, der im Psalm sagte: ‚Ich will hören, was Gott der Herr in mir spricht' (Psalm 84,9). Oder (2) im Innern dieses Menschen wurde durch einen Engel eine *Offenbarung* in den vorstellungsmäßigen Entsprechungen von körperhaften Stimmen hervorgebracht; allerdings sagt die Schrift nicht, ob im Traum oder in der Ekstase — so geschieht dies nämlich gewöhnlich — oder auf eine andere Weise, so wie den Propheten *offenbart* wird. Hierher gehört jener Satz: ‚Und es sprach zu mir der Engel, der in mir redete (Zach 2,3). Oder (3) die Stimme selbst ertönt durch ein körperhaft Geschaffenes, so wie die Stimme aus der Wolke: ‚Dieser ist mein Sohn' (Mt 3,17)."[9]

Der Text ist dem zuerst zitierten parallel aufgebaut und kann deshalb zusammen mit diesem interpretiert werden. Zunächst fällt auf, daß Augustinus auch hier das Wort ‚Offenbarung' nicht für das äußere, körperhafte

---

[7] W. Kamlah, Christentum und Geschichtlichkeit, Stuttgart ²1951, 218ff.

[8] Ders., a.a.O. 218.

[9] De gen. ad litt. 9,2,3: An forte in mente ipsius hominis hoc dixit Deus, sicut loquitur quibusdam servis suis in ipsis servis suis. Ex quo genere servorum eius erat etiam ille qui dixit in Psalmo: ‚Audiam quid loquatur in me Dominus Deus'. An aliqua de hac re ipsi homini in ipso homine per Angelum est facta revelatio in similitudinibus vocum corporalium, quamvis tacuerit Scriptura utrum in somnis an in ecstasi — ita enim fieri haec solent — an aliquo alio modo, sicut revelatur Prophetis. Unde illud est: ‚Et dixit mihi angelus qui loquebatur in me'. An per corporalem creaturam vox ipsa sonuerit, sicut de nube: ‚Hic est Filius meus'.

Sprechen Gottes verwendet. Vielmehr vollzieht sich das Sprechen Gottes als Offenbarung ausschließlich im Innern des Menschen. Aber auch hier benennt er nur das noch an Bildhaftes gebundene Sprechen Gottes mit dem Wort ‚Offenbarung‘, nicht aber das unmittelbare Sprechen Gottes im Intellekt des Menschen, obwohl doch die einsichthafte Offenbarung auf dieses unmittelbare Sprechen hinzielt. Wie ist das zu verstehen?

b) Das in den beiden Texten jeweils an erster Stelle genannte unmittelbare Sprechen Gottes im Geist des Menschen geschieht unabhängig von allen Bildern. Es ermöglicht nicht nur ein verstehendes Urteil über Zeichenhaftes, sondern ursprüngliche Schau Gottes. Es ist keine Entschleierung des mit irgendwelchen imaginativen Veranschaulichungen eigentlich gemeinten Intelligiblen, sondern Teilhabe am innergöttlichen Ursprungsgeschehen, am Sprechen Gottes, wie es in seinem Verbum geschieht und wie es der noch der Sinnenwelt verhaftete und durch die Sünde geschwächte Mensch in der Regel nicht erfährt und auch gar nicht fassen kann. Das machen auch andere, parallel strukturierte Texte deutlich: In *De civitate Dei* bezeichnet es Augustinus als etwas Großes und überaus *Seltenes*, wenn der Mensch alles Geschaffene und Wandelbare in der Bewegung des Geistes übersteigt und so zum unwandelbaren Sein Gottes gelangt, wo Gott nicht mehr durch körperhaft Geschaffenes spricht oder durch spirituelle Bilder, wie zum Beispiel im Traum, sondern durch sich selbst − „falls“, so fügt Augustinus skeptisch hinzu, „überhaupt schon jemand fähig ist, Gott auf diese Weise im Geiste zu vernehmen"[10]. Und in einem weiteren Text aus *De genesi ad litteram* heißt es, Gott spreche zur geistigen Natur, *wenn* sie *vollkommen* und glückselig ist wie die der Engel, auf wunderbare und unaussprechliche Weise in ihrem Innern, nicht durch äußeres Körperhaftes und auch nicht durch Imaginationen in Traum oder Ekstase[11].

Das Sprechen Gottes im Geist des Menschen meint demnach in diesen Texten immer schon eine ursprüngliche und vollkommene Erleuchtung. Dem widerspricht nicht, daß Augustinus an anderer Stelle einräumt, daß auch noch

---

[10] De civ. Dei 11,2: Magnum est et admodum rarum universam creaturam corpoream et incorpoream consideratam compertamque mutabilem intentione mentis excedere, atque ad incommutabilem Dei substantiam pervenire, et illic discere ex ipso, quod cunctam naturam, quae non est quod ipse, non fecit nisi ipse. Sic enim Deus cum homine non per aliquam creaturam loquitur corporalem...; neque per eiusmodi spiritualem quae corporum similitudinibus figuratur sicut in somniis vel quo alio tali modo..., sed loquitur ipsa veritate, si quis sit idoneus ad audiendum mente, non corpore.

[11] De gen. ad litt. 8,25,47: Spiritualis autem creata natura si perfecta atque beata est, sicut Angelorum sanctorum, quantum attinet ad seipsam, quo sit sapiensque sit, nonnisi intrinsecus incorporaliter adiuvatur. Intus ei quippe loquitur Deus miro et ineffabili modo, neque per scripturam corporalibus instrumentis affixam, neque per voces corporalibus auribus insonantes, neque per corporum similitudines, quales in spiritu imaginaliter fiunt, sicut in somnis vel in aliquo excessu spiritus, quod graece dicitur ἔκστασις.

dieses vollkommene, lichthafte Sprechen Gottes unterschiedliche Grade haben kann, die Teilhabe des Menschen vor der Sünde an der göttlichen Weisheit zum Beispiel also doch geringer war als die der Engel[12]. Ob es sich nun um die Schau der Engel handelt, die zum Hause Gottes gehören, das nicht in der Fremde weilt[13], oder um die Schau des Menschen vor der Sünde[14] oder um die dem mystischen Überstieg der Seele über alle Schöpfungsdinge folgende, nur den „blitzenden Moment eines zitternden Erblickens" während Schau Gottes durch den gefallenen Menschen[15]: immer handelt es sich um ein bildloses Vernehmen der Wahrheit im Ursprung Gottes selbst.

c) Das Sprechen Gottes als Offenbarung dagegen hat es für Augustinus offensichtlich immer mit Imaginativem und Figürlichem zu tun. Es ist die Eingebung von Bildern und zugleich die Erleuchtung des menschlichen Geistes, daß er das Bild- und Zeichenhafte auf seine Bedeutung hin einsieht. Außer im Fall der besonderen Ekstase bleibt auch die einsichthafte Offenbarung an die Vermittlung durch Bilder und sinnenfällige Zeichen gebunden. Und der Vermittlungsprozeß kommt in diesem Leben an kein Ende. Die einsichthafte Offenbarung eröffnet in der Regel nicht vollkommene Schau Gottes und seiner Ideen, sondern bleibt bildhaft gebrochen. Wenn Augustinus deshalb von dieser alles übersteigenden Schau Gottes oder dem ganz unmittelbaren und ursprünglichen Sprechen Gottes spricht, erscheint ihm demgegenüber offensichtlich alle Offenbarung noch so sehr dem Imaginativen verhaftet, daß er nur diesen ihren Aspekt hervorhebt. Das geschieht zum Beispiel in

---

12 De gen. ad litt. 11,33,43: Fortassis enim aliis intrinsecus vel effabilibus vel ineffabilibus modis Deus cum illis antea (vor der Sünde) loquebatur, sicut etiam cum Angelis loquitur ipsa incommutabili veritate illustrans mentes eorum... Forte, inquam, sic cum eis loquebatur, etsi non tanta participatione divinae sapientiae, quantum capiunt Angeli...
13 Siehe Conf. 12,9,9; 12,11,12f; 12,13,16; 12,15,19ff; De gen. ad litt. 4,23ff; 8,25,47.
14 De gen. c. Man. 2,4,5f: ... facit animas revirescere per verbum suum; sed de nubibus eas irrigat, id est de Scripturis Prophetarum et Apostolorum... Sed hoc nondum erat, antequam anima peccaret... Post peccatum autem homo laborare coepit in terra, et necessarias habere illas nubes. Ante peccatum vero ... irrigabat eam fonte interiore, loquens in intellectu eius: ut non extrinsecus verba exciperet, tanquam ex supradictis nubibus pluviam; sed fonte suo, hoc est de intimis suis manante veritate, satiaretur. — Zur Analyse dieses Textes siehe U. Duchrow, ‚Signum' und ‚superbia' beim jungen Augustin (386—390), in: REA 7 (1961) 369—372.
15 Conf. 7,17,23: Et pervenit ad id, quod est in ictu trepidantis aspectus. — Deutsch wurde zitiert nach J. Bernhart, Augustinus. Bekenntnisse — Confessiones, München ³1966, 347. Zum Einfluß Plotins auf die ekstatischen Versuche Augustins (Conf. 7, 10,16; 7,17,23; 7,20,26) siehe P. Courcelle, Recherches sur les Confessions, 105ff. Zum Ganzen siehe immer noch P. Henry, La vision d'Ostie. Sa place dans la vie et l'œuvre de saint Augustin, Paris 1938. — Einen Forschungsbericht über die sogenannte Mystik Augustins bietet A. Mandouze in: AM 3 (1955) 103—163; zuletzt E. Hendrikx, Augustins Verhältnis zur Mystik. Ein Rückblick, in: Scientia Augustiniana, Festschrift A. Zumkeller, Würzburg 1975, 107—111.

dem zitierten Text. Augustinus will darin sicher nicht behaupten, die Propheten würden nur bildhafte Offenbarungen empfangen, die Einsicht würde ihnen jedoch fehlen. Aber gemessen an der unüberbietbaren Schau Gottes ist ihre Einsicht noch so gering und vorläufig, daß sich die von ihnen empfangene Offenbarung doch ganz vom Aspekt des Imaginativen her bestimmen läßt. In der Regel bleibt für Augustinus Offenbarung den Bedingungen der sensiblen Welt unterworfen. Diese Differenz zwischen Offenbarung und primordialem Sprechen Gottes wird besonders deutlich in folgendem Text aus den *Confessiones* über die „Vision von Ostia":

„Brächte es einer dahin, daß ihm alles Getöse der Sinnlichkeit schwände, daß ihm schwänden alle Inbilder von Erde, Wasser, Luft, daß ihm schwände auch das Himmelsgewölbe und selbst die Seele gegen sich verstummte und, nicht sich selbst denkend, über sich hinausschritte, *daß ihm verstummten Träume und bildhafte Offenbarungen,* daß jede Art Sprache, jede Art Zeichen und alles, was in Flüchtigkeit sich ereignet, ihm völlig verstummte..., und *Er allein spräche,* nicht durch diese Dinge, nur durch sich selbst, so daß wir sein Wort vernähmen nicht durch Menschenzunge, auch nicht durch Engelsstimme und nicht im Donner aus Wolken, noch auch in Rätsel und Gleichnis, sondern ihn selbst durch sich selbst, den wir in allem Geschaffenen lieben, Ihn selbst ganz ohne dieses, wie wir eben jetzt uns nach ihm reckten und in windschnell flüchtigen Gedanken an die ewige, über allem beharrende Weisheit rührten; und wenn dies Dauer hätte und alles andere Schauen, von Art so völlig anders, uns entschwände...: ist nicht dies es, was da gesagt ist: ‚Geh ein in die Freude deines Herrn'?"[16]

3. Sprechen Gottes, Offenbarung und Bibel

a) Welchen Stellenwert hat nun die Bibel innerhalb dieser Struktur des Sprechens Gottes? In welchem Zusammenhang stehen Sprechen Gottes, Offenbarung und Bibel? Rein faktisch gesehen hat die Bibel für Augustinus natürlich eine zentrale Funktion. Sie ist *das* Zeugnis von Gottes Handeln und von Gottes Willen. Auf einer prinzipiellen, erkenntnistheoretischen Ebene jedoch stellt sich ihm die Sachlage anders dar. Hier ist die Bibel nur eine unter vielen anderen Weisen *äußerlichen* Sprechens Gottes, denen das *innerliche* Sprechen Gottes als ein ursprünglicheres gegenübersteht. Besonders aufschlußreich ist hier ein Text aus *Sermo 12.* Augustinus gibt

---

[16] Conf. 9,10,25: Si cui sileat tumultus carnis, sileant phantasiae terrae et aquarum et aeris, sileant et poli, et ipsa sibi anima sileat, et transeat se non se cogitando, sileant somnia et imaginariae revelationes, omnis lingua et omne signum, et quidquid transeundo fit, si cui sileat omnino..., et loquatur ipse solus, non per ea, sed per seipsum, ut audiamus verbum eius, non per linguam carnis, neque per vocem angeli, nec per sonitum nubis, nec per aenigma similitudinis; sed ipsum, quem in his amamus, ipsum sine his audiamus, sicut nunc extendimus nos, et rapida cogitatione attigimus aeternam sapientiam super omnia manentem; si continuetur hoc, et subtrahantur aliae visiones longe imparis generis...: nonne hoc est: ‚intra in gaudium domini tui'? – Der deutsche Text ist, mit kleinen Abweichungen, zitiert nach J. Bernhart, a.a.O. 465f.

darin eine Aufzählung der „vielen Weisen, durch die Gott zu uns spricht"[17]. In einer ersten Gruppe nennt er folgende Möglichkeiten: Gott spricht durch ein Hilfsmittel (instrumentum), wie es das Buch der *Bibel* darstellt; er spricht durch einen Stoff dieser Welt, wie zum Beispiel durch einen zeichengebenden *Stern;* er spricht durch das *Los,* durch einen *Propheten,* durch die äußere Erscheinung eines *Engels* oder durch eine *Himmelsstimme*[18]. All das sind äußere Zeichen, durch die Gott seinen Willen andeutet. Ihnen stellt nun Augustinus das innerliche Sprechen Gottes gegenüber: Gott spricht auch ohne äußerliche Vermittlung direkt im Innern des Menschen, und zwar entweder im *Traum* oder in der *Ekstase;* oder im *Geist* des Menschen, so daß dieser Mensch die Majestät oder den Willen Gottes einsieht[19].

Das Sprechen Gottes durch die menschliche Sprache der Bibel gehört demnach dem Seinsbereich des Draußen an. Augustinus bezeichnet es deshalb nicht mit dem Wort ‚Offenbarung‘, das ausschließlich ein inneres Geschehen meint. Das Sprechen Gottes durch die Bibel ist zeichenhaftes Sprechen. So wie das bildhafte Sprechen Gottes im Innern des Menschen bedarf es deshalb der einsichthaften Offenbarung, damit es vom Menschen überhaupt verstanden werden kann. Die Bibel ist demnach ‚Teil‘ eines je aktuellen Offenbarungsgeschehens, das sich zwar an ihr entzündet, in welchem sich aber das von ihr Bedeutete dem einzelnen *gnadenhaft* erschließt. Davon wird im *vierten Kapitel* dieser Arbeit ausführlich die Rede sein.

b) Zwischen Bibel und Offenbarung besteht in Augustins Denken noch ein weiterer Zusammenhang. Denn das biblische Geschehen selbst wurde unter anderem durch Offenbarungserfahrungen einzelner konstituiert, vor allem durch die Offenbarungen der Propheten. Und auch die Bibel als Buch kam nach Ansicht Augustins weitgehend durch Offenbarung zustande. Die biblischen Schriftsteller haben ihre Schriften verfaßt unter dem Eindruck eines offenbarenden Wirkens Gottes in ihnen. Das *folgende Kapitel* wird diesen prophetischen Offenbarungen und dem Problem der biblischen Inspiration gewidmet sein.

c) Die besonderen Eingebungen, Visionen und bildhaften Offenbarungen, wie sie den Propheten zuteil wurden, sind jedoch nicht auf die biblische Zeit

---

[17] Sermo 12,4,4: Multi autem modi sunt, quibus nobiscum loquitur Deus.

[18] Sermo 12,4,4: Loquitur aliquando per aliquod instrumentum, sicut per codicem divinarum Scripturarum. Loquitur per aliquod elementum mundi, sicut per stellam Magis locutus est... Loquitur per sortem... Loquitur per animam humanam sicut per prophetam. Loquitur per angelum... Loquitur per aliquam vocalem sonantemque creaturam, sicut de coelo voces factas...

[19] Sermo 12,4,4: Ipsi denique homini, non extrinsecus per aures eius aut oculos, sed intus in animo non uno modo Deus loquitur, sed aut in somnis..., aut spiritu hominis assumpto, quam Graeci ecstasim vocant...; aut in ipsa mente, cum quisque maiestatem vel voluntatem intelligit.

beschränkt, sondern können sich auch in der Zeit der Kirche weiter ereignen. Obwohl in Augustins Theologie die Bibel eine zentrale Stellung einnimmt, ist er doch aufgeschlossen für je aktuelle revelatorische Schau. Dabei differenziert er keineswegs zwischen der prophetischen Offenbarung und nachbiblischen Offenbarungsphänomenen[20]. Die Struktur der drei menschlichen Schauweisen und der drei Arten des Sprechens Gottes überlagert also die faktische Bedeutung der Bibel. Dieser Sachverhalt, der im *dritten Kapitel* dieses Teiles der Arbeit behandelt werden soll, kommt kurz und treffend zum Ausdruck in einem Text aus dem *Psalmenkommentar*, in welchem Augustinus die Offenbarungen und die beiden Testamente als zwei verschiedene Quellen unseres Wissens um Gottes Ratschlüsse anführt:

Gott hat uns einige seiner Ratschlüsse, die unser aller Leben bestimmen, durch sein Wort (eloquia) kundgetan, und zwar durch sein Wort, „das er an uns richtete in den vielen *Offenbarungen* der Heiligen und in den beiden *Testamenten*"[21].

Dieses Zitat ist geeignet, die offenbarungstheologische Grundhaltung Augustins insgesamt zu kennzeichnen. Es soll deshalb dieses Kapitel abschließen. In den nun folgenden Kapiteln sollen die erarbeiteten theoretischen Grundlagen des Offenbarungsdenkens Augustins in der eben angedeuteten Weise konkretisiert werden. Ging es bisher vorwiegend um Prinzipienfragen, so geht es nun vorwiegend um die Frage, wie diese Prinzipien in den verschiedenen Bereichen des augustinischen Denkens und Lebens zur Geltung kommen.

---

[20] P. Stockmeier, a.a.O. 80f.

[21] En. in psalm. 118 sermo 6,2: ‚In labiis meis enuntiavi omnia iudicia oris tui'; id est, nihil iudiciorum tuorum tacui, quae mihi per eloquia tua innotescere voluisti, sed omnia prorsus in labiis meis enuntiavi. Hoc enim mihi videtur significare voluisse, quod non ait, omnia iudicia tua; sed ‚omnia iudicia oris tui', id est, quae mihi dixisti: ut per os eius eloquium eius intelligamus, quod fecit ad nos in revelationibus sanctorum pluribus, et Testamentis duobus.

2. Kapitel

OFFENBARUNGEN IN DER BIBEL

§ 6 Prophetische Offenbarung

1. Vier Arten der Prophetie

In der im Jahre 396 entstandenen Schrift *De diversis quaestionibus ad Simplicianum* gibt Augustinus eine detaillierte Zusammenfassung seiner Gedanken über Prophetie. Er unterscheidet dabei vier verschiedene Arten prophetischer Inspiration:

„Der Geist der Prophetie ... wirkt nicht immer auf gleiche Weise. Vielmehr wirkt er (1) in manchen Menschen durch Einformung von Bildern im Vorstellungsvermögen; in anderen (2) durch die Einsicht des Geistes; wieder in anderen (3) durch die *Eingebung* (inspiratione) von beidem; in manchen schließlich, (4) ohne daß sie sich dessen bewußt sind. (1) Die Information des Vorstellungsvermögens erfolgt dabei auf zweierlei Weise: Im Traum ... oder durch ein Zeigen in der Ekstase... (2) Die Einsicht des Geistes auf eine Weise: wenn *offenbart* wird, was das in den Bildern Gezeigte bedeutet und worauf es sich bezieht. Hierbei handelt es sich um eine gewisse Prophetie... (3) Beide Gaben der Prophetie aber haben jene, die sowohl die Bilder der Sachen im imaginativen Teil der Seele sehen und zugleich einsehen, was sie bedeuten... (4) Ohne das Wissen der Betroffenen schließlich wirkt der prophetische Geist so, wie zum Beispiel der Hohepriester Kaiphas vom Herrn weissagte..., obwohl er mit seinen Worten ganz anderes im Sinn hatte."[1]

In dem achtzehn Jahre später geschriebenen 12. Buch von *De genesi ad litteram* findet sich im wesentlichen die gleiche Einteilung. Augustinus hat also seine diesbezüglichen Meinungen nicht geändert. Die unbewußte Prophetie nach Art des Kaiphas, die in De diversis quaestionibus ad Simplicianum an letzter Stelle genannt ist, führt Augustinus hier gesondert auf. Die sie ermöglichende prophetische Inspiration qualifiziert er dabei abwertend als ‚Instinkt'[2]. Dies macht deutlich, daß Augustinus diese unbewußte, ‚zufäl-

---

[1] De divers. quaest. ad Simpl. 2,1,1: Spiritus prophetiae ... afficit autem non omnes eodem modo; sed alios per informationem spiritus eorumdem hominum, ubi rerum demonstrantur imagines; alios per fructum mentis ad intelligentiam; alios utraque inspiratione; alios etiam nescientes. Sed per informationem spiritus duobus modis: aut per somnia..., aut per demonstrationem in ecstasi... Per fructum autem mentis ad intelligentiam uno modo, cum haec ipsa quae demonstrantur imaginibus, quid significent et quo pertineant, revelatur; quae certior prophetia est... Utroque autem munere prophetiae donantur qui rerum imagines in spiritu vident, et quid valeant simul intelligunt... Nescientes autem afficit prophetiae spiritus, sicut Caiphas, cum esset pontifex, prophetavit de Domino..., cum aliud in verbis quae dicebat attenderet.
[2] De gen. ad litt. 12,22,45: Vigilantibus etiam ... occulto quodam instinctu ingestas

lige' Prophetie nur mit großem Vorbehalt der eigentlichen Prophetie zurechnet. Die drei anderen Arten der Prophetie, die sich vor der unbewußten Prophetie dadurch auszeichnen, daß sich der prophetisch Redende seines Tuns bewußt ist, beurteilt er in De genesi ad litteram wie folgt: Die niedrigste Form der prophetischen Inspiration, die den Namen ‚Prophetie' eigentlich immer noch nicht verdient, liegt dort vor, wo nur bildhafte Eingebungen geschaut werden, aber die Einsicht in deren Bedeutung fehlt. In höherem Maße ist dagegen der Prophet, dem zwar selbst keine bildhaften Visionen zuteil geworden sind, der aber die Visionen anderer richtig auszulegen vermag. Prophet im Vollsinn schließlich ist der, dem beides gegeben ist: sowohl imaginative Visionen als auch einsichthafte Schau[3].

Die prophetische Schau ist demnach einerseits eher eine Sache des Geistes und der Illumination als eine Sache der Vorstellungskraft und der Imagination. Denn das nur Imaginative bliebe stumm und wäre deshalb noch nicht wahre Prophetie, die Verborgenes oder Zukünftiges wirklich an den Tag bringt[4]. Dies mag auch der Grund dafür sein, daß Augustinus sowohl in De diversis quaestionibus als auch in De genesi ad litteram die Kategorie ‚Offenbarung' der einsichthaften prophetischen Inspiration vorbehält[5]. Denn allein die einsichthafte Offenbarung ist zum Ziel gekommene Offenbarung. Allein die einsichthafte Offenbarung ermöglicht wahre prophetische Schau. Keinem wirklichen Propheten Gottes fehlt deshalb diese Einsicht[6].

Das bedeutet freilich nicht, daß Augustinus als Proprium prophetischer Schau allein die besondere charismatische Erleuchtung ansieht und nicht ebenso die besonderen bildhaften Eingebungen. Beides zusammen ist Konstitutivum der Prophetie. Die den wahren Propheten kennzeichnende charismatische Einsicht bezieht sich bei Augustinus fast durchweg auf besondere bildhafte Eingebungen, sei es auf solche, die der Prophet selbst geschaut hat, sei es auf die anderer, nicht einfach nur auf zwar der Deutung bedürfende,

---

esse cogitationes, quas promendo divinarent..., sicut Caiphas pontifex prophetavit, cum eius intentio non haberet voluntatem prophetandi.

[3] De gen. ad litt. 12,9,20: Minus ergo propheta, qui rerum quae significantur, sola ipsa signa in spiritu per rerum corporalium imagines videt; et magis propheta, qui solo earum intellectu praeditus est; sed maxime propheta, qui utroque praecellit, ut et videat in spiritu corporalium rerum significativas similitudines, et eas vivacitate mentis intelligat.

[4] De gen. ad litt. 12,9,20: Quibus signa per aliquas rerum corporalium similitudines demonstrantur in spiritu, nisi accesserat mentis officium, ut etiam intelligerentur, nondum erat prophetia; magisque propheta erat, qui interpretabatur, quod alius vidisset, quam ipse, qui vidisset. Unde apparet magis ad mentem pertinere prophetiam, quam ad istum spiritum.

[5] De gen. ad litt. 12,9,20: Et ipsae quippe imagines corporales in spiritu eius expressae sunt, et earum intellectus revelatus in mente.

[6] C. Adim. 28,2: Non est autem propheta Dei veri et summi, qui oblata divinitus visa, vel solo corpore, vel etiam illa parte spiritus videt, qua corporum capiuntur imagines, et mente non videt.

aber doch allgemein zugängliche Erfahrungstatsachen der menschlichen Geschichte[7]. Ja, Prophetie und bildhafte Offenbarung sind nach Augustins Meinung so eng miteinander verbunden, daß er, wie sich gleich zeigen wird, Prophetie gerade von dieser bildhaften Offenbarung her definieren kann.

2. Bildhafte und einsichthafte prophetische Offenbarung

a) Die prophetische Offenbarung steht, wie letztlich jede Offenbarung bei Augustinus, in der Spannung von Bild und Sache. Sie vermittelt zunächst in einer ‚visio spiritualis‘ von verborgenen oder zukünftigen Sachen die Bilder:

„Verborgenes und überaus Geheimes wird den *Propheten* nämlich so gezeigt, wie es der Menschensinn fassen kann; und zwar gerade auch dann, wenn er in einer *Offenbarung* durch Bilder von Sachen wie durch Worte unterrichtet wird."[8]

Die in der prophetischen Offenbarung gezeigten Bilder sind wie Wortzeichen, deren Verweisungszusammenhang erst noch eingesehen werden muß. Deshalb bedarf auch derjenige, der in der Bibel die Berichte über prophetische Visionen liest, einer besonderen Gabe der Einsicht. Denn diese Visionen sind dort zumeist nur so beschrieben, wie sie gesehen wurden, nicht aber so, wie sie eingesehen werden müssen[9]. Die prophetischen Bilder, wie sie zum Beispiel Johannes in seiner *Offenbarung* schaute, können also auch mißverstanden werden und in die Irre führen, nicht etwa, weil sie selbst trügerisch wären, sondern weil sie nicht die von ihnen bezeichnete Sache selbst sind[10]. Aber mag auch das einem Propheten bildhaft Offenbarte rätselhaft sein und in seiner tiefen Bedeutung verschlossen bleiben: es ist auf jeden Fall göttlichen Ursprungs und deshalb wahr. Die „*Offenbarungen* der Propheten", so stellt Augustinus kategorisch fest, haben nichts gemein mit den „Traumgesichten der Lügenredner"[11].

---

[7] Gegen R.A. Markus, Saint Augustine on History, Prophecy and Inspiration, in: ders., Saeculum. History and Society in the Theology of Saint Augustine, Cambridge 1970, 187–196 (erstmals abgedruckt in: Augustinus 12 [1967] 271–280). Eine Auseinandersetzung mit der Position von Markus erfolgt im folgenden Paragraphen (§ 7,2).

[8] De divers. quaest. ad Simpl. 2,6: Occulta enim res et nimis secreta ita demonstratur Prophetis, sicut potest capere sensus humanus, cum etiam rerum imaginibus in revelatione tanquam verbis instruitur.

[9] C. Adim. 28,2: Sed plerumque in Scripturis sic posita inveniuntur, quemadmodum visa sunt, non etiam quemadmodum intellecta sunt; ut mentis visio, in qua totus fructus est, exercendis lectoribus servaretur.

[10] De anima et eius orig. 4,21,34: Ex hoc genere similitudinum corporum, quae non corpora sicut corpora apparent, sunt omnia, quae sanctos libros legens in propheticis etiam visionibus non intellegis... Falleris autem in eis, non quia sunt ipsa fallacia, sed quia non ea sicut accipienda sunt accipis. Ubi enim visae sunt animae martyrum (Apoc. 6,9), in eadem *revelatione* visus est et agnus quasi occisus. – Vgl. Epist. 121,7, wo Augustinus ebenfalls von der „revelatio Iohannis" spricht.

[11] C. Cresc. Don. 4,59,71: ‚Quid paleae cum frumento?‘ quod de somniis vanorum et revelationibus prophetarum Jeremias ait.

b) Zuweilen beruft sich Augustinus bei der Erklärung biblischer Berichte auf die Möglichkeit solcher geheimnisvoller prophetischer Offenbarungen, um dadurch irgendwelche Schwierigkeiten der Interpretation zu lösen. So versteht er in den *Quaestiones ad Heptateuchum* (419) eine an sich moralisch anstößige Handlungsweise des Patriarchen Jakob als prophetische Zeichenhandlung, hinter welcher ganz sicher eine übertragene Bedeutung zu suchen sei und die man folglich nicht nach moralischen Gesichtspunkten beurteilen dürfe:

„Jakob hat das ohne Zweifel als *Prophet* getan..., aus einer *bildhaften Offenbarung* heraus (revelatione spirituali)."[12]

Die gleiche Argumentation findet sich in derselben Schrift in bezug auf eine ebenfalls sündhafte Handlungsweise Gedeons: Gedeon bittet Gott mehrmals um ein Zeichen, um sich dadurch Gottes zu vergewissern (Ri 6,16ff). Damit macht er sich offensichtlich der Versuchung Gottes schuldig. Aber Augustinus rechnet auch hier mit der Möglichkeit, daß Gedeon in Wahrheit nicht aus einem sündhaften Interesse handelt, sondern „aus einer prophetischen Offenbarung heraus", damit so durch eine Zeichenhandlung die Treue Gottes zu seinem Wort, Israel werde über seine Feinde siegen, versinnbildet werde[13].

In einem dritten Text aus den Quaestiones ad Heptateuchum fragt Augustinus, warum Abraham dem biblischen Bericht zufolge betrübt war, als Sara zu ihm sagte: ‚Jage die Magd und ihren Sohn fort, denn der Sohn der Magd soll nicht Erbe sein mit meinem Sohn Isaak' (Gn 21,10), obwohl dieses Wort doch eine Prophetie war, die Abraham eigentlich besser kennen sollte als Sara. Augustinus bietet zwei Lösungen der Frage an:

„*Entweder* hat Sara das aus einer *Offenbarung* heraus gesagt: Dann wurde ihr also diese Prophetie früher *geoffenbart* als dem Abraham; jener aber, dem der Herr erst später davon Kenntnis gab, war von väterlicher Liebe zu seinem Sohn bewegt. *Oder* beide wußten zunächst nicht, daß dieser Satz eine prophetische Bedeutung hatte: Dann hat Sara prophetisch gesprochen, ohne daß es ihr selbst bewußt war, als sie in weiblicher Sinnesart wegen des Hochmuts der Magd erzürnt war und deshalb diesen Satz sagte."[14]

---

12 Quaest. in Hept. 1,93: Ac per hoc cogit inquiri prophetiam, et aliquam figuratam significationem res ista, quam sine dubio ut propheta fecit Jacob; et ideo nec fraudis arguendus est. Non enim tale aliquid, nisi revelatione spirituali, eum fecisse credendum est.

13 Quaest. in Hept. 7,49: Si quis autem dicit omnia scientem fecisse et dixisse Gedeon ex revelatione prophetica, ut per eum signa talia monstrarentur; nec defecisse a fide; et quod ei iam promiserat Dominus credidisse; sed actione prophetica in vellere voluisse tentare, atque ita illius tentationem fuisse inculpabilem...

14 Quaest. in Hept. 1,51: Quaeritur Sara dicente, ‚Eiice ancillam et filium eius, non enim erit haeres filius ancillae cum filio meo Isaac'; quare contristatus sit Abraham, cum ista fuerit prophetia, quam utique magis debuit nosse ipse quam Sara. Sed intelligendum est, vel ex revelatione hoc dixisse Saram, quia prius illi fuerat revelatum;

c) Die Offenbarungen, die den Propheten zuteil werden, vermitteln nicht nur geheimnisvolle Bilder, sondern auch Einsicht in deren Bedeutung. Sie partizipieren also an der ‚visio intellectualis'. Dies kam schon in dem zu Beginn des ersten Kapitels zitierten Text aus *Contra Adimantum* zum Ausdruck. Augustinus sagt dort, Daniel habe durch *Offenbarung* des Heiligen Geistes sowohl die Bilder des Traumes im imaginativen Teil seiner Seele geschaut und zugleich im Geist eingesehen, was sie bedeuten; keinem wahren Propheten Gottes fehle diese Einsicht[15]. In diesem Sinne sagt er auch in *Epistula 187* (417) von den prophetischen Worten, mit denen Elisabeth nach Lk 1,42ff die schwangere Maria begrüßte, Elisabeth habe diese Worte aus einer Erfülltheit mit dem Geist Gottes heraus gesprochen, durch dessen *Offenbarung* sie auch wußte, wer der sei, den Maria unter dem Herzen trug[16].

Augustinus macht über die Art der mit der prophetischen Offenbarung verbundenen Einsicht einige präzisierende Angaben, die zugleich das Wesen von Prophetie überhaupt näher bestimmen. So beschreibt er in einem aufschlußreichen Text aus *De diversis quaestionibus ad Simplicianum* die Prophetie als ein Geschehen, in welchem der vom prophetischen Geist erfüllte Mensch „imaginativ Geschautes durch eine deutende Beurteilung hindurch *(coniecturali examinatione)* einsieht"; demgegenüber sei die unmittelbare Schau der Wahrheit, wie sie zum Beispiel bei der Einsicht in die unveränderlichen Ideen Gottes erfolgt, nicht mehr der Prophetie zuzurechnen[17]. Prophetische Einsicht ist demnach immer mittelbare Erkenntnis. Sie ist an Bilder gebunden und hat es deshalb mit mutmaßlicher Deutung (= coniectura) zu tun. Sie kommt zustande durch ein Beziehen der bildhaften Erscheinung auf ihren zunächst unbekannten Bedeutungsgrund. Damit geschieht sie prinzipiell auf gleiche Weise wie das alltägliche menschliche Erkennen, das normalerweise ebenfalls von der erfahrbaren, sichtbaren Welt ausgehen muß, um von da zum Unsichtbaren aufzusteigen. Beidesmal handelt es sich um ein Ver-

---

illum vero quem de hac postea Dominus instruit, paterno affectu pro filio fuisse commotum. Vel ambos prius nescisse quidnam illud esset, et per Saram nescientem hoc prophetice dictum esse, cum illa mota esset muliebri animo propter ancillae superbiam.

[15] C. Adim. 28,2: Daniel autem revelante sancto Spiritu, et quid ille vidisset in somnis ea parte vidit, qua corpora capiuntur imagines, et quid significaret mente conspexit. Non est autem propheta Dei veri et summi, qui ... mente non videt.

[16] Epist. 187,7,23: Haec sunt certe verba Elizabeth matris Iohannis... Hoc autem ut diceret, sicut Evangelista praelocutus est, repleta est Spiritu sancto, quo procul dubio revelante cognovit, quid illa exsultatio significaret infantis, id est, illius venisse matrem, cuius praecursor ipse et demonstrator esset futurus.

[17] De divers. quaest. ad Simpl. 2,1,1: Cum vero ita mens afficitur, ut non rerum imagines coniecturali examinatione intelligat, sed res ipsas intueatur, sicut intelligitur sapientia et iustitia omnisque incommutabilis et divina species, ad prophetiam de qua nunc agimus non pertinet.

knüpfen (= coniicere) des Bekannten mit dem Unbekannten, der Erscheinung mit ihrem Grund[18]. Damit aber dieser verknüpfende Erkenntnisakt bzw. die prophetische Deutung gelingt, bedarf der menschliche Geist der Erleuchtung bzw. der einsichthaften Offenbarung durch Gott.

Die als Deutung gekennzeichnete prophetische Einsicht bleibt, im Gegensatz zur unmittelbaren Schau der Wahrheit, in die verhüllende Sensibilität eingebunden. Sie ist eine Sache der Verweisungen. Doch damit ist die prophetische Offenbarung noch nicht ausreichend bestimmt. Denn diese Bindung an die „Welt der Zeichen" ist bei Augustinus Kennzeichen aller Offenbarung, mit Ausnahme der durch besondere Ekstase. Zur weiteren Spezifizierung kann hier ein zweiter Text aus *De diversis quaestionibus ad Simplicianum* herangezogen werden, in welchem Augustinus innerhalb der Offenbarungsphänomene selbst eine Differenzierung vornimmt. Er unterscheidet dort nämlich zwischen den *Gesichten des Geistes* (visa illa mentis), denen er die *göttliche Offenbarung* (Deo Patre revelante) zuordnet, in welcher zum Beispiel Petrus die Gottheit Christi zum erstenmal einsah (Mt 16,18), und den *spirituellen Gesichten* im imaginativen Teil der Seele, denen er die *prophetische Offenbarung* (revelatio prophetiae) zuordnet, in welcher zum Beispiel Saul plötzlich weissagte (1 Sam 10,9f)[19]. Während also die erstgenannte Offenbarung vor allem einsichthafte Schau eröffnet, sieht Augustinus die prophetische Offenbarung vorwiegend auf der Ebene der bildhaften Schau. Wie ist das zu verstehen?

Zwar ist, wie gezeigt wurde, auch die prophetische Offenbarung mit Einsicht verbunden. Und umgekehrt bleibt auch die einsichthafte Offenbarung, wie sie dem Petrus zuteil wurde, auf die Unzulänglichkeit zeichenhafter Verweisungen angewiesen. So hält es Augustinus zum Beispiel in dem Brief *De videndo Deo* (413) für fraglich, ob jene *Offenbarung,* in welcher Petrus den inkarnierten Christus als den Sohn Gottes erkannte, wirklich eine unmittelbare „Schau der ansichtig gewordenen Sache" eröffnet hat oder nur die „Gewißheit (fides) der geglaubten Sache"[20]. Dennoch kann gegenüber dieser einsichthaften Offenbarung des Petrus die prophetische Offenbarung vornehmlich von der bildhaften Schau her definiert werden. Denn im Gegensatz zu dieser einsichthaften Offenbarung, in der vorgegebene Zeichen

---

18 Zum menschlichen Erkennen als ‚coniicere‘ siehe R. Lorenz, Gnade und Erkenntnis, 34ff und 45.

19 De divers. quaest. ad Simpl. 2,1,3: ... tantum valet ad visa illa mentis haec differentia, qua Petrus primo intellexit Deo Patre revelante, quod Filius Dei esset Christus, et postea ne moreretur extimuit; quantum valet ad distinguenda visa, quae in spiritu hominis alienata mente imaginarie fiunt, revelatio prophetiae qua primo afflatus est Saul, et commixtio spiritus mali quo postea premebatur.

20 Epist. 147,12,30: ... ‚Beatus es Simon Bar Iona, quia non tibi revelavit caro et sanguis, sed Pater meus qui in coelis est.‘ Quamvis illa revelatio utrum per fidem tantae rei creditae, an per visionem conspectae facta in eius mente fuerit, non mihi videatur elucere.

der biblischen Geschichte auf ihre Bedeutung hin eingesehen werden, ist die prophetische Offenbarung selbst Teil dieser biblischen Geschichte und konstituiert diese allererst mit. Sie vermittelt ein Wissen über verborgene zeitliche Dinge oder Vorgänge, sei es der Vergangenheit, der Gegenwart oder der Zukunft[21]. Bezugsgegenstand der prophetischen Offenbarung ist also nicht primär intelligible Wahrheit, sondern von Gott her entfaltetes zeitliches Geschehen, auch wenn dieses zeitliche Geschehen wieder auf göttliche Wahrheit weiterverweisen soll. Prophetische Offenbarung ist primär Eingebung von bildhafter Schau, die ein konkretes, zeitliches Wissen vermitteln soll. Die einsichthafte Offenbarung dagegen, wie sie dem Petrus zuteil wurde oder wie sie sich beim Verstehen biblischer Zeugnisse ereignet, geht schon von diesem zeitlichen Wissen aus.

3. Prophetische Offenbarung innerhalb einer strukturierten Geschichte

Die prophetische Offenbarung steht nicht mehr nur in der Spannung von Sensiblem und Intelligiblem. Sie steht zugleich und vor allem in der Bewegung einer strukturierten Geschichte. Sie ist Funktion eines von Gottes Ewigkeit her planvoll entfalteten zeitlichen Geschehens (dispensatio temporalis), das auf die Menschwerdung Christi zuläuft und auch schon vor diesem Christusereignis christusförmige Strukturen aufweist. Die Bewegung hin zur Offenbarkeit des Intelligiblen, auf die alle Offenbarung bei Augustinus letztlich tendiert, wird bei der prophetischen Offenbarung folglich überlagert von einer innergeschichtlichen Bewegung hin zur Offenbarkeit Christi. Zwar kann sich das prophetisch Geschaute im Einzelfall auf sehr alltägliche Dinge beziehen. Eigentlicher Bezugspunkt der Prophetie aber ist Christus. Prophetische Offenbarung im Vollsinn antizipiert die zukünftige geschichtliche Offenbarkeit Christi und deckt so zugleich die verborgenen christusförmigen Strukturen des Heilsgeschehens vor Christus auf.

Von diesen Strukturen wird erst im zweiten Teil dieser Arbeit ausführlich die Rede sein, welcher der Geschichtstheologie Augustins gewidmet ist. Da eine Darstellung der geschichtstheologischen Zusammenhänge Voraussetzung ist für das Verständnis der augustinischen Vorstellungen über die antizipatorischen Offenbarungen und deren Heilsbedeutung für den einzelnen, sollen diese im Rahmen des zweiten Teiles noch einmal eingehend erörtert werden. Im folgenden soll es in erster Linie darum gehen, die verschiedenen heilsgeschichtlichen Funktionen und Bezugspunkte der prophetischen Offenbarung durch Textbeispiele zu illustrieren.

a) Wie eng für Augustinus die prophetische Offenbarung mit dem alltäglichen Leben des biblischen Volkes verknüpft ist und welch ganz konkrete

---

[21] De anima et eius orig. 4,21,34: ... in propheticis etiam visionibus ... quibus significantur ea quae geruntur in temporibus, vel praesenti, vel praeterito, vel futuro.

Funktion sie hier hat, zeigt ein Text aus einer *Predigt* Augustins über die prophetische Errettung der Susanna vor den falschen Anschuldigungen zweier Ältester (Dan 13):

„Das Haus der Susanna glaubte gegen die Herrin den falschen Ältesten... Jene waren also falsche Zeugen, aber Gott kannte sie. Freilich konnten die Menschen nicht sehen, was Gott sah... Deshalb erweckte der Herr den heiligen Geist in Daniel... Weil in ihm der *prophetische Geist* war, sah er sofort den Betrug der nichtswürdigen Ältesten... Daß sie falsche Zeugen waren, wußte er, dem es der prophetische Geist *offenbart* hatte."[22]

Des öfteren liest Augustinus solche Offenbarungen in alttestamentliche Berichte hinein, um sich dadurch das Berichtete und vor allem das Verhalten einzelner zu erklären. Er tut dies aus der Überzeugung heraus, daß Gott seinem Volk stets wirkmächtig gegenwärtig ist und es deshalb auch durch je aktuelle, direkte Eingriffe lenkt. Da die Art dieser Offenbarungen identisch ist mit den von Augustinus angenommenen Offenbarungsphänomenen in kirchlicher Zeit, sollen die weiteren Textbelege dafür weiter unten in einem eigenen Paragraphen (§ 8) aufgeführt werden.

b) In anderen Texten spricht Augustinus von Offenbarungen, die deutlicher in die Struktur des einen, sich zeitlich entfalteten biblischen Geschehens eingefügt sind, die also prophetische Offenbarung in einem spezifischeren Sinne darstellen.

So sagt er in De civitate Dei zu der Frage, ob David wirklich der Autor aller Psalmen sei, obwohl doch einige von ihnen in ihrem Titel andere Namen tragen, „der prophetische Geist habe dem weissagenden König David sogar die Namen späterer Propheten *offenbaren* und so bewirken können, daß er ein prophetisches Lied singe, welches auf deren Person paßte"[23].

Ebenfalls in De civitate Dei erklärt Augustinus zu der Tatsache, daß der Ägypter Hermes Trismegistus vorausschauend eine Zeit habe kommen sehen (nämlich die christliche Zeit), da aller nichtige und trügerische Götzenkult beseitigt würde, und ihn dieses Wissen mit Trauer erfüllt habe: „Seine Trauer war ebenso unangebracht wie sein Sehen unerleuchtet. Denn ihm hatte das nicht der heilige Geist *geoffenbart*, wie den heiligen *Propheten,* die es so kommen sahen und frohlockten."[24]

Und in De genesi ad litteram heißt es, der Prophet Ezechiel habe in einer „bildhaft-

[22] Sermo 343,1: Domus Susannae crediderat contra dominam senioribus falsis... Illi ergo falsi, sed noti Deo. Aliud credebat domus, aliud videbat Dominus; sed quod videbat Dominus, homines nesciebant... Excitavit Dominus spiritum sanctum Danielis.: Quia ergo erat in eo propheticus Spiritus, continuo nequissimorum seniorum vidit fallaciam... Sed quod falsi essent, ille noverat, cui propheticus Spiritus revelaverat.

[23] De civ. Dei 17,14: Neque enim non potuit propheticus Spiritus prophetanti regi David haec etiam futurorum Prophetarum nomina revelare, ut aliquid, quod eorum personae conveniret, prophetice cantaretur.

[24] De civ. Dei 8,23,3: Haec vana, deceptoria, perniciosa, sacrilega Hermes Aegyptius, quia tempus quo auferrentur venturum sciebat, dolebat: sed tam impudentur dolebat, quam inprudenter sciebat. Non enim haec ei revelaverat Spiritus sanctus, sicut Prophetis sanctis, qui haec praevidentes cum exsultatione dicebant...

figürlichen *Offenbarung"* die unerwartete Wiederaufrichtung des Volkes Israel nach der babylonischen Gefangenschaft vorausgesehen (Ez 37,9f); eine Vision, die letztlich die zukünftige Auferstehung des Fleisches darstelle[25].

Diese spezifischere prophetische Offenbarung macht das biblische Geschehen transparent. Durch sie wird sichtbar, daß die von Gott her entfaltete ‚Heilsgeschichte' (dispensatio temporalis) intelligibel ist; daß also die vielen geschichtlichen Wandlungen, denen die biblische Religion unterworfen war, nicht beliebige oder zufällige Veränderungen darstellen, die im Grunde die Wahrheit dieser Religion in Frage stellen müßten, sondern einer planvollen Struktur folgen: Die fortschreitende biblische Geschichte ist die zeitliche Entfaltung dessen, was im zeitlosen Ursprung Gottes unwandelbar eins ist[26]. Ganz deutlich kommt dieser Zusammenhang in folgendem Text aus den *Confessiones* zum Ausdruck. Augustinus setzt sich darin mit der Frage auseinander, warum die Väter des Alten Bundes nach Weisungen Gottes lebten, die heute nicht mehr gelten. Seine Antwort lautet,

„daß die Gerechtigkeit, der jene guten und heiligen Männer gehorchten, das, was sie anordnet, ... alles zugleich in sich enthält, selber keinerlei Wechsel unterliegt und dennoch den wechselnden Zeiten nicht alles zugleich, sondern jeder das Ihrige zuweist und vorschreibt". Deshalb seien diese Väter nicht zu tadeln, „die nicht nur, wie Gott es ihnen befahl und eingab (inspiraret), entsprechend dem zu ihrer Zeit Gültigen lebten, sondern zugleich, wie Gott es ihnen *offenbarte* (revelaret), Künftiges vorherverkündeten"[27].

c) Prophetische Offenbarung im Vollsinn ist die, welche den menschgewordenen Christus selbst zum Gegenstand hat. Hier wird das *Prinzip* der inneren Einheit des biblischen Geschehens sichtbar. Denn die christusorientierte Offenbarung wirft ein Licht zurück auf die vorchristliche Zeit selbst und zeigt, daß auch schon das vorchristliche biblische Geschehen vom Christusgesche-

---

[25] De gen. ad litt. 10,5,8: ... etiamsi Ezechiel propheta illo loco non resurrectionem carnis, qualis proprie futura est, sed inopinatam desperati populi reparationem per Spiritum Domini, qui replevit orbem terrarum, figurata revelatione praevidit.

[26] Vgl. hierzu den 2. Teil der Arbeit, wo die Geschichtsvorstellung Augustins zur Sprache kommt, die es ihm ermöglicht, die Geschichte als strukturiertes Ganzes mit innergeschichtlichen typologischen Entsprechungen zu verstehen. − Siehe G. Strauss, a.a.O. 101f.

[27] Conf. 3,7,14: Non intuebar iustitiam cui servirent boni et sancti homines, longe excellentius atque sublimius habere simul omnia quae praecepit, et nulla ex parte varie, et tamen variis temporibus non omnia simul, sed propria distribuentem ac praecipientem. Et reprehendebam caecus pios patres; non solum, sicut Deus iuberet atque *inspiraret,* utentes praesentibus, verum quoque sicut Deus *revelaret* futura praenuntiantes. − Ein interessantes Detail an diesem Text ist, daß Augustinus darin das weniger spezifische Wort ‚inspirare' auf das verbreitere Wirken Gottes bezieht, welches das aktuelle Leben der Väter bestimmt, die Kategorie ‚revelare' dagegen auf den selteneren Fall der Offenbarung von Zukünftigem.

hen her strukturiert ist und christusförmige, typologische Gestalt hat. Die christusorientierte prophetische Offenbarung ist integrierendes Element dieser christusförmigen biblischen Geschichte und konstituiert diese mit.

In geradezu idealtypischer Weise kommen diese Zusammenhänge in einem Text aus dem *Psalmenkommentar* zum Ausdruck, wo Augustinus Jakobs Traum von der Himmelsleiter erklärt (Gn 28,10ff: Im Traum, während er auf einem Stein schlief, sah Jakob eine vom Himmel bis auf die Erde reichende Leiter und auf dieser Leiter hinauf- und herabsteigende Engel): 1. Augustinus führt diesen Traum auf ein *Offenbarungswirken Christi* (revelante Christo) zurück. 2. Das im Traum geschaute Bild weist seiner Ansicht nach auf die Zeit der Kirche, in der Christus von den Verkündern der Wahrheit als das göttliche Verbum und als der Menschgewordene verkündet wird; die Verkündigung des transzendenten göttlichen Verbum sieht er dabei durch die aufsteigenden Engel symbolisiert, die Verkündigung des Menschgewordenen durch die herabsteigenden Engel. 3. Augustinus setzt voraus, daß Jakob den Traum in diesem Sinne verstanden hat. Denn weil Jakob in dem Stein, auf welchem er im Schlaf diese Vision hatte, *Christus* erkannt hat, deshalb habe er ihn in einer Zeichenhandlung *(in figura)* gesalbt[28]. Die prophetische Offenbarung mündet demnach ein in eine christusförmige Sicht der vorchristlichen Wirklichkeit.

Daß die Propheten durch Offenbarung von Christus wußten, Christus also schon in vorchristlicher Zeit verkündet wurde, ist für Augustinus beinahe eine Selbstverständlichkeit. Wie beiläufig kann er deshalb erwähnen, daß sich das ihnen Offenbarte auf Christus bezieht:

Im Psalmenkommentar sagt Augustinus, Gott habe zu seinen Propheten durch ein Sehen gesprochen, ,,das heißt, in einer *Offenbarung*. Deshalb werden die Propheten Seher genannt. Sie sahen etwas drinnen, was sie draußen sagen sollten; und im Verborgenen hörten sie, was sie öffentlich verkündeten... Und ihr versteht, wer mit dem hier Verkündeten gemeint ist"[29].

In den kurzen Annotationes ad Iob bemerkt er zu einem Satz aus der Rede des Eliphaz

---

[28] En. in psalm. 44,20: Jacob patriarcha lapidem sibi ad caput posuerat; dormiens autem, illo lapide ad caput posito, vidit apertis coelis scalam a coelo in terram, et Angelos ascendentes et descendentes: hoc viso evigilavit, unxit lapidem, et discessit. In illo lapide intellexit Christum, ideo unxit... Factum est autem in figura... Et videntur scalae, revelante Christo... Angeli Dei annuntiatores sunt veritatis: ascendant et videant, ,In principio erat Verbum...'. Descendant, et videant, quia ,Verbum caro factum est...'. – Eine Interpretation aller Texte, in denen Augustinus auf Gn 28,10ff zu sprechen kommt, bietet M.F. Berrouard, Saint Augustin et le ministère de la prédication. Le thème des anges qui montent qui descendent, in: Recherches augustiniennes 2 (1962) 447–501.

[29] En. in psalm. 88 sermo 1,20: ,Tunc locutus es in aspectu filiis tuis, et dixisti. Locutus es in aspectu tuo', revelasti hoc Prophetis tuis. Ideo locutus es in aspectu, id est, in revelatione: unde Prophetae Videntes dicebantur. Viderunt quiddam intus quod dicerent foris; et in occulto audierunt quod palam praedicaverant. ,... et dixisti, Posui adiutorium super potentem.' Intelligitis quem potentem.

(4,12): „Denn er will sagen, daß er das, was er nun sagt, aus einer *Offenbarung* heraus sagt."[30]

Das, was Eliphaz sagt, handelt aber von Christus, wie eine weitere Bemerkung Augustins zu einem Satz aus der Rede des zweiten Freundes Ijobs (8,10) verdeutlicht: „Nun wird auch dieser von Christus sprechen und dabei Überliefertes erzählen, so wie Eliphaz eine *Offenbarung* erzählte."[31]

Besonders die Psalmen versteht Augustinus als auf Christus und die Kirche bezogene prophetische Rede. Sein *Psalmenkommentar* gibt davon auf jeder Seite beredtes Zeugnis. Denn Augustinus verfolgt darin durchgängig eine an Christus orientierte allegorisch-typologische Auslegung. Deshalb betont er auch, daß der Psalmist seine Lieder als Prophet aus Offenbarung heraus gesprochen habe:

Im Kommentar zu Psalm 44 sagt er, David spreche in diesem Psalm von Christus, und zwar zuerst von Christus als dem ewigen Wort Gottes, dann aber auch von Christus als dem Menschen. „Aufmerksam darauf gerichtet, was Gott, der Vater, von seinem Sohn als dem Menschen *offenbaren* würde, sagte der Prophet: ‚Deshalb hat dich Gott auf ewig gesegnet‘."[32]

Und im Kommentar zu Psalm 78, den Augustinus ebenfalls auf Christus und die Kirche hin auslegt, heißt es, all das, was der Psalm an Zukünftigem erzähle, und zwar in einer Weise, als sei es schon geschehen, sei durch *Offenbarung* Gottes vorhergewußt[33].

Die Propheten wußten also durch bildhaft-figürliche Offenbarungen von der kommenden Zeit Christi. Aber nach außen hin war ihr Wissen noch verborgen in eben den geschauten Bildern und Figuren. In den prophetischen Büchern findet sich nicht die offen beim Namen genannte, sondern nur die bildhaft verschlüsselte Wahrheit Christi. Erst die geschichtliche Ankunft Christi sollte den eigentlichen Sinn der prophetischen Rede unverschlüsselt und für alle sichtbar an den Tag bringen[34].

---

[30] Ann. in Job 4: ‚Numquid non capit auris mea ab eo magnifica?‘ Quia ista quae dicit, ex revelatione se dicit dicere.

[31] Ann. in Job 8: Iam hic de Christo dicturus audita narrat, quomodo Eliphaz narravit revelationem.

[32] En. in psalm. 44,8: Dixerat enim Deus, ‚Diffusa est gratia in labiis tuis‘, ei quem fecerat speciosum prae filiis hominum, etiam hominem quem Deum ante omnia protulerat, aeternus coaeternum. Impletus est ergo Propheta gaudio quodam ineffabili, et attendens quid Deus Pater de Filio suo homini revelaverit...‘ Propterea, inquit, benedixit te Deus in aeternum.‘

[33] En. in psalm. 78,1: et alia quae in eodem psalmo ventura velut facta narrantur. Nec illud mirandum est, quod Deo ista dicuntur. Non enim nescienti indicantur, quo revelante praesciuntur.

[34] In evang. Ioh. 3,20: Noverunt hoc Prophetae, sed occultum erat antequam veniret (scl. Christus). — Siehe dazu den 2. Teil der Arbeit.

1. Prophetische Offenbarungen biblischer Autoren

Die Propheten sind für Augustinus, wie sich vor allem am Beispiel der Psalmen zeigt, zugleich Hagiographen, die das prophetisch Geschaute niedergeschrieben und so der kanonischen Überlieferung übergeben haben: David hat das, was wir im Psalm lesen, auf geheimnisvolle Weise im imaginativen Teil seiner Seele gehört; wir aber, die wir das nicht auf diese Weise hören, schenken ihm Glauben, der das, was er als *Prophet* im Verborgenen gehört hat, öffentlich verkündet und *aufgeschrieben* hat[1].

Von daher verwundert es nicht, wenn Augustinus den biblischen Autoren insgesamt immer wieder ein besonderes Wissen aus Offenbarung zubilligt. Wie den Propheten, so wurden auch den biblischen Schriftstellern einzelne verborgene Sachverhalte durch Offenbarung vermittelt:

Moses sprach als *Prophet* und *schrieb:* ‚Im Anfang schuf Gott Himmel und Erde‘; und „er erkannte durch den Geist Gottes, daß ihm das *geoffenbart* worden ist“[2].

Die historische Wahrheit des im Buche Genesis aufgeschriebenen Verzeichnisses der Nachkommen Adams ist dadurch garantiert, daß dieses Verzeichnis „auf *Eingebung* Gottes hin *geschrieben* worden ist“[3].

Johannes beschreibt in seiner Apokalypse das jüngste Gericht „so, wie es ihm *geoffenbart* wurde“, das heißt mit den Bildern, die er gesehen hat[4].

„Was wir am Anfang des Johannesevangeliums lesen: ‚Im Anfang war das Wort, und das Wort war bei Gott, und Gott war das Wort; dieses war im Anfang bei Gott‘ und so weiter, ... hat der Herr Jesus nicht gesprochen, ..., als er hier im Fleische weilte, sondern wurde später von einem seiner Apostel, dem es der Geist Jesu *offenbarte, niedergeschrieben.*“[5]

---

[1] En. in psalm. 109,7: Audivit hoc David, audivit in spiritu, ubi nos, quando audivit, non audivimus, sed loquenti, quod audivit, et scribenti credidimus. Audivit ergo prorsus in quodam secretario veritatis, in quodam mysteriorum sanctuario, ubi prophetae in occulto audierunt, quod in aperto praedicaverunt. – Vgl. dazu F. Schnitzler, Zur Theologie der Verkündigung in den Predigten des hl. Augustinus. Ein Beitrag zur Theologie des Wortes, Freiburg/Basel/Wien 1968, 86ff über das Reden Gottes in den Propheten und Hagiographen.

[2] De civ. Dei 11,4: Ex his unus erat iste propheta qui dixit et scripsit, ‚In principio fecit Deus coelum et terram‘, qui tam idoneus testis est..., ut eodem spiritu Dei quo haec sibi revelata cognovit...

[3] De civ. Dei 15,8,1: Nunc autem defendenda mihi videtur historia, ne sit Scriptura incredibilis... Sed pertinuit ad Deum, *quo ista inspirante* conscripta sunt, has duas societates suis diversis generationibus primitus digerere atque distinguere.

[4] De civ. Dei 20,14: Post haec ipsum novissimum iudicium, quod erit in secunda resurrectione mortuorum, quae corporum est, recapitulando narrans, quomodo fuerit sibi revelatum, ‚Et vidi, inquit, thronum...‘

[5] In evang. Ioh. 96,2: Illud quod legimus in huius Evangelii capite, ‚In principio erat Verbum, et Verbum erat apud Deum, et Deus erat Verbum, hoc erat in principio apud Deum‘, et alia quae sequuntur, quoniam postea scripta sunt, nec ea Dominum Iesum dixisse narratum est, cum hic esset in carne, sed haec unus ex Apostolis eius, ac Spiritu eius sibi revelante conscripsit...

Aber nicht nur einzelne Sachverhalte wurden nach Augustins Meinung den biblischen Schriftstellern offenbart. In *Contra Adversarium Legis et Prophetarum* (um 419) führt er ein ganzes Buch, nämlich die Genesis, auf Offenbarung Gottes zurück. Gegen nicht näher genannte Häretiker verteidigt Augustinus dort die Wahrheit des Schöpfungsberichts, speziell die Aussagen über die Gutheit der Schöpfung, und verweist dazu auf den göttlichen Ursprung des ganzen Buches:

„Da sich die Dinge so verhalten..., fürchtete auch derjenige, der in einer *Offenbarung* des Geistes Gottes dieses *Buch* schrieb, nicht die künftigen gottlosen Tadler, Lügenredner und Verführer des Geistes."[6]

Von hierher stellt sich nun die Frage, welche Rolle diese Offenbarung für die Entstehung der Schrift überhaupt spielt. In welchem Verhältnis sieht Augustinus Offenbarung und Schriftinspiration? Erklärt er sich letztere ganz vom Modell der dargestellten prophetischen Offenbarung her? Oder vielleicht eher mit Hilfe des Gedankens einer allgemeineren charismatischen Erleuchtung? Oder muß man hinsichtlich der Frage der Schriftinspiration unterscheiden zwischen prophetischen und geschichtlichen Büchern der Bibel? Sind vielleicht nur die eigentlichen prophetischen Bücher, die sich auf verborgene Dinge beziehen, auf Offenbarung zurückzuführen, die anderen dagegen, die von einem öffentlichen, historischen Geschehen erzählen, wie zum Beispiel die Evangelien oder die Geschichtsbücher des Alten Testaments, auf eine andere charismatische Begabung der Autoren? Wie also beantwortet Augustinus die schwierige Frage nach dem Zusammenwirken von Gott und Mensch bei der Abfassung der biblischen Schriften[7]?

---

[6] C. Adv. leg. et proph. 1,6,9: Quae cum ita sint, non calumnietur dicenti Scripturae, ,Vidit Deus lucem quia bona est'... Nec timuit qui Spiritu Dei revelante scripsit hanc librum, futuros impios reprehensores, vaniloquos et mentis seductores.

[7] A.D.R. Polman, The Word of God according to St. Augustine, London 1961 (die holländische Originalausgabe erschien 1955), widmet sich 40—62 dem Inspirationsproblem; er weicht aber einem kritischen Urteil über „the nature of inspiration" (42) aus und begnügt sich mit der allgemeinen Feststellung: „The Bible was both the exclusive work of Holy Spirit alone and at the same time the exclusive work of the Biblical writers. Beyond that St. Augustine did not theorize" (51). Dem ist jedoch entgegenzuhalten, daß sich Augustinus durchaus weitergehende prozedurale Vorstellungen gemacht hat. — J. Beumer, Die Inspiration der Heiligen Schrift, in: Handbuch der Dogmengeschichte, Bd. I, Fasz. 3b (1968), gibt 28—31 einen kurzen Überblick über die augustinischen Inspirationsaussagen; er weist darauf hin, daß es bei Augustinus zwar Ansätze für eine „Realinspiration" gebe, er insgesamt aber doch zur „Verbalinspiration" neige (30f). Falsch ist seine Vermutung, Augustinus unterscheide „zwischen den Heilswahrheiten der Schrift, die unbedingt zu glauben sind, und anderen ,profanen' Wahrheiten, die außerhalb des Mitteilungsbereiches der Bibel lägen" (30). — Von größerer Bedeutung für die vorliegende Untersuchung sind H. Sasse, Sacra Scriptura, Bemerkungen zur Inspirationslehre Augustins, in: Festschrift Fr. Dornseiff, Leipzig 1953, 258—273; und R.A. Markus, Saint Augustine on History, Prophecy and Inspiration, a.a.O. 187—196. Während Sasse die durchgängige Tendenz Augustins zu einem rigorosen In-

2. Von Gott her inspirierte Schriften

a) Daß die Bibel eine besondere Qualität hat, daß in ihr die Wahrheit Gottes, wenn auch in menschlicher und deshalb vorläufiger Weise, zu den Menschen spricht, davon ist Augustinus seit seiner Bekehrung in zunehmendem Maße überzeugt[8]. Schon sehr früh, in *De libero arbitrio* (391/95), artikuliert er diese Überzeugung mit Hilfe des Inspirationsgedankens. Wie selbstverständlich spricht er dort einmal von der Bibel als „den von Gott her *inspirierten* Schriften (scripturas divinitus inspiratas)"[9]. Und noch gegen Ende seines Lebens, im vierten Buch von *De doctrina christiana* (426), gebraucht er eine ganz ähnliche Wendung und sagt, „die von Gott her *inspirierten* Schriften (scripta divinitus inspirata) seien uns ein Kanon von ganz heilsamer Autorität"[10].

Der Inspirationsgedanke bringt unmißverständlich zum Ausdruck, daß Gott selbst Urheber der biblischen Schriften ist. Im Blick auf diese Urheberschaft kann Augustinus sogar Schriftinspiration und Schöpfung parallelisieren: Bibel und geschaffene Welt, sagt er in *De Trinitate*, sind die beiden Orte, wo der gesucht werden will, „der vorab jene *inspiriert* und diese *geschaffen* hat"[11]. Die Frage ist nun aber, wie diese Urheberschaft im einzelnen zu denken ist.

Ausgangspunkt für die Beantwortung dieser Frage soll ein Text aus dem 18. Buch von *De civitate Dei* (425) sein. Augustinus fragt dort, warum bestimmte, in der Bibel selbst erwähnte Bücher nicht zum Kanon der biblischen Schriften gehören, obwohl ihre Verfasser, wie die Bibel bezeugt, Propheten waren[12]. Augustinus bekennt zunächst sein Unwissen darüber, sagt dann aber doch, wie sich die Dinge seiner Ansicht nach verhalten könnten. Seine Antwort ist eine grundlegende Erwägung darüber, was einen Schriftsteller zum biblischen Autor macht:

„Ich glaube, daß selbst die, denen zweifellos der heilige Geist all das *offenbarte,* was im religiösen Bereich maßgebliche Geltung haben sollte, manches nur auf Menschenweise

---

spirationsverständnis hervorhebt, versucht Markus eine Deutung von einem erweiterten Prophetiebegriff her. Zu beiden siehe weiter unten.

[8] Siehe z.B. De gen. c. Manich. 2,4,5: Deus ... facit animas revirescere per verbum suum; sed de nubibus eas irrigat, id est, de Scripturis Prophetarum et Apostolorum. – Zum Bibelverständnis in De gen. c. Manich. aus dem Jahre 388/89 siehe Chr. Walter, Der Ertrag der Auseinandersetzung mit den Manichäern für das hermeneutische Problem Augustins, München 1972, 138–162.

[9] De lib. arb. 3,21,62.

[10] De doctr. christ. 4,9,6: ... auctores nostri, quorum scripta divinitus inspirata canonem nobis saluberrima auctoritate fecerunt.

[11] De Trin 2,1: ... sive per Scripturam eius, sive per creaturam. Quae utraque nobis ad hoc proponitur intuenda, ut ipse quaeratur, ipse diligatur, qui et illam inspiravit, et istam creavit.

[12] Siehe 1 Chr 29,29 und 2 Chr 9,29.

mit Hilfe sorgfältiger historischer Forschung geschrieben haben, anderes dagegen als *Propheten* unter göttlicher *Inspiration,* und daß beides so voneinander unterschieden war, daß man mit Sicherheit sagen konnte, das eine sei ihnen selbst, das andere aber dem durch sie sprechenden Gott zuzuschreiben, das eine gehöre also zum weiten Bereich des bloß Wissenswerten, das andere aber zum Bereich des religiös Autoritativen, in dem der Kanon seinen Platz hat."[13]

Der Text definiert die biblischen Autoren zuerst von Offenbarung her: Der Geist Gottes hat den Hagiographen die Stoffe offenbart, die in die Schriften des biblischen Kanons aufgenommen werden sollten. Sie schrieben also nicht etwa nach eigenem Gutdünken, sondern wußten aus Offenbarung, was sie schreiben sollten. Dieses Spezifikum wird dann noch einmal eingehender mit Hilfe des Inspirationsgedankens erläutert: Die Hagiographen zeichnen sich vor bloßen Historiographen dadurch aus, daß sie nicht nach Methoden historischer Forschung vorgehen, sondern immer unter einer göttlichen Inspiration und insofern als Propheten schreiben. Inspiration und die durch sie konstituierte prophetische Rede sind dabei koextensiv mit Kanonizität. Alles, was im Kanon enthalten ist, ist inspiriert; und umgekehrt sind alle inspirierten Schriften im Kanon enthalten. In bezug auf die hier zur Debatte stehende Frage ist von Wichtigkeit, daß Augustinus also offenkundig auch die biblischen Schriften, die zunächst nur öffentlich bekannte, historische Fakten erzählen, auf prophetische Inspiration zurückführt. Da es zudem vom Textzusammenhang her naheliegt, Offenbarung und Inspiration zu parallelisieren, kann gesagt werden, Augustinus betrachte hier die Bibel insgesamt als Ergebnis eines besonderen revelatorischen Wirkens Gottes. Wie ist das näher zu verstehen?

b) Eine Auseinandersetzung mit dem Interpretationsvorschlag von R.A. Markus[14] soll die augustinischen Vorstellungen über die Schriftinspiration klären helfen. Markus stellt in die Mitte seiner Überlegungen den *Prophetiebegriff* Augustins. Er geht davon aus, daß zwar der frühe Augustinus innerhalb der Bibel zwischen Geschichtsbericht (historia) und Prophetie (prophetia) unterscheidet, und zwar so, daß sich der Geschichtsbericht auf vergangene Ereignisse bezieht, die Prophetie aber, die aus besonderen Eingebungen und Visionen schöpft, auf zukünftige[15]; daß aber später diese Unterschei-

---

[13] De civ. Dei 18,38: ... existimo, etiam ipsos, quibus ea, quae in auctoritate religionis esse deberent, sanctus utique Spiritus revelabat, alia sicut homines historia diligentia, alia sicut Prophetas inspiratione divina scribere potuisse; atque haec ita fuisse distincta, ut illa tanquam ipsis, ista vero tanquam Deo per ipsos loquenti, iudicarentur esse tribuenda; ac sic illa pertinerent ad ubertatem cognitionis, haec ad religionis auctoritatem, in qua auctoritate custoditur canon.

[14] R.A. Markus, a.a.O. 187ff.

[15] Ders. a.a.O. 188ff. – Siehe De vera relig. 7,13: huius religionis sectandae caput est historia et prophetia dispensationis temporalis divinae providentia...; De vera relig. 25, 46: Quid autem agatur cum genere humano, per historiam commendari voluit, et per

dung in den Hintergrund tritt und dabei ein weiter gefaßter Prophetiebegriff sichtbar wird[16]. Die Bibel als ganze ist nun einerseits Geschichtsbericht (divina historia, nostrae religionis historia, sacra historia)[17] und andererseits zugleich Prophetie[18]. Augustinus kann deshalb auch von prophetischer Geschichte (prophetica historia)[19] sprechen. Alles in der Bibel Berichtete hat nun neben dem ihm immanenten historischen Sinn eine übertragene Bedeutung auf Zukünftiges hin. Prophetie ist also nicht mehr nur die ausdrücklich und ausschließlich auf Zukünftiges bezogene Rede, sondern in einem weiteren Sinne auch der Bericht von signifikativer vergangener Geschichte. Prophetie ist nicht mehr vom Geschichtsbericht schlechthin abgehoben, sondern nur noch vom Bericht *bloßer* Geschichte, von dem, was von *bloßem* historischen Interesse ist und deshalb dem weiten Bereich der menschlichen Geschichtsforschung (historica diligentia)[20] zugehört. Alle biblischen Autoren schreiben folglich als Propheten. Wenn das aber so ist, so schließt Markus mit Recht, dann kann das Problem der Schriftinspiration bei Augustinus von dessen Konzept der prophetischen Inspiration her geklärt werden[21]. Darum geht es Markus in einem zweiten Schritt.

Bei der Darstellung der prophetischen Inspiration bezieht er sich auf das 12. Buch von *De genesi ad litteram* und die dort von Augustinus vertretene Meinung, das prophetische Reden sei eher eine Sache der Einsicht als bloß imaginativer Eingebungen[22]. Dabei legt Markus vor allem Wert auf den Sachverhalt, daß Augustinus auch dort von Prophetie spricht, wo der Prophet gar nicht selbst bildhafte Visionen schaut, sondern nur eine besondere Gabe der Einsicht hat. Während Augustinus aber auch diese prophetische Einsicht

---

prophetiam. Temporalium autem rerum fides, sive praeteritarum, sive futurarum, magis credendo quam intelligendo valet...; vgl. auch De lib. arb. 3,21,60ff.

[16] R.A. Markus, a.a.O. 190ff.

[17] Siehe De civ. Dei 18,40 und 15,8,1.

[18] Markus zitiert als Beispiel den zur Diskussion stehenden Text De civ. Dei 18,38; des weiteren De civ. Dei 16,2,3 und 17,1 (a.a.O. 191f). — Dieser erweiterte Prophetiebegriff ist freilich schon in den frühen Schriften angelegt. Siehe z.B. De lib. arb. 3,21,61: ... quandoquidem etiam in divinis libris ea quae praeterita narrantur, vel praefigurationem futurorum, vel pollicitationem vel testificationem prae se gerunt; vor allem auch De gen. c. Manich. 2,2,3, wo das hermeneutische Schema ‚secundum historiam — secundum prophetiam' erstmals bei Augustinus zu finden ist.

[19] De civ. Dei 16,2,3.

[20] Zu diesem Begriff siehe den zitierten Text De civ. Dei 18,38. Siehe auch De civ. Dei 17,1: Ipsa Scriptura, quae, per ordinem reges eorumque facta et eventa digerens, videtur *tanquam historica diligentia* rebus gestis occupata esse narrandis, si adiuvante Dei spiritu considerata tractetur, vel magis, vel certe non minus praenuntiandis futuris quam praeteritis enuntiandis invenietur intenta; sowie De civ. Dei 16,2,3, wo die „historica diligentia" von der „prophetica providentia" abgehoben ist.

[21] R.A. Markus, a.a.O. 192.

[22] Ders., a.a.O. 193f. Markus zitiert De gen. ad litt. 12,9,20; siehe zu diesem Text weiter oben § 6,1.

ganz im Kontext besonderer bildhafter Eingebungen sieht — er läßt sie, wie gezeigt wurde, auf die Visionen anderer bezogen sein —, löst Markus sie aus diesem Kontext heraus und bezieht sie auf das geschichtliche Erfahrungsmaterial ganz allgemein, auf „gewöhnliche, öffentlich zugängliche Tatbestände, sei es der Gegenwart oder der Vergangenheit"[23]. Auf diese Weise gelangt er über den engen und eigentlichen Begriff von prophetischer Inspiration, die dem Propheten immer auch besondere bildhafte Visionen vermittelt, die auf verborgene Dinge verweisen, hinaus zu einem erweiterten und abgeschwächten Prophetiebegriff, wonach schon derjenige ein Prophet sei, dem durch göttliche Erleuchtung eine besondere Einsicht in allgemein zugängliches Erfahrungsmaterial gegeben ist, der also vorliegendes historisches Material auf seine verborgene Bedeutung hin richtig zu interpretieren vermag[24].

Diesen abgeschwächten Begriff von prophetischer Inspiration zieht Markus nun als Deutungsmodell zur Interpretation des augustinischen Verständnisses von Hagiographie heran. Er kommt dabei zu dem Ergebnis, „der biblische Schriftsteller, das heißt, ein Evangelist oder der Autor eines der Geschichtsbücher des Alten Testament sei ein Prophet im weiteren (und abgeschwächten) Sinne; ein Prophet, dem Gott keine besondere Privatoffenbarung zuteil werden läßt, keine Visionen, sondern dessen Geist durch ein besonderes Charisma erleuchtet wird, welches es ihm ermöglicht, einen bestimmten Abschnitt der gewöhnlichen, öffentlich verfügbaren Erfahrung, in diesem Fall eine Episode in der Geschichte des jüdischen Volkes oder im Leben Jesu, zu deuten"[25].

Doch dieses Ergebnis bedarf der Korrektur. Denn seine Voraussetzung, die Erweiterung und Verallgemeinerung des Begriffs der prophetischen Inspiration, ist von den Texten Augustins her nicht abgedeckt. Sie mag sich zwar als Möglichkeit nahelegen. Augustinus selbst aber hat diese Möglichkeit nicht entfaltet. Zu sehr ist für ihn prophetische Einsicht mit bildhaften Ein-

---

[23] Ders., a.a.O. 194: „Insight into the meaning of ordinary, publicly accessible facts, whether of the present or of the past..."

[24] Ders., a.a.O. 194: „In this earthly life the prophet is tied to his experience of sensuous nature: either to that obtained through his bodily senses, of the public world open to everybody's experience, or to the private, imaginative experience specially vouchsafed him by God in a state of trance and abstraction from the world of public experience. This second constitutes a higher kind of prophecy than the first; foretelling the course of future events, of course, belongs here. Nevertheless, God-given insight into the meaning of ordinary, publicly accessible facts, whether of the present or of the past, is enough to constitute a man a prophet in a wider sense."

[25] Ders., a.a.O. 195: „In terms of the theory of prophecy worked out there, the biblical writer — say, an evangelist, or the author of one of the historical books of the Old Testament — would be a prophet in the wider (and inferior) sense: a prophet to whom God makes no special private revelation, who is given no visions, but whose mind is enlightened by a special *charisma* to interpret a particular slice of ordinary, publicly available experience; in this case an episode in the national history of the Jews, or in the biography of Jesus."

gebungen verbunden, auch wenn die Einsicht dabei das entscheidende Element ist. Dem erweiterten Prophetiebegriff, der die Bibel als Ganze in sich begreift, nicht nur die prophetischen Schriften im engeren Sinn, entspricht bei Augustinus also nicht ohne weiteres ein abgeschwächtes Konzept der prophetischen Inspiration, wie es Markus darstellt. Vielmehr bleibt der enge Begriff von prophetischer Inspiration bestehen, gilt nun aber offensichtlich nicht mehr nur für die Propheten im engeren Sinne, sondern wird in *analoger* Weise auf alle biblischen Autoren ausgedehnt. Das soll im folgenden nachgewiesen werden.

c) Ein Indiz dafür ist die Verbindung von biblischer Inspiration und Offenbarung. Zwar bedeutet Offenbarung auch Einsicht eröffnende Erleuchtung; und man könnte deshalb daran denken, daß das Wort in dem anfangs zitierten Text aus De civitate Dei die von Markus herausgestellte charismatische Erleuchtung zum Ausdruck bringen soll. Aber eine solche Interpretation reicht zur Erklärung des Textes nicht aus. Denn darin wird nicht in erster Linie gesagt, daß die biblischen Schriftsteller aufgrund göttlicher Offenbarung einen bestimmten Abschnitt der Geschichte richtig zu deuten vermochten, sondern vor allem, daß sie vorab aus Offenbarung wußten, *welche* geschichtlichen Fakten sie niederschreiben sollten, was also *materialiter* in die kanonischen Schriften aufgenommen werden sollte. Die „religiös maßgeblichen Stoffe" wurden ihnen eingegeben. Dieser materielle Aspekt von Offenbarung wird bestätigt durch Augustins Vorstellung, die Schrift als Ganze in ihrem materialen Bestand sei den Menschen von Engeln Gottes vermittelt worden. Davon wird weiter unten in einem gesonderten Abschnitt die Rede sein.

d) Für ein ganz von der Theorie der Erleuchtung her gedachtes Inspirationsmodell gibt es bei Augustinus zwar textlich belegbare Ansätze. Aber diese Ansätze kommen in der Gesamttendenz des augustinischen Denkens doch nicht zum Tragen, sondern werden durchgängig und in steigendem Maße von Inspirationsvorstellungen überdeckt, die mehr am Modell bildhafter Eingebungen orientiert sind.
Im *Traktat 1 zum Johannesevangelium* (405/08) beschreibt Augustinus die biblische Inspiration eindeutig als charismatische Erleuchtung. Der Evangelist Johannes, so heißt es dort, gehöre zu jenen herausragenden Männern, die von der Weisheit Gottes erleuchtet wurden, damit sie aus dieser Erleuchtung heraus den übrigen, weniger geistbegabten Menschen etwas in menschlichen, zeichenhaften Worten vermittelten, so gut sie es vermöchten[26]. Auf diese

---

[26] In evang. Ioh. 1,2: Non autem exciperent minores animae fidem, nisi maiores animae, quae montes dictae sunt, ab ipsa Sapientia illustrarentur, ut possint parvulis traiicere, quod possunt parvuli capere; vgl. In evang. Ioh. 1,7: ... quia montes sic potuerunt loqui, ut non possint ipsi illuminare; quia et ipsi illuminati sunt audiendo.

Weise habe Johannes auch den *Prolog* geschrieben. Weil er von Gott inspiriert war, konnte er von Gott etwas sagen, wenn auch auf seine menschlich gebrochene Weise:

„Auch Johannes hat hier nicht gesagt, wie es wahrhaft ist, sondern nur, wie er es vermochte. Denn hier hat ein Mensch von Gott gesprochen, zwar ein von Gott *inspirierter* Mensch, aber doch ein Mensch. Weil er *inspiriert* war, hat er etwas gesagt. Wenn er nicht *inspiriert* gewesen wäre, hätte er nichts gesagt. Weil er jedoch ein *inspirierter Mensch* war, hat er nicht das Ganze, so wie es ist, gesagt, sondern was er als Mensch vermochte, das hat er gesagt."[27]

Dem biblischen Schriftsteller wird nach diesem Text nicht etwas Zeichenhaftes inspiriert. Vielmehr bedeutet der Inspirationsgedanke hier, daß der Hagiograph in einmaliger Weise von der Wahrheit Gottes, über die er schreiben soll, erleuchtet ist. Die Worte selbst jedoch, mit denen er dann das ihm lichthaft Inspirierte auf menschliche Weise beschreibt, unterliegen nicht mehr der strengen Urheberschaft Gottes, sondern sind Ausdruck des biblischen Schriftstellers selbst.

Mehr als ein Jahrzehnt später, im *Traktat 96 zum Johannesevangelium*[28], erklärt sich Augustinus die Entstehung des gleichen Prologs in deutlicher Akzentverschiebung durch Rekurs auf eine besondere Offenbarung. Nicht mehr die charismatische Erleuchtung des biblischen Autors steht dabei im Vordergrund, sondern der geoffenbarte Prolog selbst: Die *Worte*, die wir im Johannesprolog lesen, stammen nicht vom historischen Jesus; sie wurden vielmehr erst später von einem seiner Apostel, dem sie der Geist Jesu *geoffenbart* hat, aufgeschrieben[29].

In dieser Akzentverschiebung spiegelt sich eine allgemeine Tendenz Augustins

---

Inde qui haec dixit, accepit Iohannes ille... Sed propinavit verba. Intellectum autem inde debes capere, unde et ipse biberat qui tibi propinavit.

[27] In evang. Ioh. 1,1: Audeo dicere, fratres mei, forsitan nec ipse Iohannes dixit ut est, sed et ipse ut potuit; quia de Deo homo dixit: et quidem inspiratus a Deo, sed tamen homo. Quia inspiratus, dixit aliquid; si non inspiratus esset, dixisset nihil: quia vero homo inspiratus, non totum quod est dixit, sed quod potuit homo, dixit.

[28] Zur Datierung siehe A.M. Bonnardière, Recherches de chronologie augustinienne, Paris 1965. Während S. Zarb, Chronologia tractatuum in Evangelium primamque Epistulam Iohannis Apostoli, in: Angelicum 10 (1933) 50—110, die Traktate 1 bis 54 in das Jahr 413 datiert und die Traktate 55 bis 124 in das Jahr 418 (108f); und während M. Le Landais, Deux années de prédication de saint Augustin. Introduction à l'étude de l'In Iohannem, in: Etudes augustiniennes, Paris 1953, 7—95, zu zeigen versucht, daß alle Traktate zwischen 414 und 416 gepredigt worden sind (67); zeigt La Bonnardière, daß die Traktate 1 bis 16 schon 405/408 zu datieren sind (19—62), die Traktate 17 bis 124 aber erst nach 418 (63—118). Die jüngste chronologische Arbeit von M.F. Berrouard, La date des ,Tractatus 1—54 in Iohannis Evangelium' de saint Augustin, in: Recherches augustiniennes 7 (1971) 105—168, differenziert zwar noch einmal bezüglich der Entstehungszeit der Traktate 1—54. Doch sind diese Differenzierungen wenig gravierend.

[29] Zu diesem Text siehe § 6, 1 Anm. 5.

wider. Aufgrund seiner wachsenden Hochschätzung der Bibel neigt er nämlich zu der Annahme einer *Verbalinspiration,* welche auch die sprachliche
Gestalt der biblischen Schriften Gottes Werk sein läßt. Die Hagiographen
schreiben dann nicht mehr nur aus einer besonderen Erleuchtung heraus mit
eigenen Worten, sondern auch diese Worte werden ihnen in der sie erfüllenden Inspiration eingegeben. Diese Tendenz zur Verbalinspiration zeigt sich
in aller Deutlichkeit an Augustins Einschätzung der *Septuaginta*[30]. Augustinus schenkt nämlich der Legende über die Entstehung der Septuaginta Glauben, wonach die siebzig Übersetzer, obwohl sie getrennt voneinander arbei-
teten, dennoch bis in den Wortlaut und die Wortstellung hinein gleich übersetzten[31]. Den Grund für diese Übereinstimmung sieht er darin, daß in allen
Übersetzern ein und derselbe Geist war. Vor allem identifiziert er diesen
Geist mit dem prophetischen Geist, der auch die ursprünglichen biblischen
Autoren leitete:

„Derselbe Geist, der in den Propheten war, als sie dies schrieben, war auch in den siebzig Männern, als sie dies übersetzten."[32]

Mit dem Hinweis auf diese prophetische Inspiration, welche die Übersetzer
bis in den Wortlaut hinein leitete, bewältigt Augustinus auch das Problem
der Abweichungen der Septuaginta von dem hebräischen Urtext. Denn weil
die Septuaginta nicht bloße Übersetzung ist, sondern ein Werk ursprünglicher göttlicher Vollmacht, muß man dort, wo keine Übereinstimmung mit
dem hebräischen Text vorliegt, im abweichenden Wortlaut der Septuaginta
einen von Gott beabsichtigten, verborgenen prophetischen Sinn annehmen-
men[33]. Diese Argumentation ist zugleich ein Beispiel dafür, wie sehr die Vorstellung der Verbalinspiration Augustins exegetische Fragestellung insgesamt
bestimmt. Weil nämlich die Worte der Bibel nicht einfach variable sprachliche Zeichen der biblischen Autoren sind, sondern von Gott her autoritativ
gesetzte Zeichen, deshalb kann, ja muß unter Umständen in jedem einzelnen

---

[30] Siehe dazu H. Sasse, a.a.O. 268ff und 272 (Kritik an Augustins Position); sowie
A.D.R. Polman, a.a.O. 183—190.
[31] De civ. Dei 18,42: Traditur sane tam mirabilem ac stupendum planeque divinum
in eorum verbis fuisse consensum, ut, cum ad hoc opus separatim singuli sederint..., in
nullo verbo, quod idem significaret et tantumdem valeret, vel in verborum ordine, alter
ab altero discreparet: sed tanquam unus esset interpres, ita quod omnes interpretati
sunt, unum erat.
[32] De civ. Dei 18,42f: ... quoniam re vera Spiritus unus erat in omnibus... Spiritus
enim qui in Prophetis erat, quando illa dixerunt, idem ipse erat etiam in septuaginta
viris quando illa interpretati sunt.
[33] De civ. Dei 18,43: Profecto quisquis alius illarum Scripturarum ex hebraea in
quamlibet aliam linguam interpres est verax, aut congruit illis Septuaginta interpreti-
bus, aut si congruere non videtur, *altitudo ibi prophetica* esse credenda est. ... ut etiam
hinc ostenderetur, non humanam fuisse in illo opere servitutem, quam verbis debebat
interpres, sed divinam potius potestatem, quae mentem replebat et regebat interpretis.
— Vgl. auch De civ. Dei 15,14,2 und 15,23,3.

Wort der Bibel eine tiefere Bedeutung gesucht werden, deshalb muß der biblische Hermeneut in einer peniblen Wort-für-Wort-Exegese den möglicherweise mannigfaltigen Verweisungen der einzelnen Sprachzeichen nachgehen[34].

e) Die Argumentation mit einer prophetischen Inspiration zur Erklärung der Unterschiede zwischen Septuaginta und hebräischem Urtext gebraucht Augustinus schon in seiner Untersuchung *„Über den Konsensus der Evangelisten"* aus dem Jahre 400, um dort auf ähnliche Weise die Divergenzen und unterschiedlichen Darstellungsweisen der vier Evangelien auf einen Nenner zu bringen[35]. Die Aussagen, die Augustinus in dieser Schrift über Inspiration macht, sind von besonderem Interesse. Denn sie bestätigen die Annahme, daß Augustinus auch dann, wenn die biblischen Autoren über öffentliche, geschichtliche Fakten berichten, wie es zum Beispiel die Evangelisten tun, Inspiration eher vom engeren Modell der bildhaften Eingebung als von dem der charismatischen Erleuchtung her denkt. Und sie machen zugleich deutlich, mit Hilfe welcher prozeduraler Vorstellungen ihm dies möglich ist.
Gleich zu Beginn seiner Untersuchung hält Augustinus fest, daß die Evangelien unter göttlicher Inspiration geschrieben worden seien. Jeder der vier Evangelisten hätte zwar in seiner eigenen Ordnung berichtet, jedoch nicht aus dem Bestreben heraus, von dem jeweils vorangegangenen Evangelisten als unabhängig zu erscheinen, sondern „so wie es einem jeden von ihnen *eingegeben (inspiratum)* wurde"[36]. Im weiteren Textverlauf finden sich dann Wendungen, die in kaum überbietbarer Weise die totale Abhängigkeit des biblischen Autors von Gott zum Ausdruck bringen:

Obwohl es die Evangelisten waren, die aufgeschrieben haben, „was Christus getan und gesagt hat, kann man doch keinesfalls sagen, er habe nicht selbst geschrieben, da sie doch als seine Glieder das ausführten, was ihnen durch *Diktat* des Hauptes zu erkennen gegeben wurde. All das nämlich, was er uns über seine Taten und Worte zu lesen geben wollte, das *befahl* er ihnen *gleichwie seinen eigenen Händen* zu schreiben"[37].

Doch wie soll man diese Ausdrücke verstehen? Sind es ernstzunehmende Metaphern oder rhetorische Floskeln? Hat Augustinus einen bestimmten

---

[34] Siehe dazu z.B. G. Strauss, a.a.O. 86. Auf die hermeneutischen Grundsätze Augustins wird im Verlauf dieser Arbeit wiederholt eingegangen; siehe vor allem § 11.
[35] De cons. evang. 2,56,128.
[36] De cons. evang. 1,2,4: Et quamvis singuli suum quemdam narrandi ordinem tenuisse videantur, non tamen unusquisque eorum velut alterius praecedentis ignarus voluisse scribere reperitur...; sed sicut unicuique inspiratum est, non superfluam cooperationem sui laboris adiunxit.
[37] De cons. evang. 1,35,54: Itaque cum illi scripserunt quae ille ostendit et dixit, nequaquam dicendum est quod ipse non scripserit; quandoquidem membra eius id operata sunt, quod dictante capite cognoverunt. Quidquid enim ille de suis factis et dictis nos legere voluit, hoc scribendum illis tanquam suis manibus imperavit.

prozeduralen Modus der Hagiographie im Sinn, und wenn ja, welchen? Augustinus gibt auf diese Fragen eine ziemlich klare Antwort:

Im zweiten Buch seiner Untersuchung sagt er, Gott habe die Evangelisten, „weil ihre Bücher von so überragender Autorität sein sollten, ohne Zweifel darin, wie sie sich die Dinge, die sie schreiben sollten, ins *Gedächtnis* riefen (recolendo), *geleitet und gelenkt*"[38].

Ein jeder von ihnen habe in der Anordnung berichtet, „in welcher das, was er berichtete, *von Gott seiner Erinnerung eingegeben* wurde (recordationi suggerere)"[39].

Im dritten Buch heißt es schließlich, Markus habe eine bestimmte Sache an der Stelle seines Berichtes niedergeschrieben, „an welcher sie ihm *durch göttliche Inspiration eingegeben* wurde (divina inspiratione suggestum). Die *Erinnerungen* der Evangelisten wurden nämlich durch Gottes Hand *gelenkt*... Denn das menschliche Gedächtnis (memoria) fliegt über die verschiedensten Gedanken hin, und keiner hat in seiner Macht, was ihm wann in den Sinn kommt. So haben also jene heiligen und wahrhaften Männer die *Zufälligkeiten ihrer Erinnerungen* ... der *verborgenen Macht Gottes* anvertraut, bei dem nichts zufällig ist"[40].

Gott nahm Einfluß auf das sinnliche Gedächtnis der Hagiographen. Er rief ihnen das, worüber sie schreiben sollten und was sie schreiben sollten, seiner Vorsehung gemäß in Erinnerung. Den biblischen Autoren wurde also nicht nur eine besondere Erleuchtung zuteil, die es ihnen ermöglichte, geschichtliche Fakten richtig zu deuten und entsprechend darüber zu berichten, sondern auch das, was sie berichteten, wurde ihnen letztlich eingegeben. Damit aber liegt hier strukturell der Sachverhalt bildhafter Offenbarungen vor, so daß mit Recht gesagt werden kann, Augustinus verstehe die biblische Inspiration insgesamt vom Modell der ursprünglichen prophetischen Offenbarung her. Zwar geht es bei der biblischen Inspiration nicht mehr nur um die Eingebung einzelner verborgener Sachverhalte, wie dies bei der eigentlichen Prophetie der Fall ist, aber doch in einer analogen Weise um die erinnernde Eingebung eines spezifischen historischen Wissens und die damit verbundene Vermittlung eines autoritativen Berichtes davon. Das analoge Element, das es erlaubt, prophetische Offenbarung und biblische Inspiration zu parallelisieren, liegt dabei in der dargestellten Vorstellung, Gott wirke auf verborgene Weise im sinnlichen Gedächtnis der Hagiographen.

Dieses erinnernde Wirken Gottes bedeutet zwar noch nicht unbedingt Verbalinspiration, sondern läßt dem biblischen Autor grundsätzlich einen gewis-

---

[38] De cons. evang. 2,21,52: mentes quoque sanctorum propter libros in tanto auctoritatis culmine conlocandos in recolendo quae scriberent sine dubio gubernans et regens...
[39] De cons. evang. 2,21,51: Satis probabile est quod unusquisque evangelistarum eo se ordine credidit debuisse narrare, quo voluisset Deus ea ipsa quae narrabat eius recordationi suggerere.
[40] De cons. evang. 3,13,48: ... qui eo loco id ponendum iudicavit, quo loco divina inspiratione suggestum est. Recordationes enim eorum eius manu gubernatae sunt... Fluitat enim humana memoria per varias cogitationes, nec in cuiusquam potestate est, quid et quando ei veniat in mentem. Cum ergo illi sancti et veraces viri quasi fortuita recordationum suarum ... occultae Dei potestati, cui nihil fortuitum est, commisissent...

sen Spielraum eigener sprachlicher Gestaltung[41]. In diesem Sinne räumt Augustinus an einigen Stellen von De consensu evangelistarum ein, die Evangelisten hätten die gleiche Sache mit je verschiedenen Worten sagen können; es komme deshalb nicht so sehr auf die Gleichheit der Worte als vielmehr auf die Wahrheit der Sache selbst an[42]. Aufgrund der Hochschätzung der Autorität der Schrift neigt er insgesamt aber doch zur Annahme einer Verbalinspiration[43]. Die litteralen und kompositorischen Eigenheiten der einzelnen Evangelisten sind eben doch von Gottes verborgenem Wirken gewollt und getragen.

f) H. Sasse kritisiert dieses Inspirationsverständnis Augustins als eine der Bibel nicht gemäße, apologetische Übernahme eines hellenistischen, heidnisch-jüdischen, ,mantischen' Inspirationsbegriffs, der auf die *Form* der Entstehung eines heiligen Textes fixiert sei und von ihr her die Wahrheitsfrage stelle, statt von dessen eigentlichen *Inhalten* her[44]. Diese Kritik von Sasse mag teilweise berechtigt sein. Falsch jedoch ist die Schlußfolgerung, die er daraus zieht. Aus dem rigorosen Inspirationsverständnis folgt nämlich nicht, wie Sasse meint, daß Augustinus den biblischen Text grundsätzlich als offenliegendes Wort Gottes verstehe und höchstens in Ausnahmefällen, zum Beispiel angesichts divergierender Bibelstellen, auf den Geheimnischarakter des Wortes Gottes rekuriere[45]. Vielmehr hält Augustinus auch bei aller noch so rigoros verstandenen biblischen Inspiration daran fest, daß das Wort der Bibel gerade nicht offenliegendes Wort Gottes ist, sondern zeichenhafte Vermittlung, die erst durch einsichthafte Offenbarung als Wort Gottes erschlossen wird. Dieser zeichenhaft vermittelnde Charakter des Bibelwortes erweist sich

---

[41] H. Sasse, a.a.O. 266f, bemerkt zu den zitierten Stellen aus De cons. evang., Augustins Inspirationslehre sei *relativ* uneinheitlich; gegenüber dem ,dictante capite' und dem ,tanquam suis manibus imperavit', das die biblischen Autoren zu bloßen mechanischen Werkzeugen Gottes mache, schließe das ,recordationi suggerere' die Mitwirkung des menschlichen Geistes nicht völlig aus. — R.A. Markus, a.a.O. 187f, verkennt den Duktus von De cons. evang., wenn er behauptet, Augustinus wolle in dieser Schrift *nichts* über den Modus der Inspiration sagen.

[42] Siehe z.B. De cons. evang. 2,12,27f und 2,56,128.

[43] Die Schrift erweist ihre Autorität u.a. durch die göttliche Herkunft ihres materialen Bestandes. Siehe z.B. De civ. Dei 18,42: Et ideo tam mirabile Dei munus acceperant (scl. die Übersetzer der Septuaginta), ut illarum Scripturarum, non tanquam humanarum, sed sicut erant, tanquam divinarum, etiam isto modo commendaretur auctoritas, credituris quandoque gentibus profutura...

[44] H. Sasse, a.a.O. 262ff, 267 und 272. Als signifikantes Beispiel für diese Übernahme führt Sasse 256f an, daß Augustinus das Wort der Propheten und die Weissagungen der Sybillen parallelisieren kann; siehe De cons. evang. 1,19f und De civ. Dei 18,23.

[45] Ders., a.a.O. 272f. 272 urteilt Sasse: „Daß die Verborgenheit des göttlichen Wortes nicht erst da beginnt, wo wir mit unserer Vernunft zu Ende sind, sondern daß es von vornherein verborgen ist, diesen Gedanken zu fassen, war keiner der Kirchenväter imstande, auch nicht der größte unter ihnen, Augustinus."

für Augustinus schon im Inspirationsvorgang selbst. Denn einerseits sieht er darin natürlich Gott selbst am Werk, andererseits aber auch die zwischen Gott und Mensch, zwischen intelligibler und sensibler Welt vermittelnden Engel. Ja, er führt die Bibel insgesamt auf ein mittlerisches Wirken der Engel zurück.

3. Offenbarung durch Engel und Offenbarung durch Gott

a) Nach einer langen, sich über die ersten zehn Bücher erstreckenden Auseinandersetzung mit den Heiden kommt Augustinus im 11. Buch von *De civitate Dei* (417/418) auf die ursprüngliche Zielsetzung seines Werkes zurück, nämlich auf die Darstellung der christlichen Vision der Geschichte[46]. Er beginnt dies mit einem kurzen Hinweis auf die Unheilssituation des Menschen und einer Würdigung des dieser Unheilssituation entsprechenden christlichen Heilsweges: Weil der durch die Sünde geschwächte Mensch nicht mehr in der Lage ist, das intelligible Sprechen Gottes in seinem Ursprung zu vernehmen, deshalb kam in Christus die Wahrheit Gottes zum Menschen herab, „damit der Mensch zum Gott des Menschen im Gottmenschen einen sicheren Weg habe"[47]. Als wesentlichen Teil dieses Vermittlungswerkes Christi führt Augustinus sodann die Heilige Schrift an:

Christus, der „zuerst durch die Propheten, dann in eigener Person und schließlich durch die Apostel gesprochen hat, soviel er für hinreichend erachtete, war auch der *Urheber der Schrift*, die die kanonische genannt wird und von überragender Autorität ist. Ihr schenken wir Glauben in all den Dingen, die wir zu unserem Heil zwar wissen sollten, aber aus uns heraus nicht wissen können. Denn ... so wie wir in bezug auf Sichtbares, das wir selbst nicht gesehen haben, denen glauben, die es gesehen haben..., so müssen wir auch in bezug auf das, was geistig wahrgenommen wird..., also in bezug auf das *Unsichtbare,* welches unserem inneren Sinn fern ist, denen glauben, die diese Dinge in jenem unkörperlichen Licht als *vorgesehen* kennengelernt haben oder als *ewig bleibend* schauen"[48].

Das „Vorgesehene" meint die in Gottes ewiger Vorsehung festgelegten zeitlichen Anordnungen Gottes; es ist der zeitenthobene göttliche Plan der sich in der Zeit entfaltenden menschlichen Geschichte (dispensatio temporalis). Das „ewig Bleibende" ist die unwandelbare intelligible Welt. Zu beiden hat

---

[46] Zur Komposition von De civitate Dei siehe H.I. Marrou, a.a.O. 65ff.

[47] De civ. Dei 11,2: ... ut ad hominis Deum iter esset homini per hominem Deum.

[48] De civ. Dei 11,3: Hic (scl. Christus) prius per Prophetas, deinde per se ipsum, postea per Apostolos, quantum satis esse iudicavit, locutus etiam Scripturam condidit, quae canonica nominatur, eminentissimae auctoritatis, cui fidem habemus de his rebus, quas ignorare non expedit nec per nos ipsos nosse idonei sumus. Nam ... sicut ergo de visibilibus, quae non vidimus, eis credimus, qui viderunt, ... ita de his quae animo ac mente sentiuntur..., hoc est de invisibilibus quae nostro sensu interiore remota sunt, iis nos oportet credere, qui haec in illo incorporeo lumine disposita didicerunt, vel manentia contueuntur.

der Mensch von sich aus keinen Zugang. Er muß diesbezüglich der Schrift glauben bzw. denen, die beides unmittelbar im göttlichen Sein selbst zu erkennen und zu schauen vermögen. Doch wer ist das? Die Propheten, die Apostel, die biblischen Schriftsteller? Dieser Schluß liegt zunächst nahe. Denn sie sind es ja, die von dem Unsichtbaren, das dem Menschen unzugänglich ist, seien es zukünftige Ereignisse oder die unwandelbare Wahrheit Gottes selbst, aufgrund besonderer Offenbarungen Zeugnis geben. Sie sind es, „durch die uns die Schrift vermittelt und niedergeschrieben wurde"[49]. Aber kann man daraus wirklich schließen, daß sie es sind, die Augustinus hier im Sinn hat? Ist es ihnen wirklich gegeben, Zeitliches und Ewiges im göttlichen Ursprung selbst zu erkennen und zu schauen? Besteht nicht ein großer Unterschied zwischen den einzelnen Offenbarungen, die den Propheten oder den Hagiographen zuteil wurden, und dieser primordialen Erkenntnis?

Eine schon wiederholt zur Sprache gekommene Vorstellung Augustins ist es, daß sich Gott der *Engel* bedient, um seine ewige Vorsehung in die Zeit hinein zu entfalten. Mit Hilfe der Engel transponiert Gott sein geistiges und zeitenthobenes, ewiges Sprechen in die der Zeit unterworfene sensible Welt hinein.

„Was seine Diener und Boten, die seine unwandelbare Wahrheit in ewiger Seligkeit genießen, bei ihm offen und unverstellt vernehmen, das überbringen sie nach Gottes Willen bis in diesen Raum des Sichtbaren und Sinnenfälligen."[50]

Durch diesen Dienst der Engel hat Gott zum Beispiel die Zeiten geordnet und den Menschen das Gesetz des Alten Bundes gegeben[51]. Und auch die Bibel führt Augustinus auf dieses mittlerische Wirken der Engel zurück:

„Zusammen mit den Engeln bilden wir die eine Bürgerschaft Gottes (civitas Dei). Wir sind davon der Teil, der noch in der Fremde weilt, jene aber der andere Teil, der uns hilfreich beisteht. Von jenem himmlischen Teil der Bürgerschaft Gottes nämlich, wo der Wille Gottes einsichtiges und unwandelbares Gesetz ist, ... kam, *vermittelt durch die Engel*, die *heilige Schrift* zu uns herab."[52]

---

[49] Epist. 28,3,3: ... eos homines, per quos nobis illa Scriptura ministrata est atque conscripta.

[50] De civ. Dei 10,15: (Deus) qui in sua natura non corporaliter, sed spiritualiter, non sensibiliter, sed intelligibiliter, non temporaliter, sed, ut ita dicam, aeternaliter, nec incipit loqui nec disinit: quod apud illum sincerius audiunt, non corporis aure, sed mentis, ministri eius et nuntii, qui eius veritate incommutabili perfruuntur immortaliter beati; et quod faciendum modis ineffabilibus audiunt, et usque in ista visibilia atque sensibilia perducendum, incunctanter atque indifficulter efficiunt.

[51] De civ. Dei 10,15: Sic itaque divinae providentiae placuit ordinare temporum cursum, ut quemadmodum dixi, et in Actibus Apostolorum legitur, lex in edictis Angelorum daretur de unius veri Dei cultu (Act. 7,53), in quibus et persona ipsius Dei, non quidem per suam substantiam ... visibiliter appareret ... et syllabatim loqueretur.

[52] De civ. Dei 10,7: Cum ipsis (scl. Angelis) enim sumus una civitas Dei..., cuius pars in nobis peregrinatur, pars in illis opitulatur. De illa quippe superna civitate, ubi Dei voluntas intelligibilis atque incommutabilis lex est, de illa superna quodammodo curia

Die im ersten Text Hervorgehobenen, denen wir in bezug auf das Unsichtbare Gottes oder auf Zukünftiges Glauben schenken sollen, weil sie es im Ursprung Gottes selbst schauen, sind demnach nicht die Hagiographen, sondern Engel, die als Boten vom intelligiblen in den sensiblen Bereich fungieren und die deshalb auch den Propheten und Hagiographen von Gott her ein ins Zeitliche transponiertes, zeichenhaftes Wissen vermitteln. Zwar ist Gott der eigentliche Urheber der Bibel; zwar schreiben die Hagiographen unter dem offenbarenden Wirken Gottes. Aber wegen der zeitenthobenen Transzendenz Gottes einerseits und der zeitlichen, zeichenhaften Gestalt der Bibel andererseits denkt sich Augustinus diese Urheberschaft und dieses offenbarende Wirken Gottes als durch Engel Gottes vermittelt[53].

b) Diese Aussage muß freilich noch ergänzt und präzisiert werden. Denn Augustinus spricht in seinen Überlegungen über Hagiographie nicht einfach *nur* vom vermittelnden Wirken der Engel, sondern auch von der Erleuchtung durch Gott. In welcher Weise er beides zusammendenkt, soll an einem Text aus dem 11. Buch von *De civitate Dei* verdeutlicht werden. Im Anschluß an den zu Beginn dieses Abschnitts zitierten Text fragt Augustinus dort, wie Moses, auf dessen Zeugnis hin wir an Gott als den Schöpfer der Welt glauben, zu diesem Zeugnis gelangt sei:

„War denn dieser Prophet dabei, als Gott Himmel und Erde schuf? Nein, aber die *Weisheit Gottes* war dabei, durch die alles geschaffen wurde, die sich auch in gottgerichtete Seelen senkt, Freunde Gottes und Propheten schafft und ihnen seine Werke ohne das Getön von Worten innerlich erzählt. Zu ihnen sprechen auch die *Engel Gottes,* die das Angesicht des Vaters immer schauen und seinen Willen allen verkünden, denen sie ihn verkünden sollen. Einer von ihnen war dieser Prophet, welcher sagte und niederschrieb: ,Im Anfang schuf Gott Himmel und Erde‘, und der ... durch den Geist Gottes erkannte, daß ihm dies *geoffenbart* worden ist."[54]

... ad nos ministrata per Angelos sancta illa Scriptura descendit. — Vgl. En. in psalm. 90 sermo 2,1: Et de illa civitate unde peregrinamur, litterae nobis venerunt: ipsae sunt Scripturae; En. in psalm. 149,5: Venerunt ad nos litterae de patria nostra; En. in psalm. 64,2: Misit inde ad nos epistolas Pater noster; ministravit nobis Scripturas Deus.

53 Vgl. die Vermittlungskette Prophet — Engel — Gott in De gen. ad litt. 8,27,50: Si autem ad eum modum iustus erat Adam, ut ei adhuc opus esset alterius creaturae sanctioris et sapientioris auctoritas, per quam cognosceret Dei voluntatem atque iussionem, *sicut nobis Prophetae, sicut ipsis Angeli...*

54 De civ. Dei 11,4: ,In principio fecit Deus coelum et terram.‘ Numquidnam ibi fuit iste propheta, quando fecit Deus coelum et terram? Non: sed ibi fuit Sapientia Dei, per quam facta sunt omnia, quae in animas sanctas etiam se transfert, amicos Dei et prophetas constituit, eisque opera sua sine strepitu intus enarrat. Loquuntur eis quoque Angeli Dei, qui semper vident faciem Patris voluntatemque eius quibus oportet annuntiant. Ex his unus erat iste propheta qui dixit et scripsit, ,In principio...‘. Qui tam idoneus testis est, per quem Deo credendum sit, ut eodem spiritu Dei, quo haec sibi revelata cognovit...

Nach diesem Text spricht Gott zwar einerseits unmittelbar durch seine ihm gleichewige Weisheit zu den Propheten und Hagiographen, andererseits aber doch auch durch vermittelnde Engel. Dabei handelt es sich jedoch nicht einfach um zwei voneinander getrennt auftretende Möglichkeiten der Offenbarung. Vielmehr müssen mittelbares und unmittelbares Sprechen Gottes als Korrelate innerhalb *eines* Offenbarungsgeschehens verstanden werden. Dies macht vor allem der Schlußsatz des Zitats deutlich: Den Propheten und Hagiographen wird eine von Engeln vermittelte Offenbarung zuteil; und dank göttlicher Erleuchtung verstehen sie zugleich mehr oder weniger deutlich und umfassend, was das darin Mitgeteilte bedeutet. Das Verstehen bleibt dabei aber in der Regel an bild- und zeichenhafte Vermittlung gebunden, unterscheidet sich also wesentlich von der primordialen Erkenntnis der Engel.

Die von den biblischen Autoren empfangenen Offenbarungen haben also einen doppelten Aspekt. Sie sind Offenbarung durch Engel *und* zugleich Offenbarung durch Gott. Insofern das in ihnen Geschaute der Imagination verhaftet bleibt, versteht sie Augustinus als von Engeln eingegeben. Insofern jedoch das in ihnen bildhaft Mitgeteilte durch Illumination auf seine Bedeutung hin eingesehen wird, führt sie Augustinus auf ein unmittelbares Wirken Gottes zurück. Sehr gut kommt dieser doppelte Aspekt in einem Text aus *De genesi ad litteram* zum Ausdruck. Augustinus interpretiert darin den biblischen Bericht von der Erschaffung der Frau und fragt, ob die besonderen Umstände dieser Erschaffung irgendeine Bedeutung hätten. Seine Antwort lautet:

„Weil diese Dinge wirklich so geschehen sind, und weil sie nicht sinnlos sein können, sind sie von Gott ganz ohne Zweifel deshalb so geschaffen worden, weil sie Zeichen für etwas Zukünftiges sein sollten... Vermittelt über eine Sukzessionskette von Menschen oder *durch seinen Geist bzw. (vel) durch den Dienst von Engeln geoffenbart* und niedergeschrieben, sollten sie zu gegebener Zeit seinen Dienern für die Verheißungen zukünftiger Dinge und die schon erkennbaren Erfüllungen beglaubigendes Zeugnis sein."[55]

---

[55] De gen. ad litt. 9,13,23: Non est itaque dubitandum, quoniam haec facta sunt et stulta esse non possunt, ob aliquid significandum esse facta, fructum futuri saeculi...; ut certo tempore servis suis, sive per hominum successiones, sive per suum Spiritum vel Angelorum ministerium revelata atque conscripta, et promittendis rebus futuris et recognoscendis impletis testimonium perhiberent. – Die Übersetzung des Textes ist nicht ganz einfach. C.J. Perl, Der Wortlaut der Genesis, Bd. 2, Paderborn 1964, 108f; sowie P. Agaësse und A. Solignac, La Genèse au sens littéral. Œvres de saint Augustin, Bd. 49, Paris 1972, 123f, verstehen das ‚revelata atque conscripta‘ als ein die gesamte erste Hälfte des Finalsatzes bestimmendes Teilprädikat, beziehen es also sowohl auf ‚sive per hominum successiones‘ als auch auf ‚sive per suum Spiritum vel Angelorum ministerium‘. Dieses Verständnis scheint zwar formal richtig zu sein. Sachlich bereitet es aber Schwierigkeiten. Denn das Wort ‚Offenbarung‘ müßte in diesem Fall *gleichzeitig* zwei ganz verschiedene Vorgänge bezeichnen: eine von *Gott* her gewirkte *innere* Inspiration und *zugleich* ein auf *Adam* zurückgehendes und durch lebendige Tradition vermitteltes *äußeres* Zeugnis. Dieser ‚äquivoke‘ Wortgebrauch wäre sprachlich äußerst

„Offenbarung durch den Geist bzw. durch den Dienst von Engeln": diese Formulierung bringt den genannten Doppelaspekt des *einen* Offenbarungsgeschehens auf einen deutlichen und ausgewogenen sprachlichen Nenner. Aber auch wenn Augustinus bisweilen einen der beiden Aspekte stärker hervorhebt, bedeutet das nicht, daß er damit die grundlegende Verbindung von Imagination und Illumination, von Offenbarung durch Engel und Offenbarung durch Gott, nach einer Seite hin auflöst. Als Beispiel sei hier ein weiterer Text aus *De genesi ad litteram* angeführt. Augustinus fragt darin nach der Bedeutung der Schöpfungsworte Gottes, wie sie im ersten Schöpfungsbericht aufgeschrieben sind:

„Als Gott diese Worte sprach, hat er sie nicht als tönende und in die Zeit hinein gesprochene Worte hervorgebracht, sondern als schöpferische Wirkkraft, wie sie in seinem ewigen Wort enthalten ist. Was Gott jedoch ohne zeitliche Worte sprach, das konnte den Menschen nur mit zeitlichen Worten gesagt werden... Gott sprach, indem er dabei seine für alles zeitliche Werden ursächlichen Ideen der Schöpfung eingründete, durch die innerliche und innerste Wahrheit, die kein Auge je gesehen und kein Ohr je gehört hat, die aber sein Geist *dem Schreibenden* ganz sicher *geoffenbart* hat".[56]

Zwar spricht Augustinus hier nur von der Offenbarung der göttlichen Wahrheit, in welcher Gott seine zeitenthobenen Schöpfungsworte sprach. Aber er sagt bezeichnenderweise nicht, daß der biblische Autor zu einer ursprünglichen Schau der Schöpfungsideen Gottes befähigt worden wäre. Man wird also davon ausgehen können, daß Augustinus auch in diesem Text an der dialektischen Verbindung von Imagination und Illumination in der den

---

problematisch und dürfte von Augustinus wohl kaum gewollt sein. Es ist deshalb vielleicht sinnvoller, im Text eine geringe sprachliche Inkohärenz anzunehmen, die auf die gedrängte und vorantreibende Gedankenführung Augustins zurückzuführen ist, und dies dann bei der Übersetzung entsprechend zu berücksichtigen. Bei einer solchen Aufschlüsselung des Textes (siehe die vorgelegte Übersetzung) würde Augustinus nicht von zwei verschiedenen Weisen der Offenbarung, sondern von zwei verschiedenen Weisen der Zeugnisvermittlung sprechen: einer durch lebendige Tradition und einer durch innere Offenbarung. Dieses Verständnis des Textes entginge nicht nur der genannten Schwierigkeit, sondern wäre auch dem augustinischen Denken gemäßer. Ein durch lebendige Tradition vermitteltes äußeres Zeugnis als Offenbarung zu bezeichnen, stünde nämlich (im Unterschied zu den anderen in dieser Studie angeführten Ausnahmen — siehe 1. Teil § 7,5 und § 15, 1c) gleich in zweifacher Hinsicht dem üblichen augustinischen Wortgebrauch entgegen: Offenbarung wäre hier kein inneres, sondern ein äußeres Geschehen; und Ursprung und Subjekt des Offenbarungsgeschehens wäre nicht Gott, sondern der Mensch. Auch aus diesem Grund legt sich also die vorgeschlagene Übersetzung nahe.

[56] De gen. ad litt. 8,3,7: Verba ergo Dei sexto die dicentis, ‚ecce dedi vobis omne pabulum seminale seminans semen, quod est super onnem terram' et caetera, non sonabili vel temporali voce prolata verba sunt, sed sicut in Verbo eius est creandi potentia. Dici autem hominibus, quid sine temporalibus sonis Deus dixerit, nonnisi per temporales sonos potuit. Futurum enim erat... Cuius futuri causales rationes in creatura condens, tanquam iam exstitisset, loquebatur interna atque intima veritate, quam nec oculus vidit, nec auris audivit, sed Spiritus eius scribenti utique revelavit.

Hagiographen erfüllenden Inspiration festhält. Die Erkenntnis des biblischen Autors ist vermittelte Erkenntnis und nicht zu vergleichen mit der primordialen Erkenntnis der Engel. Ihm wurden einerseits die zeitlichen biblischen Schöpfungsworte eingegeben. Und zugleich partizipierte er, als er die ihm eingegebenen Worte niederschrieb, so an der göttlichen Wahrheit, daß er den Verweisungszusammenhang dieser zeichenhaften Worte mehr oder weniger deutlich einsah.

Dieser doppelte Offenbarungsaspekt hat nun beträchtliche Konsequenzen für Augustins biblische Hermeneutik. Die folgende Darstellung dieser Konsequenzen ist einerseits ein Vorgriff auf das erst später ausführlich zu behandelnde Thema ‚Offenbarung und biblische Hermeneutik‘, gehört andererseits aber doch in den Zusammenhang der hier erörterten Frage der biblischen Inspiration und wird die Richtigkeit der bisher vorgetragenen Interpretation noch einmal unter Beweis stellen.

4. Konsequenzen für eine biblische Hermeneutik

a) Die biblischen Autoren schreiben unter dem Einfluß einer von Engeln vermittelten bildhaften Offenbarung; und zugleich wird ihnen in einer einsichthaften Offenbarung Gottes mehr oder weniger deutlich und umfassend erschlossen, worauf die ihnen eingegebenen bildhaften Zeichen verweisen. In der Bibel finden sich aber nur die auf Wahres verweisenden Bilder und zeichenhaften Worte, nicht jedoch die unverstellte Wahrheit selbst[57]. Das bedeutet: Die biblischen Schriftsteller und die Leser der Schrift befinden sich, was die Einsicht in die Wahrheit betrifft, in je parallelen Situationen. Denn auch die Leser der Schrift bedürfen einer unmittelbaren göttlichen Offenbarung, wenn sie die bildhaften Worte, die die biblischen Autoren so aufgeschrieben haben, wie sie ihnen selbst vermittelt worden sind, verstehen wollen. Auch ihnen wird das mit den imaginativen Zeichen gemeinte Wahre erst in einer Einsicht eröffnenden Offenbarung erschlossen. Die Einsicht der Hagiographen und die der Leser geschieht also auf je gleiche Weise; sie ist von je gleicher Ursprünglichkeit und Unmittelbarkeit. Wegen der Eingebundenheit beider in die sensible Welt ist sie auch beidesmal nur unvollkommen und bruchstückhaft, und zwar, wie sich gleich zeigen wird, im intensiven und im extensiven Sinne. Das aber impliziert, daß die Einsicht beider nicht unbedingt deckungsgleich sein muß.

Für die *hermeneutische Fragestellung und Zielsetzung* Augustins hat das folgende Konsequenz: Eben weil bei Verfassern und Lesern der biblischen Schriften in erkenntnistheoretischer Hinsicht diese Parallelität der Situatio-

---

[57] C. Adim. 28,2: Sed plerumque in Scripturis sic posita inveniuntur, quemadmodum visa sunt, non etiam quemadmodum intellecta sunt, ut mentis visio, in qua totus fructus est, exercendis lectoribus servaretur.

nen vorliegt, kann es Augustinus bei der Schriftauslegung nicht primär um die Frage gehen, wie das Geschriebene vom Verfasser selbst verstanden worden sein mag, was also die dem Schreibenden selbst bewußte Aussageintention war. Eine solche hermeneutische Zielsetzung wäre für ihn wegen des immer nur partiellen intentionalen Wahrheitshorizontes des biblischen Autors gar nicht so sehr erstrebenswert. Erstrebenswert ist vor allem zu wissen, was ein Text überhaupt und unabhängig von der Aussageintention des Verfassers an Wahrem sagen kann. Diese hermeneutischen Implikate des augustinischen Offenbarungskonzepts, die analoge Elemente zu der in der Einleitung skizzierten Hermeneutik P. Ricœurs erkennen lassen, sollen nun anhand der Texte Augustins entfaltet werden.

b) In den letzten drei Büchern seiner *Bekenntnisse* bringt Augustinus eine Auslegung der Genesis[58]. Anläßlich dieser Genesisauslegung kommt er im 12. Buch auf Prinzipien der Schriftauslegung überhaupt zu sprechen. In Anbetracht der vielen möglichen Antworten auf die Frage nach der wahren Bedeutung der ersten Sätze des Schöpfungsberichts[59] stellt er die These auf, daß man unter den Worten der Bibel „Verschiedenes verstehen könne, das gleichwohl die Wahrheit treffe"[60]. Im 13. Buch faßt er diese These in den allgemeinen hermeneutischen Satz:

„Ich weiß nämlich, daß sich das, was auf eine Weise im Geist gedacht wird, auf vielerlei Weise in sinnenfälligen Zeichen ausdrücken läßt, und daß das, was in einer einzigen sinnenfälligen Form Ausdruck gefunden hat, auf vielerlei Weise verstanden werden kann."[61]

Den eigentlichen Grund für diesen hermeneutischen Sachverhalt sieht Augustinus in der grundsätzlichen Inkommensurabilität von zeichenhaftem biblischem Text und intelligibler Wahrheit gegeben. Dies erklärt auch, warum Augustinus seine These nicht nur auf eine allegorische Auslegung der Bibel angewandt wissen will, sondern auch auf eine solche ‚ad litteram', daß er also mit der Möglichkeit eines *‚mehrfachen Litteralsinnes'* rechnet[62]. Diese

---

[58] Einen Überblick über die verschiedenen Versuche, den Zusammenhang dieser Genesisauslegung mit dem ersten Teil der Confessiones zu erklären, gibt K. Grotz, Die Einheit der Confessiones. Warum bringt Augustinus in den letzten Büchern seiner ‚Confessiones' eine Auslegung der Genesis?, Tübingen 1970, 16–103.

[59] Vgl. dazu die ausgezeichnete Analyse von Conf. 12,17,24–26; 20,19; 21,30; 28,39 (vier Textgruppen, in denen Augustinus die verschiedenen Auslegungen anführt) und Conf. 12,19,28 (Axiome, an denen Augustinus den Warhheitsgehalt der einzelnen Auslegungen mißt) durch V. Goldschmidt, Exégèse et Axiomatique chez saint Augustin, in: Etudes sur l'histoire de la philosophie, Paris 1964, 14–42.

[60] Conf. 12,18,27: Diversa in his verbis intelligi possint, quae tamen vera sint.

[61] Conf. 13,24,36: Novi enim multipliciter significari per corpus, quod uno modo mente intelligitur, et multipliciter mente intelligi, quod uno modo per corpus significatur. – Vgl. zu diesem Text A. Holl, Die Welt der Zeichen, 84.

[62] Zum Thema eines ‚sensus multiplex' siehe vor allem Conf. 12, 31,42f und De doctr. christ. 3,27,38 und 28,39.

auf den ersten Blick befremdliche Annahme gewinnt nämlich vor dem Hintergrund der augustinischen Metaphysik durchaus an Plausibilität. Selbstverständlich bezweifelt Augustinus die Einheit des Litteralsinnes dort nicht, wo der unmittelbare Bedeutungszusammenhang eines biblischen Textes innerhalb des Bezugsrahmens der sensiblen Welt verbleibt[63]. Wo aber dieser Bedeutungszusammenhang, wie zum Beispiel im Fall des biblischen Schöpfungsberichts, in die transzendente Welt Gottes reicht und intelligible göttliche Sachverhalte erfaßt, dort ist wegen der Inkommensurabilität von Wortzeichen und intelligibler Wahrheit ein eindeutiger ,Litteralsinn' gar nicht fixierbar, dort kann sich deshalb die Interpretation ,ad litteram' auch nicht bei einer einzigen wahren Bedeutung beruhigen. Aufgrund der metaphysischen Prämissen Augustins und seiner entsprechenden Sprachtheorie müssen hier letztlich Litteralsinn und allegorischer Sinn ineinander übergehen[64]. Denn den Litteralsinn suchen, heißt hier gerade, den dieser Welt verhafteten Buchstaben übersteigen, um so dessen meta-physischen Sinn freizulegen[65]. Auf dem Hintergrund dieser hermeneutischen Grundsätze unterscheidet Augustinus bei der Genesisauslegung zwei verschiedene hermeneutische Fragestellungen und Probleme:

„Ich sehe, daß zweierlei Art von Meinungsverschiedenheit entstehen kann, wenn von wahrhaften Zeugen etwas in zeichenhafter Weise ausgesagt wird: Die eine, wenn über den wahren Sachverhalt der Dinge selbst *(de veritate rerum)* Uneinigkeit besteht; die andere, wenn Uneinigkeit besteht über die Aussageintention des Zeugen *(de ipsius qui enuntiat volunte).* Denn etwas anderes ist es, wenn wir bei der Schöpfungsgeschichte fragen, was die Wahrheit über die Schöpfung ist; etwas anderes die Frage, was Moses ... durch diese Worte dem Leser oder Hörer zu verstehen geben wollte."[66]

Selbst wenn also in der *philosophischen* bzw. theologischen Frage nach der Wahrheit der Schöpfung Einigkeit besteht, können bezüglich der *historischen* Frage nach der Aussageintention des biblischen Autors die Meinungsverschiedenheiten weitergehen. Von daher setzt sich Augustinus mit einem möglichen Einwand gegen die von ihm vorgebrachte Genesisinterpretation

---

[63] Dies betont G. Strauss, a.a.O. 129ff und 143ff; vgl. auch K. Grotz, a.a.O. 130.

[64] Siehe R. Lorenz, Die Wissenschaftslehre Augustins, 237; und ders., Zwölf Jahre Augustinusforschung, in: Theologische Rundschau 39, 1974, 352. Vgl. auch die ausgezeichnete Analyse von Augustins Auslegung ,ad litteram' durch P. Agaësse, in: La Genèse au sens littéral. Œvres de saint Augustin, Bd. 48, Paris 1972, 32–50 (Introduction IV).

[65] P. Agaësse, a.a.O. 40: „Nous aboutissons donc à cette conclusion paradoxale et pourtant inévitable, que chercher le sens littéral, c'est dépasser l'immédiat de la lettre, tout en s'y référant toujours, pour en dégager le sens métaphysique."

[66] Conf. 12,23,32: Duo video dissensionum genera oboriri posse, cum aliquid a nuntiis veracibus per signa enuntiatur, unum, si de veritate rerum, alterum, si de ipsius qui enuntiat volunte dissensio est. Aliter enim quaerimus de creaturae conditione, quid verum sit, aliter autem quid in his verbis Moyses ... intelligere lectorem auditoremque voluerit. Vgl. V. Goldschmidt, a.a.O. 25.

auseinander. Es könnte nämlich sein, daß jemand zwar die philosophische Wahrheit seiner Deutung grundsätzlich anerkennt, diese Deutung aber dennoch ablehnt, weil sie nicht auch die im historischen Sinne wahre sei:

„Obwohl diese Interpretation wahr ist, hatte sie Moses doch nicht im Auge, als er auf eine *Offenbarung* des Geistes hin sagte: ‚Im Anfang schuf Gott Himmel und Erde'."[67]

Augustinus gibt zu, nicht zu wissen, welche der vielen wahren Deutungen Moses selbst gemeint habe[68]. Er wehrt den vorgebrachten Einwand aber gerade dadurch ab, daß er nachweist, daß es gar nicht möglich sei, diese historische Frage mit Sicherheit zu lösen[69]. Wer dennoch von der eigenen Deutung behaupte, sie allein entspreche der Aussageintention des Moses, der wolle dadurch nur seine eigene Deutung als die einzig wahre sanktionieren; dies aber zeuge von Selbstgefälligkeit (superbia) und Verliebtheit in die eigenen Gedanken, nicht aber von Liebe zu der allen gemeinsamen Wahrheit der Sache selbst[70].

Um dem Streit über die Aussageintention des Moses den Boden zu entziehen, erwägt Augustinus dann doch noch eine Möglichkeit, wie er der historischen Frage Herr werden könnte. Diese Möglichkeit kann aber nur darin bestehen, dem Moses eine so umfassende Wahrheitserkenntnis zuzuschreiben, daß die historische Frage überflüssig wird. Zunächst geht Augustinus nur von der ehrfürchtigen Annahme aus, Moses habe auf jeden Fall eine besonders herausragende Einsicht gehabt. In einem zweiten Schritt geht er dann aber weiter und fragt, ob Moses nicht auch alle wahren Deutungen zugleich geschaut haben könnte:

„Wir alle, die wir bei diesen Worten des Moses Wahres erkennen und aussprechen..., sollten glauben, er habe unter Deiner *Offenbarung* beim Schreiben dieser Worte seinen Geist auf das gerichtet, was sich darin am allermeisten durch das Leuchten der Wahrheit und den Nutzen für das Heil auszeichnet."[71]

---

[67] Conf. 12,17,24: Dicunt enim: Quamvis vera sint haec, non ea tamen duo Moyses intuebatur, cum revelante spiritu diceret: ‚In principio fecit Deus coelum et terram'.

[68] Conf. 12,30,41: Ac per hoc, si quis quaerit ex me, quid horum Moyses, tuus ille famulus, senserit, non sunt hi sermones confessionum mearum, si tibi non confiteor: nescio.

[69] Conf. 12,24,33: Sed quis nostrum sic invenit eam inter tam multa vera, quae in illis verbis aliter atque aliter intellectis occurrunt quaerentibus, ut tam fidenter dicat hoc sensisse Moysen atque hoc in illa narratione voluisse intelligi, quam fidenter dicit hoc verum esse, sive ille hoc senserit sive aliud?

[70] Conf. 12,25,34: Nemo iam mihi molestus sit dicendo mihi: „Non hoc sensit Moysen, quod tu dicis, sed hoc sensit, quod ego dico" ... qui non mihi hoc dicunt, quia divini sunt et in corde famuli tui viderunt quod dicunt, sed quia *superbi* sunt nec noverunt Moysi sententiam, sed amant suam, non quia vera est, sed quia sua est. Alioquin et aliam veram pariter amarent, sicut ego amo quod dicunt, quando verum dicunt, non quia ipsorum est, sed quia verum est: et ideo iam nec ipsorum est, quia verum est.

[71] Conf. 12,30,41: Sed omnes, quos in eis verbis vera cernere ac dicere fateor ... hoc

„Warum sollen wir nicht glauben, Moses habe alle diese wahren Deutungen gekannt? ... Gewiß, all das Wahre, das wir in diesen Worten finden konnten, und all das, welches wir jetzt nicht oder noch nicht finden konnten, sich aber gleichwohl darin finden läßt, all das hatte Moses bei diesen Worten im Sinn und bedachte es, als er sie niederschrieb."[72]

Im weiteren Textverlauf geht Augustinus von dieser letztgenannten Möglichkeit jedoch wieder ab. Er kommt zurück auf seine schon vorher vertretene Meinung, auch dem Moses sei in der ihm zuteil gewordenen Offenbarung nur eine unvollkommene, perspektivische Einsicht erschlossen worden; auch Moses habe also nicht alle wahren Bedeutungen geschaut, auf die das ihm bildhaft Eingegebene verweist und in die hinein sich die eine Wahrheit Gottes ausspricht. Dabei stellt Augustinus zugleich die Verbindung zur erkenntnistheoretischen Situation des biblischen Lesers her und zeigt, daß das Verstehen von Autor und Leser auf gleiche Weise geschieht, von gleicher Ursprünglichkeit ist und prinzipiell die gleiche Qualität hat. Beiden eröffnet die göttliche Wahrheit selbst in einer einsichthaften Offenbarung einzelne Aspekte oder Facetten des von der bildhaften Rede Intendierten. Und diese einzelnen Aspekte, die verschiedenen wahren Bedeutungen, müssen für beide nicht deckungsgleich sein:

„Wenn Moses aber, weil er ein Mensch war, doch nicht alle wahren Bedeutungen geschaut hat, konnte deshalb etwa Deinem guten Geist etwas von dem verborgen sein, was Du selbst in diesen Worten den späteren Lesern *offenbaren* wolltest, auch wenn der, durch den sie gesagt worden sind, nur an eine von den vielen wahren Bedeutungen gedacht hat? ... Uns, Herr, gib diese kund oder sonst eine wahre nach Deinem Gefallen..., damit wir überhaupt etwas sagen, was uns durch seine Worte Deine Wahrheit sagen wollte, die auch ihm das gesagt hat, was sie ihm sagen wollte."[73]

c) Von hierher zeigt sich in aller Deutlichkeit der grundlegende Zusammenhang zwischen dem offenbarungstheologischen und dem hermeneutischen Konzept Augustins. Aufgrund dieses Zusammenhangs muß es sich Augustinus geradezu verbieten, einen biblischen Text innerhalb eines historisch-biographisch-psychologischen Bezugsrahmens zu erklären, um auf diese Weise die partielle Aussageintention des Verfassers zu erforschen[74]. Denn

---

eum te revelante, cum haec scriberet, attendisse credamus, quod in eis maxime et luce veritatis et fruge utilitatis excellit.

[72] Conf. 12,31,42: Cur non illa omnia vidisse credatur? ... Sensit ille omnino in his verbis atque cogitavit, cum ea scriberet, quidquid hic veri potuimus invenire et quidquid nos non potuimus aut nondum potuimus et tamen in eis inveniri potest.

[73] Conf. 12,32,43: Si quid homo minus vidit, numquid et Spiritum tuum bonum ... latere potuit, quidquid eras in eis verbis tu ipse revelaturus legentibus posteris, etiamsi ille, per quem dicta sunt, unam fortassis ex multis veris sententiam cogitavit? ... Nobis autem, Domine, aut ipsam demonstra, aut quam placet alteram veram ... ut ... id tamen dicam quod mihi per eius verba veritas tua dicere voluerit, quae illi quoque dixit quod voluit.

[74] Siehe V. Goldschmidt, a.a.O. 40: „... la méthodologie augustinienne récuserait ...

diese Aussageintention kann nach Augustins hermeneutischem Konzept gar nie mit Sicherheit fixiert werden. Es kann Augustinus deshalb nur darum gehen, im Anschluß an einen vorgegebenen Text der umfassenden göttlichen Wahrheit selbst nachzufragen, einen Text also im Horizont der philosophischen Frage nach der Wahrheit im ganzen zu erklären. Von hermeneutischem Interesse ist nicht die ,bloß' historische Wahrheit, sondern allein die unauslotbare philosophische Wahrheit[75].

Diese Hermeneutik Augustins ist von großer Offenheit. Denn sie rechnet grundsätzlich mit der Möglichkeit eines vielfältigen wahren Verständnisses eines Textes. Sie wendet sich gegen jede „imperialistische Interpretation"[76], die eine bestimmte, im philosophischen Sinne wahre Deutung als allein gültige dogmatisieren will, indem sie diese als die im historischen Sinne wahre, weil allein vom Verfasser intendierte, ausgibt. Diese philosophisch offene Hermeneutik[77] hat aber zugleich ihre Problematik, welche die der augustinischen Erkenntnistheorie überhaupt ist. Denn zwar wird nach dieser Hermeneutik die jeweilige philosophisch wahre Deutung im Anschluß an den Text gefunden und nicht einfach als schon vorher gewußte in den Text hineingelesen[78]. Dennoch steht die eigentliche Funktion, die der Text bei der Wahrheitsfindung haben soll, in Frage. Denn in Übereinstimmung mit den er-

---

l'interprétation historico-biographico-psychologique qui, indifférente à la vérité philosophique, utilise les textes comme des documents d'histoire naturelle dont on prétend restituer, à chaque phrase, le contenu psychologique exact que l'auteur avait dans l'esprit, en la rédigeant."

[75] Vgl. dazu ders., a.a.O. 39: „On dit parfois que l'historiographie de la philosophie se divise en deux périodes: d'Aristote à Hegel, elle demande si une doctrine est vraie; depuis le positivisme et le développement des disciplines historiques et philologiques, elle se contente de demander ce qu'a voulu dire l'auteur. Il est remarquable de voir que ces ,historiens' *modernes* existaient déjà à l'époque de saint Augustin et plus remarquable encore de constater avec quelle maîtrise Augustin fait le partage: atteindre, à partir du texte, la seule *voluntas* historiques de l'auteur, ou essayer, à partir de cette même donnée, d'accéder à la *veritas rerum.*"

[76] Siehe ders., a.a.O. 40: „... l'interpretation impérialiste qui se dit philosophique et qui, indifférente à la vérité historique, utilise les auteurs pour dogmatiser sous leur couvert, au lieu de les interroger pour s'instruire."

[77] K. Jaspers, Plato — Augustinus — Kant. Drei Gründer des Philosophierens, Stuttgart 1967, 118ff, sieht in dieser Hermeneutik Augustins zu Recht die „faktische Freiheit des Selbstdenkens" des „sich selber noch dunklen Glaubens", welches zwar „seine Gehalte in der Bibel wiederzufinden, ja, überhaupt erst zu finden meint", aber „wegen der Freiheit seiner Vollzüge in seinen bedeutenden Gehalten für uns verständlich (ist), ohne daß wir teilnehmen an seinem Offenbarungsglauben"; denn es sei „nachvollziehbar als unverlierbare Wahrheit im Raum der Vernunft" (118). Der Begriff des Offenbarungsglaubens, den Jaspers hier diesem ursprünglichen philosophischen Denken prinzipiell entgegensetzt, entspricht allerdings nicht dem Offenbarungsbegriff Augustins. — Vgl. auch H. Holl, Signum und Chiffer. Eine religionsphilosophische Konfrontation Augustins mit K. Jaspers, in: REA 12 (1966) 157—182.

[78] Siehe V. Goldschmidt, a.a.O. 39.

kenntnistheoretischen Grundsätzen von *De magistro* kommt hier den äußeren, zeichenhaften Worten des Textes keine eigenständige, wissensvermittelnde Funktion zu. Der Text soll nur anregen, die diesen Text übersteigende Wahrheit zu suchen[79]. Wenn es so ist, daß „man eine jede wahre Bedeutung, auf die man durch Nachdenken kommen mag, in den wenigen Worten Deines Dieners nicht beiseitegelassen findet"[80], dann entscheidet sich die Wahrheit einer Deutung nicht mehr einfach an diesen Worten, sondern an der Wahrheit selbst, die sich „aus Anlaß dieser Worte"[81] im Innern des erkennenden Subjekts ausspricht. Dann aber stellt sich die Frage, ob eine solche Hermeneutik nicht notwendig mehr oder weniger der Beliebigkeit anheimgegeben ist. Diese Problematik wird später eingehender zu erörtern sein.

5. Die biblischen Autoren als Offenbarer?

Das Wort ‚Offenbarung' bezeichnete bisher immer ein Mitteilungsgeschehen im Innern des einzelnen: Die Propheten waren Empfänger besonderer Eingebungen und Erleuchtungen; die Hagiographen wußten aus Offenbarung, wovon und was sie schreiben sollten. Nun hat es aber den Anschein, daß Augustinus zumindest in zwei Texten über diesen Wortgebrauch hinausgeht. Einer dieser beiden Texte findet sich im 17. Buch von *De civitate Dei* (420/25). Es heißt dort:

„Es hatten sich also die Verheißungen Gottes bezüglich des Volkes Israel zum großen Teil schon erfüllt. Und zwar nicht nur die, welche an die drei Väter Abraham, Isaak und Jakob und auch sonst zu ihrer Zeit ergangen waren, sondern auch die, welche durch Moses selbst, der das Volk aus der ägyptischen Knechtschaft befreite und *durch den die ganze Vergangenheit geoffenbart wurde*, während der Wüstenwanderung vermittelt worden sind."[82]

Entgegen dem sonst bei Augustinus üblichen Wortgebrauch bezeichnet ‚Offenbarung' in diesem Text kein inneres, sondern ein äußeres Mitteilungsgeschehen: Durch Moses wurde die Vergangenheit offenbart, an den Tag ge-

---

[79] Vgl. ders., a.a.O. 27: „En d'autres termes et conformément à la doctrine du De Magistro: aucune valeur autonome n'est à accorder aux *signes* verbaux, aux paroles écrites, entièrement au service de la vérité qu'on peut saisir à partir d'elles. La *voluntas* de l'auteur, telle qu'on doit la présupposer, n'est autre que de nous faire accéder intégralement à la *veritas rerum."*

[80] Conf. 12,26,36: ... ut..., in quamlibet veram sententiam cogitando venissent, eam non praetermissam in paucis verbis tui famuli reperirent.

[81] Conf. 12,32,43: ... sive aliud ex eorundem verborum occasione patefacias.

[82] De civ. Dei 17,2: Erat igitur iam in terra promissionis ... populus Israel, ... impletis de ipso populo promissionibus Dei magna iam ex parte; non solum quae tribus illis patribus Abraham Isaac et Iacob et quaecumque aliae temporibus eorum, verum etiam quae per ipsum Moysen, per quem populus idem de servitute Aegyptia liberatus, et per quem cuncta praeterita revelata sunt, temporibus eius, cum populum per eremum duceret, factae fuerant.

bracht, dem menschlichen Wissen zugänglich gemacht. Wie soll man sich diesen veränderten Wortgebrauch erklären? Die Vergangenheit, von der hier die Rede ist, ist die biblische Urgeschichte von der Schöpfung bis zur Zeit des Moses, wie sie Moses selbst in den von ihm verfaßten kanonischen Büchern aufgeschrieben hat. Offenbart wurde diese Vergangenheit durch Moses in seiner Eigenschaft als biblischer Autor, durch den der Nachwelt ein Wissen von dieser Vergangenheit vermittelt wurde. Müßte Augustinus hier aber nicht eher davon sprechen, daß dem Moses selbst diese vergangene Geschichte offenbart wurde? Warum sagt er statt dessen, *durch* Moses sei sie offenbart worden? Die Fragen legen selbst die Antwort nahe. Denn könnte es nicht sein, daß Augustinus hier gerade deshalb das Wort ‚Offenbarung' benützt, weil er davon ausgeht, daß die von Moses aufgeschriebene biblische Urgeschichte tatsächlich nur durch Offenbarung Gottes bekannt werden konnte. Der neue Wortgebrauch würde dann zwar nichts von seiner Neuheit verlieren, könnte aber doch als ein einfacher Nachhall des von Augustinus mitbedachten ursprünglichen Offenbarungssachverhaltes interpretiert werden.

Der zweite Text, der hier erwähnt werden muß, macht diesen Zusammenhang noch deutlicher. Es handelt sich um einen Text aus dem *Kommentar zu Psalm 43*, der nach Zarb in das Jahr 412 zu datieren ist[83]. Der Psalm, so sagt Augustinus, spreche von den vergangenen Heilstaten Gottes und von dem zukünftigen Heil am Ende der Zeiten. Das Vergangene hätten die Väter des Alten Bundes erzählt und überliefert. Das Zukünftige aber sei von den Propheten vorherverkündet worden. Denn den Propheten sei das Zukünftige so gewiß wie das Vergangene. Deshalb könne nun auch uns dieses Zukünftige gewiß sein. Augustinus fragt nun:

„Wo aber ist dieser unser Gott...? Wo ist er, der all das getan hat, was uns unsere Väter erzählt haben? Wo ist er, der all das tun wird, was er *uns durch seinen Geist geoffenbart* hat?"[84]

Das durch den Geist Gottes Offenbarte, das sind die zukünftigen Dinge, die die Propheten vorausverkündet haben. Eigentlich wurden diese Dinge nicht uns geoffenbart, sondern eben diesen Propheten, die sie verkündet und aufgeschrieben haben. Wir selbst haben nur ein durch die prophetischen Schriften vermitteltes Wissen von diesen Dingen. Wenn Augustinus dennoch sagt, sie seien *uns* geoffenbart worden, dann geht er offensichtlich vom übli-

---

[83] S. Zarb, Chronologia Enarrationum S. Augustini in Psalmos, La Valetta 1948, 253—256 (Tabula Chronologica).

[84] En. in psalm. 43,8—10: Nobis enim ea quae praeterierunt, certa sunt; quae futura, incerta sunt... Da prophetam cui tam certum sit futurum quam tibi praeteritum... Haec ergo futura cum certa sint nobis, et illa praeterita cum a patribus nostris audierimus, quid modo? ... Ubi est ergo ille Deus noster...? Ubi est ille qui fecit omnia quae nobis narraverunt patres nostri? Ubi est qui facturus est omnia quae nobis revelavit per Spiritum suum?

chen Wortgebrauch ab. Denn Offenbarung ist nun nicht mehr ausschließlich ein *unmittelbar innerliches,* sondern darüber hinaus auch ein *durch Zeugen vermitteltes* göttliches Mitteilungsgeschehen. Deutlicher als im vorangegangenen Text zeigt sich hier aber, daß Augustinus zu dieser Erweiterung des Wortgebrauchs nur deshalb kommt, weil er die ursprüngliche prophetische Offenbarung im Sinn hat. Nicht der vermittelnde Zeuge steht nämlich im Vordergrund, sondern der ursprünglich offenbarende Geist Gottes, nicht also der Vermittlungsgedanke, sondern der ursprüngliche Offenbarungssachverhalt. Dennoch läßt sich nicht bestreiten, daß Augustinus hier zu einem neuen Wortgebrauch gelangt, der ganz sicher Ausdruck seiner wachsenden Hochschätzung der Bibel und vor allem des äußeren, vermittelnden Wortes der Bibel ist.

§ 8 Eingebungen

1. Revelatio, inspiratio, admonitio

Den Propheten und biblischen Schriftstellern wurden besondere Offenbarungen zuteil, weil sie einen öffentlichen Verkündigungsauftrag zu erfüllen hatten. Oder umgekehrt: Gerade durch diese Offenbarungen wurden sie zu herausragenden Funktionsträgern innerhalb des biblischen Volkes und innerhalb der biblischen Geschichte. Aber nicht immer müssen göttliche Offenbarungen und Inspirationen mit einer solchen besonderen Beauftragung gekoppelt sein. Vielmehr ist Augustinus überzeugt, daß Gott durch besondere Eingebungen und innere Ermahnungen auch in das alltägliche Leben eines jeden einzelnen lenkend eingreift. Diese Überzeugung zeigt sich vor allem an der Unbekümmertheit, mit der Augustinus bei der Erklärung biblischer Berichte auf besondere Offenbarungen rekuriert. Die folgenden Texte Augustins sollen dies dokumentieren.

a) In der antimanichäischen Schrift *Contra Adimantum,* in welcher es insgesamt um den Nachweis der von den Manichäern bestrittenen Einheit von Altem und Neuem Testament geht, setzt sich Augustinus unter anderem mit der Frage auseinander, wie sich denn das im Alten Bund erlaubte Töten von Feinden mit dem neutestamentlichen Gebot der Feindesliebe vereinbaren lasse. Augustinus antwortet zunächst geschichtstheologisch, die Gebote des Alten Bundes würden einer planvollen Heilspädagogik Gottes entsprechen[1]. Die zweite Antwort zielt auf die sittliche Gesinnung „der wenigen, die schon damals in jenem Volk heilig und geistig gesinnt waren, wie zum Beispiel Moses und die Propheten". Diese geistig Gesinnten, so sagt Augustinus,

---

[1] Siehe dazu den 2. Teil der Arbeit, bes. § 2 (Dispensatio temporalis).

hätten ihre Feinde nicht aus irdischer Gesinnung getötet, sondern aus Liebe, aus Sorge um deren ewiges Heil, auch wenn die Schrift das nicht ausdrücklich sagt. Zur Begründung seiner These verweist Augustinus auf die Möglichkeit besonderer Offenbarungen:

> „Denn die sehr wenigen geistig Gesinnten wußten aufgrund göttlicher *Offenbarungen*, was sie tun sollten, damit das Volk, dem der Schrecken nützlich war, durch eine strenge Herrschaft gebeugt würde."[2]

Auf gleiche Weise argumentiert Augustinus, wo „heilige und geistig gesinnte Männer" des Alten Bundes scheinbar gegen bestimmte Anordnungen Gottes verstoßen. Er behauptet einfach, sie seien in Wahrheit keine Gesetzesbrecher, weil sie auf einen besonderen Befehl Gottes, eine besondere Offenbarung hin gehandelt hätten. So sagt er in den *Quaestiones ad Heptateuchum* von Elias, der, um die Götzenpriester von der Macht des Gottes Israels zu überzeugen, außerhalb des Zeltes Gottes das Opfer darbrachte (3 Kg 18,30ff), obwohl das von Gott verboten worden war:

> „Man muß annehmen, daß er das auf einen Befehl Gottes hin getan hat, der ihm wie einem Propheten durch *Offenbarung* (revelatione) und *Eingebung* (inspiratione) befahl, so zu handeln."[3]

Ähnlich versucht er, einen von Aaron begangenen Verstoß gegen eine bestimmte Opfervorschrift (Lev 10,15ff) zu rechtfertigen. Die Erklärung, die Aaron vor Moses für seinen angeblichen Verstoß abgibt, „habe der Priester Aaron aus einer göttlichen *Inspiration* heraus gesagt"[4].

b) Die Argumentation mit Hilfe einer besonderen Offenbarung wird Augustinus erleichtert, wo der biblische Text selbst ihm eine solche Argumentation in irgendeiner Weise nahelegt. Dies ist zum Beispiel bei der Geschichte von der Segenserschleichung Jakobs (Gn 27,18ff) der Fall. Warum war Isaak eigentlich nicht erzürnt, als er den Betrug Jakobs entdeckte? Die Antwort darauf kann nur lauten, Isaak habe durch Offenbarung gewußt, daß es sich

---

2 C. Adim. 17,2: Nos autem neque illud quod de hostibus hominibus occidendis in veteribus libris illi populo dictum est, contrarium esse dicimus huic praecepto evangelico, quo nobis, ut inimicos nostros diligamus Dominus iubet: quandoquidem illa inimicorum interfectio carnali adhuc populo congruebat... Hi vero qui tunc in illo populo sancti et spirituales homines erant paucissimi, sicut Moyses, sicut Prophetae, quo animo facerent illam inimicorum interfectionem, utrum eos quos interficiebant, diligerent, multum latet indoctos et impios... Et in vetere Scriptura tacetur animus vindicantium, quia paucissimi spirituales divinis revelationibus quid facerent, noverant, ut populus cui terror utilis erat severissimo imperio domaretur.

3 Quaest. in Hept. 7,36: Nam et sic Elias extra tabernaculum Domini ad convincendos sacerdotes idolorum sacrificavit: quod ex praecepto Domini fecisse intelligendus est, qui ei tanquam prophetae revelatione atque inspiratione iussit ut faceret.

4 Quaest. in Hept. 3,36: Sed quia hoc primum fuit ipso primo die primitus oblatum, credendum est Aaron sacerdotem hoc divina inspiratione dixisse.

hier nicht einfach um Betrug handelt. So sagt Augustinus im 16. Buch von *De civitate Dei* (419/20):

„Als der Ältere nun den versprochenen Segen begehrt, erschrickt Isaak und merkt, daß er statt des einen den anderen gesegnet hat... Aber gleichwohl klagt er nicht über Betrug, sondern, da ihm sogleich innerlich im Herzen das große Geheimnis *geoffenbart* worden ist, unterdrückt er den Unwillen und bestätigt den Segen... Wer erwartete hier nicht viel eher den Fluch eines Erzürnten, wenn sich das alles auf rein menschliche Weise zugetragen hätte und nicht höhere *Eingebung* (inspiratione) am Werk gewesen wäre?"[5]

In den ungefähr zur gleichen Zeit entstandenen *Quaestiones ad Heptateuchum* begründet Augustinus seine Annahme, dem Isaak sei eine besondere Offenbarung zuteil geworden, mit Hilfe einer sprachlichen Beobachtung. Er stellt nämlich fest, daß dort, wo die lateinischen Übersetzungen vom *Schrekken* (pavor) Isaaks sprechen, die griechischen das Wort *Ekstase* haben. Wenn aber der Schrecken Isaaks als Ekstase verstanden werden muß, dann liegt der Offenbarungssachverhalt auf der Hand:

„Weil aber eine *Ekstase* bei *Offenbarungen* von großen Dingen einzutreten pflegt, muß man annehmen, in dieser Ekstase sei an Isaak eine bildhaft vermittelte Belehrung *(spiritualis admonitio)* ergangen, er solle den Segen über seinen jüngeren Sohn bestätigen, statt ihm zu zürnen, weil er den Vater getäuscht hat."[6]

Der sich an die Geschichte von der Segenserschleichung Jakobs anschließende Bericht von der Feindschaft Esaus gegen Jakob (Gn 27,41ff) gibt Augustinus ein weiteres Mal Anlaß, auf ein verborgenes Offenbarungsgeschehen zu schließen. Im Anschluß an den eben zitierten Text fragt er, wie denn der Rebekka dem biblischen Bericht zufolge die Worte Esaus, er wolle seinen Bruder töten, hinterbracht werden konnten, obwohl es doch zugleich heißt, Esau habe diese Worte in seinem Herzen gesprochen. Die Antwort lautet:

„Dadurch wird uns zu erkennen gegeben, daß ihnen alles von Gott her *geoffenbart* wurde."[7]

---

[5] De civ. Dei 16,37: Ecce benedictionem promissam repetente maiore, expavescit Isaac, et alium se pro alio benedixisse cognoscens miratur..., nec tamen se deceptum esse conqueritur: immo confestim revelato sibi intus in corde magno sacramento devitat indignationem, confirmat benedictionem... Quis non hic maledictionem potius expectaret irati, si haec non superna inspiratione, sed terreno more gererentur?

[6] Quaest. in Hept. 1,80: Quod habent latini codices ,Expavit autem Isaac pavore magno valde', graeci habent ἐξέστη δὲ ῾Ισαακ ἔκστασιν μεγάλην σφόδρα, ubi tanta commotio intelligitur, ut quaedam mentis alienatio sequeretur. Ipsa enim proprie dicitur ecstasis. Et quia solet in magnarum rerum revelationibus fieri, in hac intelligendum est factam esse spiritualem admonitionem, ut confirmaret benedictionem suam in filio minore, cui potius irascendum fuit quod fefellerit patrem.

[7] Quaest. in Hept. 1,81: Quomodo annuntiata vel renuntiata sunt verba Esau Rebeccae, quibus comminatus est occidere fratrem suum, cum Scriptura dicat hoc eum in sua cogitatione dixisse; nisi quia hinc nobis datur intelligere, quod divinitus eis revelabantur omnia?

2. Besonderheiten

Wie bereitwillig und freizügig Augustinus mit Hilfe des Offenbarungsgedankens argumentieren kann, illustrieren besonders die beiden folgenden Texte, die ein wenig aus dem Rahmen des Bisherigen herausfallen. Zwar geht es darin wie bisher um besondere Offenbarungen und Eingebungen. Aber die Adressaten dieser Offenbarungen sind doch ungewöhnlich, nämlich in dem einen Fall Engel bzw. der zukünftige Teufel, im andern Fall Jesus.

Im 11. Buch von *De genesi ad litteram*, in welchem es um den Themenkomplex ‚Sünde und Teufel' geht, fragt Augustinus, ob der Teufel vor seinem Fall eine Zeitlang zusammen mit den heiligen Engeln in voller Glückseligkeit gelebt haben könne[8]. Augustinus verneint die Frage. Der zukünftige Teufel habe keinen Augenblick das glückselige Leben der Engel gekostet, sondern sei sofort nach seiner Erschaffung von Gott abgefallen. Zur Begründung seiner Meinung deckt Augustinus die Aporien auf, auf die man bei gegenteiliger Annahme stoßen muß: Zum glückseligen Leben gehöre die Gewißheit ewiger Dauer. Dem zukünftigen Teufel aber hätte, als er noch ein guter Engel war, diese Gewißheit notwendigerweise fehlen müssen. Also wäre er doch nicht glückselig gewesen. Nicht einmal seine eigene Zukunft hätte ihm bekannt sein dürfen. Warum und wie aber sollte Gott unter den Engeln von vorneherein eine solche Scheidung vornehmen?

„Müssen wir sagen, Gott habe dem Teufel, als er noch ein guter Engel war, nicht *offenbaren* wollen, was dieser später tun und was er erleiden würde? Den übrigen aber habe er *geoffenbart*, daß sie in Ewigkeit in seiner Wahrheit bleiben würden? Wenn das aber so ist, dann war er nicht auf gleiche Weise glückselig, ja, er war überhaupt nicht glückselig, da doch die Seligen sich ihrer Glückseligkeit gewiß sind... Durch welches Verschulden aber wurde er von den übrigen so unterschieden, daß Gott ihm nicht einmal das, was seine eigene Zukunft anbelangte, *offenbaren* wollte?"[9]

Augustinus spricht hier hypothetisch. Es geht nicht um die Darstellung tatsächlicher Sachverhalte, sondern um das Aufzeigen einer Aporie. Man darf deshalb den Gebrauch des Wortes ‚Offenbarung' in diesem ungewohnten Zusammenhang gewiß nicht überinterpretieren. Der Text mag aber immerhin dokumentieren, in welch selbstverständlicher Mannigfaltigkeit Augustinus sein Offenbarungskonzept anwendet.

Der zweite Text ist dem *Johanneskommentar* entnommen. Augustinus versucht darin zu verstehen, warum Jesus betrübt wurde, als er sagte, einer sei-

---

[8] Siehe De gen. ad litt. 11,14,18–26,33.
[9] De gen. ad litt. 11,17,22: An dicemus hoc Deum diabolo revelare noluisse, cum adhuc esset angelus bonus, vel quid facturus, vel quid passurus esset; caeteris autem hoc revelasse quod essent in aeternum in eius veritate mansuri? Quod si ita est, ideo iam non aequaliter beatus, imo iam nec plane beatus fuit, quandoquidem plane beati de sua beatitudine certi sunt... Quo autem malo merito ita discernebatur a caeteris, ut ei Deus nec ea, quae ad ipsum pertinerent, futura revelaret?

ner Jünger werde ihn verraten (Joh 13,21). Er fragt:

„Kam ihm das etwa damals erst in den Sinn? Oder wurde es ihm damals erst plötzlich *geoffenbart*, und betrübte ihn die überraschende Neuheit eines solchen Frevels?"[10]

Es handelt sich hier um eine rhetorische Frage, wie der weitere Textverlauf zeigt. Nach Augustins Christologie sind das menschliche Wissen und die menschlichen Gefühlsregungen Christi ganz von der göttlichen Natur Christi durchherrscht und bestimmt[11]. Jesus bedarf also keiner Offenbarungen. Aber offensichtlich kann Augustinus diese rhetorische Frage gerade deshalb stellen, weil für ihn göttliche Eingebung und Offenbarung eine gängige menschliche Erfahrung ist, die vielleicht auch einer plötzlichen Gefühlsregung zugrunde liegen kann.

Von hierher läßt sich nun die Linie ziehen von den Offenbarungen in der Bibel zu den Offenbarungen in der Kirche. Denn auch in der Zeit der Kirche ist Offenbarung für Augustinus eine immer aktuelle Möglichkeit. Und hier besonders zeigt sich Augustins prinzipielle Aufgeschlossenheit für revelatorische Phänomene.

---

[10] In evang. Ioh. 60,1: Numquidnam illi (scl. Iesu) hoc tunc primum venit in mentem, vel tunc primum ei subito revelatum est, eumque repentina tanti mali novitas turbavit?
[11] Siehe T.J. van Bavel, Recherches sur la Christologie de saint Augustin, 149: „Pour saint Augustin, l'intelligence humaine (scl. du Christ) est avant tout dans le pouvoir de la divinité du Christ. Si le Christ subit les lois de notre nature, c'est parce qu'il les admet." − Vgl. De gen. c. Man. 1,22,34; C. mend. 13,27; De gen. c. Man. 1,8,14; Ann. in Iob 38.

III. Kapitel

OFFENBARUNGEN IN DER KIRCHE

§ 9 Visionen, Eingebungen, Offenbarungen

1. Offenbarungen im religiösen Leben einzelner

a) Augustinus berichtet nirgendwo von eigenen visionären Offenbarungserlebnissen. In seinen *Bekenntnissen* spricht er aber von Offenbarungen, die seiner Mutter Monnika zuteil geworden sind und die seine eigene Zukunft betrafen. Unmittelbar nach der Schilderung des berühmten Bekehrungserlebnisses im mailändischen Garten (tolle, lege), das selbst wunderhaften Charakter hat[1], sagt er:

> „Du hast mich zu Dir hin umgekehrt, so daß ich fortan weder nach einer Frau suchte noch sonst irgendetwas von dieser Welt erhoffte. Ich stand nun fest auf jenem Richtscheit des Glaubens, auf dem Du mich ihr (der Mutter) vor so vielen Jahren in einer *Offenbarung* gezeigt hast."[2]

Der Text bezieht sich auf einen von Augustinus schon im 3. Buch berichteten *Traum* Monnikas, in welchem ihr, auf ihre Tränen und Gebete um ihren Sohn hin, dessen zukünftige Bekehrung zugesichert wird[3]. Die Bezugnahme auf diesen Traum zeigt, wie die Mitteilung durch Offenbarung hier gedacht ist. Im Traumbericht selbst erscheint das Wort ‚Offenbarung' zwar nicht, vielmehr nur die Worte *‚somnium'* und *‚visio'.* Aber Augustinus führt den Traum doch ausdrücklich auf ein Wirken Gottes zurück. Der Traum ist also Medium göttlicher Mitteilung.

An einer anderen Stelle der *Bekenntnisse* kommt zum Ausdruck, daß Monnika als Antwort auf ihre Gebete um das Heil ihres Sohnes offensichtlich mehrere solche zusichernde Visionen hatte. In all diesen Visionen sieht Augustinus Gott am Werk:

> „Fern sei der Gedanke, Du hättest sie täuschen können mit jenen von Dir kommenden *Visionen* und *Kundgaben* — ich habe von ihnen berichtet, aber nicht von allen —, die sie gläubig im Herzen bewahrte."[4]

---

[1] Conf. 8,12,29: Surrexi, nihil aliud interpretans, nisi *divinitus* mihi iuberi ut aperirem codicem, et legerem, quod primum caput invenissem. — Die Deutung des Bekehrungserlebnisses, vor allem die Frage der Historizität, ist umstritten. Siehe dazu P. Courcelle, Recherches sur les Confessions, 188—202.

[2] Conf. 8,12,30: Convertisti enim me ad te, ut nec uxorem quaererem, nec aliquam spem saeculi huius, stans in ea regula fidei, in qua me ante tot annos ei revelaveras.

[3] Conf. 3,11,19f. Zu den verschiedenen Visionen Monnikas, vor allem zu ihrem entscheidenden Traum in Conf. 3,11,19f, siehe auch M. Dulaey, a.a.O. 72ff und 158ff.

[4] Conf. 5,9,17: Absit, ut tu falleris eam in illis visionibus et responsionibus tuis, quae iam commemoravi et quae non commemoravi, quae illa fideli pectore tenebat.

In dieser besonderen visionären Begabung Monnikas kann Augustinus sogar selbst Hilfe suchen. So wendet er sich in der für ihn unlösbar scheinenden Frage einer möglichen Verehelichung an seine Mutter in der Erwartung, ihr könnte vielleicht in einer Vision etwas über seine künftige Heirat offenbart werden:

„Obwohl sie Dich auf meine Bitte wie aus eigenem Verlangen ... täglich bat, Du möchtest ihr in einer *Vision* etwas über meine künftige Ehe kundtun, hast Du ihr doch nie den Gefallen getan. Sie sah wohl irgendwelche nichtigen und trügerischen Bilder, auf die ihr um dieses Anliegen so besorgter und ungestümer Geist verfiel. Und sie erzählte mir auch davon, aber nicht mit der Zuversicht, die sie immer zeigte, wenn Du ihr etwas kundtatest, sondern mit Geringschätzung. Sie sagte nämlich, sie erkenne an einer Art Wohlempfindung, die sie mit Worten nicht zu beschreiben vermochte, den Unterschied zwischen dem, was Du *offenbarst,* und dem, was ihre Seele aus sich heraus *träumt.* "[5]

Hier erweist sich wieder die große Bereitschaft Augustins, jederzeit besondere göttliche Eingebungen für möglich zu halten. Zugleich aber wird auch eine Zurückhaltung sichtbar. Nicht alle Visionen sind göttlichen Ursprungs. Das meiste kommt aus dem Begehren der menschlichen Seele selbst. Eine sorgfältige Unterscheidung zwischen gewöhnlichen Traumgesichten und Offenbarungen läßt sich allerdings nicht verobjektivieren. Es ist dem Text zufolge ein psychisches Empfinden, ein besonderer ‚Geschmack' (sapor), der die Seele erfüllt. Es ist, wie die Offenbarung selbst, charismatischer Natur.

b) M. Dulaey weist in ihrer Arbeit über den Traum bei Augustinus auf den ursächlichen Zusammenhang von Christenverfolgungen und Traumoffenbarungen. Der symbolische Traum habe ins Christentum Eingang gefunden mit den Traumgesichten der Märtyrer. Die besonderen Bedingungen, unter denen diese Träume zustandegekommen seien, sowie die in ihnen begegnende vertraute religiöse Symbolsprache seien Anlaß gewesen, diese Träume für inspiriert zu halten[6]. In seinen *Heiligenpredigten* gibt Augustinus von diesen Offenbarungen Zeugnis.

In einer Predigt anläßlich des Jahrestages des Martyriums der Perpetua und der Felizitas heißt es: „Der heutige Tag ... ruft uns den Tag ins Gedächtnis und vergegenwärtigt ihn irgendwie, an welchem die heiligen Dienerinnen Gottes, Perpetua und Felizitas, mit der Krone des Martyriums geschmückt, in ewiger Glückseligkeit erstrahlten. Wir haben die Ermutigungen, die sie in göttlichen *Offenbarungen* erfahren haben, und ihr siegreiches

---

[5] Conf. 6,13,23: Cum sane et rogatu meo et desiderio suo forti clamore cordis abs te deprecaretur cotidie, ut ei per visum ostenderes aliquid de futuro matrimonio meo, numquam voluisti. Et videbat quaedam vana et phantastica, quo cogebat impetus de hac re satagentis humani spiritus, et narrabat mihi non cum fiducia, qua solebat, cum tu demonstrabas ei, sed contemnens ea. Dicebat enim discernere se nescio quo sapore, quem verbis explicare non poterat, quid interesset inter revelantem te et animam suam somniantem.

[6] M. Dulaey, a.a.O. 41ff, bes. 47.

Leiden eben gehört, wie es vorgelesen wurde."[7]

In einer zweiten Predigt über diese beiden Heiligen wird deutlich, welcher Art diese Offenbarungen waren: „Es erfreut den frommen Geist, ein solches Schauspiel zu betrachten, wie es die glückselige Perpetua erzählt: Es sei ihr über sie selbst *geoffenbart* worden, sie habe, zu einem Mann geworden, mit dem Teufel gekämpft. Durch diesen Kampf gelangte sie ja auch selbst zu dem einen vollkommenen Mann, zu der ganzen Fülle, die Christus in sich schließt."[8]

In einer Predigt zum Fest des Cyprian erzählt Augustinus von dessen Gefangennahme und schließliches Warten auf das Martyrium und fragt: „Was konnte denn das Wüten des Verfolgers gegen dieses immer bereite Herz noch ausrichten, das zudem durch eine ihm zuteil gewordene *Offenbarung* des Herrn gefestigt worden ist? Würde denn der Herr den in seiner Passion verlassen, den er nicht einmal ohne dessen Vorauswissen ergreifen ließ?"[9]

Die Heiligen, denen das Martyrium bevorstand, haben nach diesen Texten durch Offenbarung Ermutigung und Zuspruch erfahren. Zum Teil wurde ihnen ein Wissen über das zukünftige Martyrium vermittelt. Vor allem aber erhielten sie die Gewißheit, in diesem letzten Kampf zu bestehen und zu siegen. In diesem Sinne interpretiert Augustinus auch 2 Tim 4,6—8, wo Paulus in zuversichtlichem Ton von seinem nahen Tod durch das Martyrium spricht. Augustinus ist überzeugt, daß Paulus, so wie die übrigen Märtyrer, durch göttliche Offenbarung über sein zukünftiges Leiden und vor allem über den damit verbundenen endgültigen Sieg vergewissert wurde und daß die Stelle aus dem Timotheusbrief von dieser Offenbarung Zeugnis gibt:

„Schon ist der Kelch in deiner Hand, schon steht das Leiden bevor. Was machst du, daß du nicht wankst? Was machst du, daß du nicht unsicher wirst? ... Was ich mache, sagt er? ... ‚Ich werde nun als Opfer hingegeben', sagt er. Darin ist er durch *Offenbarung* vergewissert und ermutigt worden. Denn seine menschliche Schwachheit hätte nicht gewagt, dies so sicher zu behaupten. Seine Zuversicht kam nicht aus ihm selbst, sondern aus dem, der ihm alles gegeben hat."[10]

---

7 Sermo 280,1,1: Hodiernus dies anniversaria replicatione nobis in memoriam revocat, et quodam modo repraesentat diem, quo sanctae famulae Dei Perpetua et Felicitas coronis martyrii decoratae, perpetua felicitate floruerunt... Exhortationes eorum in divinis revelationibus, triumphosque passionum, cum legerentur, audivimus. — Es besteht kein Grund, revelatio hier im objektiven statt im aktiven Sinne zu verstehen, wie es A.C. de Veer, a.a.O. 340, tut.

8 Sermo 281,2,2: Delectat autem piam mentem tale spectaculum contueri, quale sibi beata Perpetua de se ipsa revelatum esse narravit, virum se factam certasse cum diabolo. Illo quippe certamine in virum perfectum etiam ipsa currebat, in mensuram aetatis plenitudinis Christi.

9 Sermo 309,2,3: Quid iam fremeret persecutoris impetus adversus cor semper paratum, accedente etiam Domini revelatione firmatum? Quando enim desereret patientem, quem non est passus praeoccupari nescientem?

10 Sermo 299,3: De passione sua iam imminente et propinquante praenuntiantem audivimus Paulum... Ecce iam calix in manu tua est, iam imminet passio. Quid facis ne trepides? Quid facis ne titubes? ... Quid faciam, inquit? ... ‚Ego', inquit, ‚iam immolor'. Confirmatum illi erat revelatione: non enim hoc sibi humana infirmitas promittere auderet. Fiducia eius non a se, sed ab eo qui totum dedit...

c) In der antipelagianischen Schrift *De peccatorum meritis et remissione* (411/12) kommt Augustinus auf den gleichen Paulustext zu sprechen. Die Argumentation mit einer heilsvergewissernden Offenbarung dient ihm hier dazu, einen Irrtum der Pelagianer zurückzuweisen. Unter Berufung auf 2 Tim 4,6—8 und die darin von Paulus zum Ausdruck gebrachte Heilssicherheit behaupten diese nämlich, der Mensch könne schon in diesem Leben vollkommen und sündelos sein. Augustinus entgegnet:

„Wenn Paulus aber deshalb so sicher und sorglos war..., weil ihn über den Sieg im bevorstehenden Kampf derjenige schon sicher und sorglos gemacht hat, der ihm auch *offenbart* hatte, daß diese Passion nun nahe sei, dann hat er das nicht aus der Vollkommenheit der schon erfüllten Sache heraus gesagt, sondern aus der ihm zuteil gewordenen Unerschütterlichkeit der festen Hoffnung."[11]

Später, im 11. Buch von *De civitate Dei*, formuliert Augustinus deshalb den allgemeinen Grundsatz, kein Mensch könne sich in diesem Leben seines Heiles sicher sein, es sei denn aufgrund einer besonderen Offenbarung:

„Kein Mensch nämlich weiß, ob er im Tun der Gerechtigkeit und im tätigen Voranschreiten bis ans Ende ausharren wird, wenn er darüber nicht vergewissert wird durch eine *Offenbarung* von dem, der in dieser Sache nach einem gerechten und verborgenen Ratschluß zwar nicht alle unterrichtet, aber auch niemanden täuscht."[12]

Den Märtyrern wurden solche heilsvergewissernden Offenbarungen zuteil. Augustinus schließt aber nicht aus, daß auch andere Menschen auf diese Weise begnadet wurden. Offenbarung ist eine prinzipielle Möglichkeit.

2. Offenbarungen und Wunder

Während in den bisher zitierten Texten dieses Paragraphen von Offenbarungen die Rede war, die eine innerlich-psychologische Funktion im religiösen Leben einzelner hatten, sollen nun solche Texte zusammengestellt werden, in denen Augustinus von besonderen Offenbarungen im Zusammenhang äußerer, wunderhafter, mirakulöser Ereignisse erzählt.

a) An erster Stelle sind hier *Wunderheilungen* zu nennen. Am Anfang dieser Wunderheilungen können Offenbarungserlebnisse stehen, in denen konkrete Anweisungen erteilt werden, deren Beachtung dann die Heilung zur Folge hat[13]. In *De civitate Dei* 22,8 (427), wo Augustinus eine lange Liste solcher

---

[11] De pecc. mer. et rem. 2,16,24: Quod si ideo talibus verbis certus securusque gaudebat, quia de victoria futuri certaminis certum eum securumque iam fecerat, qui eamdem passionem iam illi revelaverat imminere; non re plenissima, sed spe firmissima haec dixit.

[12] De civ. Dei 11,12: Quis enim hominum se in actione profectuque iustitiae perseveraturum usque in finem sciat, nisi aliqua revelatione ab illo fiat certus qui de hac re iusto latentique iudicio non omnes instruit sed neminem fallit.

[13] Vgl. M. Dulaey, a.a.O. 181ff, über „Rêves et guérisons".

Heilungen als Beglaubigungswunder für Christus[14] aufzählt, finden sich zwei hierher gehörende Texte. Der erste enthält zwar nicht das Wort ,Offenbarung', bringt aber mit der Wendung ,admonitio in somnis' doch die gleiche Sache zum Ausdruck:

Eine an Brustkrebs unheilbar erkrankte Frau wendet sich im Gebet an Gott. Daraufhin ,,ergeht an sie, als das Osterfest naht, im *Traum* die Aufforderung, beim Taufbrunnen auf der Frauenseite achtzugeben und sich von der ersten Neugetauften, die an ihr vorübergehe, die kranke Stelle mit dem Zeichen Christi bezeichnen zu lassen. So tat sie es, und alsbald trat Genesung ein"[15].

Der zweite Text steht innerhalb einer Aufzählung von Heilungen, die sich an Gedächtnisstätten des Märtyrers Stephanus ereignet haben sollen und deshalb diesem Heiligen zugesprochen werden:

,,Dort wurden durch denselben Märtyrer auch zwei Fußgichtkranke geheilt, ein Bürger und ein Fremder, doch nur der Bürger völlig. Dem Fremden dagegen wurde durch *Offenbarung* kundgetan, was er bei Schmerzen anwenden sollte; und wenn er das dann tat, hörte der Schmerz sofort auf."[16]

b) Offenbarungen spielen weiter eine Rolle beim Auffinden bislang verborgener *Gebeine von Märtyrern*[17]. Reliquienfrömmigkeit, Heiligenverehrung, Wunderheilungen und wunderbares Auffinden von Gebeinen bilden dabei einen unlösbaren Zusammenhang. Mehrmals berichtet Augustinus, wie die Gebeine der Märtyrer Gervasius und Protasius aufgrund einer an den Bischof Ambrosius in Mailand ergangenen Offenbarung gefunden worden sind. Zum erstenmal schildert er das Ereignis in den *Confessiones* (397/401). Er gebraucht dort zwar nicht das Wort ,Offenbarung', bringt aber doch in anderer Terminologie den visionären Charakter des Vorgangs zum Ausdruck:

,,Damals hast Du diesem Bischof in einem *Gesicht* (visum) kundgetan, an welcher Stätte die Leiber der Märtyrer Protasius und Gervasius verborgen waren. So lange Jahre hattest Du sie unversehrt aufbewahrt in einer Schatzkammer, die Dein Geheimnis war, um sie daraus zur rechten Zeit hervorzuholen."[18]

---

[14] Augustinus betrachtet hier die Wunder zwar nicht als notwendige, aber doch als faktisch gegebene Beglaubigungszeichen. P. de Vooght, Les miracles dans la vie de saint Augustin, 5ff, zeigt, daß erst der späte Augustinus den Wundern immer größere Beachtung schenkt.

[15] De civ. Dei 22,8,4: Admonetur in somnis propinquante Pascha, ut in parte feminarum observanti ad baptisterium, quaecumque illi baptizata primitus occurrisset, signaret ei locum signo Christi: fecit, confestim sanitas consecuta est.

[16] De civ. Dei 22,8,15: Sanati sunt illic per eumdem martyrem etiam podagri duo, unus civis, peregrinus unus; sed civis omni modo, peregrinus autem per revelationem quid adhiberet quando doleret, audivit; et cum hoc fecerit, dolor continuo conquiescit.

[17] Vgl. M. Dulaey, a.a.O. 148ff, über das Auffinden von Märtyrerreliquien aufgrund von Traumoffenbarungen in der alten Kirche überhaupt.

[18] Conf. 9,7,16: Tunc memorato antistiti tuo per visum aperuisti quo loco laterent martyrum corpora Protasi et Gervasi, quae per tot annos incorrupta in thesauro secreti

Es folgt ein Bericht von Wunderheilungen, die anläßlich der Entdeckung dieser Heiligen geschehen sind, vor allem der Bericht über die Heilung eines Blinden, die in Mailand offensichtlich Aufsehen erregt hat. Von diesen wunderhaften Ereignissen geben auch die übrigen Texte Zeugnis, in denen Augustinus auf die Offenbarung des Ambrosius zu sprechen kommt:

In De unitate ecclesiae (405) heißt es: „Über den ganzen Erdkreis hin geschehen an den heiligen Stätten, welche unsere Gemeinschaft aufsucht, überaus wunderbare Gebetserhörungen und Heilungen. So wurden die über viele Jahre hin verborgenen Leiber der Märtyrer Protasius und Gervasius dem Ambrosius *geoffenbart;* und ein schon seit Jahren Blinder, der in ganz Mailand bekannt war, erhielt bei den Leibern dieser Märtyrer sein Augenlicht zurück."[19]

In der schon erwähnten Wunderliste in De civitate Dei 22,8 heißt es: „Die Gebeine der Märtyrer Protasius und Gervasius waren verborgen und völlig in Vergessenheit geraten, bis sie dem Bischof Ambrosius in einem Traumgesicht *geoffenbart* und so aufgefunden wurden. Bei der Gelegenheit erblickte jener Blinde, der so lange in Finsternis war, das Tageslicht wieder."[20]

Und in einer Predigt sagt Augustinus von dem gleichen Ereignis: „So kamen vor einigen Jahren, als ich als junger Mann in Mailand weilte, auch die Gebeine der heiligen Märtyrer Gervasius und Protasius wieder zum Vorschein... Der aber das Gefundene selbst vorzeigte, dem wurde vorher alles *geoffenbart.* Durch vorausgehende Zeichen nämlich wurde ihm der Ort genau bezeichnet. Und so wie es ihm *geoffenbart* worden war, so hat man es auch gefunden."[21]

Die zuletzt genannte *Predigt* hält Augustinus anläßlich der Einsetzung von Reliquien des Stephanus in einer dafür neu errichteten Kirche. Er kommt darin nur deshalb auf die wunderbare Entdeckung der Gebeine des Gervasius und des Protasius zu sprechen, weil er zuvor erzählt, wie auch die Gebeine des Stephanus erst durch Offenbarung Gottes wiedergefunden worden seien:

„Sein Leib war ... bis zu unseren Zeiten verborgen; vor kurzem aber kam er wieder zum Vorschein, und zwar, wie die Körper der heiligen Märtyrer zum Vorschein zu kommen pflegen, durch eine *Offenbarung* Gottes, zu der Zeit, da es dem Schöpfer gefiel."[22]

---

tui reconderas, unde opportune promeres.

[19] De unit. eccl. 19,50: ... per totum orbem in locis sanctis, quae frequentat nostra communio, tanta mirabilia vel exauditionum, vel sanitatum fiunt, ita ut latentia per tot annos corpora martyrum... Ambrosio fuerint revelata, et ad ipsa corpora caecus multorum annorum civitati Mediolanensi notissimus oculos lumenque receperit.

[20] De civ. Dei 22,8,2: Corpora martyrum Protasii et Gervasii, quae cum laterent et penitus nescirentur, episcopo Ambrosio per somnium revelata reperta sunt; ubi caecus ille, depulsis veteribus tenebris, diem vidit.

[21] Sermo 318,1: Sic ante aliquot annos, nobis iuvenibus apud Mediolanum constitutis, apparuerunt corpora sanctorum Gervasii et Protasii... Verum autem revelatum fuit ei, qui res ipsas inventas monstravit. Praecedentibus enim signis locus demonstratus est; et quomodo fuerat revelatum, sic et inventum est.

[22] Sermo 318,1: Reliquiae sunt primi et beatissimi martyris Stephani... Huius corpus ex illo usque ad ista tempora latuit; nuper autem apparuit, sicut solent apparere sanctorum corpora martyrum, revelatione Dei, quando placuit Creatori.

Im *Johanneskommentar* spricht Augustinus einmal in sehr abgekürzter Weise von der „*Offenbarung* des Leibes des glückseligen Stephanus"[23]. Zwar könnte hier das Wort ‚Offenbarung' die ganz konkrete Bedeutung von ‚Enthüllung' und ‚Entdeckung' haben. Es ist aber doch wahrscheinlicher, daß das Wort auch hier an die besondere Art und Weise erinnern will, wie es zu dieser Entdeckung kam: Die Gebeine der Märtyrer werden in der Regel aufgrund besonderer Offenbarungen und Visionen entdeckt.

c) In den Zusammenhang dieser Offenbarungs- und Wunderberichte Augustins gehören schließlich noch drei Zeugnisse, die stark *legendenhafte* Züge tragen und von äußerst *mirakelhaften* Dingen erzählen und die vielleicht in ganz besonderem Maße Augustins Interesse für visionäre und revelatorische Phänomene dokumentieren.

In einer *Predigt* über Wunderheilungen an Gedächtnisstätten des heiligen Stephanus kommt Augustinus auf die Frage zu sprechen, warum es in Ancona eine Gedächtnisstätte dieses Heiligen gebe, und zwar aus einer Zeit, da dessen Gebeine noch verborgen waren. Zunächst sagt er, der Grund dafür sei nicht bekannt. Er will dann aber doch nicht verschweigen, was die *Fama* darüber weiß:

„Als der heilige Stephan gesteinigt wurde, standen auch einige … von denen in der Nähe, die schon an Christus glaubten. Man sagt nun, ein Stein habe den Ellbogen des Stephanus getroffen, sei von dort abgeprallt und dann zu Füßen eines frommen Mannes gefallen. Dieser hob ihn auf und bewahrte ihn bei sich. Er war ein Seefahrer, und die Umstände der Seefahrt brachten ihn an die Küste von Ancona. Da wurde ihm *geoffenbart,* er solle den Stein dort niederlegen. Er gehorchte der *Offenbarung* und tat, wie ihm befohlen wurde. Seitdem ist dort eine Gedächtnisstätte des Stephanus… Und man vertritt zurecht die Meinung, dem Mann sei in der *Offenbarung* deshalb befohlen worden, den vom Ellbogen des Märtyrers abgeprallten Stein gerade in Ancona niederzulegen, weil ‚Ellbogen' auf griechisch ‚ankon' heißt."[24]

In der Predigt „*Über die Zerstörung Roms*" erzählt Augustinus, wie Gott „vor wenigen Jahren" die Bürger von Konstantinopel durch Androhung einer Katastrophe habe aufschrecken wollen, um sie dadurch zur Umkehr und zur Besserung zu bewegen:

„Er erschien einem ihm treuen Diener, einem Soldaten, wie man sagt, in einer *Offenbarung,* und sagte ihm, die Stadt würde durch vom Himmel kommendes Feuer untergehen.

---

[23] In evang. Ioh. 120,4: quod certo modo in revelatione corporis beatissimi Stephani fere omnibus gentibus declaratur.
[24] Sermo 323,2: Quando lapidabatur sanctus Stephanus…: dicitur lapis venisse in cubitum, et excussus inde venisse ante quemdam religiosum. Tulit illum, et servavit. Homo erat de navigantibus, sors navigationis attulit illum ad littus Anconae, et revelatum est illi ibi debere reponi lapidem illum. Ille obedivit revelationi, et fecit quod iussum est: ex illo coepit esse ibi memoria sancti Stephani… Verum autem intelligitur propterea ibi fuisse revelatum, ut ibi poneret lapidem qui de cubito Martyris excussus est, quia graece cubitum ἀγκών dicitur.

Und er forderte ihn auf, dies dem Bischof zu sagen." Darauf habe die Stadt Buße getan. „Damit aber die Menschen nicht glaubten, jener, der das gesagt hatte, sei durch einen Irrtum getäuscht worden oder habe aus Betrügerei die anderen täuschen wollen, kam der Tag, den Gott angedroht hatte." Die Stadt sei zwar nicht zerstört worden, aber doch durch eine aufziehende Feuerwolke und das dadurch drohende Unheil in Schrecken und Bedrängnis versetzt worden. „Auf diese Weise hat Gott die Glaubwürdigkeit seines Dieners und die Wahrheit der an ihn ergangenen *Offenbarung* bestätigt."[25]

In der Schrift *De cura pro mortuis gerenda* (421/24) beschäftigt sich Augustinus unter anderem mit der Frage, wie man es sich erklären solle, daß zuweilen Märtyrer oder Verstorbene ganz allgemein in den Träumen von Lebenden erscheinen. Sehr oft handelt es sich natürlich um bloße Phantasien der menschlichen Seele. Aber wie ist es bei den wahren Visionen? Sind sie immer auf ein Wirken von Engeln zurückzuführen? Oder erscheinen auch die Verstorbenen selbst[26]? In bezug auf diese Frage berichtet Augustinus eine ihm zu Ohren gekommene Begebenheit: Ein *prophetisch begabter* Mönch namens Johannes, der von einer frommen Frau unbedingt gesehen werden wollte, habe dieser schließlich ausrichten lassen, sie werde ihn in der nächsten Nacht *im Traume* sehen; dies sei dann auch wirklich so geschehen[27]. Augustinus wünscht sich nun, er könnte mit diesem Mönch sprechen, um Näheres über den Vorgang zu erfahren:

„Ich wollte den Mönch fragen..., ob *er selbst* zu jener Frau im *Traum* gekommen sei, das heißt sein Geist in der bildhaften Gestalt seines Körpers...; oder ob ... durch einen *Engel* oder auf irgendeine andere Weise im *Traum* der Frau eine solche Vision bewirkt worden sei, und er selbst durch eine *Offenbarung* des prophetischen Geistes vorauswußte, daß es so geschehen würde, so daß er es selbst versprechen konnte."[28]

Augustinus bringt die Geschichte von dem Mönch zwar nur deshalb ins Spiel, um einer Lösung der analogen Probleme näher zu kommen, die er mit den Erscheinungen von Verstorbenen in den Träumen von Lebenden

---

[25] De urb. exc. 6,7: ... ante paucos annos... Constantinopoli ... volens Deus terrere civitatem et ... terrendo convertere, terrendo mundare, ... servo cuidam fideli, viro, ut dicitur, militari, venit in revelatione et dixit ei, civitatem hanc venturo de coelo igne perituram; eumque admonuit, ut episcopo diceret... Tamen ne putarent homines illum, qui dixerat, vel falsitate deceptum vel fallacia decepisse, venit dies, quem Deus fuerat comminatus... Post magnam illam tribulationem, ubi exhibuit Deus fidem servi sui, et revelationem servi sui, coepit nubes, ut creverat, minui.

[26] De cur. pro mort. 10,12ff.

[27] De cur. pro mort. 17,21: Iohannes ergo iste, cuidam mulieri religiosissimae impatienter eum videre cupienti... Vade, inquit, dic uxori tuae, videbit me nocte proxima, sed in somnis. Et factum est...

[28] De cur. pro mort. 17,21: ... quaesisissem ab eo..., utrum ipse ad illam feminam venisset in somnis, id est spiritus eius in effigie corporis sui..., an ipso aliud agente, vel, si dormiebat, aliud somniante, sive per angelum, sive quocumque alio modo in mulieris somnio talis facta sit visio; atque id futurum, ut ipse promitteret, prophetiae Spiritu revelante praesciverit.

hat. Entscheidend ist hier jedoch, daß er diese Geschichte ernst nimmt. Er hält es sogar für möglich, daß der Mönch tatsächlich selbst im Traum der Frau erschienen ist, zwar nicht kraft natürlicher Fähigkeit – dies würde der Psychologie Augustins widersprechen[29] –, aber doch aufgrund einer besonderen, wunderhaften Gnade[30]. Der Schritt von hier zu den im folgenden dargestellten Besonderheiten ist nicht mehr groß.

3. Besonderheiten

a) Wie schon im Kapitel über Offenbarungen in der Bibel, so können auch hier zwei Texte angeführt werden, die den freizügigen und mannigfaltigen Gebrauch der Offenbarungskategorie durch Augustinus in besonders drastischer Weise illustrieren. Und wiederum sind es die in den Texten genannten Adressaten der Offenbarung, die deren Besonderheit ausmachen.

Der erste Text ist der eben schon zitierten Schrift *De cura pro mortuis gerenda* entnommen und handelt von Offenbarungen an Verstorbene. Um die Frage zu beantworten, wie es denn sein könne, daß zuweilen Verstorbene, zum Beispiel Märtyrer, einzelnen Lebenden in bestimmten Situationen beistehen und helfen[31], fragt Augustinus zuerst, wie denn die Toten überhaupt wissen können, was auf Erden geschieht. Augustinus gibt darauf drei mögliche Antworten:

„Man muß zunächst zugeben, daß die Toten nicht wissen, was hier geschieht, aber nur, während es gerade geschieht. (1) Danach hören sie es von denen, die durch den Tod von hier zu ihnen kommen... (2) Auch von den Engeln, die den Geschehnissen hier auf Erden zugegen sind, können die Toten etwas hören, und zwar ein jeder von ihnen das, was er nach dem Urteil dessen hören soll, dem alles unterworfen ist... (3) Die Seelen der Verstorbenen können sogar manches von dem, was hier geschieht, und zwar nicht nur Vergangenes und Gegenwärtiges, sondern auch Zukünftiges, durch *Offenbarung* des Geistes Gottes erfahren. Aber nicht allen wird dies zuteil, und nicht alles wird ihnen dabei mitgeteilt; genau so wie auch nicht alle Menschen, als sie hier lebten, sondern nur die *Propheten* solches erfahren haben, aber auch diese nicht alles, sondern nur das, was Gott in seiner Vorsehung ihnen zu *offenbaren* für gut befand.“[32]

---

29 Vgl. M. Dulaey, a.a.O. 117: Augustinus wende sich gegen die Vorstellung, der menschliche Geist schweife während des Schlafes auf natürliche Weise umher.

30 De cur. pro mort. 17,21: Si enim ipse interfuit somnianti, mirabili gratia utique id potuit, non natura; et Dei munere, non propria facultate.

31 De cur. pro mort. 16,19.

32 De cur. pro mort. 15,18: Fatendum est nescire quidem mortuos quid hic agatur, sed dum hic agatur; postea vero audire ab eis qui hinc ad eos moriendo pergunt... Possunt et ab Angelis, qui rebus quae aguntur hic, praesto sunt, audire aliquid mortui, quod unumquemque illorum audire debere iudicat cui cuncta subiecta sunt... Possunt etiam spiritus mortuorum aliqua quae hic aguntur, quae necessarium est eos nosse, et quos necessarium est ea nosse, non solum praesentia vel praeterita, verum etiam futura Spiritu Dei revelante cognoscere: sicut non omnes homines, sed Prophetae dum hic viverent cognoscebant, nec ipsi omnia, sed quae illis esse revelanda Dei providentia iudicabat.

Die Toten haben also nach Augustins Meinung von sich aus keinen Zugang zum aktuellen irdischen Geschehen; und noch weniger können sie von sich aus zukünftige Ereignisse vorausschauen. Darin befindet er sich offensichtlich in Opposition zu den Vorstellungen seiner Zeit, speziell zu der gängigen Meinung, der Tod ermögliche automatisch ein Zukunftswissen[33]. Aber gerade deshalb muß er nun erklären, wie manche Tote, zum Beispiel die Märtyrer, dennoch ein besonderes Wissen von den irdischen Dingen haben können: Von der Vergangenheit erfahren die Toten ganz allgemein etwas aus der Erinnerung der neu Verstorbenen; von der Gegenwart erfahren einige gelegentlich etwas durch besondere Mitteilung von Engeln; von der Zukunft aber erfahren nur ganz wenige in Ausnahmefällen etwas durch Offenbarung des Geistes Gottes. Diese Erklärung ist innerhalb des augustinischen Denkens durchaus plausibel. Gegenüber den Vorstellungen der Zeit ist sie sogar nüchtern und kritisch. Dennoch überrascht es einigermaßen, daß Augustinus die Offenbarungen an auserwählte Tote und die Offenbarungen der Propheten in eine Linie stellen und in ihrer Struktur wie in ihrer Funktion parallelisieren kann.

Im zweiten Text, aus *De genesi ad litteram,* ist von Offenbarungen an dämonische Geister die Rede. Augustinus setzt sich in diesem Text mit den vermeintlichen Künsten von Astrologen und Horoskopstellern auseinander. Sein abschließendes Urteil lautet: Wenn diese manchmal Wahres sagen, dann ist das Zufall oder das Werk verführerischer Geister, die die Menschen mit diesen Dingen betören wollen. Die bösen Geister selbst aber haben ihr Wissen unter anderem aus Offenbarungen, die ihnen heilige Engel auf Befehl Gottes vermitteln, der auch damit einen gerechten Plan verfolgt:

„Den Dämonen ist es gegeben, manches Wahre über die zeitlichen Dinge zu wissen; teils, weil sie sich aufgrund ihres feineren Lebens durch eine feinere Sinnesschärfe auszeichnen; teils, weil sie aufgrund ihres so langen Lebens eine reichere Erfahrung haben; teils, weil ihnen die heiligen Engel, was sie selbst von dem allmächtigen Gott hören, auf dessen Befehl hin *offenbaren.*"[34]

Das Ungewöhnliche an diesem Text ist nicht einfach die Tatsache, daß Augustinus darin von besonderen göttlichen Mitteilungen an die Dämonen spricht, sondern, daß er diese Mitteilungen ‚Offenbarung‘ nennt. Denn eigentlich verbindet sich bei Augustinus mit diesem Wort immer der Gedanke des Gnadenhaften. Bösewichter werden vielleicht von einem okkulten Instinkt getrieben, erhalten aber keine Offenbarungen. Das ist hier anders. Offenbarung hat nichts mehr mit Gnade zu tun, sondern bezeichnet nur noch

---

[33] Siehe M. Dulaey, a.a.O. 116.
[34] Den gen. ad litt. 2,17,37: ... spirituum seductorum operatio est: quibus quaedam vera de temporalibus rebus nosse permittitur, partim quia subtilioris sensus acumine, quia corporibus subtilioribus vigent; partim experientia callidiore propter tam magnam longitudinem vitae; partim sanctis Angelis quod ipsi ab omnipotente Deo discunt, etiam iussu eius sibi revelantibus.

die Außerordentlichkeit der Wissensvermittlung: Die Dämonen wissen manches, was sie aus eigenen Kräften nicht wissen könnten, was Gott sie aber aufgrund eines verborgenen Ratschlusses wissen läßt.

b) Schließlich ist hier noch eine ganz andere Besonderheit aus *De anima et eius origine* (419/21) zu erwähnen. Augustinus setzt sich in dieser Schrift mit einer Schrift des Vincentius Victor über den Ursprung der Seele auseinander. Dieser Vincentius Victor, ein ehemaliger Donatist, behauptet offensichtlich, seine Schrift sei ihm in einer Vision von seinem Namenspatron, der ein bekannter Donatist war, diktiert worden. Augustinus schreibt:

„Man sagt, du würdest dich rühmen, dieser andere Vincentius Victor sei dir in irgendeiner *Vision* erschienen und habe dir beim Verfassen der Bücher, über die ich hier mit dir streite, so geholfen, daß er dir ihren eigentlichen Gegenstand und die Argumente diktierte... Du willst uns glauben machen, jener Vincentius Victor habe dir deine Bücher in einer *Offenbarung* diktiert..., er habe dir *geoffenbart*, was du schreiben solltest."[35]

Die Art und Weise, wie hier von ‚Offenbarung' die Rede ist, widerspricht dem augustinischen Offenbarungskonzept. Denn daß ein verstorbener Mensch offenbart, könnte Augustinus selbst nicht sagen. Er gibt hier auch gar nicht seine eigene Meinung wieder, sondern referiert, was der andere denkt. Und er will das, was der andere denkt, zugleich als Betrug oder als Teufelswerk entlarven: Wenn Vicentius wirklich eine Vision hatte, dann war diese allenfalls das Werk verführerischer Geister[36]. Augustinus erweist sich hier also als Kritiker einer übertriebenen und falschen Offenbarungsgläubigkeit. Von dieser kritischen Haltung wird nun im folgenden ausführlich die Rede sein.

4. Zurückhaltende Beurteilung erzählter visionärer Erlebnisse

Einerseits ist Augustinus grundsätzlich aufgeschlossen für revelatorische Phänomene. Das haben die zahlreichen Texte, in denen er von besonderen Offenbarungserlebnissen einzelner berichtet, zur Genüge gezeigt. Aufgrund dieser prinzipiellen Aufgeschlossenheit kann er auch in theoretischen Erwägungen wie selbstverständlich mit solchen Visionen und Offenbarungen argumentieren. So erklärt er zum Beispiel in *De genesi ad litteram* die Besonderheit des ekstatischen Erlebnisses des Paulus mit Hilfe offensichtlich

---

[35] De anim. et eius orig. 3,2,2: Nec defuerunt, qui dicerent etiam hoc a te fuisse iactatum, quod ipse tibi nescio qua visione apparuerit, atque ad hos conficiendos libros, de quibus tecum agere isto nostro opusculo institui, sic adiuverit, ut ea tibi scribenda, quantum ad res ipsas rationesque attinet, ipse dictaret ... libros tuos, quos credi cupis illo tibi revelante dictatos ... velut tibi revelando, quae scriberes...

[36] De anim. et eius orig. 3,2,2: Quod si verum est... Ille quippe, qui se, sicut eum prodit Apostolus, transfigurat se in angelum lucis (2 Kor 11,14), in eum tibi est transfiguratus...

unbestrittener Offenbarungserfahrungen seiner Zeitgenossen: Paulus ist wirklich in den dritten Himmel entrückt worden; er hatte nicht nur eine Vision, in welcher ihm dieser Himmel bildhaft gezeigt wurde. Sonst hätte er nämlich nicht mehrmals hervorgehoben, daß er zwar wüßte, daß er in diesen Himmel entrückt worden sei, daß er aber nicht wüßte, ob im Leibe oder außerhalb des Leibes.

„Sondern er hätte ganz einfach die Vision berichtet, indem er das Geschaute mit dem Namen jener Dinge belegte, denen es ähnlich war. Denn auch wir sagen, wenn wir unsere *Träume* erzählen oder irgendeine darin uns zuteil gewordene *Offenbarung*: ich sah einen Berg, einen Fluß, drei Menschen und anderes dergleichen, indem wir den Vorstellungsbildern die Namen geben, die eigentlich den Dingen selbst zukommen, denen sie ähnlich sind."[37]

Für Augustinus sind also solche bildhaften Offenbarungen einerseits eine *prinzipiell* mögliche und unbestrittene menschliche Erfahrung. Andererseits ist er aber doch auch zurückhaltend in der Beurteilung *tatsächlicher* visionärer Erlebnisse von Zeitgenossen. Mögen diese Visionen auch eine religiöse Symbolsprache sprechen und von praktisch-religiöser Bedeutung für die sein, denen sie zuteil wurden: Augustinus bekennt dennoch immer wieder seine Unsicherheit darüber, ob sie wirklich göttlichen Ursprungs sind. Zumeist beläßt er sie in der Ambivalenz, qualifiziert sie jedenfalls nicht ausdrücklich und eindeutig mit der Kategorie ‚Offenbarung‘. Diese Zurückhaltung Augustins soll nun an einigen typischen Beispielen dokumentiert werden.

a) In dem um das Jahr 414 geschriebenen *159. Brief*[38] erzählt Augustinus den Traum eines ihm bekannten Christen, des Arztes Gennadius aus Karthago: Dieser habe eine Zeitlang gezweifelt, ob es nach dem Tod irgendein Leben geben könne. Durch zwei aufeinanderfolgende Traumgesichte sei ihm aber der Zweifel genommen worden. Im ersten Traum sei ihm ein strahlender Jüngling erschienen und habe ihn in eine Stadt geführt, wo er die Lobgesänge der Seligen habe hören können. In der zweiten Nacht sei der gleiche Jüngling gekommen und habe ihn am Beispiel des Träumens darüber belehrt, daß der Mensch leben könne, auch wenn sein Leib tot sei[39]. Augustinus schließt den Bericht mit der Bemerkung:

[37] De gen. ad litt. 12,4,10: Sed simpliciter narraret visionem, earum rerum nominibus appellans illa quae vidit, quarum erant similia. Nam et nos dicimus, cum somnia nostra narramus vel aliquam in eis revelationem: Vidi montem, vidi fluvium, vidi tres homines, et si quid eiusmodi; ea nomina tribuentes illis imaginibus, quae habent res ipsae, quarum similes erant. Vgl. auch Conf. 9,10,25; zitiert in § 5,2c des 1. Teiles.
[38] Augustinus erwähnt in Epist. 159,2 das schon fertiggestellte, aber noch nicht veröffentlichte 12. Buch von De genesi ad litteram (412/414).
[39] Epist. 159,3f; zur religionspsychologischen Betrachtung der erzählten Traumbilder siehe M. Dulaey, a.a.O. 152ff.

„So, sagt der gläubige Mann, sei ihm der Zweifel in dieser Sache genommen worden. Und wer war es, der ihn auf diese Weise belehrt hat, wenn nicht die Vorsehung und das Erbarmen Gottes?"[40]

Freilich fügt er sogleich kritisch hinzu, „jedem sei es freigestellt, diesen Worten Glauben zu schenken oder nicht"[41]. Und nachdem er schon zu Beginn des Briefes sein Unvermögen betont hatte, Genaueres über die revelatorischen Träume zu sagen[42], beendet er ihn mit dem Bekenntnis, keine Kriterien zu haben, nach denen man die wahren von den falschen Visionen unterscheiden könnte. Dieses Bekenntnis wirft seinen Schatten auch auf den berichteten Traum und macht deutlich, daß auch dieser so fromme Traum in einer letzten Ambivalenz stehen muß:

„Wenn ich doch wüßte, wie man die im Vorstellungsvermögen bisweilen geschauten Visionen richtig unterscheiden kann...; oder auf welche Weise man die Visionen derer unterscheiden kann, die zumeist irriger Wahn oder Gottlosigkeit zum Narren hält, wenn doch fast alle Visionen wie solche von Frommen und Heiligen erzählt werden."[43]

b) Im 12. Buch von *De genesi ad litteram* erzählt Augustinus innerhalb einer Reihe mehrerer anderer Berichte über auffallende Visionen von Kranken auch von einem Jungen, der zu Beginn seiner Pubertät über heftige Schmerzen in den Geschlechtsteilen klagte, deren Ursache die Ärzte nicht feststellen konnten. In mehreren ekstatischen Visionen, nach denen der Schmerz jeweils für einige Tage weg war, habe er immer wieder einen älteren Mann und einen Jüngling gesehen. Zu Beginn der Fastenzeit hätten sie ihm versprochen, er werde während der ganzen vierzig Tage keine Schmerzen haben, was auch so geschehen sei. In einer Vision am Sonntag des Osterfestes hätten sie ihm dann den Chor der Seligen gezeigt, die sich in wunderbarem Licht freuten, sowie die schrecklichen Strafen der Gottlosen in der Finsternis. Danach hätten sie ihm mehrmals medizinischen Rat gegeben, dessen Beachtung ihn dann tatsächlich von seinen Schmerzen befreit habe. Daraufhin seien auch die ekstatischen Entrückungen ausgeblieben[44]. Auch hier bekennt

---

[40] Epist. 159,4: Ita sibi homo fidelis ablatam dicit huius rei dubitationem: quo docente, nisi providentia et misericordia Dei?

[41] Epist. 159,5: Verumtamen cum his verbis credere vel non credere liberum cuique sit...

[42] Epist. 159,2: ... quisquis potuerit explicare ... audeat praesumere aliquid ac definire etiam de illis rarissimis visis. Ego autem tanto minus hoc audeo, quanto minus id quoque in nobis quod vita continua vigilantes dormientesque experimur, quo pacto fiat explicare sufficio.

[43] Epist. 159,5: utinam sic scirem quo modo discernerentur quae videntur aliquando per spiritum...; quove modo distinguantur visa eorum quos error vel impietas plerumque deludit, quando visis piorum atque sanctorum similia pleraque narrantur.

[44] De gen. ad litt. 12,17,37ff; zur religionspsychologischen Betrachtung der Visionen siehe wieder M. Dulaey, a.a.O. 182f.

Augustinus abschließend seine Unsicherheit darüber, wie man diese Visionen zu beurteilen habe. Sind sie göttlichen, dämonischen oder einfach krankhaften Ursprungs?

„Wenn jemand die *Ursachen* und den jeweiligen Modus dieser Visionen und Weissagungen erforschen und sicher erfassen kann, möchte ich lieber, daß man ihn hörte, als daß man von mir eine Erörterung darüber erwartete."[45]

Im weiteren Textverlauf kommt er dann zwar zu der *theoretischen* Unterscheidung zwischen wahren und falschen Visionen[46]. Die *praktische* Anwendung dieser Unterscheidung kann aber eben nicht mit letzter Sicherheit erfolgen. Die Visionen bleiben ambivalent.

c) In *De cura pro mortuis gerenda* (421/24) erzählt Augustinus die Vision eines in der Nähe von Hippo beheimateten Kurialbeamten namens Curma, die dieser während einer schweren Krankheit hatte, als er mehrere Tage wie tot dalag: Er sei bei den Toten gewesen, habe dort aber erfahren, nicht er, sondern ein anderer Curma werde eigentlich erwartet — später habe man festgestellt, daß dieser andere Curma tatsächlich im selben Moment gestorben sei, als der erste aus seiner Vision erwacht sei. Bei den Toten habe er noch lebende Kleriker seiner Heimatregion gesehen, deren Ältester ihm gesagt habe, er solle sich von Augustinus in Hippo taufen lassen. Dies sei in der Vision auch geschehen. Darauf sei er ins Paradies geführt worden. Dort habe man ihm gesagt, er solle sich taufen lassen, sobald er wieder bei den Seinen sei, wenn er an diesen Ort gelangen wolle. Auf seinen Einwand, dies sei schon durch Augustinus geschehen, habe der, welcher zu ihm sprach, gesagt, er habe dies nur als Vision gesehen, solle sich nun aber wirklich taufen lassen. Daraufhin sei er erwacht und habe sich später, nach seiner Genesung, tatsächlich in Hippo von Augustinus taufen lassen[47].

Auch diese Vision, die einen religiösen Akt zur Folge hat, qualifiziert Augustinus nicht eindeutig als Offenbarung. Statt dessen trifft er abschließend die allgemeine kritische Feststellung, Visionen dieser Art seien das Werk von Engeln oder von dämonischen Geistern. Zwar will er damit zunächst nur das Mißverständnis abwehren, in diesen Visionen würden die Toten selbst erscheinen. Darüber hinaus jedoch weist er mit dieser Feststellung auf die grundlegende Ambivalenz aller Visionen, auch der eben erzählten:

---

[45] De gen. ad litt. 12,18,39: Istarum visionum et divinationum causas et modos vestigare si quis potest, certoque comprehendere, eum magis audire vellem, quam de me exspectari ut ipse dissererem.

[46] De gen. ad litt. 12,18,39: Ego visa ista omnia visis comparo somniantium. Sicut enim aliquando et haec falsa, aliquando autem vera sunt, aliquando perturbata, aliquando tranquilla...

[47] De cur. pro mort. 12,14; zur religionspsychologischen Deutung siehe wiederum M. Dulaey, a.a.O. 206ff.

„Warum glauben wir nicht, daß diese Visionen von Engeln oder dämonischen Geistern hervorgebracht werden, nach der Anordnung der Vorsehung Gottes, der von den guten wie von den bösen Geistern einen guten Gebrauch macht und nach der unerforschlichen Tiefe seiner Ratschlüsse die Menschen durch solche Visionen bisweilen belehren und trösten läßt, bisweilen aber auch in die Irre führen oder in Schrecken jagen läßt?"[48]

Auch wenn also alle Visionen von der unerforschlichen göttlichen Vorsehung getragen sein mögen, so handelt es sich doch nicht immer um göttliche Offenbarung. Es gibt nicht nur Visionen, die belehren, sondern auch solche, die in die Irre führen wollen. Eine naive Offenbarungsgläubigkeit ist deshalb unmöglich. Für die praktische Beurteilung der Visionen ist dies von ausschlaggebender Bedeutung: Sie haben keinen selbständigen Wert, sondern sind der kritischen Instanz von Bibel und Kirche unterworfen.

5. Der kirchliche Aspekt der besonderen Offenbarungen

In *De unitate ecclesiae,* einer antidonatistischen Kontroversschrift[49] aus dem Jahre 405, kommt Augustinus auf den Zusammenhang zwischen Offenbarungsphänomenen und Kirche zu sprechen[50]. Gegen die Donatisten vertritt er dabei die These, die wunderhaften Visionen einzelner hätten nur in der einen, wahren Kirche, in der Catholica, ihre Berechtigung und ihren Wert. Die Kirche ist der sie legitimierende Ort. Dieser kirchliche Aspekt der Offenbarungsphänomene impliziert zweierlei: 1. eine Tendenz gegen jede übertrie-

---

[48] De cur. pro mort. 13,16: Cur non istas operationes angelicas credimus, per dispensationem providentiae Dei bene utentis et bonis et malis, secundum inscrutabilem altitudinem iudiciorum suorum? sive instruantur hinc mentes mortalium, sive fallantur; sive consolentur, sive terreantur: sicut unicuique vel praebenda est misericordia, vel irroganda vindicta...

[49] Zur Frage der Echtheit dieser Schrift, die in der Ausgabe der Mauriner offiziell ‚Ad catholicos epistula contra donatistas' heißt, im CSEL ‚Epistula ad catholicos de secta donatistarum', siehe die zusammenfassende Darstellung der Diskussion von Y. Congar, in: Bibliothèque augustinienne. Œuvres de saint Augustin 28, Paris 1963, 485—494. M. Petschening, CSEL 52 (1909) VII-XI, verteidigt die Echtheit; ebenso P. Monceaux, Histoire littéraire de l'Afrique chrétienne depuis les origines jusqu'à l'invasion arabe, t. VII (Saint Augustin et le Donatisme), Paris 1923, 109. Abgelehnt wird die Echtheit vor allem von K. Adam, Notizen zur Echtheitsfrage der Augustinus zugesprochenen Schrift ‚De unitate ecclesiae', in: ThQ 91 (1909) 86—115. J. Ratzinger, Volk und Haus Gottes in Augustins Lehre von der Kirche, München 1954, 133—134, sieht die Frage als noch nicht entschieden an. Das Urteil Congars, a.a.O. 494, die Schrift könne insgesamt Augustinus zugeschrieben werden, obgleich vielleicht nicht alles von seiner Hand sei, da sie vermutlich von einem Redaktor zusammengestellt wurde, dürfte der Wahrheit am nächsten kommen. – Die im folgenden nach De unitate ecclesiae dargestellte kritische Einstellung Augustins gegenüber visionären Eingebungen kommt auch in anderen Texten zur Sprache; siehe vor allem den folgenden Paragraphen.

[50] Es handelt sich um den Text De unit. eccl. 19,49f.

bene Offenbarungsgläubigkeit und 2. ein Nein zu jeder apologetischen Verwendung von wunderhaften Visionen und Wundern überhaupt[51]. Der genaue Gedankengang Augustins ist folgender:

a) Augustinus fordert die Donatisten auf, sie sollten den von ihnen erhobenen Anspruch, die wahre Kirche Christi zu sein, begründen[52]. Dabei weist er jedoch von vornherein bestimmte Bewahrheitungskriterien als nicht stichhaltig zurück. Die Donatisten sollten sich nicht einfach auf das Wort irgendeiner menschlichen Autorität berufen; sie sollten nicht auf bei ihnen geschehene Wunder und Gebetserhörungen verweisen; und schließlich sollten sie auch nicht mit besonderen Visionen argumentieren:

„Sagt nicht: ‚Unser Anspruch ist wahr…, weil dieser unser Bruder oder jene Schwester eine so bedeutende *Vision* wachend schaute oder ein so bedeutendes *Traumgesicht* im Schlaf sah‘."[53]

Gegen den apologetischen Rekurs auf Wunder und wunderhafte Visionen wendet Augustinus zuerst polemisch ein, diese seien bei Häretikern doch nichts anderes als „Hirngespinste lügnerischer Menschen oder Ausgeburten trügerischer Geister"[54]. Er bringt dann aber auch sachliche Argumente und sagt, die wunderbaren Visionen würden deshalb nichts beweisen, weil sie grundsätzlich von trügerischen Geistern herrühren können[55] und folglich immer *ambivalent* sind und weil zum anderen auch die Heiden von wunderbaren Visionen und Geschehnissen zu berichten wissen[56], diese also gar kein unterscheidendes Merkmal darstellen. Im Blick auf alle wunderhaften Phänomene faßt er dann den Gedanken der Ambivalenz und der unspezifischen Verbreitung noch einmal zusammen:

---

[51] Vgl. dazu M. Dulaey, a.a.O. 119 und 146f, die De unit. eccl. 19,49f unter dem Gesichtspunkt betrachtet, welche Bedeutung Augustinus dem Phänomen ‚Traum‘ beimißt: „Il refuse de voir dans le rêve un moyen privilégié pour accéder à la connaissance de Dieu" (147). „Un rêve ne saurait prouver quoi que ce soit. Il est soumis au contrôle de l'Eglise et n'a de valeur que dans ces limites" (146).

[52] De unit. eccl. 19,49: ostendat Ecclesiam vel in sola Africa, perditis tot gentibus, retinendam, vel ex Africa in omnibus gentibus reparandam atque adimplendam.

[53] De unit. eccl. 19,49: Sic ostendat, ut non dicat, ‚Verum est, quia hoc ego dico, aut quia hoc dixit ille collega meus, aut illi collegae mei, aut illi episcopi…; aut ideo verum est, quia illa et illa mirabilia fecit Donatus vel Pontius vel quilibet alius, aut quia homines ad memorias mortuorum nostrorum orant et exaudiuntur…, aut quia ille frater noster aut illa soror nostra tale visum vigilans vidit vel tale visum dormiens somniavit‘.

[54] De unit. eccl. 19,49: Removeantur ista vel figmenta mendacium hominum vel portenta fallacium spirituum. Aut enim non sunt vera, quae dicuntur aut si haereticorum aliqua mira facta sunt, magis cavere debemus.

[55] De unit. eccl. 19,49: De visis autem fallacibus legant quae scripta sunt, et quia ipse satanas transfigurat se tanquam angelum lucis, et quia multos seduxerunt somnia sua.

[56] De unit. eccl. 19,49: Audiant etiam quae narrent Pagani … mirabiliter vel facta vel visa.

„Es werden also *viele auf vielerlei Weise* wunderbar erhört, nicht nur katholische Christen, sondern auch Heiden, Juden und Häretiker, die alle verschiedenen Irrtümern und abergläubischen Gebräuchen hingegeben sind. Sie werden aber entweder von *Truggeistern* erhört, die freilich nichts tun, was Gott nicht zuläßt..., oder von *Gott selbst;* und zwar zur Strafe für Böses, zum Trost im Unglück oder zur Mahnung, das ewige Heil zu suchen."[57]

b) Dem apologetischen Verweis auf diese ambivalenten Phänomene setzt Augustinus deshalb die sichere *Argumentation mit der Bibel* entgegen. Die eine, wahre Kirche, in der allein das Heil Christi zu finden ist, sollen wir „aus den heiligen kanonischen Schriften erkennen", nicht aus den verschiedenartigen Meinungen und Einbildungen der Menschen oder aus Wundern und Visionen[58]. Denn die Wahrheit findet sich in erster Linie in der Bibel, nicht in den mannigfachen Visionen und Träumen. Dementsprechend fordert Augustinus die Donatisten auf, „allein aus den kanonischen Büchern der heiligen Schriften zu zeigen, ob sie die wahre Kirche darstellen"[59]. Und er hebt hervor, daß auch die katholische Kirche nur diesen einen Maßstab an sich anlegt, daß also auch sie nicht menschliche Autorität, Wunder oder besondere Offenbarungen als Wahrheitskriterien für sich geltend macht:

„Auch wir sagen nicht, man müsse uns deshalb glauben, daß wir in der wahren Kirche sind, (1) weil die Kirche, an der wir festhalten, von Optatus von Mileve oder Ambrosius von Mailand oder unzähligen anderen Bischöfen unserer Gemeinschaft als die wahre empfohlen wurde...; (2) oder weil über den ganzen Erdkreis hin an den heiligen Stätten, welche unsere Gemeinschaft aufsucht, überaus wunderbare Gebetserhörungen und Heilungen geschehen: So wurden zum Beispiel die über viele Jahre hin verborgenen Gebeine der Märtyrer Protasius und Gervasius ... dem Ambrosius *geoffenbart,* und ein seit Jahren Blinder, der in ganz Mailand bekannt war, erhielt bei den Leibern dieser Märtyrer sein Augenlicht zurück; (3) oder weil diesem oder jenem ein *Traumgesicht* zuteil wurde und ein anderer in einer *Entrückung* vielleicht hörte, er solle sich nicht der Parteiung des Donatus anschließen bzw. sich wieder von dieser Parteiung trennen."[60]

---

57 De unit. eccl. 19,49: Exaudiuntur ergo multi et multis modis, non solum Christiani catholici, sed et Pagani, et Iudaei, et haeretici, variis erroribus et superstitionibus dediti. Exaudiuntur autem vel ab spiritibus seductoribus, qui tamen nihil faciunt, nisi permittantur Deo...; sive ab ipso Deo, vel ad poenam malitiae, vel ad solatium miseriae, vel ad admonitionem quaerendae salutis aeternae.

58 De unit. eccl. 19,49: Habere autem caput Christum nemo poterit, nisi qui in eius corpore fuerit, quod est Ecclesia, quam sicut ipsum caput in Scripturis sanctis canonicis debemus agnoscere, non in variis hominum rumoribus, et opinionibus, et factis, et dictis, et visis inquirere.

59 De unit. eccl. 19,50: Utrum ipsi Ecclesiam teneant, non nisi de divinarum Scripturarum canonicis libris ostendant.

60 De unit. eccl. 19,50: nec nos propterea dicimus nobis credi oportere quod in Ecclesia Christi sumus, quia ipsam quam tenemus, commendavit Milevitanus Optatus, vel Mediolanensis Ambrosius, vel alii innumerabiles nostrae communionis episcopi; ... aut quia per totum orbem in locis sanctis, quae frequentat nostra communio, tanta mirabilia vel exauditionum vel sanitatum fiunt, ita ut latentia per tot annos corpora marty-

In bezug auf die hier genannten wunderhaften Phänomene, die Heilungen, Gebetserhörungen, Traumoffenbarungen[61] und Ekstasen, formuliert Augustinus schließlich seine gegen die Donatisten gerichtete These:

„Alle Phänomene dieser Art, die im Raum der Catholica geschehen, sind deshalb anzuerkennen, weil sie in der Catholica geschehen; nicht aber erweist sich umgekehrt die Catholica selbst erst dadurch, daß diese Dinge in ihr geschehen."[62]

Die Kirchlichkeit der besonderen Träume und Visionen ist somit Kriterium für ihre Wahrheit. Nur dann, wenn sie in der Kirche zuteil werden oder in Übereinstimmung mit ihr stehen, haben sie einen Wert. Jede übertriebene Wundergläubigkeit und Offenbarungserwartung ist damit abgewehrt. Denn der eigentliche und vornehmliche Ort, an dem die Wahrheit gesucht werden soll und an dem sie sich mitteilt, ist nicht die je besondere, wunderhafte Offenbarung, sondern die Kirche und das sie bestimmende autoritative Wort der Bibel. Diese kritische Abgrenzung Augustins gegenüber Wundergläubigkeit und übertriebener Offenbarungserwartung wird im nun folgenden Paragraphen ausführlich dargestellt.

§ 10 Kritische Abgrenzungen

1. Lernen durch Menschen

Im *Prolog* zu der hermeneutischen Schrift *De doctrina christiana* (396?)[1] erzählt Augustinus eine Begebenheit, die wie keine andere seine Aufgeschlossenheit für mirakelhafte Offenbarungen zu dokumentieren scheint:

---

rum... Ambrosio fuerint revelata, et ad ipsa corpora caecus multorum annorum civitati Mediolanensi notissimus oculos lumenque receperit; aut quia ille somnium vidit, et ille in spiritu assumptus audivit, sive ne iret in partem Donati, sive ut recederet a parte Donati.

[61] Es ist bezeichnend, daß Augustinus das Wort ‚revelare', das ja eine Vision als wirklich göttlich qualifiziert, nur hier verwendet, nicht jedoch vorher bei den Visionen der Donatisten, Heiden etc., obwohl er doch zugab, daß auch sie göttliche Eingebungen haben können.

[62] De unit. eccl. 19,50: Quaecumque talia in Catholica fiunt, ideo sunt approbanda, quia in Catholica fiunt; non ideo ipsa Catholica manifestatur, quia haec in ea fiunt.

[1] Die Datierung des Prologs ist umstritten. U. Duchrow, Sprachverständnis und biblisches Hören, 206, vertritt die These, der Prolog sei erst 426/27 bei der Vollendung und Überarbeitung des 396/97 als Fragment veröffentlichten Werkes De doctrina christiana geschrieben worden; siehe auch ders., Zum Prolog von Augustins De doctrina christiana, in: Vigiliae Christianae 17 (1963) 165−172. A. Schindler, a.a.O. 89, teilt Duchrows Meinung. C.P. Mayer, Res per signa. Der Grundgedanke des Prologs in Augustins Schrift De doctrina christiana und das Problem seiner Datierung, in REA 20 (1974) 100−112, zeigt jedoch, daß diese Datierung sehr unwahrscheinlich ist; Mayer plädiert für eine gleichzeitige Veröffentlichung von Prolog und Fragment im Jahre 396/97.

„Durchaus ernstzunehmende und glaubwürdige Männer haben uns in jüngster Zeit von einem ungebildeten christlichen Sklaven berichtet, der darum gebetet habe, es möge ihm doch die Kenntnis der Buchstaben *geoffenbart* werden, und der nach dreitägigem Gebet die Buchstaben tatsächlich *ohne jede menschliche Hilfe* so gründlich kennengelernt habe, daß er eine ihm vorgelegte Bibel zum Staunen der Anwesenden fließend lesen konnte."[2]

Ein Blick in den Kontext, in den diese Geschichte hineingestellt ist, zeigt freilich, daß Augustinus hier eine ganz andere Aussageintention verfolgt. Wundergläubigkeit und Offenbarungsoptimismus sollen nicht etwa ermuntert, sondern umgekehrt in die Schranken gewiesen werden: Sicher, wunderhafte Offenbarungen sind möglich. Aber es kann sich dabei doch immer nur um Ausnahmen handeln. Man kann nicht mit ihnen rechnen. In der Regel ist man auf ‚normale' Wissensvermittlung angewiesen, auf ein Lernen durch Menschen, auf mitmenschliche Kommunikation. Nirgendwo in seinen Werken sieht Augustinus so deutlich wie hier die Gefahren, die eine ständige Berufung auf mirakelhafte Offenbarungen für die menschliche Gemeinschaft mit sich bringen muß. Nirgendwo sonst ist er sich vielleicht der Problematik seines eigenen Offenbarungskonzepts so bewußt wie hier, im Prolog von De doctrina christiana. Im Anschluß an P. Brunners ausführliche Paraphrase des Prologs[3] und an U. Duchrows sprachphilosophische Analyse dieses Textes[4] soll dessen Gedankengang nun nach offenbarungstheologischen Gesichtspunkten dargestellt werden.

a) In De doctrina christiana unternimmt es Augustinus, hermeneutische Regeln zu erarbeiten, die ein methodisches und somit überprüfbares Verstehen der Bibel ermöglichen sollen[5]. Im Vorwort setzt er sich mit möglichen Kritikern dieses Unternehmens auseinander. Die wichtigsten dieser Kritiker sind Charismatiker, die sich rühmen, die Bibel *ohne* alle hermeneutischen Regeln verstehen zu können[6], ja, *ohne* die vermittelnde Hilfe von Menschen über-

---

2 De doctr. christ. Prol. 4: ... illo servo barbaro christiano, de quo a gravissimis fideque dignissimis viris nuper accepimus, qui litteras quoque ipsas nullo docente homine, in plenam notitiam orando ut sibi revelarentur, accepit triduanis precibus impetrans ut etiam codicem oblatum, stupentibus qui aderant, legendo percurreret.

3 P. Brunner, Charismatische und methodische Schriftauslegung nach Augustins Prolog zu De doctrina christiana, in: Kerygma und Dogma 1 (1955) 59—69, 85—103.

4 U. Duchrow, Sprachverständnis und biblisches Hören, 206—213.

5 Siehe schon die ersten Zeilen des Prologs: Sunt praecepta quaedam tractandarum Scripturarum, quae studiosis earum video non incommode posse tradi. — Zum Titel ‚De doctrina christiana' siehe H.I. Marrou, a.a.O. 379f.

6 Prol. 2: *nullis* huiusmodi observationibus lectis, quales nunc tradere institui, facultatem exponendorum sanctorum librorum se assecutos vel vident, vel putant. 4: *sine* talibus praeceptis, qualia nunc tradere institui, se sanctos libros intelligere atque tractare gloriantur. 8: se *nullis* praeceptis instructum divino munere quaecumque in Scripturis obscura sunt intelligere gloriatur.

haupt[7], und die sich statt dessen auf eine besondere Gnadengabe Gottes berufen, durch welche ihnen das Verstehen unmittelbar gegeben wird[8]. Diese das charismatische Verstehen konstituierende Gnadengabe bedeutet ein direktes offenbarendes Eingreifen Gottes; sie ist Offenbarung an allem Tun von Menschen vorbei. Der verborgene Schriftsinn wird den Charismatikern „von Gott im Innern des Geistes *ohne Vermittlung* eines Menschen *geoffenbart"*[9]. Augustinus streitet die tatsächliche Möglichkeit und auch den Wert solcher von aller menschlichen Vermittlung unabhängigen Offenbarungen nicht ab[10]. Aber er wendet sich dagegen, sie zum alleinigen Prinzip zu machen. Die „konsequenten Charismatiker"[11] jedoch beanspruchen diese Exklusivität. Denn sie behaupten, *niemand* brauche hermeneutische Anleitungen; *alles*, was an Dunkelheiten der Schrift aufgedeckt werde, verdanke man der göttlichen Gnadengabe[12]. Dieser konsequenten Berufung der Charismatiker auf das Prinzip *‚ohne die Menschen'* und folglich auf ein permanentes direktes Eingreifen Gottes setzt Augustinus nun den Grundsatz *‚durch Menschen lernen'* entgegen[13]. Und in einer brillanten Beweisführung zeigt er, daß es auch den konsequentesten Charismatikern unmöglich ist, sich diesem Grundsatz wirklich zu entziehen.

Augustinus geht in *zwei Schritten* vor. Sein eigentliches Anliegen, die Widerlegung der revelationistischen Position der Charismatiker hinsichtlich der Frage nach dem Verstehen der Schrift, verwirklicht er erst im *zweiten* Schritt. Gegen die Charismatiker macht er dabei geltend, daß Verstehen in der Regel an sprachliche Kommunikation und an Sprache überhaupt gebunden ist und insofern immer auch an menschliche Vermittlung. Damit wehrt er zugleich eine mögliche Radikalisierung seiner eigenen Theorie vom Verstehen der Bibel ab, in der ebenfalls Offenbarung eine entscheidende Rolle spielt. Dies wird in einem späteren Paragraphen dargestellt[14]. Im *ersten*

---

[7] Prol. 5: qui se Scripturas sanctas *sine duce homine* nosse gaudent. 8: legit et *nullo sibi hominum exponente* intelligit ... *non per hominem,* sed illo intus docente intelligant.

[8] Prol. 2: ... quod de illarum Litterarum obscuritatibus laudabiliter aperitur, *divino munere* fieri posse clamitant. 4: qui *divino munere* exsultant. 8: *divino munere* quaecumque in Scripturis obscura sunt intelligere gloriantur.

[9] Prol. 7: ... divinitus in mente sine hominis ministerio revelatum est.

[10] Prol. 4: magno Dei dono iure laetantur. 5: vero et non mediocri gaudent bono.

[11] Der Ausdruck kommt von P. Brunner.

[12] Prol. 2: nemini esse ista necessaria, sed potius totum quod de illarum Litterarum obscuritatibus laudabiliter aperitur, divino munere fieri posse.

[13] Prol. 4: *per homines* discere. 5: *per hominem* praeceptorem accipere; *per hominem* discere; legentem praedicantem *hominem audire.* 6: *per homines hominibus* Deus verbum suum ministrare. 8: *per hominem* intelligere.

[14] Siehe § 13,1. Die Darstellung der Kritik Augustins an seiner eigenen Sprach- und Verstehenstheorie ist Duchrows Anliegen. Die Interpretation Duchrows bedarf allerdings der Korrektur. Siehe dazu R. Lorenz, Zwölf Jahre Augustinusforschung, in: Theologische Rundschau 39 (1974) 274; sowie C.P. Mayer, Res per signa.

Schritt, der den zweiten vorbereiten soll, weist Augustinus nach, daß die Verfechter einer konsequenten charismatischen Schriftauslegung auch schon im Vorfeld des eigentlichen Verstehens nicht ohne Lernen durch Menschen auskommen. Selbst wenn sie dank eines besonderen Charismas die Fähigkeit haben sollten, den verborgenen Sinn der Schrift unmittelbar zu erfassen, sind sie doch an Voraussetzungen gebunden, die ihnen von Menschen vermittelt wurden, nicht durch besondere Offenbarungen. Der Offenbarungsoptimismus der Charismatiker wird also schon auf dieser Ebene gedämpft. Damit korrigiert Augustinus zugleich seine eigene Aufgeschlossenheit für wunderhafte Visionen und Eingebungen. Dieser erste Schritt soll nun näher entfaltet werden[15].

b) In drei sich jeweils steigernden Argumenten weist Augustinus den Charismatikern nach, daß sie trotz ihres konsequent charismatischen Anspruchs von einem vorgängigen Lernen durch Menschen abhängig sind, ihre Konsequenz also immer schon gebrochen ist:
Zuerst erinnert er sie daran, ,,daß doch auch sie jedenfalls die *Buchstaben* durch Menschen haben lernen müssen"[16], um die Bibel überhaupt lesen zu können. Er führt zwar selbst zwei Gegenbeispiele an: den ägyptischen Mönch Antonius, ,,von dem man sagt, er habe, bar aller Buchstabenkenntnis, die Bibel vom bloßen Hören auswendig gekannt"[17], und die zitierte Geschichte von dem Sklaven, der ohne Hilfe von Menschen die Buchstaben in einer Offenbarung gelernt haben soll. Augustinus zitiert diese Beispiele aber gerade wegen ihres Ausnahmecharakters. Deshalb sagt er, die Charismatiker bräuchten angesichts dieser beiden Sonderfälle nicht beschämt zu sein[18]. Beide Geschichten noch einmal abwertend, fügt er sogar hinzu: ,,Wenn sie jemand für falsch hält, will ich nicht hartnäckig darauf bestehen."[19]
Das zweite Argument betrifft die *Sprache:* Die Charismatiker müssen doch zugeben, daß jeder Mensch seine Muttersprache in früher Kindheit durch die Gewohnheit des Hörens lernen mußte und daß eine Fremdsprache wie die griechische oder die hebräische ebenso nur durch Hören oder mit Hilfe eines menschlichen Lehrers gelernt werden kann[20]. Auch hier gibt es ein Ge-

---

15 Die Unterscheidung der beiden Argumentationsschritte, die der augustinischen Unterscheidung zwischen bildhafter und einsichthafter Offenbarung entspricht, kommt bei Brunner und Duchrow zu wenig klar zum Ausdruck.
16 Prol. 4: recordentur se tamen per homines didicisse vel litteras.
17 Prol. 4: qui sine ulla scientia litterarum Scripturas divinas et memoriter audiendo tenuisse et prudenter cogitando intellexisse praedicatur.
18 Prol. 4: Nec propterea sibi ab Antonio ... insultari debere...; aut ab illo servo...
19 Prol. 5: Aut si haec quisque falsa esse arbitratur, non ago pugnaciter.
20 Prol. 5: Concedant necesse est unumquemque nostrum et ab ineunte pueritia consuetudine audiendi linguam suam didicisse, et aliam aliquam vel graecam vel hebraeam

genbeispiel. Die Apostel haben, als sie am Pfingstfest vom Heiligen Geist erfüllt wurden, augenblicklich in den Sprachen aller Völker gesprochen. Augustinus wehrt aber eine Berufung auf diesen besonderen Fall mit Ironie ab. Soll man etwa allen christlichen Eltern empfehlen, ihren Kindern keine Sprache zu lehren und statt dessen auf ein solches Sprachwunder zu warten? Und muß der, bei dem ein solches Wunder nicht eintritt, etwa glauben, er sei kein Christ oder habe den Heiligen Geist nicht empfangen[21]? Nein, sagt Augustinus:

„Vielmehr lerne ein jeder *ohne Hochmut*, was durch Menschen gelernt werden muß. Und wer andere lehrt, der gebe *ohne Hochmut* und ohne Neid weiter, was er selbst empfangen hat."[22]

In diesem Satz gibt Augustinus eine erste, aufschlußreiche Begründung für seine ablehnende Haltung gegenüber den Charismatikern. Der charismatische Anspruch entspringt der Ursünde des menschlichen Hochmuts (superbia). Wer ständig nach besonderen Offenbarungen verlangt, allein von Gott selbst belehrt werden will und die Angewiesenheit auf mitmenschliche Kommunikation verachtet, der verkennt die menschliche Situation, der handelt aus dem sündhaften Trieb der Selbstüberhebung heraus. Im Lernen durch Menschen dagegen, im Anerkennen der mitmenschlichen Verflochtenheit und sozialen Abhängigkeit, zeigt der Mensch die ihm allein angemessene Haltung der Demut (humilitas).

Das dritte Argument schließlich knüpft an den zitierten Satz an: Auch der *Text der Bibel* als die Basis aller Schriftauslegung ist Ergebnis menschlicher Vermittlung und wird allein aus menschlicher Überlieferung empfangen. Und Augustinus warnt die Charismatiker vor der „überaus *hochmütigen* und gefährlichen Versuchung"[23], selbst die biblische Botschaft aus besonderen Offenbarungen empfangen zu wollen:

Niemand lasse sich vom Teufel so verführen, „daß er nicht mehr zur Kirche geht, um das Evangelium zu hören und kennenzulernen, noch die Bibel liest oder einen lesenden oder predigenden Menschen hört", weil er lieber darauf wartet, „in den dritten Himmel entrückt zu werden…, dort den Herrn Jesus Christus zu sehen und *von ihm statt von Menschen* das Evangelium zu hören"[24].

---

vel quamlibet caeterarum, aut similiter audiendo, aut per hominem praeceptorem accepisse.

[21] Prol. 5: Iam ergo si placet, moneamus omnes fratres, ne parvulos suos ista doceant, quia momento uno temporis adveniente Spiritu sancto, repleti Apostoli omnium gentium linguis locuti sunt; aut cui talia non provenerint, non se arbitretur esse christianum, aut Spiritum sanctum accepisse se dubitet.

[22] Prol. 5: Imo vero et quod per hominem discendum est, sine superbia discat; et per quem docetur alius, sine superbia et sine invidia tradat quod accepit.

[23] Prol. 6: Caveamus tales tentationes superbissimas et periculosissimas.

[24] Prol. 5: ne talibus inimici versutiis et perversitate decepti, ad ipsum quoque audiendum Evangelium atque discendum nolimus ire in ecclesias, aut codicem legere, aut legentem praedicantemque hominem audire; et exspectemus rapi usque in tertium

Augustinus führt hier zwei biblische Beispiele an, die seiner Argumentation zunächst entgegenzustehen scheinen, an denen er aber gerade deshalb die charismatische Position besonders wirksam widerlegen kann: Der Apostel Paulus hat das Evangelium tatsächlich nicht von Menschen empfangen, sondern unmittelbar von Gott, durch eine „göttliche und himmlische Stimme", die ihn unterwiesen hat (Apg 9,3—7). Aber die Charismatiker können sich dennoch nicht auf ihn berufen. Denn trotz dieser himmlischen Stimme wurde Paulus zu einem Menschen geschickt, um von diesem die Sakramente zu empfangen und so in das menschliche Miteinander der Kirche eingegliedert zu werden[25]. Der jüdische Hauptmann Cornelius hatte vor seiner Bekehrung zum Christentum (Apg 10,1ff) zwar eine Engelsoffenbarung, in welcher ihm mitgeteilt wurde, daß seine Gebete erhört worden seien. Aber obwohl schon ein Engel zu ihm sprach, sollte er das Evangelium selbst von einem Menschen hören. Denn er wurde zu Petrus geschickt, um von ihm die Sakramente zu empfangen und von ihm zu hören, was zu glauben, zu lieben und zu hoffen sei[26].

Hier nun gibt Augustinus die zweite, entscheidende Begründung für seine Kritik an der Offenbarungsgläubigkeit der Charismatiker. Auf die Frage, warum wohl der Engel den Cornelius nicht gleich selbst in allem unterwiesen habe, antwortet Augustinus:

„Natürlich hätte das auch alles durch einen Engel geschehen können. Aber die ‚humana conditio‘ wäre mißachtet, wenn Gott nicht durch Menschen den Menschen sein Wort vermitteln würde. Wie könnte denn das Wort wahr sein: ‚Der Tempel Gottes ist heilig, und das seid ihr‘ (1 Kor 3,17), wenn Gott nicht aus diesem menschlichen Tempel heraus Kundgaben machen wollte, sondern alles, was nach seinem Willen den Menschen zur Mitteilung überliefert werden sollte, vom Himmel her und durch Engel verkündete?"[27]

Die ‚humana conditio‘, das ist „die schöpfungsmäßige Struktur des Mensch-

---

coelum ... ibi videre Dominum Iesum Christum, et ab illo potius quam ab hominibus audire Evangelium.

[25] Prol. 6: magisque cogitemus et ipsum apostolum Paulum, licet divina et coelesti voce prostratum et instructum, ad hominem tamen missum esse, ut sacramenta perciperet, atque copularetur Ecclesiae. — Augustinus läßt hier wohl auch Gal 1,12 anklingen: ‚neque enim ego ab homini accipi illud, neque didici, sed per revelationem Iesu Christi‘; siehe z.B. auch C. Faust. 22,20; In evang. Ioh. 109,5 und De corrept. 5,8.

[26] Prol. 6: Centurionem Cornelium quamvis exauditas orationes eius, eleemosynasque respectas ei angelus nuntiaverit, Petro tamen traditum imbuendum; per quem non solum sacramenta perciperet, sed etiam quid credendum, quid sperandum, quid diligendum esset, audiret.

[27] Prol. 6: Et poterant utique omnia per angelum fieri, sed abiecta esset humana conditio, si per homines hominibus Deus verbum suum ministrare nolle videretur. Quomodo enim verum esset quod dictum est, ‚Templum enim Dei sanctum est, quod estis vos‘; si Deus de humano templo responsa non redderet, et totum quod discendum hominibus tradi vellet, de coelo atque per Angelos personaret?

seins"[28], die Augustinus hier durch mitmenschliche Verflochtenheit und sprachliche Kommunikation gekennzeichnet sieht. Würde Gott nur in besonderen Offenbarungen zum Menschen sprechen, dann wäre diese Struktur des Menschseins ständig mirakelhaft durchbrochen und insofern nicht ernstgenommen. Aber Gott nimmt seine Schöpfung ernst. Er spricht zum Menschen in menschlicher Vermittlung und bewahrt so die menschliche Verfassung vor der Auflösung durch die Permanenz des Wunders[29]. Zur Bekräftigung seines Standpunktes zitiert Augustinus 1 Kor 3,17. Brunner bemerkt dazu, daß Augustinus in seinem Verständnis dieser Bibelstelle an die Vorstellung der heidnischen Divination anknüpfe: Wenn der Heide wissen will, was sein Gott ihm zu sagen hat, geht er zu dem Haus, in dem sein Gott wohnt, und fragt an in der Erwartung, daß in der Stimme des Orakels sein Gott ihm aus diesem Haus heraus antworten wird[30]. Augustinus dagegen betont, daß Gott nicht durch solche Divinationen zum Menschen spricht, nicht durch mirakelhafte Himmelsstimmen oder besondere Engelsoffenbarungen, sondern aus dem ‚menschlichen Tempel' heraus, innerhalb des Rahmens der ontologischen Struktur des Menschseins.

c) Verläßt Augustinus mit dieser abweisenden Haltung gegenüber den besonderen Offenbarungsphänomenen und mit der entsprechend positiven Sicht der äußeren, geschichtlichen Wirklichkeit seine eigenen erkenntnistheoretischen Grundsätze? Ist er hier nicht weit entfernt von der ihm sonst geläufigen Hierarchie der drei Weisen des Sprechens Gottes? Sieht er in der Gebundenheit des Menschen an zeichenhafte, menschliche Vermittlung anderswo nicht eher einen Ausdruck der durch die Sünde verursachten Heilsdifferenz des Menschen als eine von Gott gewollte, schöpfungsmäßige Struktur? Die Akzentunterschiede lassen sich sicherlich nicht leugnen. Doch sind diese nicht unbedingt von grundsätzlicher Natur, sondern lassen sich mit der jeweiligen Argumentationsweise Augustins erklären. In metaphysischen Argumentationszusammenhängen setzt er andere Akzente als in kirchlich-praktischen. Während er von seiner Metaphysik her die verschiedenen Formen des innerlichen Sprechens Gottes grundsätzlich allen äußerlichen Vermittlungen vorziehen muß, kommt er von der Realität des menschlichen Lebens und den Erfordernissen der kirchlichen Verkündigung her notwendig zu einer positiveren Würdigung der äußeren, geschichtlichen Wirklichkeit, ohne daß dabei jedoch seine Metaphysik außer Kraft tritt. Dies wird sich später, bei der Darstellung des zweiten Schrittes des Prologs, deutlicher zeigen.

---

[28] U. Duchrow, a.a.O. 208.
[29] P. Brunner, a.a.O. 92.
[30] P. Brunner, a.a.O. 93.

2. Verweis auf die Bibel

Augustins grundsätzliche Aufgeschlossenheit für wunderhafte Offenbarungen einzelner findet vor allem an der Bibel ihre Grenze. Denn in ihr hat Gott auf autoritative und für alle verbindliche Weise gesprochen. Sie ist, so lautet Augustins kirchlich-praktisches Urteil, verläßlicher als alle Traumoffenbarungen und ekstatischen Erlebnisse. Auf sie ist deshalb das Interesse all derer zu lenken, die Gott suchen. Besondere Offenbarungen können zuweilen zwar einen Anstoß dazu geben. Aber mehr als Anstoß sollen sie nicht sein. Der eigentliche Ort, an dem der Mensch die Wahrheit Gottes findet, ist die Bibel.

a) Um diese Zusammenhänge geht es in einem Text aus *De catechizandis rudibus* aus dem Jahre 399. Augustinus rät dort den Katecheten, in ihrer Katechese von der Motivation des jeweiligen Schülers auszugehen, von den Beweggründen, die diesen veranlaßt haben, sich für das Katechumenat zu melden. Als Beispiel wählt er den Fall eines Schülers, der auf außerordentliche Weise, durch irgendwelche Wunder oder Traumoffenbarungen, dazu angehalten worden sei, Christ zu werden:

„Antwortet ein Katechumene etwa, er sei von Gott her ermahnt *(admonitum)* oder aufgeschreckt worden, so ermöglicht er uns mit dem Gedanken, wie groß doch Gottes Sorge für uns ist, die erfreulichste Einleitung. Doch muß seine Aufmerksamkeit von derartigen *Wundern und Traumgesichten* wegkommen und auf den gediegeneren Weg und die gewisseren Gottessprüche (oracula) der heiligen Schriften hingelenkt werden, damit er erkenne, wie groß die Barmherzigkeit ist, die ihm jene Ermahnung *(admonitio)* zuteil werden ließ, noch bevor er den heiligen Schriften anhing. Man muß ihm nämlich erklären, daß der Herr ihn gewiß nicht so sehr ermahnt *(admoneret)* und angetrieben hätte, ein Christ zu werden und sich der Kirche eingliedern zu lassen, und daß er ihn sicher nicht durch solche *Zeichen und Offenbarungen* belehrt hätte, wäre es nicht sein Wille gewesen, daß der Katechumene nunmehr sicherer und gefahrloser den in den heiligen Schriften schon bereiteten Weg gehen und sich daran gewöhnen solle, dort nicht *sichtbare Wunder* zu suchen, sondern *unsichtbare* zu erhoffen, und nicht im *Schlaf,* sondern *wachend* Mahnung und Belehrung zu empfangen."[31]

Das Schlüsselwort dieses Textes ist ‚*admonitio*'. Es bezeichnet einen den Menschen auf irgendeine Weise treffenden Impuls, der ihn aus seiner durch

---

[31] De catech. rud 6,10: Quod si forte se divinitus admonitum vel territum esse responderit, ut fieret christianus, laetissimum nobis exordiendi aditum praebet, quanta Deo sit cura pro nobis. Sane ab huiusmodi miraculorum sive somniorum, ad Scripturarum solidiorem viam et oracula certiora transferenda est eius intentio; ut et illa admonitio quam misericorditer ei praerogata sit, noverit, antequam Scripturis sanctis inhaereret. Et utique demonstrandum est ei quod ipse Dominus non eum admoneret aut compelleret fieri christianum et incorporari Ecclesiae, seu talibus signis aut revelationibus erudiret, nisi iam praeparatum iter in Scripturis sanctis, ubi non quaereret visibilia miracula, sed invisibilia sperare consuesceret, neque dormiens sed vigilans moneretur, eum securius et tutius carpere voluisset.

die Sünde verursachten Gottvergessenheit herausruft, ohne den er also Gott oder die Wahrheit Gottes überhaupt nicht suchen würde[32]. So spricht Augustinus schon in *De beata vita* von „irgendeinem Impuls (admonitio), der uns veranlaßt, daß wir uns Gottes erinnern und daß wir ihn suchen"[33]. Die Funktion, die beim frühen Augustinus die ‚admonitio' hat, entspricht sachlich der Funktion der ‚*vocatio*' in der späteren Gnadenlehre[34]. Der Mensch könnte gar nicht glauben wollen, der Wille käme gar nicht in Bewegung, wenn Gott ihn nicht zuvor zu diesem Glauben rufen und ihn durch einen besonderen Impuls (vocatio) zu diesem Glauben hin anregen würde. Die Gleichheit von ‚admonitio' und ‚vocatio' zeigt sich unter anderem daran, daß Augustinus beide Begriffe unterschiedslos nebeneinander gebrauchen kann[35]. Vor allem aber erfolgt der mit beiden Begriffen gemeinte Impuls auf je gleiche, mannigfaltige Weise[36]. Er kann von zufälligen persönlichen Erlebnissen ausgehen, von den verschiedensten äußeren Begebenheiten, von inneren Erfahrungen des Menschen, von der Bibel, von der Überzeugungsmacht der Kirche, von der Autorität eines Menschen. Von seiner erkenntnistheoretischen Prinzipienlehre her klassifiziert Augustinus alle diese möglichen Impulse ausschließlich nach dem Gesichtspunkt, ob diese *im Innern* des Menschen ergehen oder ihn *von außen* treffen:

„Weil niemand zu wollen vermag, wenn er dazu nicht gemahnt und gerufen (admonitus et vocatus) wird, sei es *im Innern,* wohin kein Mensch sehen kann, sei es *von außen* durch gesprochene Worte oder durch irgendwelche sichtbare Zeichen, deshalb trifft zu, daß Gott in uns auch das Wollen bewirkt."[37]
„Der Wille zu glauben ist nicht nur deswegen Geschenk Gottes, weil er aus der uns naturhaft eingeschaffenen Willensfreiheit kommt, sondern darüber hinaus auch deshalb, weil Gott durch Anstöße aus bestimmten Wahrnehmungen (visorum suasionibus) bewirkt, daß wir wollen und daß wir glauben; sei es *von außen* durch die Mahnungen des Evangeliums..., sei es *von innen,* wo niemand darüber verfügen kann, was ihm möglicherweise in den Sinn kommt... So wirkt Gott auf die vernunftbegabte Seele ein, daß

---

[32] Siehe dazu K.H. Lütcke, ‚Auctoritas' bei Augustin, Stuttgart 1968, hier vor allem den Exkurs über ‚auctoritas — admonitio — vocatio' 88–93.
[33] De beata vita 35: Admonitio autem quaedam, quae nobiscum agit, ut Deum recordemur, ut eum quaeramus...
[34] Das zeigt U. Duchrow, Sprachverständnis und biblisches Hören, 184ff, im Anschluß an A. Niebergall, Augustins Anschauung von der Gnade, Marburg 1944, 24f; vgl. auch R. Holte, a.a.O. 318f.
[35] In epist. ad Rom. 9: Neminem peccati sui poeniteret, nisi admonitione aliqua vocationis Dei; De divers. quaest. 83 qu. 68,5: ... quoniam nec velle quisquam potest nisi admonitus et vocatus.
[36] Siehe K.H. Lütcke, a.a.O. 90f. U. Duchrow, a.a.O. 187f, zeigt, welch mannigfaltige Begebenheiten und Erfahrungen Augustinus in seinen Bekenntnissen als ihm zuteil gewordenen Ruf der Gnade deutet.
[37] De divers. quaest. 83 qu. 68,5: ... quoniam nec velle quisquam potest nisi admonitus et vocatus, sive intrinsecus, ubi nullus hominum videt, sive extrinsecus per sermonem sonantem, aut per aliqua signa visibilia; efficitur, ut etiam ipsum velle Deus operetur in nobis.

sie ihm glaube. Sie kann ja aus freiem Willen allein nicht glauben, wenn kein Anstoß (suasio) oder Anruf (vocatio) da ist, auf den hin sie glauben kann."[38]

Eine ganz andere Einteilung trifft man in dem zitierten Text aus *De catechizandis rudibus* an. Augustinus geht dort von der Annahme aus, der Katechumene sei durch ein äußeres wunderhaftes Zeichen oder durch eine innere Offenbarung zum Glauben bewegt worden. Er mißt diesen beiden Weisen der göttlichen Mahnung aber gleichermaßen einen nur relativen Wert bei und stellt ihnen die Mahnung durch das zuverlässigere Wort der Bibel entgegen. Die verschiedenen göttlichen Impulse werden hier also nicht einfach nach prinzipiellen, erkenntnistheoretischen Gesichtspunkten in innerliche und äußere eingeteilt. Während in den beiden eben zitierten Texten das Wort des Evangeliums, ohne besonders hervorgehoben zu sein, neben sichtbaren Zeichen und Wundern aufgezählt war, die inneren Offenbarungen dagegen eine eigene Gruppe bildeten und von daher besonderes Gewicht erhielten, wird hier das Wort der Bibel von allen anderen Formen göttlicher Ermahnung abgehoben. Und auch der, zu dem Gott schon durch innere Offenbarung gesprochen hat, wird an die Bibel verwiesen. Denn durch die Bibel spricht Gott auf normale, der ‚conditio humana‘ entsprechende Weise. Bei allen anderen göttlichen Ermahnungen dagegen handelt es sich um außerordentliche, mehr oder weniger mirakelhafte Widerfahrnisse. Wie im *Prolog zu De doctrina christiana,* so spricht Augustinus auch hier diesen punktuellen Eingriffen Gottes zwar weder ihre Faktizität noch ihren Wert ab. Aber er schwächt doch ihre Bedeutung ab und lenkt die Aufmerksamkeit von ihnen weg, hin zu dem schon vorgegebenen, autoritativen Wort der Bibel. Wie im Prolog, so wehrt Augustinus auch hier Wundergläubigkeit und übertriebene Offenbarungserwartung ab. Nicht einzelne wunderhafte Orakel aus besonderen äußeren Zeichen oder inneren Offenbarungen sind für den Christen bestimmend, sondern die zuverlässigeren Gottessprüche (oracula) der Schrift. Und vielleicht hat Augustinus auch hier wie im Prolog die Vorstellung der heidnischen Divination im Auge, von der er sich energisch absetzt: Gott spricht nicht in erster Linie durch irgendwelche außerordentliche Orakelspüche zum Menschen, sondern durch das menschlich vermittelte Wort der Bibel, nicht durch permanente mirakelhafte Eingriffe, sondern im Rahmen der ontologischen Struktur des Menschseins.

Diese Abwertung der Offenbarungsphänomene hat ihren Grund einmal in der *faktischen* Bedeutung, die die Bibel im Leben der Kirche hat und die sich

---

[38] De spir. et litt. 34,60: non ideo tantum istam voluntatem divino muneri tribuendam, quia ex libero arbitrio est, quod nobis naturaliter conreatum est; verum etiam quod visorum suasionibus agit Deus, ut velimus, et ut credamus, sive extrinsecus per evangelicas exhortationes...; sive intrinsecus, ubi nemo habet in potestate quid ei veniat in mentem... His ergo modis quando Deus agit cum anima rationali, ut ei credat; neque enim credere potest quodlibet libero arbitrio, si nulla sit suasio vel vocatio cui credat.

nicht mit einem von der Bibel unabhängigen Offenbarungsaktualismus verträgt. Augustinus gibt für diese faktische Bedeutung der Bibel darüber hinaus aber auch eine *theoretische* Begründung, indem er die Bibel als ‚*auctoritas*‘ deutet[39]. ‚Auctoritas‘ aber versteht Augustinus, wie K.H. Lütcke in seiner ausgezeichneten Monographie zeigt, vorwiegend in der ursprünglichen Bedeutung des Wortes als „Macht und Wirkkraft einer Person"[40]. Von daher spricht Augustinus der Bibel eine besondere Überzeugungsmacht zu. Genau durch diese Überzeugungsmacht aber zeichnet sie sich vor allen anderen Formen göttlicher Ermahnung aus, also auch vor Wundern und inneren Offenbarungen[41]. Freilich bedeutet diese Überzeugungsmacht der Bibel für Augustinus nicht, daß das Wort der Bibel einfachhin wirkmächtiges Wort ist und der Mensch dem Ruf des Evangeliums einfachhin folgen könnte. Vielmehr bedarf es dazu nach Augustins Gnadenlehre eines weiteren gnadenhaften Wirkens Gottes[42]. Zu dem äußeren Ruf der Bibel muß die innere Inspiration der Liebe hinzukommen, so wie zu dem äußeren, zeichenhaften Wort der Bibel die innere, einsichthafte Offenbarung. Mit dem Verweis auf den autoritativen Weg der Bibel hat Augustinus also zwar Wunder- und Offenbarungsgläubigkeit in die Schranken gewiesen; die eigentliche Offenbarungsproblematik, der Zusammenhang von sprachlicher Vermittlung und einsichthafter Offenbarung, fängt für ihn damit aber erst an[43]. Davon wird im nächsten Kapitel ausführlich die Rede sein.

b) In ähnlicher Weise wie in *De catechizandis rudibus* hebt Augustinus in zwei *Predigten zum Epiphaniefest* die autoritative Bedeutung der Bibel hervor. Es geht um die Berufung der drei Magier aus dem Osten. Warum kamen sie zu Christus? Wie wurden sie zu Glaubenden? Nur aufgrund von besonderen Zeichen und Offenbarungen und nicht vielmehr auch durch die Bibel?

---

[39] Siehe K.H. Lütcke, a.a.O. 119, über ‚auctoritas divina‘.

[40] Ders., a.a.O. 92; gegen U. Duchrow, a.a.O. 81 und 240, der nach Lütckes Ansicht die auctoritas zu einseitig von ihrer Verweisungsfunktion her interpretiert.

[41] Siehe K.H. Lütcke, a.a.O. 88—93. 91f heißt es: „Die Worte, die *signa*, haben gegenüber der *res* nur hinweisende Funktion; diese Funktion kann auch die *auctoritas* haben, wenn sie auf die *remota*, die nicht anwesenden Dinge verweist; aber sie hat demgegenüber auch noch die Kraft des excitare, accendere, commovere, und die Kraft, eine Lehre auch bei denen zu verbreiten, die nicht in jeder Frage eigener Einsicht fähig sind."

[42] Siehe dazu U. Duchrow, a.a.O. 184ff. Duchrow zeigt an De divers. quaest. ad Simpl. 1,2,21, wie Augustinus zuerst nur die Notwendigkeit eines den Willen bewegenden Motivs aufweist, dann aber einen für seine Gnadenlehre entscheidenden Schritt weitergeht und zeigt, daß ein weiteres gnadenhaftes Wirken Gottes notwendig ist, damit der Wille überhaupt Gefallen an dem Motiv findet.

[43] Darum geht es im zweiten Schritt des Prologs von De doctrina christiana, nicht aber in De catech. rud. 6,10. K.H. Lütcke hat deshalb unrecht, wenn er behauptet (a.a.O. 92f), De catech. rud. 6,10 sei eine bedeutsame Parallele zum Prolog, die von Duchrow leider übersehen worden sei.

„Warum kamen sie? Weil sie einen ungewöhnlichen Stern gesehen haben. Und woher wußten sie, daß es der Stern Christi war? Sie konnten nämlich den Stern zwar sehen. Konnte dieser aber etwa zu ihnen sprechen und sagen: ‚Ich bin der Stern Christi‘? Ohne Zweifel wurde es ihnen anders gezeigt, und zwar durch eine *Offenbarung*... Sie suchten zweifellos, wofür der Stern ein Zeichen war, den sie so neu und ungewohnt sahen. Und sie vernahmen es auch, und zwar ganz sicher von Engeln, durch die Mahnung aus einer *Offenbarung* (admonitione revelationis)... Bevor sie Christus aber an dem Ort fanden, wo er geboren worden war, kamen sie und fragten: Wo ist der König der Juden geboren worden? Hätten sie nicht auch das durch eine *Offenbarung* erfahren können, so wie sie erfahren haben, daß jener Stern ein Zeichen für den König der Juden war? ... Das wäre zweifellos möglich gewesen. Aber es ist dennoch nicht so geschehen, damit sie dies von den Juden erfragten. Und warum wollte Gott, daß sie dies von den Juden erfragten? Damit jene, da sie Auskunft gaben von dem, an den sie nicht glaubten, durch ihren eigenen Schriftbeweis verurteilt würden... Herodes ... rief die Schriftgelehrten und trug ihnen auf, sie sollten sagen, wo Christus nach den Schriften geboren werden sollte. Jene antworteten: In Bethlehem im Lande Juda. Die Magier gingen hin und beteten an... *Sie wurden Gläubige durch die Schriften* der Juden.“[44]

„Was bedeutet es, daß Christus von Fremden am Himmel erkannt und auf Erden gesucht wird? Daß er in der Höhe leuchtet und im Niedrigen verborgen ist? Im Osten sahen die Magier einen Stern, und sie kamen zur Einsicht, daß in Judäa ein König geboren worden ist. Wer ist dieser so niedrige und so große König, der auf Erden noch nicht spricht, aber schon am Himmel seine Weisungen bekanntmacht? Obwohl Christus den Magiern ein so deutliches *Zeichen* vom Himmel herab gegeben und ihren Herzen *geoffenbart* hatte, daß er in Judäa geboren worden ist, wollte er doch *unseretwegen*, denen er aus den *heiligen Schriften* bekanntwerden wollte, daß auch die Magier den *Propheten* glauben sollten. Als sie nämlich den Ort suchten, wo der geboren worden war, den sie zu sehen und anzubeten begehrten, mußten sie die Fürsten der Juden danach fragen. So sollten jene, die die heilige Schrift zwar im Munde führten, aber bei sich nicht beherzigten, als Nichtglaubende den Glaubenden über die Gnade des Glaubens *aus der heiligen Schrift* Bescheid geben.“[45]

---

[44] Sermo 374,1f: Quare venerunt? Quia stellam inusitatam viderunt. Et unde eam Christi esse cognoverunt? Videre enim potuerunt stellam; numquid loqui eis potuit et dicere, Stella Christi sum? Procul dubio aliter indicatum est, per aliquam revelationem. ... Quaesierunt sine dubio cuius esset signum, quod tam novum insolitumque viderunt. Et utique audierunt, profecto ab Angelis, ab aliqua admonitione revelationis. ... Antequam eum in civitate ubi natus fuerat invenirent, venerunt quaerentes: Ubi natus est rex Iudaeorum? Nonne potuerunt etiam hoc revelatione cognoscere, sicut cognoverunt illam stellam regis esse Iudaeorum? ... Poterat sane, non tamen factum est; ut hoc a Iudaeis inquirerent. Quare voluit hoc Deus a Iudaeis inquiri? Ut dum ostendunt in quem non credunt, ipsa sua demonstratione damnentur. ... Herodes ... vocat legis peritos, interrogat ab eis secundum Scripturas ut iudicent ubi Christus nasceretur. Illi respondent: In Bethlehem Iudae. Perrexerunt Magi et adoraverunt... Fiunt fideles per eorum codices.

[45] Sermo 199,1,2: Quid est, quod iste ab alienigenis in coelo agnoscitur, in terra quaeritur; in alto fulget, in humili latet? In Oriente Magi vident stellam, et in Iudaea natum intelligunt regem. Quis est iste rex tam parvus, tam magnus; nondum in terris loquens, iam in coelis edicta proponens? Verumtamen propter nos, quibus de Scripturis suis sanctis innotescere voluit, ipsos etiam Magos quibus tam clarum signum de coelo dederat, et quorum cordibus se in Iudaea natum esse revelaverat, Prophetis tamen suis de se credere voluit. Quaerendo enim civitatem in qua natus erat, quem videre et

Augustinus zeigt in diesen beiden Texten zunächst, daß die drei Magier durch ein außerordentliches äußeres Zeichen sowie eine ihnen zuteil gewordene besondere Offenbarung veranlaßt wurden, Christus zu suchen[46]. Aber obwohl Augustinus beide Weisen dieses außerordentlichen Sprechens Gottes in ihrem Wert durchaus anerkennt, unterstreicht er auch hier den besonderen Rang der biblischen Schriften. Denn auch die drei Magier sind letztlich auf die prophetischen Schriften verwiesen. Aus ihnen müssen sie erfragen, an welchem Ort Christus geboren wurde, obwohl ihnen auch das durch eine Offenbarung hätte mitgeteilt werden können. Auch sie sind deshalb erst durch das Wort der Schrift zu glaubenden Christen geworden.

Die Begründung für diese Gebundenheit der Magier an die Bibel trotz empfangener Offenbarungen hat in beiden Texten einen unterschiedlichen Akzent. Im ersten Text soll damit, wie vor allem auch der Kontext zeigt, die besondere Autorität und Überzeugungskraft der Bibel herausgestellt und exemplifiziert werden: Mit ihren prophetischen Vorhersagen und den entsprechenden in christlicher Zeit bezeugten Erfüllungen ist die Bibel ein für alle grundsätzlich überprüfbares und deshalb einzigartiges Glaubenskriterium. Die Tatsache, daß die prophetischen Schriften auch im Besitz der Juden sind, erhöht ihre Überzeugungskraft. Denn niemand kann nun sagen, die auf Christus weisenden alttestamentlichen Prophetien seien von Christen fingiert worden[47]. An den Magiern wurde diese Qualität der Schrift zum erstenmal vor aller Welt sichtbar.

Im zweiten Text kommt ein anderer Akzent hinzu: Unseretwegen sollten die Magier auf das Wort der Propheten angewiesen sein. Was heißt das? Augustinus sieht in dem Text die wunderhaften Zeichen und Offenbarungen als Bekundungen der himmlischen Macht Christi, als Wort des großen, göttlichen Königs, nicht des niedrigen, menschgewordenen Christus. Aber Christus will, so betont Augustinus, nicht durch machtvolle, göttliche Wunder zum Menschen sprechen, sondern durch das menschliche Wort seiner

---

adorare cupiebant, necesse habuerunt percontari principes Iudaeorum; ut illi de sancta Scriptura, quam in ore, non in corde gestabant, infideles fidelibus de gratia fidei responderent.

[46] Sermo 199 ist nach A. Kunzelmann, Die Chronologie der Sermones des hl. Augustinus, in: Miscellanea Agostiniana Bd. II, Rom 1931, 417–520 (siehe bes. den Index 512ff), vor 400 zu datieren. Sermo 374 wird von den Maurinern zu den Predigten gezählt, über deren Authentizität Zweifel bestehen. Als Grund wird an erster Stelle angegeben, daß Augustinus in Sermo 374 mit einer Offenbarung durch Engel argumentiere. Die in der vorliegenden Arbeit aufgezeigte Vertrautheit Augustins mit solchen Offenbarungen sowie vor allem die Parallelität der Argumentation in Sermo 199 und Sermo 374 sprechen aber doch für die Echtheit der Predigt.

[47] Siehe Sermo 374,2: Sparsi sunt ubique Iudaei, portantes codices quibus Christus praedicatur, et sicut praedictus est praesentatur, ut iam Paganis possit ostendi. Profero codicem, lego prophetam: ostendo impletam esse prophetiam. Dubitat paganus, ne forte hoc ipse confinxerim. Inimicus meus habet hunc codicem, antiquitus sibi a maioribus commendatum.

heiligen Schrift. Deshalb, unseretwegen, der Bedeutung der menschlichen Gemeinschaft wegen, mußten sich auch die Magier von diesem niedrigen, menschlichen Wort der Bibel belehren lassen. Wie im Prolog zu De doctrina christiana, so geht es also auch hier um die Wahrung der ‚conditio humana‘, die durch je punktuelle, wunderhafte Offenbarungen in Frage gestellt wäre.

3. Argumentation mit Vernunftgründen und Schriftzeugnissen

a) Läßt sich der Anspruch einzelner, je aktuelle Offenbarung empfangen zu haben, in das geregelte Leben einer Gemeinschaft, wie sie die Kirche darstellt, integrieren? Wie ist es, wenn wichtige Entscheidungen unter Berufung auf unmittelbar von Gott empfangene Offenbarung gefällt werden? Öffnet ein solcher Offenbarungsaktualismus nicht Tür und Tor für willkürliche Behauptungen und für ein unkontrollierbares Durcheinander?
Mit diesen Fragen setzt sich Augustinus in *Epistula 250* auseinander. Er schreibt diesen Brief als schon bejahrter Bischof[48] an einen noch jungen Kollegen, der einen Mann samt dessen Familie wegen eines vermeintlichen Vergehens dieses Mannes exkommuniziert hat. Behutsam und mit psychologischem Geschick versucht Augustinus, den jungen Bischof zur Revision seines Urteils zu bewegen. Bevor er die Schuld des exkommunizierten Mannes gänzlich in Frage stellt, geht er zunächst einmal davon aus, dieser habe wirklich ein Vergehen begangen. Er bittet nun seinen Kollegen um Angabe von einsichtigen und verifizierbaren Gründen, die es rechtfertigen, wegen der Sünde eines einzelnen über dessen ganze Familie eine solche Strafe zu verhängen:

„Wenn du in dieser Sache ein durch sichere *Vernunftgründe* oder *Schriftzeugnisse* vergewissertes Urteil hast, dann, bitte, leg auch uns dar, wie es recht sein kann, daß der Sohn für die Sünde des Vaters mit dem Anathem belegt wird, die Frau für die des Gatten oder der Knecht für die des Herrn.“[49]

Mehrmals wiederholt Augustinus sein Verlangen nach vernünftiger, begründeter Argumentation, nach ausweisbarer Rechenschaft. Dabei führt er selbst zwei mögliche Erklärungen an, die der junge Bischof vielleicht abgeben könnte, die aber dieser Forderung nicht voll entsprechen:
Er könnte vielleicht auf einen Präzedenzfall verweisen und sich somit einfach auf *menschliche Autorität* berufen. Vielleicht hat er von irgendwelchen namhaften Priestern gehört, die einen Sünder zusammen mit dessen Haus

---

[48] Der Brief gehört nach der Maurinerausgabe zu der Gruppe von Briefen, die nicht näher datierbar sind. Da Augustinus darin aber von sich als ‚senex‘ und ‚episcopus tot annorum‘ (Epist. 250,2) spricht, wird man davon ausgehen dürfen, daß der Brief relativ späten Datums ist.
[49] Epist. 250,1: Si habes de hac re sententiam certis rationibus vel Scripturarum testimoniis exploratam, nos quoque docere digneris, quomodo recte anathemetur pro patris peccato filius, aut pro mariti uxor, aut pro domini servus.

aus der Kirche ausgeschlossen haben[50]. Aber reicht die Berufung auf deren faktisches Vorgehen wirklich aus? Entbindet denn ein Präzedenzfall von der Notwendigkeit, über dessen Begründung nachzudenken? Nein, sagt Augustinus. So wie die Priester, auf die sich der junge Bischof vielleicht beruft, selbst in der Lage sein mußten, Rechenschaft für ihr Tun abzulegen und ihre Handlungsweise zu begründen, so müssen auch diejenigen, die sich auf sie berufen, die Begründungszusammenhänge kennen. Und Augustinus bekennt von sich selbst, er wisse nicht, was er zur Antwort geben solle, wenn ihn jemand frage, ob eine solche Exkommunikation rechtens sei; und deshalb habe er niemals gewagt, in dieser Sache so zu verfahren wie sein Kollege[51]. Auch menschliche Autorität kann demnach nicht letzter Maßstab des Handelns sein. Auch sie muß sich ausweisen. Sie unterliegt den prinzipiell überprüfbaren Kriterien der menschlichen Vernunft und der in den Zeugnissen der Bibel vermittelten göttlichen Autorität.

Nun könnte sich der junge Bischof zur Rechtfertigung seines Urteils aber auch auf die *unmittelbare Autorität Gottes* berufen, das heißt, auf eine ihm zuteil gewordene *Offenbarung*. Augustinus hält eine solche Offenbarung durchaus für möglich. Aber er will sich auch in diesem Fall nicht mit dem bloßen Hinweis auf die außerordentliche Legitimationsquelle begnügen, sondern fordert Argumente, die die Wahrheit des Offenbarten einsichtig machen:

„Wenn dir aber gar der Herr *geoffenbart* hat, wie gerecht dieses Exkommunikationsurteil ist, dann will ich keineswegs dein jugendliches Alter und deine erst kurze Amtszeit geringschätzen. Nein, ich bin durchaus bereit, als Greis von einem jungen Mann und als langjähriger Bischof von einem Kollegen, der noch nicht einmal ein Jahr lang im Amt ist, zu lernen und zu erfahren, wie wir *Gott und den Menschen wohlbegründete Rechenschaft* geben können, wenn wir unschuldige Seelen für fremde Vergehen ... mit geistlichen Sanktionen bestrafen.“[52]

Augustinus schätzt also einerseits den Wert einer tatsächlich ergangenen Offenbarung so hoch ein, daß sie die mangelnde Erfahrung seines Kollegen bei weitem aufwiegen würde. Andererseits ist er aber doch skeptisch, ob eine solche Offenbarung wirklich ergangen sein kann. Denn er sieht nicht, wie in diesem Fall das Offenbarte vor den Menschen als wahr begründet werden, das heißt, wie es vor menschlicher Vernunft und vor den Zeugnissen der

---

[50] Epist. 250,2: Audisti fortassis aliquos magni nominis sacerdotes cum domo sua quempiam anathemasse peccantium.

[51] Epist. 250,2: Sed forte si essent interrogati, reperirentur idonei reddere inde rationem. Ego autem, quoniam si quis ex me quaerit utrum recte fiat, quid ei respondeam non invenio, nunquam hoc facere ausus sum.

[52] Epist. 250,2: Sed si tibi forte quam iuste fiat, Dominus revelavit, nequaquam in te aetatem tuam, et honoris ecclesiastici rudimenta contemno: en adsum, senex a iuvene et episcopus tot annorum a collega necdum anniculo paratus sum discere, quomodo possimus vel Deo vel hominibus iustam reddere rationem, si animas innocentes pro scelere alieno ... spirituali supplicio puniamus.

Schrift Bestand haben kann. Damit aber unterwirft er den Wahrheitsanspruch der Offenbarung einer kritischen, inhaltlichen Prüfung. Er mißt ihn an dem, was der menschlichen Vernunft aus sich selbst einsichtig oder durch das Zeugnis der Bibel verbürgt ist: Wenn der junge Kollege durch *außerordentliche* Offenbarung weiß, daß sein Exkommunikationsurteil rechtens ist, dann muß er dieses Wissen zugleich durch *gewöhnliche*, allgemein zugängliche, verifizierbare Argumente als wahr begründen können. Andernfalls ist seine Offenbarung unwahr. Das aber bedeutet, daß Augustinus hier den inneren Offenbarungen letztlich einen *eigenständigen* Informationswert abspricht. Denn er erkennt, daß die kirchliche Gemeinschaft gefährdet wäre, würden sich ihre Mitglieder immer wieder ausschließlich auf besondere Offenbarungen berufen. Verbindende Grundlage christlichen Zusammenlebens kann nur die Bibel sein. Allein eine vernünftige und überprüfbare Argumentation aus der Bibel bewahrt kirchliche Entscheidungen vor der Willkür.

b) Die Reserve Augustins gegenüber außerordentlichen Offenbarungsentscheidungen zeigt sich auch in einem Text aus *De baptismo contra Donatistas* (400/01), obwohl Augustinus dort angesichts einer unlösbar scheinenden Frage selbst glaubt, zu einem besonderen Gottesspruch aus einer Offenbarung Zuflucht nehmen zu müssen. Es geht um die Frage, unter welchen Bedingungen eine Taufe gerade noch gültig ist. Augustinus ist sich sicher, daß eine Taufe auch dann gültig ist, wenn zwar der Taufspender Theater spielt, der Täufling aber guten Glaubens ist; ebenso, wenn zwar der Täufling nur etwas vortäuscht, die Taufe aber doch offiziell erteilt wird, sei es in der Kirche oder in einer häretischen Gemeinschaft[53]. Ob eine Taufe aber auch dann noch gültig ist, wenn „alles nur Spiel, Theater oder Scherz ist", das wagt Augustinus nicht zu entscheiden. In dieser überaus schwierigen Frage kann vielleicht nur eine göttliche Offenbarung weiterhelfen:

„Ich glaube, daß man bezüglich dieser Frage in einmütigem Gebet und tiefer Demut ein Gottesurteil aus dem Spruch einer *Offenbarung* herabflehen muß."[54]

Diese Bitte um Offenbarung möchte Augustinus jedoch nur als allerletzte Zuflucht verstanden wissen, als ‚ultima ratio'. Zuerst will er noch warten, ob vielleicht andere, die klüger sind als er, in ihren Forschungen der Lösung des

---

53 De bapt. c. Don. 7,53,102: Nequaquam dubitarem habere eos Baptismum, qui ubicumque, et quibuscumque illud verbis evangelicis consecratum, sine sua simulatione, et cum aliqua fide accepissent... Non dubito etiam illos habere Baptismum, qui quamvis fallaciter id accipiant, in Ecclesia tamen accipiunt, vel ubi putatur esse Ecclesia ab eis, in quorum societate id accipitur.

54 De bapt. c. Don. 7,53,102: Ubi autem neque societas ulla esset ita credentium, neque ille qui ibi acciperet, ita crederet, sed totum ludicre et mimice et ioculariter ageretur, utrum approbandus esset Baptismus, qui sic daretur: divinum iudicium per alicuius revelationis oraculum, concordi oratione et impensis supplici devotione gemitibus implorandum esse censerem.

Problems näherkommen. Zuerst will auch er selber mit noch größerer Sorgfalt weiterforschen. Und erst wenn sich herausstellen sollte, daß die Forschung zu keinem Ergebnis kommt und die Vernunft am Ende ist, erst dann mag man Gott bitten, er möge die Sache in einer Offenbarung entscheiden[55]. Ein allzu eifriges Hoffen auf orakelhafte Offenbarungen wird von Augustinus also auch hier zurückgewiesen. Offenbarungen sind zwar möglich. Unter Umständen sind sie sogar der einzige Weg zur Lösung eines Problems. Aber das sind seltene Fälle. Der normale Weg der Wahrheitsfindung ist die vernünftige und ausweisbare Argumentation.

4. Realhermeneutik

Die gleiche realistische Haltung legt Augustinus an den Tag, wo es um Fragen der sittlichen Lebensgestaltung geht: „Wie können wir den Willen Gottes wissen, den wir unserem eigenen Willen voranstellen müssen?" fragt er in *Epistula* 80 (405) seinen Briefpartner[56]. Wie können wir in den alltäglich auf uns zukommenden Entscheidungen, in denen „es schwer ist, sich nicht zu täuschen"[57], ermitteln, was Gott von uns will? Denn in der Regel werden uns nicht solche außerordentlichen und ausdrücklichen Willensmitteilungen Gottes zuteil, wie sie zum Beispiel die Bibel berichtet:

> „Meistens werden wir nicht durch eine *Stimme vom Himmel*, nicht durch einen *Propheten*, nicht durch eine *Offenbarung*, sei es im Traum oder in einer Entrückung des Geistes, die man Ekstase nennt, sondern durch die sich ereignenden Dinge selbst, die uns zuweilen zu etwas anderem rufen, als wir selbst beschlossen hatten, zu der Erkenntnis genötigt, der Wille Gottes sei anders als unser seitheriger Wille. Zum Beispiel: Wir waren entschlossen wegzugehen, und dann stellte sich plötzlich etwas ein, das uns, der über unsere Pflicht befragten Wahrheit zufolge, zum Dableiben nötigte; oder wir hatten uns zum Dableiben entschlossen, und dann wurde uns etwas gemeldet, das uns, derselben zu Rate gezogenen Wahrheit zufolge, zum Weggehen drängte."[58]

Augustinus zählt in diesem Text drei außerordentliche Wege auf, über die Gott seinen Willen so kundtun kann, daß ihn der Mensch direkt und aus-

---

[55] De bapt. c. Don. 7,53,102: Ita sane, ut post me dicturos sententias, ne quid iam exploratum et cognitum afferrent, humiliter exspectarem; quanto magis ergo nunc sine praeiudicio diligentioris inquisitionis, vel maioris auctoritatis, illud dixisse accipiendus sum?

[56] Epist. 80,2: Quonam modo voluntatem Dei, quae nostrae voluntati praeponenda est, noverimus.

[57] Epist. 80,3: Hic non falli difficile est. Hic omnino vox prophetica praevalet: Delicta quis intelligit?

[58] Epist. 80,3: Sed plerumque non voce de coelo, non per prophetam, non per revelationem vel somnii, vel excessus mentis qui dicitur ecstasis, sed rebus ipsis accidentibus et ad aliud quam statueramus vocantibus cogimur agnoscere Dei voluntatem aliam quam erat nostra: tanquam si proficisci statueramus, et aliquid oriretur quod consulta de officio nostro veritas vetaret deserere, aut decernentibus immanere nuntiatur aliquid, quod eadem veritate consulta nos compelleret proficisci.

drücklich vernimmt: eine bildhafte Offenbarung, als deren Erfahrungsmedien wie selbstverständlich Traum und Ekstase genannt werden; das Wort eines Propheten, der anderen verkündet, was ihm selbst geoffenbart worden ist; eine mirakelhafte Himmelsstimme. Aber alle diese außerordentlichen Wege sind für Augustinus hier faktisch von geringem Belang. Denn normalerweise ist das menschliche Leben eben dadurch bestimmt, daß der Wille Gottes nur indirekt und unausdrücklich durch den Verlauf dieses Lebens selbst erfahren wird, daß er gewöhnlich aus den konkreten Gegebenheiten dieses Lebens erschlossen werden muß. Der Mensch erfährt den je situationsbezogenen Willen Gottes in der Regel nicht aus besonderen, mirakelhaften Geschehnissen, sondern aus einer Realhermeneutik des Lebens selbst, aus den je auf ihn zukommenden neuen Situationen mit ihren konkurrierenden Ansprüchen.

Freilich muß er diese Ansprüche noch nach der „über unsere Pflicht befragten Wahrheit" beurteilen. Er muß sie unter dem Aspekt des in Pflicht nehmenden Gottes in der rechten Ordnung der Liebe[59] gegeneinander abwägen. Und das macht die von Augustinus in dem Brief zur Frage gestellte Schwierigkeit aus. Denn der Mensch kann sich beim Abwägen der verschiedenen Ansprüche täuschen. Er kann allzusehr seinem eigenen Wollen verhaftet sein, so daß er neue, ihn fordernde Gegebenheiten gar nicht mehr wahrnimmt. Entscheidend aber ist, daß Augustinus diese Schwierigkeit, die wesentlich zur ‚conditio humana' dazugehört, bestehen läßt und nicht etwa durch ein voreiliges Spekulieren mit besonderen Offenbarungen von neuem aufzulösen sucht.

Anerkennung der ‚conditio humana' und Hochschätzung der Bibel: dies sind die beiden Motive, aus denen heraus Augustinus bei aller prinzipiellen Aufgeschlossenheit für visionäre und ekstatische Erlebnisse einzelner diesen Offenbarungsphänomenen zugleich auch kritisch gegenübersteht. Diese Offenbarungskritik richtet sich jedoch nur gegen die mirakelhaften Offenbarungsphänomene, nicht aber gegen die Vorstellung aktueller göttlicher Offenbarung überhaupt. Sie richtet sich nur gegen die außerordentlichen, *bildhaften Offenbarungen*, gegen die Traumvisionen und plötzlichen Eingebungen, die als mirakelhafte Einbrüche mit der gewöhnlichen, menschlichen Art der Wissensvermittlung konkurrieren; nicht aber gegen die *einsichthafte Offenbarung*, gegen die gnadenhafte Erleuchtung des menschlichen Geistes, in der Gott dem Menschen in einer der ‚conditio humana' entsprechenden Weise die intelligible Wahrheit erschließt. Die bildhaften Offenbarungen sind *Ausnahmen,* die die ontologische Struktur des Menschseins mirakelhaft durch-

---

[59] Siehe Epist. 140,2,4: Ita bene in his agit anima rationalis, *si ordinem* servet, et distinguendo, eligendo, pendendo subdat minora maioribus, corporalia spiritualibus, inferiora superioribus, temporalia sempiternis, ne ... et se et corpus suum mittat in peius, sed potius *ordinata caritate* se et corpus suum convertat in melius.

brechen. Die einsichthafte Offenbarung dagegen ist *gnadenhaftes Prinzip* der menschlichen Erkenntnis. Nur aufgrund einsichthafter Offenbarung ist es dem Menschen möglich, die in den imaginativen Zeichen der Bibel verborgene göttliche Wahrheit zu vernehmen. Nur aufgrund einsichthafter Offenbarung gelangt der Mensch an sein ihm vom Schöpfer zugedachtes Ziel. Dieser Thematik ist das nun folgende Kapitel gewidmet.

IV. Kapitel

OFFENBARUNG AUF DEM WEG DES
BIBLISCH-KIRCHLICHEN GLAUBENS

§ 11 *Biblische Hermeneutik und Offenbarung*

1. Zeichencharakter der Bibel und Heilsdifferenz des Menschen

Der Mensch ist nicht in der Lage, Gott unmittelbar und ursprünglich zu
schauen. Er ist vielmehr auf die Vermittlung durch Zeichen angewiesen.
Er muß den Umweg über die Dinge der sensiblen Welt gehen, über bildhafte
Anschauung und zeichenhafte Sprache. Und nur im Eingehen auf deren
admonitiven Verweischarakter kann er die Wahrheit vernehmen.
In dieser Angewiesenheit auf der Zeit unterworfene, vergängliche Zeichen,
sieht Augustinus in *De genesi contra Manichaeos* (388/89) die grundlegende, durch die Ursünde (superbia) bedingte Heilsdifferenz des Menschen. Und
entsprechend ist ihm die Bibel, als ein dem menschlichen Fassungsvermögen
angeglichenes Sprechen Gottes, Ausdruck dieser Heilsdifferenz, zugleich
aber auch Hilfsmittel zu deren allmählichen Überwindung. Augustinus entwickelt diesen ganzen Gedankengang an der biblischen Metaphorik des
Wassers[1] :

Zwar spricht Gott auch noch nach der Sünde zum Menschen. ,,Aber er erquickt ihn
jetzt aus den Wolken, das heißt, aus den Schriften der Propheten und der Apostel. Zurecht werden sie Wolken genannt. Denn ihre Worte, die in der Luft tönen und dann vergehen und die zudem durch die Dunkelheiten allegorischer Rede wie in Finsternis gehüllt sind, gleichen Wolken. Wenn man sich mit ihnen befaßt und sie auspreßt, dann ergießt sich in die, welche sie gut verstehen, gleichsam ein Regen der Wahrheit. Aber das
war noch nicht so vor der Sünde... Erst nach der Sünde begann der Mensch, sich auf der
Erde abzumühen und jener Wolken zu bedürfen. Vor der Sünde aber ... erquickte Gott
die Seele aus einem *inneren* Quell. Er sprach zu ihr in ihrem Intellekt, so daß sie nicht
von *draußen* Worte aufnehmen mußte wie aus den genannten Wolken den Regen. Vielmehr wurde sie aus dem Quell selbst, aus der aus ihrem Innersten strömenden Wahrheit, gesättigt... Solange aber die Seele aus einem solchen Quell erquickt wurde, hatte
sie ihr Innerstes noch nicht durch *Selbstüberhebung* (superbia) hinausgeworfen. Weil sie
sich aber aus Selbstüberhebung zu den äußeren Dingen hin aufblähte, wurde sie nicht
mehr aus dem inneren Quell erquickt... Und deshalb bedarf sie nun des Regens aus den

_____

[1] Zur Interpretation des folgenden Textes De gen. c. Manich. 2,4,5f, insbesondere
des Zusammenhangs zwischen der ,superbia', die als Ursünde des Menschen ontologische Bedeutung hat, und der Notwendigkeit äußerer Wissensvermittlung, siehe U.
Duchrow, ,Signum' und ,superbia' beim jungen Augustin (386—390), in: REA 7
(1961) 368—372; Chr. Walter, Der Ertrag der Auseinandersetzung mit den Manichäern
für das hermeneutische Problem Augustins, München 1972, Bd. 1, 115ff; und C.P.
Mayer, Die Zeichen II, 203—208.

Wolken, das heißt einer Unterweisung aus menschlichen Worten... Wenn sie doch nur den Regen der Wahrheit aus diesen Wolken gern aufnähme. Denn um dieses Regens willen ließ sich unser Herr dazu herab, das Gewölk unseres Fleisches anzunehmen, und goß dadurch den überreichen Regen des heiligen Evangeliums aus. Dabei versprach er, daß, wer von seinem Wasser trinke, zu jenem innersten Quell zurückkehren werde, so daß er nicht mehr nach Regen von draußen her trachten müsse."[2]

Das Schlüsselwort dieses Textes ist *Selbstüberhebung* (superbia)[3]. Augustinus versteht darunter zunächst eine *voluntative* Bewegung, in welcher die menschliche Seele nach mehr strebt als ihr zusteht und sich gerade so von Gott abwendet. Selbstüberhebung hat dann die doppelte Bedeutung von versuchter Gottlosigkeit und angemaßter Gottgleichheit[4]. Diese Perversion des menschlichen Strebens hat weitreichende *ontologische* Konsequenzen. Denn sie bedeutet zugleich eine Perversion der von Gott gesetzten Seinsordnung[5]. Sie ist Anmaßung eigener Seinsmächtigkeit, Hinwendung zu weniger Seiendem (zu den äußeren Dingen) und deshalb Seinsminderung. Selbstüberhebung wird so zur ontologischen Struktur des gefallenen Menschseins[6]. *Erkenntnistheoretisch* gewendet heißt das: Selbstüberhebung bedeutet Abkehr von der inneren Wahrheitsquelle und deshalb Blindheit gegenüber dem un-

---

[2] De gen. c. Manich. 2,4,5f: Quia et nunc... Deus facit ... animas ... revirescere per verbum suum; sed de nubibus eas irrigat, id est de Scripturis Prophetarum et Apostolorum. Recte autem appellantur nubes, quia verba ista quae sonant et percusso aere transeunt, addita etiam obscuritate allegoriarum quasi aliqua caligine obducta, velut nubes fiunt: quae dum tractando exprimuntur, bene intelligentibus tanquam imber veritatis infunditur. Sed hoc nondum erat antequam anima peccaret... Post peccatum autem homo laborare coepit in terra, et necessarias habere illas nubes. Ante peccatum vero ... irrigabat eam fonte interiore, loquens in intellectu eius: ut non extrinsecus verba exciperet, tanquam ex supradictis nubibus pluviam; sed fonte suo, hoc est de intimis suis manante veritate, satiaretur... Quando autem anima tali fonte irrigabatur, nondum per superbiam proiecerat intima sua... Et quoniam in exteriora per superbiam tumescens coepit non irrigari fonte intimo... Et ideo laborans iam in terra necessariam habet pluviam de nubibus, id est doctrinam de humanis verbis... Sed utinam vel pluviam veritatis de ipsis nubibus libenter excipiat. Nam propter illam Dominus noster nubilum carnis nostrae dignatus assumere, imbrem sancti evangelii largissimum infudit; promittens etiam quod si quis biberit de aqua eius, rediet ad illum intimum fontem, ut forinsecus non quaerat pluviam.
[3] Zur Definition der superbia innerhalb der Anthropologie Augustins siehe E. Dinkler, a.a.O. 82ff; O. Schaffner, Christliche Demut. Des hl. Augustinus Lehre von der Humilitas, Würzburg 1959, 225–246; und Chr. Walter, a.a.O. 115ff.
[4] Vgl. Chr. Walter, a.a.O. 117.
[5] Zur Theozentrik der Seinsordnung siehe J. Rief, Der Ordobegriff des jungen Augustinus, Paderborn 1962.
[6] Vgl. Chr. Walter, a.a.O. 116. Walter gebraucht zur Beschreibung der voluntativen Bewegung bzw. der ontologischen Struktur die Begriffe existenziell bzw. existenzial. Diese Begriffe gehören insgesamt zu den Grundkategorien seiner Interpretation. Doch dient eine solche Übertragung moderner Kategorien nicht immer der Klarheit der Augustinusinterpretation und soll deshalb hier vermieden werden.

wandelbar Wahren sowie Gebundenheit des Denkens an Materialität[7]. Und weil die Selbstüberhebung in die ontologische Struktur des Menschseins eingeschrieben ist, gilt die Angewiesenheit auf sinnenfällige Zeichen auch dort, wo die Bewegung der Selbstüberhebung umgekehrt und der Mensch zum Quell der göttlichen Wahrheit zurückgeführt werden soll. Wahrheit ist für den gefallenen Menschen nicht mehr unmittelbar in ihrem Ursprung vernehmbar, sondern nur auf dem Umweg über die Sinnenwelt und deren Verweisstruktur[8].

Gott spricht deshalb zwar auch noch nach der Sünde zum Menschen. Aber er geht nun „einen indirekten Weg über Welthaftigkeit, Sprache und Geschichte"[9]. Er spricht zu ihr durch die Schriften der Propheten und der Apostel. Augustinus faßt dieses Sprechen im Bild der Wolken und des Regens als eine Dialektik von Verbergen und Offenbaren[10].

Zunächst ist die Bibel Dunkelheit, Wolke; und zwar nicht nur deswegen, weil ihre Worte innerhalb des biblischen Sprechens durch allegorische Redeweise verhüllt sind, sondern vor allem wegen der ontologischen Verfaßtheit der Sprache überhaupt. Sprache gehört dem Seinsbereich des Draußen an und kann im Blick auf die unwandelbare innerliche Wahrheit nur hinweisende Funktion haben[11]. Die Bibel wird deshalb erst dann zu einem sprechenden Zeichen, wenn sie in der ihr spezifischen Verweisfunktion gesehen

---

[7] Siehe Chr. Walter, a.a.O. 116; 119; 130.

[8] Siehe Chr. Walter a.a.O. 130. − Die Vorstellung, daß der Mensch vor der Sünde nicht an äußere Zeichen gebunden war, findet sich zwar explizit nur in De gen. c. Manich. 2,4,5f (vgl. dagegen das schwebende Urteil Augustins in De gen. ad litt. 8,27,49 und 9,2,3; zitiert in § 5,1 des 1. Teiles); entscheidend ist aber, daß Augustinus ‚superbia' auch später in der skizzierten ontologischen und erkenntnistheoretischen Dimension sieht (vgl. z.B. De civ. Dei 14,13,1) und das Sprechen Gottes durch bildhafte Zeichen als ein der Seinslage des gefallenen Menschen entsprechendes, eschatologisch zu überholendes Sprechen versteht (siehe dazu § 9 des 2. Teiles).

[9] Chr. Walter, a.a.O. 140f.

[10] Ebd.

[11] Siehe Chr. Walter, a.a.O. 142−146. − A.D.R. Polman versucht in seiner Arbeit über das Wort Gottes bei Augustinus von einem reformatorischen Wortverständnis her nachzuweisen, daß Augustinus im Laufe seiner Entwicklung von einer durch seine neuplatonische Erkenntnistheorie bestimmten Abwertung des äußeren Wortes der Bibel und der Verkündigung mehr und mehr zu einer realistischeren, von der Bibel beeinflußten Sicht des Wortes gelangt sei (a.a.O. besonders 32ff und 149ff). Dagegen hat R. Lorenz, Die Wissenschaftslehre Augustins, gezeigt, daß Augustins Prinzipienlehre bei allen Akzentverschiebungen innerhalb seines Denkens und seiner Praxis stets gleich geblieben ist (a.a.O. besonders 242 und 249); vgl. auch schon die Kritik von Lorenz an Polman in: Theologische Literaturzeitung 82 (1957) 854−856. − Zu gleichen Ergebnissen kommen U. Duchrow, Sprachverständnis und biblisches Hören, passim; A. Schindler, Wort und Analogie, 76−97; F. Schnitzler, Zur Theologie der Verkündigung, 17f und 113ff; und R. Hardy, a.a.O. 186−193. − Zur Frage der soteriologischen Aufwertung des Wortes der Bibel aufgrund seiner Parallelisierung mit der Inkarnation, wie sie schon in De gen. c. Manich. 2,4,5f sichtbar wird, siehe in diesem Kapitel weiter unten.

und eingesehen wird[12]. Das Problem besteht dabei freilich darin, daß der Mensch auf die genannte Verweisfunktion solange nicht eingehen kann, als er selbst in seinem durch Selbstüberhebung pervertierten Sein keinen Wandel vollzogen hat[13]. Das zeichenhafte Sprechen Gottes in der Bibel wird also erst dann fruchtbar, wenn der Mensch zuvor von der Haltung der Selbstüberhebung geheilt und zur umgekehrten Haltung, der gottgerichteten Liebe, befreit wird[14]. Nur in dieser Liebe ist er fähig, auf den Verweischarakter der Zeichen einzugehen und so zum Verstehen und zur Einsicht zu gelangen[15]. Aber auch dann ist die Einsicht nicht einfach erzwingbar. Vielmehr ist sie die Frucht einer dem menschlichen Verfügungswillen entzogenen Erleuchtung[16]. Augustinus gebraucht daher dort, wo es um das Verstehen der Bibel geht, häufig das Wort ‚Offenbarung‘. Das wird im folgenden dargestellt. Gott offenbart dem einzelnen, worauf das in den biblischen Schriften Berichtete verweist. Und erst wo Gott offenbart, ergießt sich, im Bild gesprochen, Regen der Wahrheit. Jedoch geschieht diese Offenbarung in diesem Leben erst anfanghaft. Sie bleibt noch gebunden an die äußere Vermittlung durch die Bibel. Erst in der eschatologischen Vollendung wird Wahrheit wieder ohne alle Zeichen unmittelbar aus ihrem ursprünglichen Quell vernommen[17].

2. Verstehen durch Offenbarung

a) Zum erstenmal innerhalb seines Schrifttums gebraucht Augustinus das Wort ‚revelare‘ in *De moribus ecclesiae catholicae* (388), und zwar gerade im Zusammenhang bibelhermeneutischer Überlegungen[18]. Augustinus stellt diese Überlegungen in apologetischer Absicht an. Angesichts der radikalen Bibelkritik der Manichäer, die das Alte Testament und große Teile des

---

[12] Siehe C.P. Mayer, Die Zeichen I, 261.
[13] Siehe Chr. Walter, a.a.O. 130.
[14] Hier zeigt sich das Problem der augustinischen Gnadenlehre, die nur in einer Zirkelbewegung gefaßt werden kann. In § 2 des 2. Teiles wird darauf zusammenfassend eingegangen.
[15] Vgl. G. Strauss, a.a.O. 38: Das Zeugnis der Bibel „kann aber nur von seinem Ziel, der als vollendeten Gottes- und Nächstenliebe qualifizierten, vollendeten Reinigung her verstanden werden“.
[16] Siehe Chr. Walter, a.a.O. 163—168.
[17] Nach dem zitierten Text De gen. c. Manich. 2,4,5f stellt sich diese eschatologische Vollendung als eine Rückkehr in den vorsündlichen Zustand dar. Siehe dazu auch § 9 des 2. Teiles. — Zur Einschätzung der Bibel als Hilfsmittel, dessen sich der Mensch bedient (uti), um in den Besitz (frui) der ewigen Glückseligkeit zu gelangen, siehe G. Strauss, a.a.O. 1—43.
[18] De mor. eccl. cath. 1,17,31; zitiert in Anm. 24. Zwar greift Augustinus dabei biblischen Sprachgebrauch auf, macht ihn aber ganz seinem Offenbarungskonzept dienstbar.

Neuen Testaments als ‚unchristlich' aus dem Kanon der biblischen Schriften ausscheiden[19], muß er nämlich nach Bedingungen und Möglichkeiten eines rechten Verstehens der *ganzen* Bibel fragen[20]. Als ausschlaggebendes Kriterium erweist sich ihm dabei der jeweilige hermeneutische Ansatz. So erblickt er in der Bibelkritik der Manichäer den anmaßenden hermeneutischen Anspruch, aus einer vorgängigen Kenntnis der Wahrheit heraus die Bibel *eigenmächtig* beurteilen zu können[21]. Gegen diesen Anspruch entwickelt er die Grundlinien seiner *theonomen* Hermeneutik.

Augustinus argumentiert zuerst mit der besonderen ontologisch-gnoseologischen Verfaßtheit der Bibel[22], die von den Manichäern verkannt wird und so den *objektiven* Grund für ihre Fehlinterpretation darstellt:

„Weil in der Bibel vieles auf sehr einfache und dem der Erde verhafteten Menschen *angeglichene* Weise gesagt ist, damit die Menschen sich durch Menschliches zu Göttlichem erheben könnten; weil ferner vieles *figürlich* gesagt ist, damit der strebsame Geist durch noch Gesuchtes zu seinem Nutzen in Bewegung gehalten und durch schon Gefundenes um so reicher erfreut werde, könnt ihr diese wunderbare Anordnung des heiligen Geistes dazu mißbrauchen, eure Schüler in die Irre zu führen und zu umgarnen."[23]

Der entscheidende *subjektive* Grund der Fehlinterpretation der Manichäer liegt freilich in deren anmaßender Haltung. Sie *wollen* die Bibel gar nicht verstehen. Sie wollen sich gar nicht auf die Verweisungen der Bibel einlassen, weil sie eigene Wahrheit beanspruchen[24]. Augustinus stellt daher das Verstehen in eine dem manichäischen Anspruch diametral entgegengesetzte

---

[19] Zum vermeintlichen christlichen Anspruch des Manichäismus und der daraus resultierenden Bibelkritik siehe J. Nörregaard, Augustins Bekehrung, 28—51. 38f heißt es treffend: „Fast möchte man sagen, daß er (scl. Faustus) den Versuch macht, die Schriften des Neuen Testaments danach zu beurteilen, ‚ob sie Christum treiben'." — Vgl. auch Chr. Walter, a.a.O. 10ff und C.P. Mayer, Die Zeichen II, 67ff. — Zum System des Manichäismus überhaupt siehe immer noch P. Alfaric, L'évolution intellectuelle de Saint Augustin. Du Manichéisme au Néoplatonisme, Paris 1918, erster Hauptteil.
[20] Z.B. De mor. eccl. cath. 1,16,24; 1,29,59ff. — Die damit zusammenhängende Frage nach der Einheit der beiden Testamente, die Augustinus mit Hilfe des geschichtstheologischen Schemas ‚occultatio — revelatio' löst, wird ausführlich im 2. Teil der Arbeit behandelt.
[21] Siehe Chr. Walter, a.a.O. 10ff.
[22] Vgl. auch De mor. eccl. cath. 1,7,11: Ergo refugere in tenebrosa cupientibus per dispensationem ineffabilis Sapientiae, nobis illa opacitas auctoritatis occurrat, et mirabilibus rerum, vocibusque librorum *veluti signis temperatioribus veritatis*, umbrisque blandiatur.
[23] De mor. eccl. cath. 1,17,30: Sed quia multa dicuntur submissius, et humi repentibus animis accomodatius, ut per humana in divina consurgant; multa etiam figurate ut studiosa mens, et quaesitis exerceatur utilius, et uberius laetetur inventis; vos mirifica dispositione Spiritus sancti, ad decipiendos vestros auditores et illaqueandos abutimini.
[24] De mor. eccl. cath. 1,17,31: Quare vobiscum sic agendum est, non ut ea iam intelligatis, quod fieri non potest; sed ut intelligere aliquando cupiatis. Facit enim hoc simplex et pura caritas Dei...

theonome Erschließungssituation. Allein die *Liebe* als das auf Gott hin orientierte Wollen[25] ist die rechte Voraussetzung für Verstehen. Denn allein diese Liebe ist offen für die unwandelbare Wahrheit im ganzen[26]. Dieser Liebe entzieht sich die Wahrheit nicht[27], sondern offenbart sich ihr in direkter Zuwendung[28].

„In diesem Sinne muß man jenes Wort verstehen, das auch ihr ständig im Munde führt: ‚Bittet, und ihr werdet empfangen; sucht, und ihr werdet finden; klopft an, und es wird euch aufgemacht. Nichts ist verborgen, was nicht *offenbart* wird (Mt 7,7; 10,26). Durch Liebe bittet man, durch Liebe sucht man, durch Liebe klopft man an. Durch Liebe wird *offenbart*. Durch Liebe schließlich bleibt man in dem, was einmal *offenbart* wurde. Von dieser Liebe zur Weisheit und Sorgfalt des Suchens werden wir auch durch das Alte Testament nicht abgeschreckt..., sondern erst recht dazu entflammt.“[29]

b) Worin besteht nun näherhin die Wahrheit, die sich dem recht Suchenden offenbart? Worauf verweist die Bibel? Was will sie letztlich sagen? Was ist ihre „Sache“ (res)? Auf einer ersten Ebene ist es sicherlich Christus, das Zentrum und der verborgene Gehalt der ganzen biblischen Geschichte, und mit Christus die Kirche, der Raum der demütigen Liebe Christi, in welchem die Menschen innerlich umgekehrt und so wieder neu auf Gott hin ausgerichtet werden sollen. Auf einer zweiten Ebene aber ist es Gott selbst und seine intelligible Welt, sei es als direktes Auslegungsziel einzelner biblischer Texte, sei es als der letzte Bezugspunkt, auf den hin die Bibel insgesamt lenken will[30]. Von daher ist Augustins Hermeneutik, wie C.P. Mayer zeigt,

---

25 Zur Theozentrik der Liebe siehe H. Arendt, Der Liebesbegriff bei Augustin. Versuch einer philosophischen Interpretation, Berlin 1929.

26 Zur hermeneutischen Funktion der ‚regula veritatis seu dilectionis‘ siehe C.P. Mayer, Die Zeichen II, 124f, 294, 335, 390.

27 De mor. eccl. cath. 1,17,31: Nam si sapientia et veritas non totis animi viribus concupiscatur, inveniri nullo pacto potest. At si ita quaeratur, ut dignum est, subtrahere sese atque abscondere a suis dilectoribus non potest.

28 Vgl. R. Lorenz, Die Wissenschaftslehre Augustins, 236: „Das Verstehen der heiligen Schrift erfolgt, indem der menschliche Geist in direkte Beziehung zu Gott tritt.“

29 De mor. eccl. cath. 1,17,31: Hinc est illud, quod in ore habere etiam vos soletis, quod ait: Petite et accipietis, quaerite et invenietis, pulsate et aperietur vobis; nil est occultum, quod non revelabitur. Amore petitur, amore quaeritur, amore pulsatur, amore revelatur, amore denique in eo quod revelatum fuerit permanetur. Ab hoc amore sapientiae diligentiaque quaerendi, non deterremur Veteri Testamento..., sed ad haec vehementissime concitamur.

30 C.P. Mayer, Die Zeichen II, hebt vor allem auf diese zweite Ebene ab; H.-J. Sieben, Die „res“ der Bibel. Eine Analyse von Auustinus, De doctr. christ. 1–3, in: Revue des *études* augustiniennes 21 (1975) 72–90, dagegen auf die erstgenannte. Sieben wirft in seinem Aufsatz Mayer Einseitigkeit vor und bezeichnet diese als „Reduzierung der philosophischen Position Augustins auf neuplatonischen Intellektualismus“ (73). Er verfällt dann aber wohl selbst der Einseitigkeit; denn er scheint die Aussage Augustins, die „res“ der Bibel sei der dreifaltige Gott, Christus und die Kirche (De doctr. christ. 1,5,5–9,9; 1,10,10–14,13; 1,15,14–18,17) doch nicht genügend ernstzunehmen. Sagt

von einem grundlegenden „Trend ins Metaphysische" bestimmt; alle möglichen Auslegungsprinzipien werden bei ihm dominiert von seiner metaphysisch orientierten Sprach- und Zeichentheorie[31]. Die biblische Sprache insgesamt ist inadäquater zeichenhafter Ausdruck des intelligiblen Sprechens Gottes. Der gesamte biblische Stoff ist Zeichen, das auf intelligible Wahrheit verweist. Die zitierten Texte aus *De genesi contra Manichaeos* und *De moribus ecclesiae catholicae* haben das eindrücklich gezeigt. Offenbarung geschieht deshalb für Augustinus in erster Linie innerhalb eines metaphysischen Verweisungszusammenhangs. Dies kann sogar dort der Fall sein, wo der sogenannte Litteralsinn eines biblischen Textes Gegenstand des Suchens ist, das heißt der von einem biblischen Text unmittelbar intendierte Bedeutungszusammenhang. Denn auch dieser ist, insofern nicht nur von einer menschlichen Geschichte, sondern von Taten Gottes die Rede ist, immer schon in einen metaphysischen Horizont hineingestellt und deshalb von dem allegorischen Sinn nicht immer eindeutig zu unterscheiden[32]. Die metaphy-

---

er nämlich S. 75 noch ganz im Sinne der augustinischen Hermeneutik, wie sie sich in De doctr. christ. darstellt, die „res" der Bibel sei *„nicht in erster Linie* Gott, sondern Christus und die Kirche", so vereinseitigt er im weiteren Verlauf seines Aufsatzes dieses „nicht in erster Linie" zu einem gegen Mayer gerichteten *„nicht"* (siehe zum Beispiel 79 und 88f). — Sieben hält der Interpretation Mayers im übrigen vor, sie beachte nicht, daß Augustinus die Bibel nicht auf Transzendenz hin *auslege,* sondern nur auf sie *beziehe;* nur wenn ersteres der Fall wäre, könnte man aber, wie dies Mayer tue, von der Transzendenz als der eigentlichen „res" der Bibel sprechen (75f). Sieben hält sich freilich selbst nicht an diese Unterscheidung, wenn er feststellt, die eigentliche „res" der Bibel sei die Bekehrung der Willen (85) bzw. die Liebe (86), und auf sie hin müsse man nach Augustinus die ganze Bibel auslegen (76,78,88). Nähme er seine Unterscheidung ernst, dürfte er hier aber nicht von „res" sprechen, sondern, ähnlich wie bei der Transzendenz, nur vom eigentlichen Zweck der „res". Und auf diesen Zweck hin wäre die Bibel dann nicht auszulegen, sondern nur zu beziehen.

31 C.P. Mayer, Die Zeichen II, 334f, sieht in der Metaphysik Augustins den „Schlüssel zu einer universalen Hermeneutik" (334) und zeigt, daß Augustinus den Wert aller hermeneutischen Regeln danach bemißt, ob sie sich dem grundlegenden „Trend ins Metaphysische" (335) dienstbar machen lassen. — Ähnlich bemerkt G. Strauss, a.a.O. 76ff, Augustinus habe aufgrund seiner Zeichenlehre von den übernommenen hermeneutischen Regeln „nicht nur nicht zu viel, sondern entschieden zu wenig Gebrauch gemacht" (76). Und H.I. Marrou, a.a.O. 443, urteilt treffend: Augustin „est trop philosophe pour être philologue". — B.D. Jackson, The Theory of Signs in St. Augustine's De doctrina christiana, in: REA 15 (1969) 9—49 (es handelt sich hierbei um einen revidierten Auszug aus der 1967 erschienenen philosophischen Dissertation der Verfassers über ‚Semantics and Hermeneutics in Saint Augustine's De doctrina christiana') zeigt zwar von seinem linguistischen Ansatz her, daß die Originalität Augustins darin bestehe, daß er eine explizite Zeichenlehre (semantics) für die biblische Hermeneutik (hermeneutics) nutzbar gemacht habe (49). Jackson geht freilich nirgendwo auf das Problem ein, daß das metaphysische Schema ‚signum-res' alle semantischen Theorien letztlich in den Hintergrund schiebt.

32 Vgl. dazu Chr. Walter, a.a.O. 187—189, und C.P. Mayer, Die Zeichen II, 338f. — Freilich legt Augustinus größten Wert darauf, daß die Historizität des biblischen Ge-

sischen Prämissen Augustins und seine davon bestimmte Sprachtheorie lassen Litteralsinn und allegorischen Sinn ineinander verschwimmen[33].

Dieser allegorische oder, allgemeiner gesprochen, übertragene Sinn verkompliziert die Verweisstruktur der biblischen Sprache. Die beiden zitierten Texte deuten dies an. Beide nennen über die grundlegende ontologisch-gnoseologische Verfaßtheit der Bibel hinaus als weiteren Grund für die Verhülltheit ihrer Wahrheit besondere sprachliche Strukturen: allegorische bzw. figürliche Redeweise. Das Spezifikum dieser Redeweise besteht darin, daß sie in einem doppelten Verweisungszusammenhang steht und deshalb auch ein zweifaches Verstehen erfordert[34]. Die von den sprachlichen Zeichen zunächst intendierte und im ‚fleischlichen' Verstehen erfaßte Sache fungiert von neuem als Zeichen (figura) für die eigentliche, im ‚geistigen' Verstehen zu erfassende Sache[35]. Diese eigentliche Sache kann nun entweder dem intelligiblen Bereich angehören oder innerhalb der zeitlichen Ebene des biblischen Geschehens verbleiben[36]. Das geistige Verstehen und die es ermöglichende Offenbarung steht folglich entweder in einem allegorisch vermittelten *metaphysischen* oder in einem prophetisch-*typologischen* Verweisungszusammenhang[37].

Es ist hier freilich zu beachten, daß Augustins Terminologie nicht den modernen hermeneutischen Unterscheidungen entspricht. Eine Differenzierung zwischen Allegorese und Typologie im Sinne der modernen Literaturwissenschaft ist seinem Denken fremd[38]. So sind die Ausdrücke ‚allegoria' und ‚figura' für ihn prinzipiell austauschbar, bezeichnen also beide sowohl metaphysische als auch innerbiblische Verweisungen[39]. Vor allem aber ist die innerbiblisch-figürliche Auslegung Augustins nicht einfach Typologie im strengen Sinn, sondern ebenfalls immer schon von seiner Metaphysik mit ihrem dominierenden Interesse am Intelligiblen bestimmt[40]. Diesen fließen-

---

schehens gewahrt bleibt. W. Kamlah, a.a.O. 199, hebt deshalb zurecht die Bedeutung des Litteralsinnes für Augustinus hervor. Nur sind, wie Chr. Walter, a.a.O. 199, zeigt, eine Auslegung secundum historiam und eine solche secundum litteram nicht einfach identisch. Siehe dazu weiter unten.

[33] Vgl. dazu das in § 7,4 Gesagte.   [34] Siehe G. Strauss, a.a.O. 79.

[35] Aus der zahlreichen Literatur über die Allegorese bei Augustinus seien genannt: K. Kuypers, Der Zeichen- und Wortbegriff im Denken Augustins, Amsterdam 1934, 90ff; H.I. Marrou, a.a.O. 478ff und 486ff; M. Pontet, L'exégèse de saint Augustin prédicateur, Paris 1945, 127f, 133f, 166ff; Fr. van der Meer, Augustinus der Seelsorger, Köln 1958, 459ff; G. Strauss, a.a.O. 117–143; A.D.R. Polman, a.a.O. 144ff; R. Holte, a.a.O. 178ff; U. Duchrow, a.a.O. 156ff; A. Becker, a.a.O. 229ff; Chr. Walter, a.a.O. 187ff; C.P. Mayer, Die Zeichen II, 334ff.

[36] Vgl. G. Strauss, a.a.O. 86 und 90 ff.

[37] Vgl. ders., a.a.O. 102.

[38] C.P. Mayer, Die Zeichen II, 346f, und Chr. Walter, a.a.O. 188.

[39] Vgl. C.P. Mayer, Die Zeichen II, 346. Als Beleg für den weiten Gebrauch von allegoria führt Mayer De vera relig. 55,99 an; vgl. darüber hinaus De util. cred. 3,8.

[40] Die negative Beurteilung der Allegorese bei Augustinus, wie sie sich z.B. bei A.D.R.

den Übergängen soll im folgenden dadurch Rechnung getragen werden, daß bei der Differenzierung der verschiedenen Offenbarungen nur von *allego-risch-metaphysischen* Verweisungen einerseits und *allegorisch-typologischen* Verweisungen andererseits gesprochen wird.

c) Doch zuvor ist noch einmal auf die hermeneutische Situation zurückzu-kommen, in welcher allein rechtes Verstehen eines biblischen Textes mög-lich ist; auf die Voraussetzungen also für Offenbarung überhaupt. Bisher wurde als solche Voraussetzung die *Liebe* genannt. Allein die Liebe, als das auf Gott hin orientierte Wollen, sucht in angemessener Weise nach der wah-ren Bedeutung der biblischen Texte. Diese Aussage muß jetzt ergänzt wer-den. Zwar hat Augustinus darin die seinem metaphysischen Gesamtkonzept entsprechende hermeneutische Grundregel formuliert. Wegen ihres streng metaphysischen Charakters bleibt sie aber doch unanschaulich und kaum überprüfbar. Augustinus verbindet sie deshalb mit einem konkret-kirchlichen Richtmaß: Derjenige sucht in der rechten Liebe, der sich um ein Verstehen des biblischen Textes innerhalb des von den biblischen Grundaussagen ge-normten *kirchlichen Glaubensbewußtseins* bemüht[41]. Und diesem wird auch offenbart. Diese Gedanken sollen anhand eines Textes aus *De genesi contra Manichaeos* belegt werden, in welchem Augustinus zum zweitenmal inner-halb seines Gesamtwerkes das Wort ‚revelare‘ gebraucht[42]:
Zu Beginn des 2. Buches von De genesi contra Manichaeos zitiert Augustinus die Schöpfungs- und Paradiesgeschichte Gn 2,4—3,24. Bevor er mit ihrer Auslegung beginnt, stellt er zuerst die hermeneutischen Grundsätze auf, die die Auslegung leiten sollen. An erster Stelle nennt er ehrfürchtiges Suchen, das heißt die richtige metaphysische Ausrichtung des Hermeneuten, die hier freilich nicht ausdrücklich als Liebe gekennzeichnet ist: Die Manichäer können die Geheimnisse des biblischen Textes deshalb nicht verstehen, weil sie gar nicht in frommer Gesinnung suchen, sondern den Text aus einer vor-gefaßten Meinung heraus kritisieren[43].
Es folgt eine hermeneutische Unterscheidungslehre: Der Text als Ganzes

---

Polman, a.a.O. 144ff, findet, verkennt deren Verankerung in Augustins metaphysi-schem Grundkonzept.
[41] Vgl. dazu C.P. Mayer, Die Zeichen II, 298ff über die regula fidei und deren ver-mittelnde Funktion in bezug auf die regula veritatis seu dilectionis; ebenso G. Strauss, a.a.O. 63.
[42] De gen. c. Manich. 2,2,3; zitiert in Anm. 47. Zur Interpretation dieses Textes vgl. auch Chr. Walter, a.a.O. 164f und 187f.
[43] De gen. c. Manich. 2,2,3: Haec secreta verborum si non reprehendentes et accusan-tes, sed quaerentes et reverentes Manichaei mallent discutere, non essent utique Ma-nichaei; sed daretur petentibus, et quaerentes invenirent, et pulsantibus aperiretur. Plures enim quaestiones in hoc sermone proponunt, qui diligentia pia quaerunt, quam isti miseri atque impii. Sed hoc interest, quod illi quaerunt ut inveniant, isti nihil la-borant nisi non invenire quod quaerunt.

kann entweder als Geschichtsbericht verstanden werden *(secundum historiam)*, der vergangene Ereignisse erzählt, oder als Prophetie *(secundum prophetiam)*, die Zukünftiges voraussagt[44]. Er kann sich also sowohl auf die Wahrheit von Schöpfung, Paradies und Sündenfall beziehen als auch, wie Augustinus vor allem anläßlich des ersten Schöpfungsberichtes ausgeführt hat[45], auf in der Zukunft liegende, heilsgeschichtliche Entfaltungen. Diese erste Unterscheidung nach den jeweiligen Auslegungsgegenständen wird nun überlagert durch eine zweite nach eigentlichen sprachtheoretischen Gesichtspunkten: Der biblische Text kann, und zwar gerade auch dann, wenn er als Geschichtsbericht verstanden wird, entweder in wörtlicher *(secundum litteram)* oder in übertragener Bedeutung (entsprechend dem *figurate atque in aenigmatibus)* ausgelegt werden.

Augustinus praktiziert in De genesi contra Manichaeos ausschließlich die übertragene Auslegung, erkennt aber grundsätzlich die Leistung dessen an, dem ein wörtliches Verstehen gelingen sollte, das nicht wie das der Manichäer auf blasphemische Aussagen über Gott hinausliefe, sondern sich in Übereinstimmung mit dem katholischen Glauben befände[46]. Der katholische Glaube hat nun nach Augustinus der Maßstab sowohl für die wörtliche als auch die übertragene Auslegung zu sein. Der Interpret, der sich, anders als die Manichäer, an diesem Maßstab ausrichtet, erweist sich zugleich als der, der in der rechten metaphysischen Perspektive sucht. Diesem Interpreten wird, was er sucht, geoffenbart:

„Es kann sein, daß für ein frommes und Gott würdiges Verstehen des Geschriebenen kein anderer Ausweg möglich ist als der, anzunehmen, es liege figürliche und rätselhafte Sprache vor. In diesem Falle wollen wir uns mit Hilfe dessen, der uns zu bitten, zu suchen und anzuklopfen ermuntert, an die mit apostolischer Autorität ausgestatteten Schriften, von denen so viele Rätsel aus den Büchern des Alten Testaments gelöst werden, als Richtmaß für unsere Auslegung halten, damit wir alle diese figürlichen Ausdrücke, ob sie nun zum Genus der Geschichtserzählung oder der Prophetie gehören, *dem katholischen Glauben gemäß* erklären. Dabei wollen wir freilich nicht einer möglichen besseren und sorgfältigeren Auslegung vorgreifen, die wir oder auch andere, *wem immer der Herr offenbart,* noch finden mögen."[47]

---

[44] De gen. c. Manich. 2,2,3: Hic ergo totus sermo primo secundum historiam discutiendus est, deinde secundum prophetiam. Secundum historiam facta narrantur, secundum prophetiam futura praenuntiantur.

[45] De gen. c. Manich. 1,23,41: Nullo ergo modo verbis dici potest quemadmodum Deus fecerit et condiderit coelum et terram et omnem creaturam quam condidit. Sed ista expositio per ordinem dierum sic indicat tanquam historiam rerum factarum, ut praedicationem futurarum maxime observet. – Siehe zu diesem Text Chr. Walter a.a.O. 186f.

[46] De gen. c. Manich. 2,2,3: Sane quisquis voluerit omnia quae dicta sunt, secundum litteram accipere, id est non aliter intelligere quam littera sonat, et potuerit evitare blasphemias, et omnia congruentia fidei catholicae praedicare, non solum ei non est invidendum, sed praecipuus multumque laudabilis intellector habendus est.

[47] De gen. c. Manich. 2,2,3: Si autem nullus exitus datur, ut pie et digne Deo quae

Die Bindung der theonomen Erschließungssituation an das kirchliche Glaubensbewußtsein hat, so läßt sich nun zusammenfassend sagen, mehrere Aspekte:

1. Der aus den biblischen Grundaussagen formulierte katholische Glaube ist zunächst inhaltlicher Orientierungsrahmen aller Auslegung.
2. Die Anerkennung dieses Glaubens ist sodann als Ausdruck der Demut formale Voraussetzung für Offenbarung innerhalb des hermeneutischen Bemühens.
3. Die Auslegung aus empfangener Offenbarung ist zumeist nicht endgültig, sondern weiter offen für immer tieferes Verstehen.
4. Der kirchliche Glaube bleibt dabei kritisches Korrektiv gegen die Beliebigkeit möglicher Offenbarungsansprüche. Ein Beispiel dafür ist die Abwehr des Offenbarungsanspruchs der Manichäer[48].

3. Offenbarung innerhalb eines allegorisch-typologischen Verweisungszusammenhangs

Die inhaltliche Bindung der Auslegung an den katholischen Glauben zeigt sich in aller Deutlichkeit und am stärksten dort, wo das Alte Testament insgesamt als Figur des Neuen interpretiert wird[49]. Denn bei dieser figürlichen Auslegung alttestamentlicher Gegebenheiten ist der neutestamentliche Glaube das schon immer vorausgesetzte und gewußte Auslegungsziel. Dennoch kann Augustinus das Gelingen dieser Auslegung auf das offenbarende Wirken Gottes zurückführen. Wie ist das zu verstehen?

a) In *De utilitate credendi* (391) sagt Augustinus über den allegorisch gedeuteten Zusammenhang der Testamente[50] und die entsprechende hermeneutische Situation:

„In den Vorschriften und Geboten des Gesetzes, welche für die Christen jetzt nicht mehr verbindlich sind, wie zum Beispiel der Sabbat, die Beschneidung, die Opfer und ähnliches, sind dennoch solch große Geheimnisse enthalten, daß jeder Fromme einsieht, wie überaus verderblich es ist, wenn man diese Dinge buchstäblich, d.h. dem

scripta sunt intelligantur, nisi figurate atque in aenigmatibus proposita ista credamus; habentes auctoritatem apostolicam, a quibus tam multa de libris Veteris Testamenti solvuntur aenigmata, modum quem intendimus teneamus, adiuvante illo qui nos petere, quaerere et pulsare adhortatur; ut omnes istas figuras rerum secundum catholicam fidem, sive quae ad historiam, sive quae ad prophetiam pertinent explicemus, non praeiudicantes meliori diligentiorique tractatui, sive per nos, sive per alios quibus Dominus revelare dignatur.

48 Siehe z.B. C.P. Mayer, Die Zeichen II, 74.
49 Zu den geschichtstheologischen Grundlagen dieses allegorisch-typologischen Zusammenhangs der beiden Testamente siehe den 2. Teil dieser Arbeit.
50 Vgl. De util. cred. 3,8, wo Augustinus das Wort ‚allegoria‘ dreimal in diesem Sinne gebraucht.

Wortsinn nach auffaßt, wie überaus heilsam dagegen, wenn ihr geistiger Sinn *offenbart* wird. Deshalb heißt es: ,Der Buchstabe tötet, der Geist aber macht lebendig' (2 Kor 3,6)."[51]

Das Wort ,offenbaren' ist hier ein wenig schillernd. Es ist nicht eindeutig, wer das Subjekt des Offenbarens ist: Gott, der geistige Einsicht schenkt, oder der Hermeneut, der den geistigen Sinn vom Neuen Testament her erschließt. Man wird diese Unschärfe nicht auflösen können[52]. Sie entspricht einerseits genau der Tatsache, daß das Auslegungsziel eigentlich schon bekannt ist und der Hermeneut folglich in der Tat den übertragenen Sinn des Alten Testaments aufdecken kann. Sie wahrt andererseits zugleich die Theonomie der Erschließungssituation. Es ist eben doch Gott, der dem Hermeneuten im Akt der Auslegung die Augen öffnet.

b) Ein Text aus der *Enarratio zu Psalm 96* (um 396/99) macht diesen Sachverhalt noch etwas deutlicher. Augustinus fordert darin seine Zuhörer zu einem christologischen Verstehen des Psalms auf:

„Wir müssen alles auf Christus beziehen, wenn wir auf dem Weg zum richtigen Verstehen bleiben wollen... Wenn jemand die göttlichen Schriften hört und bei irgendwelchen Stellen unsicher ist, wie er sie verstehen soll, dann halte er an Christus fest. Erst wenn ihm in jenen Worten Christus *offenbart* worden ist, soll er verstehen, daß er verstanden hat. Bevor er aber zu einem Verstehen Christi gelangt ist, soll er sich nicht rühmen, verstanden zu haben."[53]

Die hermeneutische Bemühung hat also immer schon davon auszugehen, daß ein bestimmter alttestamentlicher Text auf Christus verweist. Aber erst Offenbarung ermöglicht es dem einzelnen, verstehend nachzuvollziehen, was

---

[51] De util. cred. 3,9: In quibus tamen Legis praeceptis atque mandatis, quibus nunc Christianos uti fas non est, quale vel sabbatum est, vel circumcisio, vel sacrificia, et si quid huiusmodi est, tanta mysteria continentur, ut omnis pius intelligat nihil esse perniciosius, quam quidquid ibi est accipi ad litteram, id est, ad verbum; nihil autem salubrius, quam spiritu revelari. Inde est: ,Littera occidit, spiritus autem vivificat.' — Augustinus gebraucht hier das Pauluszitat noch nicht in seiner radikalen gnadentheologischen Interpretation wie in De spiritu et littera, sondern als hermeneutisches Prinzip. Vgl. dazu Retract. 1,14 zu De util. cred. 3,9. Zu den beiden Bedeutungen des Satzes bei Augustinus siehe U. Duchrow, Sprachverständnis und biblisches Hören, 156 und 195ff.

[52] Die Übersetzungen von J. Pegon, Œuvres de Saint Augustin, Vol. 8: La foi chrétienne, Paris 1951, 229; und von C.J. Perl, Aurelius Augustinus, Nutzen des Glaubens — Die zwei Seelen, Paderborn 1967, 21, geben die zitierte Stelle so wieder, daß das Subjekt von ,revelare' ohne weiteres der Ausleger ist. Sie verkennen damit aber den besonderen theosoterischen Charakter, den das Wort bei Augustinus in der Regel hat.

[53] En. in Psalm. 96,2: Totum ad Christum revocemus, si volumus iter rectae intelligentiae tenere... Quidquid dubitationis habet homo in animo auditis Scripturis Dei, a Christo non recedat. Cum ei fuerit in illis verbis Christus revelatus, intelligat se intellexisse; antequam autem perveniat ad Christi intellectum, non se praesumat intellexisse. — Datierung nach S. Zarb, Chronologia Enarrationum, 253—256.

ihm bis dahin nur als hermeneutische Forderung entgegenkam und von ihm als Vorverständnis übernommen wurde. Erst durch Offenbarung wird ihm die allegorisch-typologische Verweisung eines Textes auf Christus hin innerlich evident und zur subjektiven Gewißheit. Das vorgängig auf Christus hin orientierte Suchen ist dabei zwar Voraussetzung; die innerliche Evidenz ist aber doch unverfügbares Geschenk.

Das eigentliche Problem der augustinischen Hermeneutik ist damit freilich noch nicht voll erreicht. Denn dieses besteht gerade darin, daß auch Christus und sein Evangelium noch einmal transzendiert werden müssen auf die unwandelbare göttliche Wahrheit hin. *Jedes* Wortzeichen der Bibel muß durch das erleuchtende Licht Gottes dem einzelnen erschlossen werden.

4. Offenbarung innerhalb eines allegorisch-metaphysischen Verweisungszusammenhangs

a) In *Traktat 104 zum Johannesevangelium* (nach 418) bemerkt Augustinus, *alle* Worte (verba) des irdischen Jesus seien zunächst Rätselworte (proverbia)[54] und würden nur von dem verstanden, dem der Heilige Geist die Bedeutung innerlich offenbart:

„Dieselben Worte Jesu sollten denen keine Rätselworte mehr sein, die sie durch *Offenbarung* des Heiligen Geistes verstanden haben würden."[55]

Dieser Text ist die genaue bibelhermeneutische Entsprechung der Zeichen- und Sprachtheorie[56], wie sie Augustinus in De magistro entwickelt hat. Die äußeren Wortzeichen der Bibel vermitteln den von ihnen bedeuteten intelligiblen Gegenstand nicht. Dieser wird vielmehr erst dann eingesehen, wenn Gott selbst zum Menschen innerlich spricht. Das ist der Kern der augustinischen Hermeneutik. Das ist der Grund, warum ihm die Bibel so voller Geheimnisse sein muß; warum er die allegorische Schriftauslegung so selbstverständlich praktiziert und warum die hermeneutische Bemühung für ihn an kein Ende kommen kann. Und das ist auch der Grund für die Freiheit des philosophischen Denkens, die Augustins Exegese bestimmt[57]. Denn wo die meta-sprachliche Wahrheit das dem Menschen unverfügbare Auslegungsziel

---

54 In evang. Ioh. 104,1: Omnia ... quaecumque illis locutus est ex quo eos coepit habere discipulos ... verba, quae parum intelligentibus discipulis erant proverbia, intellecturis ea quando eis dedisset promissum spiritum sanctum.

55 In evang. Ioh. 104,1: Eadem quippe ipsius verba, revelante Spiritu sancto, intelligentibus iam non erant futura proverbia...

56 Vgl. zu der zitierten Stelle U. Duchrow, Sprachverständnis und biblisches Hören, 156f.

57 Vgl. dazu das in § 7,4 des 1. Teiles dieser Arbeit Gesagte; siehe auch A. Solignac, Exégèse et Méthaphysique. Genèse 1,1–3 chez saint Augustin, in: In Principio. Interprétation des premiers versets de la Genèse, Paris 1973, 157–171; besonders 158f.

ist, dort können sprachliche Zeichen das menschliche Denken zwar anstoßen, ihm dieses Ziel aber nicht eindeutig „vor-schreiben"[58].

b) In den *Confessiones* (397/401) gibt Augustinus von diesem seinem Umgang mit der Bibel bewegendes Zeugnis. Zu Beginn des 11. Buches, in welchem er mit einer Auslegung der Genesis einsetzt[59], bittet er Gott um Verstehen:

> „Halte dein Gesetz denen, die anklopfen, nicht verschlossen. Denn nicht umsonst hast du gewollt, daß auf so vielen Blättern dunkle Geheimnisse aufgezeichnet würden... *Enthülle (revela)* sie mir[60]... Laß mich Gnade finden vor dir, daß sich meinem Klopfen das verborgene Innere deiner Worte auftue."[61]

Die Rätselhaftigkeit und Geheimnisfülle der biblischen Sprache, die nur durch Offenbarung, das heißt durch ein sprachloses innerliches Sprechen der Wahrheit, „ohne das Werkzeug von Mund und Zunge und ohne das Getön

---

58 Damit ist die Bindung des Verstehens an das kirchliche Glaubensbewußtsein als Orientierungsrahmen nicht ausgeschlossen. Siehe dazu besonders § 14 und § 15,1.

59 Zum Aufbau der Confessiones, speziell zur Frage nach der Einheit des biographischen und des exegetischen Teils, siehe zuletzt K. Grotz, Die Einheit der Confessiones. Auf den Seiten 16–103 gibt Grotz einen ausgezeichneten Überblick über die verschiedenen Erklärungsversuche seit dem 1. Weltkrieg. – P. Courcelle, a.a.O. 23f, glaubt aus dem Aufbau des Confessiones das Konzept des Marius Victorinus über zwei mögliche Wege der Wahrheits- und Gotteserkenntnis herauszulesen. Er zitiert Marius Victorinus, In Epist. ad Eph. 1,18 PL 8,1248B: Sciamus igitur quasi duobus modis nos ad veritatem et ad mysterium plenissimum pervenire, vel dum *ipsi intelligimus* Deum et scientiam de divinis comprehendimus, vel dum *revelatio* quaedam est, id est quasi extrinsecus admonitio, quae nobis ostendit Deum et omnia divina. Est quidem apud quosdam praecipuum et magnum, et quasi vero vicinum, revelatione aliquid percipere. – Aber abgesehen davon, daß weder Marius Victorinus noch Augustinus unter revelatio die Bibel verstehen – was Courcelle anzunehmen scheint – haben beide auch nicht das gleiche Offenbarungskonzept. Marius Victorinus meint mit revelatio nur außerordentliche Phänomene wie z.B. die Offenbarung des Paulus. Er steht diesen Phänomenen äußerst zurückhaltend gegenüber und betont stattdessen den normalen Erkenntnisweg über das durch Gottes Geist erleuchtete menschliche Erkennen. Siehe dazu P. Hadot, Marius Victorinus, Recherches sur sa vie et ses œuvres, Paris 1971, 295–299. Augustinus nennt aber gerade auch den Vorgang dieses ‚normalen' Erkennens in bezug auf die Bibel Offenbarung.

60 Augustinus spielt hier auf Psalm 28,9 an, wo er liest: Vox Domini perficientis cervos, et revelabit silvas. In En. in psalm. 28,9 interpretiert er diesen Satz: „Diejenigen vor allem führt die Stimme des Herrn zur Vollkommenheit, die das Gift in der Sprache überwinden. Ihnen wird er die Dunkelheiten der göttlichen Bücher und die Schatten ihrer Geheimnisse *aufmachen (revelabit)*." Augustinus übernimmt das Wort ‚revelare' hier zwar dem biblischen Text, gibt ihm aber doch eine spezifisch gnoseologische Bedeutung.

61 Conf. 11,2,3f: Largire inde spatium meditationibus nostris in abdita Legis tuae, neque adversus pulsantes claudas eam. Neque enim frustra scribi voluisti tot paginarum opaca secreta ... revela mihi eas ... et placeat in conspectu misericordiae tuae invenire me gratiam ante te, ut aperiantur pulsanti mihi interiora sermonum tuorum.

von Silben"[62], aufgelöst werden kann, führt Augustinus im 12. Buch zur Annahme eines vielfältigen wahren Verständnisses biblischer Aussagen[63]: Gott kann den Lesern *anläßlich* (ex occasione) derselben Worte Verschiedenes kundtun (demonstrare, patefacere), das gleichwohl immer wahr ist[64]. Dieses hermeneutische Konzept erlaubt es Augustinus nicht, sich auf einer einmal gefundenen Deutung biblischer Texte auszuruhen. Er muß immer weiter suchen und immer neue Verstehensmöglichkeiten zutage fördern. Denn der biblische Text ist unerschöpflich. Die von ihm intendierte Wahrheit ist größer als jede einzelne wahre Deutung. Augustinus übt deshalb scharfe Kritik an denen, die ihre eigene Deutung als die einzig wahre behaupten. Er wirft ihnen Selbstüberhebung vor[65]. Denn sie bestehen auf ihrer Deutung nicht aus Liebe zur Wahrheit, sondern nur, weil sie verliebt sind in die eigenen Gedanken. Sonst würden sie nämlich akzeptieren, daß sich die Wahrheit auch in anderen wahren Deutungen offenbart. Sie beanspruchen die Wahrheit im Grunde als ihren Privatbesitz, über den sie allein verfügen, und müssen sie deshalb verfehlen. Augustinus betont dagegen die Gemeinsamkeit der Wahrheit aller wahren Deutungen und so eine erstaunliche Offenheit der Kommunikation:

„Weil deine Wahrheit, Herr, nicht mir gehört, nicht diesem oder jenem, sondern uns allen, die du zu ihrer gemeinsamen Teilhabe öffentlich rufst, hast du uns schrecklich gemahnt, sie nicht etwa als privates Gut (privatam) beanspruchen zu wollen, da wir sonst ihrer verlustig gingen (privemur). Denn jeder, der für sich allein beansprucht, was du allen zum Genusse darbietest, wer als sein Eigentum haben will, was allen gehört, wird vom Gemeinsamen weg in das Seinige abgetrieben, und das heißt, von der Wahrheit weg in die Lüge."[66]

Der Grund dafür ist: Die wahre Bedeutung eines biblischen Textes ist nicht verfügbar und auch gar nicht fixierbar. Gott selbst offenbart jeweils Wahres. Gott selbst *inspiriert* dem einzelnen, wie er einen biblischen Text wahr verstehen soll[67]. Alle wahren Deutungen kommen also von der einen Wahrheit

62 Conf. 11,3,5: Intus utique mihi, intus in domicilio cogitationis ... veritas, sine oris et linguae organis, sine strepitu syllabarum, diceret...

63 Conf. 12,18,27; 12,25,35ff; 12,31,42f. Siehe dazu § 7.

64 Conf. 12,32,43: Nobis autem, Domine, aut ipsam demonstra, aut quam placet alteram veram; ut sive nobis hoc quod etiam illi homini tuo, sive aliud ex eorundem verborum occasione patefacias, tu tamen pascas, non error illudat.

65 Conf. 12,25,34: ... quia superbi sunt; nec noverunt Moysi sententiam, sed amant suam, non quia vera est, sed quia sua est. Alioquin et aliam veram pariter amarent...

66 Conf. 12,25,34: ... quoniam veritas tua nec mea est, nec illius aut illius, sed omnium nostrum quos ad eius communionem publice vocas, terribiliter admonens nos, ut nolimus eam habere privatam, ne privemur ea. Nam quisquis id quod tu omnibus ad fruendum proponis, sibi proprie vindicat et suum vult esse quod omnium est; a communi propellitur ad sua, hoc est, a veritate ad mendacium. – Interessant ist das Wortspiel privat – privare.

67 Conf. 13,25,38: Vera enim dicam te mihi *inspirante*, quod ex eis verbis voluisti ut

her und sind folglich offen füreinander. Wer aber eine Deutung verabsolutiert, der verschließt sich der Wahrheit im Ganzen und verliert so alles Wahre.

Dem widerspricht nicht Augustins Bitte am Schluß des 12. Buches, bei der weiteren Auslegung der Genesis doch jeweils nur eine bestimmte Deutung herausgreifen zu dürfen, die ihm Gott „als wahr, als sicher und gut *eingibt (inspiraveris)"*, auch wenn sich viele wahre Deutungen anbieten mögen[68]. Denn Augustinus will damit nicht die anderen möglichen Deutungen ausschließen, sondern sich nur bescheiden, im Bewußtsein, daß er die ganze Wahrheit gar nicht wiedergeben kann.

c) Ganz ähnliche Gedanken finden sich in der *Enarratio zu Psalm 75* aus dem Jahre 411/12. Die Frage nach der Bedeutung des Verses 12 ‚Alle, die sich um ihn versammeln, bringen Gaben'[69] veranlaßt Augustinus, zuerst seine hermeneutischen Grundsätze klarzustellen, nämlich Theonomie des Verstehens und Vielfalt der wahren Deutungen:

„Das will ich euch fürs erste sagen, was Gott mir hier zu bedenken gibt, was er mir aus diesen Worten selber *eingegeben* hat (inspirare dignatus sit). Wenn später eine bessere Interpretation gefunden werden sollte, dann ist auch die euer. Denn die Wahrheit ist Gemeingut. Sie gehört nicht mir oder dir, diesem oder jenem, sondern uns allen gemeinsam."[70]

Damit ist Augustinus aber schon bei der Deutung des Psalmverses. Denn er versteht diesen ganz im Sinne seiner hermeneutischen Grundsätze. ‚Alle, die sich um ihn versammeln', das sind die, welche die Wahrheit Gottes lieben als das allen gemeinsame Gut. Es sind die, welche wissen, daß Wahrheit kein Privateigentum ist, dessen man sich in Selbstüberhebung brüsten könnte, sondern öffentliches Gut, an dem alle gleicherweise nur als demütig Empfangende partizipieren können[71]. Und die sind es, die ‚Gaben bringen'.

---

dicerem. Neque enim alio praeter te *inspirante* credo me verum dicere; cum tu sis veritas, omnis homo autem mendax.

[68] Conf. 12,32,43: ... sine me itaque ... eligere unum aliquid quod tu inspiraveris verum, certum et bonum, etiamsi multa occurrerint, ubi multa occurrere poterunt.

[69] Augustinus liest: ‚omnes qui in circuitu eius sunt, offerent munera'.

[70] En. in psalm. 75,17: Hoc interim quod Deus admonet dicam vobis, quid ex his verbis mihi ipse inspirare dignatus sit: si melius aliquid postea visum fuerit, et hoc vestrum est, quia communis est omnibus veritas. Non est nec mea, nec tua; non est illius, aut illius: omnibus communis est.

[71] En. in psalm. 75,17: ... ut in circuitu eius sint omnes, qui diligunt veritatem. Quidquid enim omnibus commune est, in medio est... Quod non est in medio, quasi privatum fit. Quod publicum est, in medio ponitur, ut omnes qui veniunt, percipiant, illuminentur... Omnes qui intelligunt communem esse omnibus veritatem, et non illam faciunt quasi suam superbiendo de illa, ipsi offerent munera; quia humilitatem habent. Qui autem quasi suum faciunt quod omnibus commune est, tanquam in medio positum, ad partem seducere conantur, non offerunt hi munera... Tu cum feceris tibi eum quasi proprium, et iam non communem, extolleris in superbiam.

Denn sie haben das rechte Verhältnis zu Gott. Sie beten ihn an als demütig Empfangende[72].

Der Anspruch auf eigene Wahrheit und auf Exklusivität der eigenen Deutung ist Selbstüberhebung und somit Ausdruck der Pervertiertheit des menschlichen Seins. Augustins Hermeneutik kontrapunktiert diesen Anspruch. Sie basiert auf der dem Menschsein allein angemessenen Haltung demütiger Rezeptivität. Verstehen ist nicht Ergebnis eigener Leistung, sondern Geschenk aus Offenbarung. Das aber impliziert gerade nicht Exklusivität des Wahrheitsanspruchs, sondern Vielfalt der wahren Deutungen und Offenheit der Kommunikation. Denn alle wahren Deutungen kommen ja von der einen Wahrheit her, die niemandes Privatbesitz ist, sondern allen gemeinsames, unverfügbares Gut.

d) Ist damit das Auslegungsgeschehen aber nicht gänzlich der Beliebigkeit anheimgegeben? Wird nicht eine Unterscheidung zwischen wahren und falschen Deutungen überhaupt unmöglich? Gibt es irgendwelche Regelkriterien, die die Auslegung steuern und sie vor blinder Phantasie oder Willkür bewahren?

Das Transzendieren der biblischen Sprachzeichen auf die bedeutete Sache hin setzt für Augustinus immer schon einen bekannten Auslegungshorizont voraus, auf den hin die Auslegung erfolgt; ein Wissen also, das für die hermeneutische Bemühung heuristische und damit zugleich regulative Funktion hat. So erklärt Augustinus zu Beginn des *Sermo 156* aus dem Jahre 418:

„Die Tiefe des Wortes Gottes spornt den Forschergeist an, verwehrt dabei aber nicht die Einsicht. Wenn nämlich alles schlechthin verschlossen wäre, dann gäbe es nichts, woher einem die dunklen Stellen *offenbart* werden könnten. Wenn alles verhüllt wäre, dann hätte die Seele nichts, woher sie ... die Kraft nähme, an das Verschlossene anzuklopfen."[73]

Der eigentliche Auslegungshorizont ist nun zwar für Augustinus die immer schon anfanghaft gewußte intelligible Welt. Wäre sie dem Menschen gänzlich verschlossen, könnte er die Verweisfunktion der biblischen Zeichen gar nicht wahrnehmen. In dem zitierten Text denkt Augustinus aber doch noch an etwas anderes. Denn ist der metaphysische Auslegungshorizont nicht zu blaß und zu allgemein, als daß er ausreichendes Regulativ der Auslegung sein könnte? Braucht der Hermeneut nicht einen konkreteren Auslegungs-

---

[72] En. in psalm. 75,17f: Ergo offerent munera qui in circuitu eius sunt: ipsi enim humiles sunt, qui communem norunt esse omnibus veritatem... Omnes qui in circuitu eius sunt, offerent munera: omnes humiles confitentur ei et adorant eum. – Zur Demut als Form der Teilhabe an der göttlichen Wahrheit siehe J. Ritter, a.a.O. 149f.

[73] Sermo 156,1,1: Verbi Dei altitudo exercet studium, non deneget intellectum. Si enim omnia clausa essent, nihil esset unde revelarentur obscura. Rursus si omnia tecta essent, non esset unde alimentum perciperet anima, et haberet vires quibus posset ad clausa pulsare.

horizont, einen praktikableren hermeneutischen Orientierungsrahmen? Augustinus sieht einen solchen Orientierungsrahmen in der Bibel selbst gegeben: In ihr gibt es hellere Stellen, die auf die dunkleren ein Licht werfen können. Diese hellen, unmißverständlichen biblischen Aussagen haben für die Auslegung der Bibel heuristische und regulative Funktion. Sie vermitteln den metaphysischen Auslegungshorizont auf verläßliche und autoritative Weise. Vor ihnen muß jede Auslegung standhalten können. Deutlicher als in dem eben zitierten Text kommt dies in einem Text aus *De peccatorum meritis et remissione* (411/12) zum Ausdruck. Augustinus sagt dort:

„Auch wenn ich jetzt vielleicht nicht in der Lage bin, die Argumente der Pelagianer zu widerlegen, so bin ich doch überzeugt, daß wir an den ganz eindeutigen *(apertissima)* Bibelstellen festhalten müssen, damit von ihnen her die dunkleren *offenbart* werden."[74]

Das hermeneutische Verstehen erfolgt also einerseits aufgrund charismatischer Offenbarung, und es weiß sich dennoch geleitet und in die rechte Bahn gelenkt von den eindeutigen Aussagen der Bibel. Es bedeutet einerseits ein Transzendieren des verstehenden Geistes in die Unmittelbarkeit der göttlichen Wahrheit, und es ist dennoch zurückgebunden an die ‚regula fidei'[75]: Die durch Augustins Zeichen- und Sprachtheorie ermöglichte Freiheit der Auslegung realisiert sich in der stetigen Bindung an die Grundsätze des biblisch-kirchlichen Glaubens[76]. R. Lorenz kennzeichnet diese Hermeneutik Augustins einmal treffend als „katholischen Spiritualismus"[77].

---

74 De pecc. mer. et rem. 3,4,7: Ego autem etsi refellere istorum argumenta non valeam, video tamen inhaerendum esse iis, quae in Scripturis sunt apertissima, ut ex his revelentur obscura; aut, si mens nondum est idonea, quae possit ea vel demonstrata cernere, vel abstrusa investigare, sine ulla haesitatione credantur.

75 De doctr. christ. 3,2,2: ... consulat regulam fidei, quam de Scripturarum planioribus locis et Ecclesiae auctoritate percepit. — F. Hofmann, Der Kirchenbegriff des heiligen Augustinus, München 1933, 297ff, deutet die regula fidei vorwiegend vom kirchlichen Glaubensbewußtsein (traditio activa) her. G. Strauss, a.a.O. 89, dagegen sieht in ihr vor allem die hellen Stellen der Bibel. Beide Aspekte müssen aber zusammengesehen werden. Dies zeigt R. Lorenz, Die Wissenschaftslehre Augustins, 220. Vgl. auch P. Battifol, Le catholicisme de saint Augustin, Paris 31920, 27ff und 512ff; J. Ratzinger, Volk und Haus Gottes in Augustins Lehre von der Kirche, München 1954, 128ff; S.L. Greenslade, Der Begriff der Häresie in der alten Kirche, in: Schrift und Tradition, 1963, 38ff.

76 Die heuristisch-regulative Funktion der regula fidei steht zwar in einer gewissen Spannung zur streng metaphysisch orientierten Zeichentheorie. Denn die regula fidei unterliegt eigentlich noch selbst dem Gesetz der Zeichenhaftigkeit, das sie hier steuern soll. Diese Spannung bedeutet jedoch nicht, daß, wie K. Jaspers, a.a.O. 118ff es darstellt, Augustins Denken notwendigerweise auseinanderbrechen müsse in philosophische Offenheit auf der einen Seite und kirchlich-autoritäre Intoleranz auf der anderen Seite.

77 R. Lorenz, Die Wissenschaftslehre Augustins, 237.

§ 12 Predigt und Offenbarung

1. Die theonome Erschließungssituation der Predigt

Augustins hermeneutische Arbeit an der Bibel geschieht weniger in gelehrten exegetischen Abhandlungen, wie es zum Beispiel seine Genesiskommentare sind, als vielmehr in seiner unermüdlichen Predigttätigkeit. Das umfangreiche Werk der *Enarrationes in psalmos,* der *Sermones* und der *Traktate zum Johannesevangelium* gibt davon Zeugnis[1]. Fast alle diese Predigten haben einen biblischen Text zum Gegenstand, sind also unmittelbar exegetischer Natur[2]. Und auch die nicht-exegetischen Predigten, wie vor allem die Sermones zum Kirchenjahr und zu den Heiligenfesten[3], orientieren sich an biblischen Themen und Texten[4]. Von daher ist es verständlich, daß Augustinus gerade in seinen Predigten immer wieder auf seine hermeneutischen Grundsätze zu sprechen kommt und sie auf die Predigt selbst anwendet. In welcher Weise er dies tut, soll im folgenden dargestellt werden[5].

a) Bedeutsam sind in diesem Zusammenhang vor allem die Predigtanfänge. Des öfteren beginnt Augustinus nämlich seine Predigten damit, daß er die sie bestimmende theonome Erschließungssituation und damit zugleich den hermeneutischen Ort seines eigenen Tuns klarstellt. Prediger und Hörer sind gleicherweise auf das offenbarende Wirken Gottes angewiesen. Denn Gott allein erschließt den jeweils zur Debatte stehenden biblischen Text.

„Der Text dieses Psalmes enthält offenbar nichts Dunkles und der Erklärung Bedürftiges. Sein Titel aber macht uns aufmerksam und fordert uns auf, anzuklopfen... Ich will jetzt mit aufmerksamem Herzen beim Herrn anklopfen, daß er uns dieses Geheimnis

---

[1] Das Problem, daß vermutlich einige der Enarrationes und einige der Johannestraktate keine Predigten sind, kann hier vernachlässigt werden. Siehe dazu S. Zarb, Chronologia Enarrationum S. Augustini in Psalmos; und A.M. La Bonnardière, Recherches de chronologie augustinienne. — Eine gute allgemeine Einführung bietet A. Kunzelmann, Augustins Predigttätigkeit, in: Aurelius Augustinus, Festschrift der Görresgesellschaft 1930, 155—168.

[2] Augustins ‚Exegese‘ ist dabei natürlich durchsetzt mit aktuellen Problemen und Tagesfragen. Siehe Fr. van der Meer, a.a.O. 363. Zum Ganzen siehe M. Pontet, L'exégèse de saint Augustin prédicateur.

[3] Es handelt sich hier um die Sermones 184—340. Hinzu kommen noch die thematischen Predigten 341—363; Die Sermones 1—183 sind direkte biblische Homilien.

[4] Vgl. F. Schnitzler, a.a.O. 28.

[5] Siehe hierzu vor allem F. Schnitzler, a.a.O. 113—123, über das Verhältnis Gott — menschlicher Prediger; und 147—149 über die Wirkung der Predigt als Geschenk Gottes; ebenso R.P. Hardy, a.a.O. 186—193. A.D.R. Polman, a.a.O. 149—159, behandelt das Thema „God's work by and in the preaching of His Word" im Rahmen der von ihm postulierten Entwicklung Augustins von einer neuplatonischen Gnoseologie der Innerlichkeit zu einem biblischen Realismus. Zur Kritik seiner Position siehe § 11, Anm. 11 und § 3 der Einleitung.

offenbaren möge. Und auch ihr sollt mit mir anklopfen durch aufmerksames Hinhören und demütiges Gebet für uns."[6]

„Wir wollen glauben, der Herr werde bei uns sein, damit, was hier verborgen ist, *geoffenbart* werde."[7]

„So wie wir aufmerksam hingehört haben, als dieser Psalm vorgelesen wurde, so wollen wir jetzt aufmerksam hinhören, wenn der Herr *offenbart*, welche Geheimnisse er hier verhüllt hat. Deshalb nämlich sind manche Geheimnisse der Schrift verschlossen, damit sie denen, die anklopfen, geöffnet werden; nicht aber, damit sie endgültig verschlossen bleiben. Wenn ihr also in frommer Gesinnung und in aufrichtiger Liebe des Herzens anklopft, dann wird der öffnen, der sieht, aus welcher Gesinnung heraus ihr anklopft."[8]

„Aufmerksam haben wir hingehört, als dieser Psalm eben vorgetragen wurde. Und doch hat nicht jeder von uns, der hingehört hat, auch verstanden. Um wieviel aufmerksamer also müssen wir den Psalm jetzt hören, wenn, wie ich hoffe und wünsche, unter dem Gebetsbeistand aller, die hinhören, durch Geschenk Gottes *geoffenbart* wird, was darin vielleicht dunkel ist."[9]

Augustinus versteht sich in diesen Texten nicht einfach als Lehrer, der seine Zuhörer unterweist, sondern immer auch als ihr „Mitschüler"[10]. Gemeinsam mit ihnen will er den biblischen Text befragen. Gemeinsam mit ihnen will er an das Verschlossene anklopfen und um Offenbarung bitten. Zwar bleibt Augustinus dabei der Prediger, dem es obliegt, etwas zu sagen. Und er bittet deshalb seine Zuhörer, ihm betend beizustehen. Aber er fordert sie doch zugleich immer wieder auf, selbst aufmerksam und engagiert auf den biblischen Text hinzuhören und sich auf diese Weise an dem Suchen und Fragen des Predigers aktiv zu beteiligen. Denn dieses aktive Mitsuchen ist für jeden einzelnen Voraussetzung dafür, daß sich ihm der biblische Text gnadenhaft erschließt. Die Predigt Augustins läßt sich von daher beschreiben als ein am biblischen Text entzündeter, Prediger und Zuhörer dialogisch verbindender

---

6 En. in psalm. 33 sermo 1,1: Psalmus iste nihil quidem obscurum et quod expositore indigeat, videtur habere in textu suo: titulus autem eius intentos facit, et pulsantes desiderat... Pulso ego nunc intentione cordis ad Dominum Deum, ut dignetur nobis hoc mysterium revelare; pulset mecum et Caritas vestra intentione audiendi, et humilitate orandi pro nobis. Est enim, quod fatendum est, arcanum et grande mysterium.

7 En. in psalm. 45,1: ... credamus adfuturum eum nobis, ut ista occulta revelentur.

8 En. in psalm. 93,1: Sicut intentissime audivimus, cum psalmus iste legeretur; ita intente audiamus, cum revelat Dominus quae hic dignatus est opacare mysteria. Ad hoc enim clauduntur quaedam sacramenta Scripturarum, non ut denegentur, sed ut pulsantibus aperiantur. Si ergo affectu pio et sincera cordis caritate pulsetis, ille aperiet qui videt nunc pulsetis.

9 En. in psalm. 146,1: Intenti audiebamus, cum psalmus praesens cantaretur; et non omnes qui audiebamus, etiam intelligebamus. Quanto magis ergo intente nunc audiendus est, si, ut spero et cupio, adiuvantibus omnium audientium orationibus, si quid hic forte obscurum est, Deo donante revelabitur.

10 En. in psalm. 126,3: Tanquam vobis ex hoc loco doctores sumus, sed sub illo uno Magistro in hac schola vobiscum condiscipuli sumus.

Denkprozeß[11], der von dem offenbarenden Wirken Gottes getragen ist und auf immer weitere Offenbarung abzielt.

b) Die wahrhaften Zuhörer Augustins sind also keine passiven Konsumenten, sondern zusammen mit dem Prediger engagiert Suchende. Und gerade so sind sie mit diesem in eine gemeinsame theonome Erschließungssituation hineingestellt. Augustinus läßt deshalb seinen Zuhörern keine Ruhe. Er versucht alles, um sie in das eigene rastlose Forschen einzubeziehen. Er stellt ihnen im Verlauf der Predigt immer wieder direkte Fragen, weist auf Aporien hin und wirft neue Probleme auf[12], um nur die Aufmerksamkeit seiner Zuhörer für den biblischen Text zu intensivieren und ihr eigenes Fragen und Suchen anzuspornen[13]; und das heißt zugleich, sie für die gnadenhafte Erschließung des Textes zu disponieren und sie immer wieder in die gemeinsame theonome Erschließungssituation einzuweisen. Zwei Stellen aus den Predigten zum Johannesevangelium sind hierfür beispielhaft.

In *Traktat 22*, bei der Auslegung von Joh 5,24, unterbreitet Augustinus seinen Zuhörern zunächst einen scheinbaren Widerspruch zwischen Jesus und Paulus. Jesus sagt: Wer mein Wort hört und glaubt, kommt nicht ins Gericht. Bei Paulus dagegen heißt es: Wir alle müssen vor dem Richterstuhl Christi erscheinen (2 Kor 5,10). Erst nachdem der Widerspruch genügend entfaltet und die aporetische Situation auf die Spitze getrieben ist, nachdem also die Aufmerksamkeit der Zuhörer geweckt ist, setzt Augustinus unter Hinweis auf die gemeinsame theonome Erschließungssituation neu ein:

„Es *offenbart* deshalb der Herr unser Gott, und durch seine Schriften ermahnt (admonet) er uns, wie es jeweils zu verstehen ist, wenn von ‚Gericht' die Rede ist. Ich ermuntere euch darum, aufmerksam hinzuhören."[14]

Auf etwas andere Weise versucht Augustinus im *Traktat 45*, seine Zuhörer auf die verborgene Wahrheit des biblischen Textes hin zu orientieren. Es geht dort um die Frage, wie es zu verstehen sei, daß die Schafe Christi nicht auf die Stimme der Diebe und Räuber hören (Joh 10,8). Augustinus kündet an, daß darin ein schwieriges Problem verborgen liege, kommt dann aber

---

[11] Die Dialogsituation zwischen Augustinus und seinen Zuhörern beschreibt sehr schön M.F. Berrouard in der Introduction aux homélies sur l'évangile de saint Jean, in: Œuvres de saint Augustin, vol. 71, Paris 1969, 10—14.

[12] Die Predigten zum Johannesevangelium sind hierin besonders ausgeprägt. Vgl. weiter unten die Beispiele In evang. Ioh. 22,3ff und 45,10f.

[13] Vgl. die wiederholten Aufforderungen ‚Intendat modicum Caritas vestra' (In evang. Ioh. 4,12); ‚Intendat Caritas vestra' (4,13); ‚Aliquanto intentius quaeramus' (7,18); ‚Quaestionem propositam cognovitis, solutionem eius exquirite' (16,2).

[14] In evang. Ioh. 22,5: Revelat ergo Dominus noster, et per Scripturas suas admonet nos quomodo intelligatur, quando dicitur iudicium. Hortor ergo, ut attendatis.

doch sehr schnell zu einer einfachen Lösung[15]. Jedoch gibt er sich damit nicht zufrieden, sondern fängt von neuem an zu fragen:

„Diese Frage ist nun immerhin gelöst, und manch einem genügt diese Lösung vielleicht. Mich aber beschäftigt dabei noch etwas. Und was mich beschäftigt, teile ich euch mit, damit ich, indem ich gleichsam mit euch suche, zusammen mit euch durch göttliche *Offenbarung* zu finden verdiene."[16]

Und er bombardiert anschließend seine Zuhörer mit Fragen, um sie auf diese Weise zu einem wirklichen Mitsuchen zu provozieren und damit für die unverfügbare Offenbarung der Wahrheit zu öffnen.

c) Wie sehr Augustinus von diesem Bemühen geleitet ist, seine Zuhörer zu motivieren, zeigt ein Predigtschluß, der die Zuhörer gleichsam in das eigene Suchen und in die Unmittelbarkeit der theonomen Erschließungssituation hinein entläßt.

Gegen Ende des *Traktats 4 zum Johannesevangelium* kommt Augustinus auf einen scheinbaren Widerspruch im Bericht über die Taufe Jesu zu sprechen[17]. Ausführlich entfaltet er die Frage, die ihn bewegt. Denn ein Wissen um die Probleme, die ein Text aufgibt, ist Voraussetzung für Verstehen. „Wenn ihr diese Frage erfaßt habt, dann ist schon viel geschehen. Es bleibt dann noch, daß der Herr uns auch die Lösung gibt."[18] Augustinus versucht nun aber nicht gleich, der Lösung näherzukommen. Er will dies vielmehr auf eine spätere Predigt verschieben. Warum hat er dann aber die Frage entfaltet? Augustinus bekennt seinen Zuhörern, er habe ihnen die Frage nur deshalb schon jetzt vorgelegt, weil er, wie er es zu tun pflege, ihre Aufmerksamkeit wecken und sie gespannt machen wollte[19]. Diese Aufmerksamkeit soll diesmal aber bewirken, daß sich die Zuhörer nach der Predigt selber mit dem biblischen Text befassen. Und so fordert Augustinus abschließend seine Zuhörer auf, die vorgelegte Frage einstweilen untereinander zu bedenken und zu erforschen:

„Bis dieses Problem gelöst wird, fragt selbst in Frieden nach einer Lösung, ohne Streit, ohne Hader, ohne Zänkereien, ohne Feindschaft. Sucht miteinander, fragt andere und

---

15 In evang. Ioh. 45,10: Quid est ergo quod dixi, Maior haec est quaestio? Quid habet obscurum et ad intelligendum difficile? Audite, obsecro... Solvitur quaestio...

16 In evang. Ioh. 45,11: Quid me moveat communico vobiscum, ut quodammodo quaerens vobiscum, revelante illo, vobiscum merear invenire.

17 Es geht darum, daß Johannes der Täufer Jesus bei dessen Taufe im Jordan einerseits schon gekannt hat (Mt 2,11); daß er aber Joh 1,31 doch bekennt, er habe ihn nicht gekannt.

18 In evang. Ioh. 4,15: Non parva quaestio est, fratres mei. Si vidistis quaestionem, non parum vidistis: superest ut ipsius solutionem Dominus det.

19 In evang. Ioh. 4,16: Fratres, ista quaestio si hodie solvatur, gravat vos, non dubito, quia iam multa dicta sunt... Ad hoc dixi Caritati vestrae, ut intentos vos facerem, similiter ut soleo... Interim hodie dignamini differre.

sagt: Diese Frage hat uns heute unser Bischof vorgelegt... Überdenkt diese Frage einstweilen bei euch, besprecht sie untereinander und untersucht sie. Und der Herr unser Gott gewähre die Gnade und *offenbare* dem einen oder anderen von euch die Lösung, noch bevor ihr von mir darüber etwas hört."[20]

Dieser Text wirft ein Licht zurück auf die Predigtsituation. Denn die gleiche durch demütiges Anklopfen und gnädige Offenbarung gekennzeichnete theonome Erschließungssituation, in die Augustinus hier seine Zuhörer entläßt[21], bestimmt eben auch schon die Predigt. Nicht nur der Prediger, sondern auch die Zuhörer müssen aktiv Fragende und Suchende sein, wenn ihnen die Wahrheit offenbar werden soll.

Freilich hat der Prediger dabei eine dominierende Rolle. Er begibt sich nicht nur zusammen mit seinen Zuhörern auf die Suche. Er erschließt ihnen auch nicht nur die richtigen Fragen, die das Suchen lenken sollen. Sondern er teilt ihnen vor allem mit, was er schon gefunden hat. Er predigt aus empfangener Offenbarung.

2. Predigt aus Offenbarung

Der Prediger steht nach Augustinus in einer doppelten Bewegung. Zuerst muß er sich der göttlichen Wahrheit zuwenden. Er muß den jeweiligen biblischen Text auf seine intelligible Bedeutung hin transzendieren. Er muß ein geistig Verstehender werden und, soweit es einem Menschen überhaupt möglich ist, zur Schau göttlicher Dinge aufsteigen. Von da muß er sich dann aber wieder den Menschen zuwenden und ihnen, entsprechend ihrer Fassungskraft, in einfachen Worten erklären, welche Geheimnisse in der Bibel verborgen sind[22]. Das bedeutet zweierlei: Der Prediger kann überhaupt nur dann etwas Sinnvolles predigen, wenn sich ihm zuvor die göttliche Wahrheit innerlich offenbart hat. Die Predigt ist dann aber zugleich der schwierige Versuch, das innerlich geschaute Wahre mit Hilfe des unzulänglichen Me-

---

[20] In evang. Ioh. 4,16: Sed hoc breviter dico interim, donec solvatur: interrogate pacifice, sine rixa, sine contentione, sine altercationibus, sine inimicitiis; et vobiscum quaerite, et alios interrogate, et dicite: Hanc quaestionem proposuit nobis hodie episcopus noster... Hanc vobiscum interim ruminate, hanc vobiscum conferte, hanc vobiscum tractate. Praestet Dominus Deus noster ut antequam a me audiatis, alicui vestrum priori eam revelet.

[21] Vgl. auch Sermo 293,1: Proposuimus inquirenda, et discutienda praediximus: sed hoc praelocutus sum, et si omnibus tanti mysterii sinibus perscrutandis non sufficimus, vel facultate, vel tempore, melius vos docebit, qui loquitur in vobis, etiam absentibus nobis, quem pie cogitatis, quem corde suscepistis, cuius templa facti estis.

[22] Siehe dazu den ausgezeichneten Aufsatz von M.F. Berrouard, Saint Augustin et le ministère de la prédication. Le thème des anges qui montent et qui descendent. – Berrouard analysiert all die Texte Augustins, die eine Interpretation von Gn 28,10–19 (Jakobsleiter) darstellen. Er zeigt, wie Augustinus diese Bibelstelle in allen Fällen auf die Tätigkeit der Prediger bezieht und darin die genannte doppelte Bewegung (ascendebant – descendebant) angedeutet sieht.

diums äußerer Sprachzeichen auszudrücken[23]. Diese beiden Aspekte sollen nun anhand der Texte entfaltet werden.

a) Der Prediger schöpft, was er Wahres über einen biblischen Text zu sagen weiß, aus ihm gewährter Offenbarung. Zwar ist er selbst noch auf dem Weg. Zwar ist ihm noch nicht die ganze Wahrheit der Bibel aufgegangen. Aber er kann doch nur etwas Vernünftiges predigen, weil und wenn Gott ihm offenbart hat[24]. So beginnt Augustinus den *Sermo 264* mit der Feststellung:

„Viele Geheimnisse sind in den heiligen Schriften verborgen. Teils müssen wir selbst sie noch erforschen, teils hat der Herr sie unserer Niedrigkeit schon *geoffenbart*. Euch all diese Geheimnisse zu erschließen, reicht aber die Zeit nicht."[25]

Augustinus kann seinen Zuhörern natürlich nur die Geheimnisse erschließen, die ihm selbst schon offenbart worden sind. In diesem Sinne sagt er in *Sermo 162,* nachdem er die Frage, die der zu erschließende Text aufwirft, ausführlich dargelegt hat:

„Auch einem trägen und langsamen Geist ist klar, wie schwierig diese Frage ist. Wenn der Herr uns aber die Gnade erweist, sie uns auf unser frommes Ansinnen hin ein wenig zu erhellen und zu *offenbaren*, können wir etwas Vernünftiges darüber sagen."[26]

Es kommt sogar vor, daß Augustinus bekennt, ein bestimmtes, sich ihm von der Bibel her aufdrängendes Geheimnis sei ihm noch nicht in seiner eigentlichen Tiefe offenbart worden. Was er dennoch mit Gottes Hilfe sagen wolle, sei deshalb zwar nicht falsch, treffe aber doch längst nicht das eigentliche Geheimnis:

„Zwar ist mir das tiefe Geheimnis, das mir die gesamte Ordnung und Aufeinanderfolge der Psalmen zu enthalten scheint, noch nicht *offenbart* worden. Aber immerhin deutet die Zahl 150 auch mir, der ich die Tiefe dieser ganzen Ordnung noch nicht durchdringen konnte, etwas an, worüber ich mit Gottes Hilfe, ohne leichtfertig zu sein, etwas sagen kann."[27]

---

[23] Berrouard entfaltet vor allem diesen zweiten Aspekt; siehe a.a.O. 466ff.

[24] Dies gilt natürlich nicht nur für die Predigt, sondern für alle Arbeit an der Bibel. So schreibt Augustinus in De cons. evang. 1,7,10: er habe es unternommen, dieses Werk zu schreiben inspirante atque adiuvante Domino Deo nostro.

[25] Sermo 264,1: Multa sunt divinarum Scripturarum recondita sacramenta, sive quae adhuc nos ipsi quaerenda habemus, sive quae iam humilitati nostrae Dominus revelare dignatus est: sed aperiendi haec Sanctitati vestrae tempus non sufficit.

[26] Sermo 162,2: Apparet igitur cuivis tardo et obtunso, quam sit ista quaestio difficilis: quam Dominus piae intentioni nostrae, si aliquantulum dignatus fuerit dilucescere atque revelare, poterimus aliquid rationabiliter dicere.

[27] En. in psalm. 150,1: Quamvis ordo Psalmorum, qui mihi magni sacramenti videtur continere secretum nondum mihi fuerit revelatus; tamen quia omnes centum quinquaginta numerantur, etiam nobis qui totius ordinis eorum altitudinem adhuc acie mentis non penetravimus, insinuant aliquid, unde non impudenter, quantum Dominus adiuvat, disputare possimus.

In all diesen Texten kommt sowohl Augustins erkenntnistheoretisch begründete Überzeugung zum Ausdruck, daß der Prediger für sein Tun auf vorgängige Offenbarung von Wahrheit angewiesen ist, als auch seine schmerzliche Erfahrung, daß die empfangene Offenbarung doch immer nur unvollkommen ist. Dieser doppelte Aspekt erhält eine prägnante Formulierung, wenn Augustinus sagt, er wolle die Fragen, die ein biblischer Text aufgibt, beantworten, *„soweit* (quantum) der Herr *offenbart‘*[28] oder „soweit der Herr *inspiriert‘*[29]. Denn mit dieser Redewendung gibt Augustinus immer auch zu verstehen, daß sich ihm die biblische Wahrheit noch nicht in ihrer ganzen Fülle aufgetan hat. Er bekennt, daß er aus göttlicher Offenbarung heraus einen biblischen Text interpretiert. Aber er macht zugleich den Vorbehalt: „Vielleicht ist dort noch ein tieferer Sinn verborgen, in den ich nicht einzudringen vermag"[30].

b) Ob nun die empfangene innerliche Offenbarung größer oder geringer war, der Akt des Predigens stellt den Prediger immer vor das gleich schwierige Problem: Er muß das wortlose Geschehen der innerlichen Einsicht nach außen verbalisieren; er muß die Einfachheit und Klarheit des Gedankens in den schwerfälligen Verlauf einer Rede transponieren; er muß von dem sprechen, was er sprachlos geschaut hat[31]. Von Augustins Sprachtheorie her, wonach zwischen zeichenhafter Sprache und intelligibler Wahrheit ein metaphysischer Graben klafft, muß diese Transposition problematisch sein. Augustinus erbittet deshalb von Gott nicht nur Offenbarung, sondern zusätzlich Hilfe, daß er das Offenbarte auch mit geeigneten Worten sagen kann. In diesem Sinne wendet er sich zu Beginn des *Sermo 169* aus dem Jahre 416 an seine Zuhörer:

„Seid aufmerksam auf die Worte der apostolischen Lesung gerichtet. Und euer frommes Verlangen möge mir dabei beim Herrn unserm Gott helfen, daß ich euch das, was er mir darin gnädig *offenbart,* in passenden und heilbringenden Worten vorbringen kann."[32]

Für ein Gelingen seines Dienstes ist der Prediger demnach in doppelter Hin-

---

[28] In evang. Ioh. 3,17: Qui bene scrutantur Legem, noverunt; et cum opportunum est, ut et nos aliquid inde dicamus, quantum Dominus revelat, non tacemus Caritati vestrae.
[29] En. in psalm. 126,1: Sed quare sit additum ‚Salomonis‘, quantum inspiraverit Dominus, dicam Caritati vestrae.
[30] In evang. Ioh. 50,8: Quomodo sit, quantum Dominus inspirare dignatur (nam fortasse ibi lateat altior intellectus, qui a me non potest penetrari) tamen, quo usque penetrare potui, vobis non debet denegari.
[31] Vgl. M.F. Berrouard, a.a.O. 478: „Autre servitude du prédicateur: il doit se résigner à descendre de l'idée aux mots, de l'éclair rapide de l'intuition aux lenteurs du discours, de la pensée vivante à l'expression si imparfaite du langage."
[32] Sermo 169,1,1: Ad apostolicam lectionem aures et animum intendat Sanctitas vestra, adiuvando nos affectu vestro apud Dominum Deum nostrum, ut ea quae ille nobis revelare dignatur, ad vos apte atque salubriter proferre possimus.

sicht auf die Hilfe Gottes angewiesen. Gott muß ihm zuerst durch Offenbarung Einsicht in die Bedeutung des biblischen Textes schenken. Er muß ihm die intelligiblen Inhalte, die er seinen Hörern vermitteln soll, offenbaren. Darüber hinaus muß Gott aber auch den Akt des Predigens selbst leiten. Er muß dem Prediger helfen, die der biblischen Wahrheit passende Sprache zu finden (apte), die auch für die Hörer verständlich ist und ihnen wirklichen Vermittlungsdienst leisten kann (salubriter)[33]. Aufgrund der Inkommensurabilität zwischen intelligibler Wahrheit und zeichenhafter Sprache kann es Augustinus also nicht bei der Bitte bewenden lassen, daß Gott dem Prediger Einsicht schenke. Er muß bekennen: Von Gott kommt die rechte Einsicht, und von Gott kommt das rechte Wort[34]. Gott gibt im Idealfall die intellektuellen Voraussetzungen für die Predigt und auch die Predigt selbst[35].

Dieser Gedanke, daß Gott auch auf das Sprechen des Predigers Einfluß nimmt, kommt terminologisch sehr deutlich in dem von Augustinus öfter verwendeten Verb ‚suggerere' zum Ausdruck: Gott *gibt ein,* was der Prediger sprechen soll[36]. Der Prediger sagt, was der Herr *eingibt*[37]. Zwar schwingt auch hier das Moment der von Gott ermöglichten intellektuellen Einsicht mit. Jedoch überwiegt der Bezug auf die sprachliche Gestaltung des Eingesehenen: Das Gesprochene selbst ist von Gott eingegeben[38].

Damit sind nun aber noch nicht alle mit der Predigt verbundenen offenbarungstheologischen Fragen gelöst. Denn das eben besprochene Problem der Transposition kehrt bei den Hörern der Predigt zwangsläufig in umgekehrter Richtung wieder. Wie es für den Prediger ein Problem ist, das Offenbarte in Worte zu fassen, so ist es umgekehrt für die Zuhörer ein Problem, die Worte wieder auf ihre Wahrheit hin zu verstehen. Beidesmal ist Gott am Werk:

---

[33] Vgl. Sermo 237,2: Attendite, ut intelligatis quod volo dicere: Deus autem donat ut dicam, id est, sic dicam, quomodo vos audire expedit vobis.

[34] Sermo 8,18: Laudamus Dominum, datorem intellectus, datorem verbi.

[35] En. in psalm. 103 sermo 4,19: Benedicat anima nostra Dominum, fratres, quia dare dignatus est et facultatem et sermonem nobis, et vobis intentionem et studium. – Zu dem zahlreichen Gebrauch von Wendungen wie ‚donante Domino, ipso donante, quantum donare dignatur, quantum donat Dominus' siehe F. Schnitzler, a.a.O. 115ff. Schnitzler sieht allerdings nicht die Problematik, die zwischen dem Geben der Einsicht und dem Geben des Wortes liegt. Er subsumiert deshalb beides unter der Überschrift: „Christus gibt das Wort der Predigt."

[36] In evang. Ioh. 16,2: ... suggerente Domino et donante quod loquar.

[37] Sermo 9,7,8: Attendat enim Caritas vestra, ut dicam quod Dominus suggerit.

[38] Vgl. Sermo 361,18: Omnia ergo quae dicta sunt, fratres, ad id valent, ut sitis instructi... Dicta sunt autem, si meministis, quantum Deus *suggerere* dignatus est necessaria. – En. in psalm. 120,7: Quod Dominus ipse *suggerere* dignatur, promam vobis. – En. in psalm. 52,1: Psalmum istum vobiscum tractandum, quantum Dominus *suggerit*, suscipimus. – Sermo 244,2: ... ad me aures, ad illum cor. Quod mihi *suggerere* dignatur, communicabo vobis.

„Der Herr ist mächig, sowohl unseren Mund zu öffnen wie eure Herzen, damit wir zu euch (über dieses Geheimnis) sprechen können, so wie er uns *offenbart* hat, und ihr zu fassen vermögt, so wie es nützlich für euch ist."[39]

Gott ermöglicht es dem Prediger, in passenden Worten auszudrücken, was er ihm zuvor in der Tiefe seiner Seele offenbart hat. Und Gott ermöglicht sodann den Hörern, die äußeren Worte des Predigers wieder innerlich zu verstehen. Auf dem Hintergrund von Augustins Sprachtheorie kann das nur heißen, daß Gott den Hörern innerlich offenbart, wovon der Prediger selbst aus Offenbarung spricht. Denn Gott bzw. Christus ist der innere Lehrmeister aller[40].

3. Hören und Verstehen

a) In *Traktat 26 zum Johannesevangelium* deutet Augustinus seinen Zuhörern die auf das messianische Gottesreich bezogene Verheißung Is 54,13 ,Und sie werden alle von Gott belehrt werden'. Dabei stellt er ausdrücklich die Frage nach dem erkenntnistheoretischen Stellenwert der äußeren Predigt[41].

„Alle Menschen dieses Reiches werden von Gott selbst belehrt, nicht von Menschen. Und wenn sie etwas von Menschen hören, dann wird ihnen doch das, was sie dabei verstehen, innerlich gegeben, es leuchtet in ihrem Innern auf, es wird innerlich *offenbart*. Was tun die, die äußerlich verkündigen? Was tue ich, wenn ich jetzt spreche? Nur den Schall von Worten bringe ich an euer Ohr. Welchen Sinn hat also mein Sprechen, wenn nicht der *offenbart*, der in euerm Innern wohnt? (Ich bin dem Gärtner vergleichbar), der einen Baum äußerlich pflegt; innerlich aber wirkt der Schöpfer selbst. Wer pflanzt und wer begießt, der wirkt äußerlich; und das tun wir. Aber weder der ist etwas, der pflanzt, noch der, welcher begießt, sondern der das Wachstum gibt, Gott (1 Kor 3,7). Das also ist die Bedeutung des Satzes, alle würden von Gott selbst belehrt."[42]

Das Wort der Predigt ist also kein „wirkendes Wort"[43]. Entsprechend der

---

39 In evang. Ioh. 11,7: Sacramentum grande! Potens est Dominus et ora nostra aperire, et corda vestra, ut dicere possimus sicut revelare dignatus est, et capere possitis sicut expedit vobis.
40 Zum Thema des ,intus magister' im Zusammenhang der Predigt siehe z.B. R. Hardy, a.a.O. 138ff.
41 Vgl. zu diesem Text F. Schnitzler, a.a.O. 119f, und R. Hardy, a.a.O. 143 und 189ff.
42 In evang. Ioh. 26,7: Omnes regni illius homines docibiles Dei erunt, non ab hominibus audient. Et si ab hominibus audiunt, tamen quod intelligunt intus datur, intus coruscat, intus revelatur. Quid faciunt homines forinsecus annuntiantes? Quid facio ego modo cum loquor? Strepitum verborum ingero auribus vestris. Nisi ergo revelet ille qui intus est, quid dico, aut quid loquor? Exterior cultor arboris, interior est Creator. Qui plantat et qui rigat, extrinsecus operatur: hoc facimus nos. Sed neque qui plantat est aliquid, neque qui rigat, sed qui incrementum dat Deus: Hoc est, Erunt omnes docibiles Dei.
43 Gegen Polman, a.a.O. 149ff.

Sprachtheorie Augustins unterliegt es dem Signifikationsschema mit seiner Trennung von Zeichen- und Sachebene und folglich von äußerem Hören des Wortlauts und innerem Hören der Wahrheit[44]. Hören und Verstehen sind zwei verschiedene, nicht unbedingt miteinander verbundene Dinge[45]. Denn die Worte des Predigers sind nur der Anlaß dafür, daß Gott selbst im Hörer innerlich spricht und ihn erleuchtet. Es sind äußere Zeichen, die eine admonitive Verweisfunktion haben, die den Hörer aber nur dann treffen, wenn Gott selbst ihm zugleich die mit den Zeichen gemeinten Sachen innerlich aufscheinen läßt[46]. Was wirklich in den Herzen der Hörer geschieht, entzieht sich demnach dem Einfluß des Predigers[47]. Darin sieht Augustinus die Bedeutung des Satzes, daß alle Menschen von Gott selbst unterwiesen werden. Die Tätigkeit des Predigers ist damit also nicht als unnütz und überflüssig abgetan. Sie bleibt nach wie vor in ihrer Aufmerksamkeit weckenden Dienstfunktion anerkannt. Aber ihre Grenzen sind sichtbar gemacht. Der Prediger kann das Verstehen der Hörer nicht erzwingen.

Augustinus theoretisiert auf diese Weise seine eigene alltägliche Erfahrung, daß seine Predigt nicht von allen Hörern verstanden wird, obwohl er doch für alle, so gut er konnte, gesprochen hat. Der eine versteht, der andere versteht nicht: ,,Beide haben mich gehört, zu beiden habe ich gesprochen. Aber zu dem einen hat auch Gott gesprochen.''[48] Diese unbedingte Priorität des Wirkens Gottes im einzelnen Hörer verdeutlicht Augustinus des öfteren mit dem Pauluswort 1 Kor 3,7[49]: Gott allein gibt das innere Wachstum; d.h. das Verstehen. Die Predigt will zwar auf dieses Verstehen hinwirken. Wenn aber Gott nicht wirkt, kommt sie nicht an, ist sie verlorene Mühe.

b) Ist dann aber die Predigt nicht doch überflüssig? Wäre es nicht konsequent, die Hörer ganz dem Offenbarungswirken Gottes zu überlassen? Deutlicher noch und pointierter als in dem zitierten Text aus dem Johanneskom-

---

[44] Vgl. dazu bei A. Schindler, a.a.O. 86ff, den Abschnitt über ,,Gottes Wort und Menschenwort'', besonders 93f.

[45] In evang. Ioh. 40,5: Ego ad aurem sonui; numquid ego in corde lumen accendi? Procul dubio si verum est quod dixi, et hoc verum non solum audistis, verum etiam intellexistis; duae res ibi factae sunt, discernite illas: auditus et intellectus.

[46] Epist. 144,1: Hoc agit ille et efficit, qui per ministros suos rerum signis extrinsecus admonet, rebus autem ipsis per seipsum intrinsecus docet.

[47] En. in psalm. 101 sermo 2,3: Loquimur ad aures vestras; unde scimus quid agatur in cordibus vestris? Quod autem intus agitur, non a nobis, sed ab illo agitur.

[48] In evang. Ioh. 40,5: Verbi gratia episcopus locutus est. Quid locutus est, aliquis ait? Respondes quid locutus sit, et addis: Verum dixit. Tunc alius qui non intellexit: Quid dixit, inquit, aut quid est quod laudas? Ambo me audierunt, ambobus ego dixi; sed uni ipsorum Deus dixit.

[49] Siehe außer der zitierten Stelle In evang. Ioh. 26,7 z.B. Sermo 43,6,8; Sermo 152,1; Sermo 153,1; Sermo 224,3,3; Sermo 376,3; In evang. Ioh. 29,6; 53,4; 80,2; 97,1; In epist. Ioh. 3,13; 4,1; En. in psalm. 66,1.

mentar stellt sich Augustinus diese Frage in einer *Predigt zum 1. Johannes-brief*, und zwar bei der Deutung von 1 Joh 2,27: ‚Ihr habt nicht nötig, daß jemand euch belehrt, denn die Salbung (= der Geist) Christi belehrt euch über alles‘.

„Was also tun wir, Brüder, wenn wir euch lehren?˙Wenn seine Salbung euch über alles belehrt, dann scheinen wir uns doch ohne Grund abzumühen. Warum aber reden wir dann so viel? Überlassen wir euch doch lieber seiner Salbung. Soll euch doch seine Salbung lehren. Aber nicht nur mir stelle ich diese Frage, sondern auch dem Apostel...: Du hast gesagt, ‚seine Salbung belehrt euch über alles‘. Warum hast du dann diesen Brief geschrieben?"[50]

Augustinus sieht hier ein großes Geheimnis, das er nun seinen Hörern zu erklären versucht. Die Antwort bewegt sich dabei wieder im Rahmen seiner Sprach- und Erkenntnistheorie: Wenn der Prediger spricht, dann dringt nur der Schall seiner Worte an die Ohren der Hörer. Der eigentliche Lehrmeister aber ist in ihrem Innern. Niemand kann deshalb im eigentlichen Sinne etwas von einem anderen Menschen lernen. So kann auch Augustinus seine Zuhörer mit seiner Stimme zwar äußerlich ermahnen und aufmerksam machen. Wenn aber in ihrem Innern niemand spricht, dann ist sein Reden umsonst[51]. Zur Bestätigung weist Augustinus auf die alltägliche Erfahrung der Diskrepanz zwischen Hören und Verstehen: Er hat zu allen Anwesenden gesprochen; alle haben ihn gehört. Dennoch werden viele heimgehen, ohne verstanden zu haben, ohne innerlich belehrt worden zu sein. Obwohl er als Prediger sein Möglichstes getan hat, ist die Wirkung der Predigt nicht gewiß. Die Lehrtätigkeit des Predigers ist eben nur Hilfsmittel und äußere Ermahnung[52]. Augustinus schließt dann seine Überlegung damit ab, daß er noch einmal die alles entscheidende Lehrtätigkeit des inneren Lehrers hervorhebt und die Beziehung des Predigers zum inneren Lehrer im Bild des Pauluswortes 1 Kor 3,7 erklärt:

„Allein der innere Lehrer also lehrt. Christus lehrt. Seine *Einsprechung (inspiratio)* lehrt. Wo seine *Einsprechung* und Salbung fehlt, dort ertönen die äußeren Worte vergeblich. Die äußeren Worte, die wir sprechen, haben demnach die gleiche Funktion wie

---

50 In epist. Ioh. 3,13: Quid ergo facimus, fratres, quia docemus vos? Si unctio eius docet vos de omnibus, quasi nos sine causa laboramus. Et utquid tantum clamamus? Dimittamus vos unctioni illius, et doceat vos unctio ipsius. Sed modo mihi facio questionem, et illi ipsi apostolo facio...: Tu dixisti, Quia unctio ipsius docet vos de omnibus. Utquid talem Epistolam fecisti?
51 In epist. Ioh. 3,13: Iam hic videte magnum sacramentum: Sonus verborum nostrorum aures percutit, magister intus est. Nolite putare quemquam aliquid discere ab homine. Admonere possumus per strepitum vocis nostrae: si non sit intus qui doceat, inanis fit strepitus noster.
52 In epist. Ioh. 3,13: Numquid non sermonem istum omnes audistis? Quam multi hinc indocti exituri sunt? Quantum ad me pertinet, omnibus locutus sum. Sed quibus unctio illa intus non docet, indocti redeunt. Magisteria forinsecus, adiutoria quaedam sunt et admonitiones...

die Arbeit des Gärtners... Wenn wir auch durch unser Sprechen pflanzen und begießen, so sind wir dennoch nichts. Nur der ist etwas, der das Wachstum gibt, Gott, d.h. seine Salbung, die euch über alles belehrt."[53]

Hinter diesen Sätzen steht kein konsequenter Interiorismus und schwärmerischer Mystizismus[54], der der äußeren Lehrtätigkeit des Predigers jeden Wert schlechthin absprechen wollte. Augustinus geht es hier umgekehrt darum, dem äußeren Predigtwort einen legitimen und sinnvollen Platz zuzuweisen. Er interpretiert die Aussage von 1 Joh 2,27 eben nicht in dem konsequent interioristischen Sinn, der sich ihm zunächst durchaus nahelegt, der aber seine konkrete Predigttätigkeit gänzlich infrage stellen müßte. Das war auch schon bei der Deutung von Is 54,13 im Johanneskommentar zu beobachten. Augustinus überläßt seine Hörer nicht einfach dem unmittelbaren Offenbarungswirken Gottes, sondern predigt. Freilich sieht er die Predigt ganz im Rahmen seiner Sprach- und Erkenntnistheorie. Die Predigt ist zwar im allgemeinen ein notwendiges Hilfsmittel für Verstehen. Sie dringt aber nicht von sich aus in die Herzen der Hörer vor. Sie kann das Verstehen nicht selbst bewirken. Bei aller äußeren Bemühung des Predigers ist Verstehen letztlich immer unverfügbares Geschenk aus Offenbarung[55]. Genau diese Theonomie des Verstehens wollen nach Augustins Interpretation die beiden Bibelstellen klarstellen, nicht aber den Sinn des Predigens überhaupt negieren.

c) Wegen dieser Theonomie des Verstehens verweist Augustinus seine Zuhörer immer wieder von sich weg auf den eigentlichen, inneren Lehrer; über das äußere Wort hinaus in die Unmittelbarkeit der theonomen Erschließungssituation. Denn der innere Lehrer gibt das Verstehen, auch wenn die

---

[53] In epist. Ioh. 3,13: Interior ergo magister est qui docet, Christus docet, inspiratio ipsius docet. Ubi illius inspiratio et unctio illius non est, forinsecus inaniter perstrepunt verba. Sic sunt ista verba, fratres, quae forinsecus dicimus, quomodo est agricola ad arborem: ... sive plantemus sive rigemus loquendo, non sumus aliquid; sed ille qui incrementum dat Deus, id est, unctio illius quae docet vos de omnibus.

[54] Darin ist A.D.R. Polman, a.a.O. 155 und 159 durchaus zuzustimmen. Vgl. auch R. Lorenz, Die Wissenschaftslehre Augustins, 242: „Die Methodik Augustins ist nicht die apriorische der Besinnung, die rein nachdenkend aus dem menschlichen Ich das Wissen zutage fördern möchte. Sie bezieht die Außenwelt ein. Nicht der in der Seele vorgefundene Bewußtseinsstand bildet den festen Ausgangspunkt, sondern gleicherweise die in der Natur, im Leben Jesu und in der Seele entdeckte Verweisung auf das Transzendente. Dieser methodische Gesichtspunkt des Übergangs vom Sinnlichen zum Sein beherrscht die Beschäftigung mit den Disziplinen beim jungen Augustin und die Schriftauslegung und Predigttätigkeit des gealterten Bischofs."

[55] A.D.R. Polman, a.a.O. 155 und 159 sowie passim, versucht zu unrecht, diesen Sachverhalt zu minimalisieren und das innerliche Wirken Gottes darauf zu reduzieren, daß Gott den Menschen innerlich aufruft, auf die äußere Botschaft der Predigt zu hören. Die Predigt selbst würde dann entgegen der augustinischen Sprachtheorie bei den Hörern das Verstehen bewirken.

Predigt dabei Vermittlungsdienst leistet[56]. Auf ihn sollen sie hören. Er spricht besser und ursprünglicher als der Prediger[57]. Durch göttliche *Inspiration* lernt man in einem höheren Sinne als durch die mahnenden Worte eines Menschen, auch wenn diese Worte vermittelnde Funktion haben mögen[58]. So sagt Augustinus in *Sermo 169:*

„Ich will nun darüber sprechen, so gut ich kann. Der aber *offenbare* euch besser, der in euch wohnt. Er gebe euch das Verstehen und die Liebe dazu."[59]

Dieser Verweis auf den inneren Lehrer erhält dort sein ganzes Gewicht, wo die Worte des Predigers auf taube Ohren fallen. Ob die Ursachen dafür in der unzureichenden Fassungskraft des Hörers liegen oder auch in einer mangelhaften Predigt, ist hier im Grunde zweitrangig. Wer nicht versteht, sagt Augustinus im Johanneskommentar, wende sich in jedem Falle an Gott, der das Herz öffnet und die rechte Einsicht schenkt[60]. Die Begründung lautet:

„Denn wir haben in unserem Innern als Lehrer Christus. Was ihr auch immer durch euer Ohr und meinen Mund nicht erfassen könnt — wendet euch in eurem Herzen an den, der sowohl mich lehrt, was ich rede, als auch euch mitteilt, wie es ihm gefällt."[61]

So weist Augustinus seine Hörer dort, wo die Predigt am Ende ist, an Gott selbst und in die innere Unmittelbarkeit der sich offenbarenden Wahrheit:

„So gut ich konnte, wie er es mir gab, habe ich euch diese schwierige Frage erklärt oder doch mit euch besprochen. Wer von euch weniger verstanden hat, der suche weiter in frommer Gesinnung, und die Wahrheit wird sich ihm offenbaren."[62]

Dreierlei ist zu den beiden letzten Texten zu sagen:
1. Es zeigt sich, daß Prediger und Hörer letztlich in gleich unmittelbarer

---

[56] In evang. Ioh. 10,9: Det ille qui intus est; quia etsi per me dederit, ille dat.

[57] In evang. Ioh. 3,15: Cogitate humilitatem Christi. Sed quis nobis, inquis, eam explicat, nisi tu dicas? Ille intus dicat. Melius illud dicit, qui intus habitat, quam qui foris clamat.

[58] Epist. 140,37,85: ... ipso magis inspirante quam hominum aliquo commonente perdisces. Quanquam eo ipso quo forinsecus bene admonentem iudicio non errante approbamus, quid aliud quam internum lumen, magistrum nos habere testamur?

[59] Sermo 169,6,8: Iam ergo dicam ut potero: revelet melius qui vos possidet; donet et intellectum et affectum. — Vgl. zu diesem Text auch noch § 15,2 über die affektive Dimension der inneren Offenbarung.

[60] In evang. Ioh. 20,3: Qui autem capere non potest, non mihi adscribat, sed tarditati suae; et convertat se ad illum qui cor aperit, ut infundat quod donat. Postremo et si quisquam propterea non intellexerit, quia non a me sic dictum est ut dici debuit, ignoscat humanae fragilitati, et supplicet divinae bonitati.

[61] In evang. Ioh. 20,3: Habemus enim intus magistrum Christum. Quidquid per aurem vestram et os meum capere non potueritis, in corde vestro ad eum convertimini, qui et me docet quod loquor, et vobis quemadmodum dignatur distribuit.

[62] In evang. Ioh. 45,13: Ut potui, ut ipse donavit, profundam multum quaestionem aut exposui vobis, aut tractavi vobiscum. Si qui minus intellexerunt, maneat pietas, et revelabitur veritas.

Weise Hörer der innerlichen Wahrheit sind, das gesprochene Wort der Predigt von daher also theoretisch stark in den Hintergrund tritt.

2. Die innerliche Wahrheit ist dabei nicht apriorischer, verborgen vorhandener Bewußtseinsbestand der menschlichen Seele, der etwa mit Hilfe des Gedankens von einer ontologischen Einwohnung Gottes im Menschen erklärt werden könnte, sondern aktuelles Geschenk aus Offenbarung[63]. Der Grad des von jedem einzelnen erreichten Verstehens ist also abhängig von dem Grad der ihm aktuell gewährten Gnade[64]. Damit entzieht sich das Verstehen allem menschlichen Zugriff. Der einzelne kann zwar in frommer Gesinnung um Offenbarung bitten. Aber ob ihm offenbart wird, wann, was und wieviel ihm offenbart wird, das ist letztlich im Prädestinationsratschluß Gottes verborgen[65].

3. Von daher kann nun aber der äußeren Predigt erst recht jeglicher Sinn abgesprochen werden. Die Frage nach dem Zusammenhang zwischen innerer Offenbarung und äußerer Vermittlung ist ein offenes Problem, dessen sich Augustinus durchaus bewußt ist. Davon soll im folgenden Paragraphen die Rede sein.

§ 13 Offenbarung und Vermittlung

1. Problematisierung des Offenbarungskonzepts

a) Läuft Augustins Offenbarungskonzept darauf hinaus, daß sprachliche Vermittlung für das Gelingen von Verstehen nutzlos ist und deshalb überhaupt unterlassen werden könnte oder gar sollte?

Es ist nicht zu leugnen, daß die theoretische Abwertung des gesprochenen Wortes, die Augustins theologische Erkenntnislehre kennzeichnet, einer solchen Konsequenz nahesteht. Dennoch ist aber auch wahr, daß Augustinus

---

[63] Vgl. dazu U. Duchrow, a.a.O. 220—222. Duchrow weist in diesem Zusammenhang auf den Unterschied zwischen neuplatonischem Denken, für das alles Intelligible in sich zusammenhängt und dadurch verstehbar ist, und dem augustinischen Denken, für das alles Intelligible in Gott seinen Grund hat und deshalb nur durch Offenbarung sichtbar wird (221 Anm. 37; dort findet sich auch Literatur darüber). Er kritisiert von daher die Arbeiten von F. Körner. Dieser habe das Innerlichkeitsprinzip Augustins zu sehr in die Nähe einer ontologischen Einwohnung Gottes gebracht. — Vgl. hierzu auch die Unterscheidung von M. Seckler, Instinkt und Glaubenswille, 98ff, zwischen ontologischer Innerlichkeit des inneren Instinktes bei Thomas von Aquin und psychologischer Innerlichkeit des göttlichen Einflusses bei Augustinus.

[64] Siehe dazu den schon mehrfach zitierten Aufsatz von R. Lorenz, Gnade und Erkenntnis bei Augustinus, bes. 46—59.

[65] Über den Zusammenhang von aktueller Gnade einerseits und Schöpfung und Prädestination andererseits siehe R. Lorenz, Gnade und Erkenntnis, 60ff: „Der metaphysische und ontologische Hintergrund der Gnadenlehre Augustins".

von seiner Erkenntnistheorie her den relativen Nutzen der Sprache gar nicht leugnet[1], sondern sich nur dagegen wendet, daß ihr eine übermäßige und seiner Ansicht nach falsche Bedeutung beigemessen wird[2]. So kann Augustinus im Prolog zu *De doctrina christiana* die Notwendigkeit sprachlicher Vermittlung verteidigen und sich dabei gegen eine offenbarungstheologische Position zur Wehr setzen, die im Grunde „wie eine Radikalisierung seiner eigenen Lehre vom Verstehen wirkt"[3]. Wie schon weiter oben gezeigt wurde, setzt sich Augustinus in diesem Prolog mit Charismatikern auseinander, die jede methodische Anleitung zur Auslegung der Bibel ablehnen und sich statt dessen auf eine besondere Gnadengabe Gottes berufen. Sie behaupten, man empfange das rechte Schriftverständnis prinzipiell ohne alle menschliche Vermittlung aus direkter göttlicher Offenbarung. Augustinus bestreitet den Wert und die Möglichkeit solcher Offenbarungen nicht, verteidigt nun aber doch die Möglichkeit und Notwendigkeit eines Lernens durch Menschen.

In einem ersten Schritt weist er den Charismatikern nach, daß auch sie im allgemeinen an Voraussetzungen gebunden sind, die es ihnen gar nicht erlauben, das charismatische Prinzip ‚ohne Menschen lernen' konsequent durchzuhalten. Auch sie haben nämlich zumindest Sprache und Buchstaben durch Menschen lernen müssen, um die Bibel überhaupt lesen oder von anderen hören zu können. Vor allem aber ist ihnen die Bibel selbst durch menschliche Überlieferung zugekommen. Und Augustinus warnt die Charismatiker vor ihrer eigenen Konsequenz, sogar das Evangelium aus besonderen Offenbarungen empfangen zu wollen[4].

b) An dieser Stelle des Prologs ist nun noch einmal einzusetzen. Denn Augustinus kommt hier an das entscheidende hermeneutische Problem der revelationistischen Position der Charismatiker:

„Wir wollen uns durch die Schliche und Verkehrtheit des Teufels nicht soweit verführen lassen, daß wir nicht einmal mehr in die Kirche gehen wollen, um dort das Evangelium zu hören und kennenzulernen, daß wir keine Bibel mehr lesen und auch keinen lesenden oder predigenden Menschen mehr anhören, sondern statt dessen darauf warten, in den dritten Himmel entrückt zu werden ... und dort unaussprechliche Worte zu hören, die ein Mensch nicht sagen darf (2 Kor 12,2—4), oder den Herrn Jesus Christus zu sehen und lieber von ihm als von Menschen das Evangelium zu hören."[5]

---

[1] Vgl. De mag. 14,46: Sed de tota utilitate verborum, quae, si bene consideretur, non parva est, alias, si Deus siverit, requiremus. Nunc enim ne plus eis quam oportet tribueremus, admonui te. – Siehe dazu R. Lorenz, Die Wissenschaftslehre Augustins 237; und C.P. Mayer, Res per signa, 102f.

[2] Vgl. dazu Augustins Interpretation von Is 54,13 und 1 Joh 2,27, wie sie im letzten Abschnitt dargestellt wurde.

[3] R. Lorenz, Die Wissenschaftslehre Augustins, 237.

[4] Bis hierher wurden die Gedanken des Prologs ausführlich in § 10 dargestellt.

[5] De doctr. christ. prol. 5: neque tentemus eum cui credidimus, ne talibus inimici

Wer wirklich konsequent von dem Grundsatz ausgeht, die Bibel ohne alle menschliche Vermittlung verstehen zu wollen, der muß nicht nur jede methodische Besinnung auf Normen der rechten Bibelauslegung ablehnen; der muß auch nicht nur die vermittelnde Funktion der kirchlichen Verkündigung zurückweisen, sondern letztlich die vermittelnde Funktion der Bibel selbst. Denn die Bibel ist in ihrer sprachlichen Gestalt doch selbst Ausdruck menschlicher Kommunikation. Wer den charismatischen Standpunkt konsequent durchhalten will, dem bleibt nur übrig, auf die Entrückung in die unmittelbare Schau Gottes zu warten. Das aber heißt: Es geht gar nicht mehr um ein Verstehen der Bibel, sondern um ein Verstehen ohne die Bibel. Der konsequente Charismatiker vertritt nicht einfach den Standpunkt, daß alle hermeneutische Bemühung letztlich nur durch göttliche Offenbarung ans Ziel kommt. Er ist radikaler. Er spielt im Grunde Offenbarung gegen Hermeneutik und gegen die Bibel selbst aus.

c) In polemischer Auseinandersetzung mit dieser radikalen Konsequenz hebt nun Augustinus die positive Funktion der sprachlichen Vermittlung im Verstehensprozeß hervor. Anhand biblischer Beispiele zeigt er, daß ekstatische Schau und besondere Offenbarung, die an aller menschlichen Vermittlung und letztlich an der Bibel selbst vorbeigehen, allenfalls punktuelle Ausnahmen darstellen, der Weg über mitmenschliche Kommunikation und Sprache dagegen die Regel ist. Die ersten beiden Beispiele, das Damaskuserlebnis des Apostels Paulus (Apg 9,3—7) und die Bekehrung des Hauptmanns Cornelius (Apg 10,1—6) richtet Augustinus gegen die hybride Erwartung, das Evangelium selbst aus besonderen Offenbarungen empfangen zu wollen[6]. Das dritte Beispiel, Philippus, der einem äthiopischen Hofbeamten die Schrift auslegt (Apg 8,27—35), thematisiert dann die Frage nach dem Verstehen selbst. Dabei kommt Augustinus zu sprachfreundlichen Formulierungen, die seine eigene Sprach- und Verstehenstheorie gänzlich umzuwerfen scheinen:

„Jener Hofbeamte, der den Propheten Isaias las, ihn aber nicht verstand, wurde nicht etwa von einem Engel zum Apostel Philippus geschickt, noch wurde ihm von einem Engel erklärt, was er nicht verstand, noch wurde es ihm von Gott selbst *ohne* alle menschliche Vermittlung in seinem Geist *geoffenbart*. Nein, durch göttliche Eingebung wurde vielmehr Philippus zu ihm gesandt, und Philippus, der den Propheten

---

versutiis et perversitate decepti, ad ipsum quoque audiendum Evangelium atque discendum nolimus ire in ecclesias, aut codicem legere, aut legentem praedicantemque hominem audire; et expectemus rapi usque in tertium coelum ... et ibi audire ineffabilia verba, quae non licet homini loqui, aut ibi videre Dominum Jesum Christum, et ab illo potius quam ab hominibus audire Evangelium.

[6] Diese beiden Beispiele (Prol. 6) wurden schon bei der Darstellung des Prologs in § 10 zitiert.

Isaias verstand, setzte sich zu dem Hofbeamten und erschloß ihm *mit menschlichen Worten* und *in menschlicher Sprache*, was in jener Schriftstelle verborgen war."[7]

Sind hier tatsächlich, wie Duchrow meint[8], die sprachphilosophischen Voraussetzungen von De magistro verlassen? Verficht Augustinus im Prolog wirklich eine ganz neue Theorie des Verstehens, die die Wahrheit selbst sprachlich denkt, für die also Sprache nicht mehr etwas in metasprachliches Verstehen hinein zu Transzendierendes ist? Ist der Prolog folglich der einmalige Fall im Gesamtwerk Augustins, wo der Bannkreis der griechischen Metaphysik durchbrochen und der ganz neue Ansatz eines sprachlich-geschichtlichen Denkens sichtbar wird[9]?

Lorenz erklärt zu Recht[10], daß diese Interpretation Duchrows dem Prolog zuviel aufbürdet. Die von De magistro abweichende Argumentationsweise des Prologs wertet er als einen Akzentunterschied, der sich durch die polemische Situation des Prologs erklären lasse[11].

Ähnlich weist Mayer darauf hin[12], daß bei der Beurteilung der Werke Augustins der jeweilige Fragehorizont mitbedacht werden müsse, innerhalb dessen sich Augustinus zu bestimmten Fragen äußere. Gegen Duchrow macht er von daher geltend, daß Augustinus im Prolog rein phänomenologisch auf den sprachlichen Vorgang des Lehrens und Lernens verweise, um so die

---

[7] Prol. 7: Et certe illum spadonem qui Isaiam prophetam legens non intelligebat, neque ad apostolum angelus misit, nec ei per angelum id quod non intelligebat expositum, aut divinitus in mente revelatum est; sed potius suggestione divina missus est ad eum, seditque cum eo Philippus, qui noverat Isaiam prophetam, eique humanis verbis et lingua quod in Scriptura ille tectum erat, aperuit.

[8] U. Duchrow, Sprachverständnis und biblisches Hören, 210ff. Duchrow vertritt in diesem Zusammenhang die These, daß der Prolog erst 426/27 bei der Vollendung und Überarbeitung des 396/97 als Fragment veröffentlichten Werkes De doctrina christiana geschrieben wurde, und parallelisiert von daher die Problematik des ebenfalls um 426/27 entstandenen Werkes De correptione et gratia (mönchisch-spiritualistische Radikalisierung der Gnadenauffassung) mit der des Prologs (mönchisch-spiritualistisches Ideal der Schriftauslegung); siehe dazu a.a.O. 206.

[9] Vgl. auch A.D.R. Polman, a.a.O. 159f, der in dem Prolog selbstverständlich eine Stütze für seine These sieht, daß Augustins anfängliches metaphysisches Denken mehr und mehr von einem biblischen Denken überlagert wurde.

[10] R. Lorenz, Zwölf Jahre Augustinusforschung, in: Theologische Rundschau 39 (1974) 274.

[11] Vgl. auch ders., Die Wissenschaftslehre Augustins, 238f. Lorenz zeigt dort, daß zwischen De magistro (10,34: nos per signa ... nihil discere) und De doctrina christiana (1,2,2: Omnis doctrina vel rerum est, vel signorum, sed res per signa discuntur) kein grundlegender Widerspruch besteht. A. Schindler, a.a.O. 82ff, wirft Lorenz zwar vor, beide Sätze zu schnell zu harmonisieren (82 Anm. 52); er versucht demgegenüber nachzuweisen, daß das gesprochene Wort in De doctrina christiana eine gewisse Aufwertung erfahren habe (R. Lorenz weist dies zurück in: Zwölf Jahre Augustinusforschung, Theologische Rundschau 39 (1974) 274),. muß aber gleichwohl zugeben, daß diese ‚Aufwertung' letztlich wieder relativiert wird.

[12] C.P. Mayer, Res per signa, 109f.

überspannte Offenbarungserwartung der Charismatiker in die Schranken zu weisen; daß seine metaphysische Sprachtheorie davon aber unberührt bleibe[13].

Die Argumente von Lorenz und Mayer werden bestätigt und ergänzt, wenn man danach fragt, welchen Offenbarungsbegriff Augustinus in dem zitierten Text eigentlich kritisiert. Wenn hier nämlich Augustinus ein Verstehen durch Offenbarung zurückweist, dann sieht das zunächst so aus, als verwerfe er damit zugleich sein eigenes hermeneutisches Offenbarungskonzept. Doch das ist nicht der Fall. Das Offenbarungskonzept Augustins steht im Prolog gar nicht unmittelbar zur Debatte. Polemischer Fragehorizont ist vielmehr immer die konsequent revelationistische Position der Charismatiker, die die conditio humana mißachten und durch die Permanenz des Wunders aufzulösen suchen. Das gilt auch für den zitierten Text[14]. Gegenstand der Kritik ist also nicht etwa Offenbarung als theonomes Prinzip einer menschlichen Hermeneutik, sondern Offenbarung als mirakelhafte Auflösung dieser Hermeneutik. Nicht umsonst beschreibt Augustinus die kritisierte Offenbarung als einen außerordentlichen Vorgang, der die Bedingungen menschlicher Wirklichkeit sprengt: Ein Engel erscheint wunderbarerweise als himmlischer Hermeneut; und Gott offenbart in ekstatischer Direktheit, unabhängig und jenseits aller sprachlichen Vermittlung und aller mitmenschlichen Kommunikation. Das ist nicht Augustins Offenbarungskonzept. Denn nach Augustins eigenem Offenbarungskonzept geschieht Offenbarung gleichsam im Rahmen der ontologischen Struktur des Menschseins. Sie ist zwar ebenfalls ein gnadenhafter metasprachlicher Vorgang der inneren Belehrung, dispensiert den Menschen in der Regel aber gerade nicht von sprachlicher Vermittlung, sondern setzt sie voraus und bringt sie ans Ziel. Zwar mag Augustinus Gefahr laufen, in manchen seiner Äußerungen in die Nähe der Charismatiker zu geraten[15]. Der prinzipielle Unterschied beider Positionen ist jedoch nicht zu leugnen. Gerade deshalb kann Augustinus gegen die konsequenten Charismatiker einfach die Notwendigkeit sprachlicher Vermittlung verteidigen, ohne damit seinem eigenen Offenbarungskonzept untreu zu werden. Allerdings ist sich Augustinus, im Prolog wohl mehr als anderswo, der Gefahren seines eigenen Offenbarungskonzepts bewußt.

---

13 Mayer zeigt (a.a.O. 100f), daß Augustinus zu Beginn des Prologs die möglichen Gegner seines Unternehmens „entsprechend ihrer Kritik an der Bedeutung der hermeneutischen Funktion der signa" gruppiert und daß dabei eindeutig die Zeichentheorie von De magistro zugrundeliegt (siehe vor allem Prol. 3).

14 Auf den zitierten Text folgt ein viertes biblisches Beispiel: Moses, mit dem Gott selbst wiederholt gesprochen hat und der dennoch menschlichen Rat annimmt (Ex 18,14—26). Alle vier Beispiele zusammen bilden einen Komplex mit der gleichen Argumentationsspitze.

15 Vgl. die Texte am Schluß von § 12.

d) In einem letzten Argument weist Augustinus den konsequenten Charismatikern an der entscheidenden Stelle Inkonsequenz nach[16]. Widerspricht nämlich nicht derjenige, der eine revelationistische Verstehenstheorie vertritt, seinem eigenen Grundsatz, wenn er das ihm offenbarte Schriftverständnis anderen mitteilt? Gibt er damit nicht zu, daß Verstehen doch nicht nur durch göttliche Eingebung unmittelbar von oben gegeben wird, sondern daß auch der Mensch dabei eine dienende Funktion hat?

„Wenn er selbst die heilige Schrift liest und ohne alle menschliche Auslegungshilfe versteht, weshalb läßt er sich dann darauf ein, sie anderen auszulegen? Warum verweist er sie nicht lieber auf Gott, damit auch sie nicht durch Menschen, sondern allein durch das innere Lehren Gottes zum Verstehen kommen?"[17]

Liest man diesen Text isoliert, könnte man auch hier vermuten, Augustinus habe seine metaphysische Sprachtheorie und das damit eng verbundene Offenbarungskonzept aufgegeben. Aber auch hier geht es nur darum, die radikale Position der Charismatiker zurückzuweisen. Denn sie, nicht Augustinus, spielen sprachliche Vermittlung und innerliches Sprechen Gottes gegeneinander aus. Nur von ihrer radikalen Position her wäre es eigentlich konsequent, zu schweigen und jeden einzelnen dem direkten Offenbarungswirken Gottes zu überlassen, von Augustins eigenem Offenbarungskonzept her dagegen nicht. Denn Augustinus erkennt grundsätzlich die Funktion des menschlichen Vermittlungsdienstes an. Es sei hier nur daran erinnert, daß sich Augustinus in der weiter oben skizzierten Predigt[18] zu 1 Joh 2,27 selbst die Frage vorlegt, ob es nicht konsequent wäre, das Predigen zu lassen und seine Zuhörer einfach dem inneren Lehrer zu überlassen, da dieser doch nach dem neutestamentlichen Zeugnis die Glaubenden über alles belehrt. Augustinus verneint die Frage und begründet dies mit seinem Offenbarungskonzept: Gott lehrt nicht im Sinne eines schwärmerischen Mystizismus, sondern so, daß er innerlich offenbart, wovon menschliche Worte äußerlich sprechen.

e) Augustinus wahrt den Zusammenhang zwischen göttlicher Offenbarung und menschlich-sprachlicher Vermittlung, auch wenn das Band nicht gerade sehr kräftig ist. Die Auseinandersetzung mit den Charismatikern hat vermutlich sein eigenes Problembewußtsein in dieser Richtung geschärft, seine grundlegende Position aber nicht verändert. Das Wort der Bibel bleibt für

---

16 Damit schließt Augustinus den Kreis: So wenig die Charismatiker in den Voraussetzungen für Verstehen wirklich konsequent sein konnten (siehe § 10), so wenig können sie es im Auslegungsgeschehen selbst. Siehe dazu die sehr gute Darstellung P. Brunners, a.a.O. 97f.

17 Prol. 8: Sed cum legit et nullo sibi hominum exponente intelligit, cur ipse aliis affectat exponere, ac non potius eos remittit Deo, ut ipsi quoque non per hominem, sed illo intus docente intelligant?

18 Siehe § 12,3b.

ihn letztlich nur der Ausgangspunkt, den der Mensch im Berühren der göttlichen Wahrheit hinter sich lassen muß[19]. So preist er am Schluß des ersten Buches von *De doctrina christiana* diejenigen, die schon soweit fortgeschritten sind, daß sie die Bibel für sich selbst nicht mehr benötigen. Als Beispiel für solche Leute nennt er christliche Eremiten, die in der Einsamkeit der Wüste ohne Bibel leben[20]. Widerspricht die hier anvisierte Möglichkeit einer anfänglichen Überwindung der Zeichen- und Sprachebene[21] aber nicht doch dem von Augustinus im Prolog verfochtenen Grundsatz der sprachlichen Vermittlung[22]? Preist Augustinus hier nicht plötzlich selbst ein konsequentes Charismatikertum? P. Brunner zeigt in seiner Analyse des Prologs, daß hier in der Tat eine „Konvergenz der Linien"[23] festzustellen sei, deren Grund im Prolog selbst sichtbar werde: Nach dem Zeugnis des Prologs sei die augustinische Hermeneutik auf das offenbarende Wirken Gottes hingeordnet. Augustinus wisse, daß seine hermeneutischen Regeln dem Verstehen wohl dienen, es aber nicht erzwingen könnten. Das charismatische Element werde von daher bei ihm nicht eliminiert, sondern geradezu freigesetzt[24]. Soweit hat Brunner recht. Er ist aber unpräzis, wenn er die von Augustinus gepriesenen Vollkommenen ohne weiteres als konsequente Charismatiker ansieht. Denn die fortgeschrittene Einsicht der Vollkommenen ist nicht das Ergebnis außerordentlicher ekstatischer Offenbarungen, wie sie die konsequenten Charismatiker erwarten, sondern das Ergebnis eingehender Beschäftigung mit der Bibel. Die Vollkommenen sind also ganz im Sinne des Prologs den ordentlichen Weg über das sprachliche Hilfsmittel (machina) der Bibel gegangen[25], das sie nun freilich hinter sich gelassen haben[26]. Sie sind insofern also nicht identisch mit den Charismatikern, die alle menschli-

---

[19] Vgl. P. Brunner, a.a.O. 102f; und C.P. Mayer, Res per signa, 111f.

[20] De doctr. christ. 1,39,43: Homo itaque fide, spe et caritate subnixus, eaque inconcusse retinens, non indiget Scripturis nisi ad alios instruendos. Itaque multi per haec tria etiam in solitudine sine codicibus vivunt. Unde in illis arbitror iam impletum esse quod dictum est: Sive prophetiae evacuabuntur, sive linguae cessabunt, sive scientia evacuabitur (1 Kor 13,13).

[21] In De doctr. christ. 1,39,43 heißt es ausdrücklich „quantum in hac vita potest"; siehe Anm. 26.

[22] A. Schindler, a.a.O. 84, glaubt einen solchen Widerspruch feststellen zu müssen, weil er, ähnlich wie Duchrow, die sprachfreundlichen Äußerungen Augustins im Prolog überbewertet.

[23] P. Brunner, a.a.O. 99–103.

[24] Ders., a.a.O. 101. Die Kritik Duchrows, a.a.O. 209f Anm. 97, Brunner unterschiebe Augustinus eine methodische Hybris, trifft die Argumentation Brunners nicht.

[25] Dies betont auch C.P. Mayer, Die Zeichen II, 247 Anm. 157.

[26] De doctr. christ. 1,39,43: Quibus tamen quasi machinis tanta fidei et spei et caritatis in eis surrexit instructio, ut perfectum aliquid tenentes, ea, quae sunt ex parte, non quaerunt: perfectum sane, quantum in hac vita potest; nam in comparatione futurae vitae nullius iusti et sancti est vita ista perfecta.

che Vermittlung prinzipiell ablehnen[27], obwohl sie vom Ergebnis her doch in ihre Nähe geraten. Im Laufe seines Lebens rückt Augustinus allerdings immer mehr von der Möglichkeit ab, daß jemand schon in diesem Leben die Zeichen- und Sprachebene überwinden kann. Von daher erhalten die Grundsätze des Prologs erst ihr ganzes Gewicht.

2. Soteriologische Aufwertung des äußeren Wortes

Wenn Augustinus seine eigene Erfahrung mit dem Predigen und Lehren schildert, dann zeigt er sich zunächst ganz im Banne seiner Zeichentheorie. Er ist sich schmerzlich darüber bewußt, daß das gesprochene Wort weit hinter der Einfachheit der inneren Einsicht zurückbleiben muß. So beklagt er in *De catechizandis rudibus* (399), daß seine Ausdrucksfähigkeit nie an seine Einsicht heranreicht und sein Vortrag deshalb immer mangelhaft bleibt. Denn was er seinen Hörern sagen wolle, das leuchte als blitzartige Erkenntnis in ihm auf; das Sprechen dagegen sei mühsam und zeitraubend und etwas der Einsicht ganz und gar Unähnliches[28]. Das Hinaustreten des sprachlosen Gedankens in die schwerfälligen Worte erscheint von daher als ein ontologischer Abstieg vom Geistigen ins Materielle. Und Augustinus wollte unter diesem Gesichtspunkt lieber schweigen. Wenn er dennoch spricht, dann deshalb, weil er das Hinaustreten in die Sprachwelt zugleich als ein demütiges Hinuntersteigen zu den Hörern versteht, analog zum demütigen Herabsteigen des Sohnes Gottes ins Fleisch. Der *sprachtheoretischen Abwertung* des gesprochenen Wortes steht so eine *soteriologische Aufwertung* des Wortes gegenüber[29].

„Wenn wir also deshalb betrübt sind, weil die Zuhörer unseren Gedanken (intellectus) nicht zu fassen vermögen, von dessen Höhe wir sozusagen herabsteigen müssen, um uns mit trägen Silben aufzuhalten, die hinter dem Gedanken weit zurückbleiben; und wenn wir dabei besorgt sind, wie auf langen und verwickelten Umwegen aus unserem menschlichen Mund hervorgehen soll, was der Geist gleichsam in einem raschen Zug in sich aufnimmt; und wenn wir dann, weil das gesprochene Wort dem Gedanken so unähnlich ist, nur widerwillig sprechen und lieber gleich ganz schweigen, dann wollen wir bedenken, was uns *der* im voraus geboten hat, der uns auch ein Beispiel gegeben hat, daß wir seinen Spuren folgten. Mag nämlich der Unterschied zwischen unserem Sprechen und

---

27 Deshalb kann es hier auch heißen „non indiget Scripturis *nisi ad alios instruendos*".
28 De catech. rud. 2,3: Nam et mihi prope semper sermo meus displicet. Melioris enim avidus sum, quo saepe fruor interius, antequam eum explicare verbis sonantibus coepero: quod ubi minus quam mihi motus est evaluero, contristor linguam meam cordi meo non potuisse sufficere. Totum enim quod intelligo, volo ut qui me audit intelligat; et sentio me non ita loqui, ut hoc efficiam: maxime quia ille intellectus quasi rapida coruscatione perfundit animum; illa autem locutio tarda et longa est, longeque dissimilis.
29 Siehe A. Schindler, a.a.O. 97; vgl. auch M.F. Berrouard, Saint Augustin et le ministère de la prédication, 466ff; F. Schnitzler, a.a.O. 119.

der Lebendigkeit unserer Einsicht noch so groß sein, weit größer ist der Unterschied zwischen dem sterblichen Fleisch und der Gleichheit mit Gott. Und doch hat sich Christus, obwohl er in dieser Gestalt Gottes war, selbst entäußert... Und warum tat er dies, wenn nicht deshalb, weil er den Schwachen ein Schwacher wurde, damit er die Schwachen für sich gewinne."[30]

Das erkenntnistheoretische Problem der ontologischen Defizienz der Sprache ist hier plötzlich in den Hintergrund getreten. In Analogie zur Inkarnation erscheint das Predigen in erster Linie als ein demütiger Akt der Liebe[31] um des Heiles der Schwachen willen. Die Entäußerung des Gedankens in die Sprache wird, analog zur Entäußerung des göttlichen Verbum in das Fleisch eines Menschen, zur soteriologischen Chance und Notwendigkeit[32].

Die Aufwertung, die das äußere Wort dadurch erfährt, hat nun zugleich eine, wenn auch geringfügige, sprachtheoretische Akzentverschiebung zur Folge. Vor allem dort, wo Augustinus nicht nur die Sprache mit der Inkarnation vergleicht, sondern umgekehrt die Inkarnation mit Hilfe linguistischer Modelle deutet[33], droht seine dualistische Sprachphilosophie aus den Fugen zu geraten[34]. Zwar gibt Augustinus nirgendwo das Signifikationsschema auf, sondern überträgt es umgekehrt auf die Inkarnation: Die Menschheit Christi ist ein sinnenfälliges Zeichen, das auf die Gottheit Christi verweisen soll. Eine radikale Trennung von Wortklang und bezeichneter Sache kann aber mit Rücksicht auf das Analogon der Inkarnation und die kirchliche Lehre von der Einheit der beiden Naturen in Christus ebensowenig streng durchgehalten werden. Das äußere Wort ist dann nicht mehr nur irrationaler Klang-

---

[30] De catech. rud. 10,15: Si enim causa illa contristat, quod intellectum nostrum auditor non capit, a cuius cacumine quodam modo descendentes cogimur in syllabarum longe infra distantium tarditate demorari, et curam gerimus quemadmodum longis et perplexis anfractibus procedat ex ore carnis, quod celerrimo haustu mentis imbibitur, et quia multum dissimiliter exit, taedet loqui et libet tacere; cogitemus quid nobis praerogatum sit ab illo qui demonstravit nobis exemplum, ut sequamur vestigia eius. Quantumvis enim differat articulata vox nostra ab intelligentiae nostrae vivacitate, longe differentior est mortalitas carnis ab aequalitate Dei. Et tamen cum in eadem forma esset, semetipsum exinanivit formam servi accipiens... Quam ob causam, nisi quia factus est infirmis infirmus, ut infirmos lucrificaret.

[31] Vgl. auch schon im Prolog von De doctr. christ.: Deinde ipsa caritas, quae sibi homines invicem nodo unitatis astringit, non haberet aditum refundendorum et quasi miscendorum sibimet animorum, si homines per homines nihil discerent (Prol. 6).

[32] Siehe M.F. Berrouard, Saint Augustin et le ministère de la prédication, 475ff.

[33] Siehe z.B. De doctr. christ. 1,13,12: Sicuti cum loquimur, ut id quod animo gerimus, in audientis animum per aures carneas inlabatur, fit sonus verbum quod corde gestamus et locutio vocatur, nec tamen in eundem sonum cogitatio nostra convertitur, sed apud se manens integra formam vocis qua se insinuet auribus, sine aliqua labe suae mutationis assumit: ita Verbum Dei non commutatum caro tamen factum est, ut habitaret in nobis. — Siehe ebenso In evang. Ioh. 14,7 und Sermo 28,5.

[34] Siehe dazu C.P. Mayer, Die Zeichen II, 233ff und 277; R. Lorenz, Die Wissenschaftslehre Augustins, 238.

körper, sondern ein vom sprachlos gedachten inneren Wort[35] geprägter Klangkörper. Das äußere Wort partizipiert also irgendwie an der intendierten Bedeutung. Allerdings sagt Augustinus nicht, wie er sich das näherhin vorstellt; das heißt, seine Zeichentheorie bleibt insgesamt doch erhalten[36].

3. Innere Gnade und äußeres Wort

Wie zerbrechlich die Verbindung zwischen äußerem Wort der Vermittlung und innerer Offenbarung der Wahrheit trotz allem bleibt, zeigt sich in aller Schärfe dort, wo Augustinus von gnadentheologischen Erwägungen her denkt. Denn je pointierter er in der antipelagianischen Kontroverse das innerliche Wirken der Gnade als das alles entscheidende hervorhebt, desto größere Mühe hat er, für die Notwendigkeit äußerer Vermittlungen plausible Gründe zu finden[37]. Ein hierfür signifikanter Text findet sich am Anfang der gegen Semipelagianer gerichteten Schrift *De praedestinatione sanctorum* aus dem Jahre 429. So wie des öfteren, wenn es um die Korrektur eines Irrtums in der christlichen Lehre geht, argumentiert Augustinus dort mit dem Pauluswort Phil 3,15: ‚Wenn ihr in irgendeiner Sache anderer Meinung seid, wird euch Gott auch dies offenbaren.‘[38]

Er stellt zunächst klar, daß diejenigen, für die er diese Schrift verfaßt, nur bezüglich der Frage der Prädestination im Irrtum sind, daß sie aber in allen anderen gnadentheologischen Fragen, wie zum Beispiel der Erbsünde und der Alleinwirksamkeit der Gnade, mit dem Glauben der Kirche übereinstimmen. Genau deshalb ist er überzeugt, daß Gott ihnen auch in dieser einen, für sie noch strittigen Frage die rechte Einsicht schenken wird; daß er ihnen das, was sie über die Prädestination noch nicht richtig verstehen, *offenbaren* werde[39]. Welchen Sinn aber hat dann Augustins Lehrschrift, wenn Gott selbst offenbart?

---

[35] Zur christologisch bestimmten Theorie vom inneren Wort siehe A. Schindler, a.a.O. 97—114; U. Duchrow, Sprachverständnis und biblisches Hören, 122—136; G. Bavaud, Un thème augustinien: Le Mystère de l'Incarnation à la lumière de la distinction entre le verbe intérieur et le verbe proféré, in REA 9 (1963) 95—101.

[36] C.P. Mayer, Die Zeichen II, 239—243.

[37] Vgl. dazu U. Duchrow, Sprachverständnis und biblisches Hören, 205f, über die Schrift De correptione et gratia. Augustinus stellt dort (5,8) seine Betonung des äußeren Wortes durch ein zweimaliges „obwohl auch ohne Menschen" imgrunde wieder in Frage. Ähnlich heißt es in De doctr. christ. 4,16,33: ... ita et adiumenta doctrinae tunc prosunt animae adhibita per hominem, cum Deus operatur ut prosint; qui potuit Evangelium dare homini, etiam non ab hominibus, neque per hominem (Anspielung auf Gal 1,11).

[38] Siehe § 14,3 und § 15,1.

[39] De praed. sanct. 1,2: ... eos fratres ... eo modo esse tractandos, quo tractavit Apostolus, quibus ait: ‚Et si quid aliter sapitis, hoc quoque vobis Deus revelabit.‘ Adhuc quippe in quaestione caligant de praedestinatione sanctorum: sed habent unde, si quid aliter in ea sapiunt, hoc quoque illis revelet Deus, si in eo ambulent in quod pervenerunt...

„Wenn sie also an dem festhalten, was sie schon verstehen und worin sie sich vom Irrtum der Pelagianer so sehr unterscheiden, und wenn sie dann den bitten, der die Einsicht schenkt, dann wird er ihnen auch das *offenbaren*, was sie über die Prädestination noch anders denken. Dennoch wollen auch wir uns ihnen in Liebe zuwenden und ihnen unseren Verkündigungsdienst angedeihen lassen, soweit uns Gott auf unser Bitten hin gibt, daß wir in diesem Schreiben sagen, was für sie gut und nützlich ist. Woher wissen wir nämlich, ob Gott bei ihnen nicht durch eben diesen unseren Dienst wirken will?"[40]

Eine Verbindung von vermittelndem Wort und innerer Offenbarung ist zwar gegeben. Aber diese Verbindung ist doch mehr zufälliger Natur, oder, von Gott her gesehen, allein durch den Prädestinationsratschluß Gottes hergestellt. Es kann sein, daß Gott den Dienst der sprachlichen Vermittlung tatsächlich in Anspruch nimmt und sein offenbarendes Wirken an diesen Dienst bindet. Aber das muß nicht so sein. Sprachliche Vermittlung kann einerseits völlig vergeblich und umsonst sein, wenn Gott es so will. Andererseits wirkt Gott die innerliche Offenbarung auch ohne Menschen. Von seiner konsequent durchgedachten Gnadenlehre her kann Augustinus die Sinnhaftigkeit sprachlicher Vermittlung und menschlichen Wirkens überhaupt nur mit der Hypothese begründen, daß Gott dieses Tun vielleicht in die Kausalität seiner Vorsehung einbezogen hat. Augustinus bezieht damit zwar einen unanfechtbaren Standpunkt. Genau darin aber offenbart sich die Problematik seiner Gnaden- und Erkenntnislehre[41].

4. Christologische Vermittlung?

Am Schluß dieses Paragraphen soll noch einmal gefragt werden, wie sich Augustins Offenbarungsverständnis zum Inkarnationsgedanken verhält. Bekommt Offenbarung einen geschichtlicheren Zug? Erhält der Vermittlungsgedanke in bezug auf Offenbarung eine qualifiziertere Bedeutung? Tritt das historische Christusgeschehen auf besondere Weise in das Offenbarungsgeschehen ein?

a) In *Traktat 26 zum Johannesevangelium* kommentiert Augustinus den Satz Jesu ‚Wer an mich glaubt, hat ewiges Leben' mit der offenbarungstheologisch interessanten Bemerkung:

---

[40] De praed. sanct. 1,2: Retenta ergo ista in quae pervenerunt, plurimum eos a Pelagianorum errore discernunt. Proinde, si in eis ambulent et orent eum qui dat intellectum, si quid de praedestinatione aliter sapiunt, ipse illis hoc quoque revelabit: Tamen etiam nos impendamus eis dilectionis affectum ministeriumque sermonis, sicut donat ille, quem rogavimus, ut in his litteris ea quae illis essent apta et utilia diceremus. Unde enim scimus ne forte Deus noster id per hanc nostram velit efficere servitutem, qua eis in Christi libera caritate servimus?

[41] Vgl. dazu R. Lorenz, Gnade und Erkenntnis, bes. 60ff.

„Damit wollte er sich *offenbaren* in dem, was er ist. Denn er hätte auch kürzer sagen können ‚Wer an mich glaubt, hat mich'. Christus ist nämlich selbst wahrer Gott und ewiges Leben."[42]

Geschieht hier Offenbarung in worthafter Gestalt? Erscheint also die göttliche Wahrheit wirklich in geschichtlich vermittelter Weise? Offenbart der historische Christus selbst? Oder muß nicht vielmehr auch hier das gesprochene Wort nur als der äußere Anstoß verstanden werden für die durch göttliche Illumination erfolgende innerliche Offenbarung? Der Kontext selbst zeigt, daß Letzteres zutrifft. Denn Augustinus erklärt dort, daß die Wahrheit Christi dem einzelnen vom *Vater geoffenbart* werden müsse[43]. Nicht das historische Christusgeschehen selbst vermittelt also Einsicht in die Gottheit Christi, sondern allein unmittelbare göttliche Erleuchtung[44]. Der Menschheit Christi kommt dabei nur eine, für den der sensiblen Welt verhafteten Menschen allerdings unerläßliche, admonitive Verweisfunktion zu[45].

C.P. Mayer hat in diesem Zusammenhang sehr gut herausgearbeitet, wie Augustinus zur Deutung der Inkarnation seine metaphysisch geprägte Zeichentheorie heranzieht und von daher dort, wo er über die Relation der beiden Naturen in Christus reflektiert, eher deren Trennung als deren Einheit hervorhebt. Die der veränderlichen Welt angehörende Menschheit Christi wird in der Inkarnation von dem der unveränderlichen Welt angehörenden Verbum Christus als auf es verweisendes Zeichen in Dienst genommen. Die transzendentale Seinsverfassung Gottes bleibt auf diese Weise von der Inkarnation aber unberührt[46].

Ähnlich haben J.-B. du Roy und dann vor allem A. Schindler anhand der Trinitätsspekulationen Augustins gezeigt, wie überaus schwer es Augustinus aufgrund seiner metaphysischen Prämissen fällt, die geschichtliche Heilsökonomie in das eigentliche innergöttliche Geschehen zu integrieren[47]. Die

---

[42] In evang. Ioh. 26,10: ‚Amen, amen, dico vobis, qui credit in me, habet vitam aeternam.' Revelare se voluit quid esset: nam compendio dicere potuit: Qui credit in me, habet me. Ipse enim Christus verus Deus est et vita aeterna.

[43] In evang. Ioh. 26,5: Im Anschluß an Mt 16,18 ‚Beatus es Simon Bar-Iona, quia non tibi revelavit caro et sanguis, sed Pater meus qui in coelis est' erläutert Augustinus, daß der Vater, indem er durch innerliche Offenbarung dem Einzelnen ein Verstehen der Gottheit Christi eröffnet, diesen zu Christus zieht: ... trahit revelatus Christus a Patre. Vgl. zu diesem Text § 15,2.

[44] Vgl. De divers. quaest. ad Simpl. 2,1,3 und Epist. 147,12,30 (zitiert in § 6 des 1. Teiles), wo ebenfalls in Anschluß an Mt 16,18 von der Offenbarung der Gottheit Christi die Rede ist.

[45] Vgl. R. Hardy, a.a.O. 122ff.

[46] C.P. Mayer, Die Zeichen II, 212ff, bes. 227f.

[47] J.-B. du Roy, L'expérience de l'amour et l'intelligence de la foi trinitaire selon saint Augustin, in: Recherches augustiniennes 2 (1962) 415–445, bes. 440ff; A. Schindler, a.a.O. 229ff.

geschichtlichen Manifestationen Gottes drohen zu einem bloßen Zeichensystem zu werden für eine schlechthin jenseits der Geschichte liegende metaphysische Wirklichkeit[48]. „Die Trinität als Trinität und das Wort Gottes als Wort Gottes treten geschichtlich überhaupt nicht hervor, sondern ausschließlich per analogiam et significationem."[49] Das Denken auf zwei Ebenen wird von Augustinus letztlich nicht durchbrochen[50]. Diese theoretischen Grundlagen machen verständlich, daß das historische Christusgeschehen in bezug auf die transzendente göttliche Wirklichkeit für Augustinus unmöglich eine über die Verweisfunktion hinausgehende offenbarende Funktion haben kann.

b) Bezeichnend für Augustins Position ist, wie er die offenbarungstheologisch wichtige Stelle *Mt 11,27* ,Niemand kennt den Sohn als der Vater, und niemand kennt den Vater als der Sohn, und wem es der Sohn offenbaren will' deutet. Er bezieht sie nämlich nicht auf den Menschen Christi, sondern auf das Verbum Christus. Der Sohn offenbart nicht als der Menschgewordene durch seine geschichtliche Seinsweise, sondern als das dem Vater gleichewige Verbum durch unmittelbare Illumination. In *De Trinitate* sagt Augustinus dazu:

„Das Verbum des Vaters ist ewig. Durch *Erleuchtung* sagt es uns über sich und über den Vater, was den Menschen darüber zu sagen ist. Deshalb heißt es: ,Niemand kennt den Sohn als der Vater, und niemand kennt den Vater als der Sohn, und wem es der Sohn *offenbaren* will'. Denn durch den Sohn *offenbart* der Vater, das heißt, durch sein Verbum. Wenn nämlich schon das zeithafte und vorübergehende Wort, das wir aussprechen, sowohl sich selbst zeigt, als auch das, worüber wir sprechen, um wieviel mehr das Wort Gottes, durch das alles geworden ist? Es zeigt den Vater, wie er ist, weil es selbst ist, was und wie der Vater ist, sofern es Weisheit und Wesen ist."[51]

Polman glaubt, hier eine Akzentverlagerung vom neuplatonischen Sehen zum biblischen Hören feststellen zu können. Das biblische Konzept einer worthaften Offenbarung trete allmählich in den Vordergrund[52]. Dem ist je-

---

[48] J.-B. du Roy, a.a.O. 443; A. Schindler, a.a.O. 229.

[49] A. Schindler, a.a.O. 233; Schindler weist 232 darauf hin, daß bei Augustinus der Endpunkt einer zunehmenden Entgeschichtlichung der Trinitätslehre zu sehen ist.

[50] A. Schindler, ebd.

[51] De Trin. 7,3,4: Illud autem aeternum est et illuminando dicit nobis et de se et de Patre quod dicendum est hominibus. Ideoque ait: ,Nemo novit Filium nisi Pater, et nemo novit Patrem nisi Filius, et cui voluerit Filius revelare': quia per Filium revelat Pater, id est, per Verbum suum. Si enim hoc verbum quod nos proferimus temporale et transitorium, et se ipsum ostendit, et illud de quo loquimur, quanto magis Verbum Dei, per quod facta sunt omnia? Quod ita ostendit Patrem sicuti est Pater: quia et ipsum ita est, et hoc est quod Pater, secundum quod sapientia est et essentia?

[52] A.D.R. Polman, a.a.O. 34. – F. Schnitzler, a.a.O. 68f übernimmt die Sicht Polmans. Das hat zur Folge, daß bei ihm geschichtliches Wort und ewiges Wort durcheinander geraten.

doch entgegenzuhalten, daß die in dem Text aufgestellte Analogie zwischen göttlichem Verbum und menschlichem Wort auf uneigentlicher Rede beruht. Ein Vergleich ist zwar im Blick auf die Offenbarungsfunktion möglich, die der Sohn als Verbum wie auch das menschliche Wort haben[53]. Im Gegensatz zum menschlichen Wort ist das Verbum aber gerade nicht sprachlich-geschichtlich gedacht. Es offenbart also nicht in geschichtlicher Gestalt, etwa in dem inkarnierten Sohn Gottes, sondern nur insofern, als es mit dem Vater eines gleichewigen Wesens ist[54]. Und es offenbart folglich auch nicht worthaft, sondern durch ein unmittelbares Sehenlassen der göttlichen Wahrheit. Die Offenbarung durch das Verbum geschieht als Illumination des menschlichen Geistes[55].

Diese Offenbarungstätigkeit des Verbum ist zudem wegen der von Augustinus streng verfochtenen Einheit des Wirkens Gottes (operatio inseparabilis)[56] nicht einfach das Proprium des göttlichen Verbum, sondern kommt zugleich der ganzen Trinität zu[57]. Der allein dem Sohn Gottes vorbehaltene Name ‚Verbum‘ weist strenggenommen nicht auf eine spezifische Offenbarungsfunktion, sondern ist nur ein innertrinitarischer Relationsbegriff[58].

---

[53] Vgl. vor allem De fide et symb. 3,3f: Verbum enim Patris ideo dictum est quia per ipsum innotescit Pater. Sicut ergo verbis nostris id agimus, cum loquimur, ut noster animus innotescat audienti, et quidquid secretum in corde gerimus, per signa huiusmodi ad cognitionem alterius proferatur: sic illa Sapientia, quam Deus Pater genuit, quoniam per ipsam innotescit dignis animis secretissimus Pater, Verbum eius convenientissime dicitur.

[54] C.P. Mayer, Die Zeichen II, 226ff, weist gerade anhand von De fide et symb. 3,3f auf, daß Augustinus großes Gewicht legt auf die Unterscheidung zwischen dem Sohn Gottes als der zweiten Person der Trinität und dem inkarnierten Sohn Gottes. Polman dagegen verwischt diese Unterscheidung in unzulässiger Weise. P. Stockmeier, a.a.O. 83f, neigt ebenfalls zu einer Harmonisierung der beiden Seinsebenen.

[55] Vgl. auch den zu De Trin. 7,3,4 parallelen Text Quaest. evang. 1,1: Cum diceret, ‚Nemo novit Filium nisi Pater‘, non dixit, Et cui voluerit Pater revelare; quemadmodum cum diceret, ‚Nemo novit patrem nisi Filius‘, addidit, ‚et cui voluerit Filius revelare‘. Quod non ita intelligendum est, quasi Filius a nullo possit cognosci nisi a Patre solo; Pater autem non solum a Filio, sed etiam ab eis quibus revelaverit Filius. Sic enim potius dictum est, ut intelligamus et Patrem et ipsum Filium per Filium revelari; quia *ipse est menti nostrae lumen:* ut quod postea intulit, ‚et cui voluerit Filius revelare‘, non tantum Patrem sed etiam Filium accipias: ad totum enim quod dixit illatum est. Verbo enim suo ipse Pater declaratur: verbum autem non solum id quod per verbum declaratur, sed etiam seipsum declarat. − In De Trin. 1,8,16 ist Mt 11,27 auf die Offenbarung in der eschatologischen Vollendung bezogen; siehe dazu § 9 im 2. Teil der Arbeit.

[56] Siehe dazu M. Schmaus, Die psychologische Trinitätslehre des hl. Augustinus, Münster 1927, 151ff.

[57] Vgl. A. Schindler, a.a.O. 195, zu De Trin. 7,3,4.

[58] Siehe die Fortsetzung des Zitats De Trin. 7,3,4: quia et ipsum ita est, et hoc quod Pater, secundum quod sapientia est et essentia. Nam secundum quod Verbum, non hoc est, quod Pater, ... Verbum relative dicitur, sicut Filius.

Von daher kann es Augustinus gar nicht sinnvoll erscheinen, innerhalb der Trinität den Sohn Gottes als Offenbarer eigens hervorzuheben. Mt 11,27 kommt also keinem theoretischen Bedürfnis Augustins entgegen. Berücksichtigt man ferner, daß Augustinus, wie gezeigt, diesen Satz auch nicht auf den Menschen Christus beziehen kann, überrascht es vielleicht nicht, daß Mt 11,27 im Gesamtwerk Augustins nur eine untergeordnete Rolle spielt[59].

§ 14 Offenbarung zwischen Glauben und Verstehen

1. Vom Glauben zum Wissen

a) Der zur Aufnahme der göttlichen Wahrheit noch unfähige Mensch ist nicht seiner eigenen Blindheit überlassen. Er kann und muß den Weg des Glaubens gehen, um sicher zur Schau der Wahrheit zu gelangen. „Glaube, damit du verstehst"[1]: Das ist das große und durchgängige Leitmotiv des augustinischen Denkens[2]. Doch was ist damit gemeint?

Das Verhältnis von Glauben und Wissen läßt sich nicht auf einen einfachen Nenner bringen. Zwar ist Glaube für Augustinus immer definiert als ein durch Autorität[3] gedecktes Fürwahrhalten dessen, was man nicht sieht[4]. Die Objekte des Glaubens können aber sehr unterschiedlicher Natur sein. Und entsprechend unterschiedlich ist dann auch deren Zuordnung zum Wissen.

---

[59] In En. in psalm. 18,I,8; in Sermo 24,4 und in Sermo 142,6,6 wird Mt 11,27 nur zitiert, ohne daß eine spezifische Interpretation dieses Zitats aus dem Kontext zu entnehmen wäre. — In In evang. Ioh. 47,3 erklärt Augustinus Joh 10,15 ‚Wie mich der Vater kennt und ich den Vater kenne' dahin, daß Christus den Vater durch sich erkennt und wir durch ihn. Zur Bekräftigung zitiert er dabei Mt 11,27. Eine eindeutige Interpretation ist auch hier nicht gegeben. — Besonders hinzuweisen ist noch auf Sermo 187,11: Laudem Domini loquetur os meum: eius Domini, per quem facta sunt omnia, et qui factus est inter omnia: qui est *Patris revelator*, matris creator: Filius Dei de Patre sine matre, filius hominis de matre sine Patre: magnus dies Angelorum, parvus in die hominum. — Die substantivische Wendung ‚Patris revelator', die vermutlich von Mt 11,27 abgeleitet ist, ist in Augustins Werk einmalig.

[1] In evang. Ioh. 29,6: Intelligere vis? Crede ... Intellectus enim merces est fidei. Ergo noli quaerere intelligere ut credas, sed *crede ut intelligas*; quoniam nisi credideritis, non intelligetis (Is 7,9).

[2] Daß schon die Frühschriften Augustins der Sache nach das spätere ‚credo ut intelligam' enthalten, hat vor allem R. Holte, a.a.O. 309—327, gezeigt. — Weitere Literatur zum angezeigten Problemfeld insgesamt siehe in den folgenden Anmerkungen dieses Abschnitts.

[3] Zur Rolle der auctoritas siehe vor allem K.H. Lütcke, a.a.O. passim.

[4] In evang. Ioh. 40,9: Fides est ergo, quod non vides, credere. — K. Löwith, Wissen und Glauben, in: AM I, 1954, 403—410, bestreitet heftig die Stringenz des augustinischen Autoritätsglaubens. Eine Auseinandersetzung mit seiner Position von einem differenzierteren Autoritätsbegriff her bietet K.H. Lütcke, a.a.O. 69, 162f, 176f, 181, 192.

Der Glaube kann sich einmal auf historische Tatsachen beziehen, die Gott zum Heil der Menschen inszenierte, also auf die in der Menschwerdung kulminierende Geschichte des zeitlichen Wirkens Gottes; zum anderen aber auch auf die intelligible Wahrheit selbst[5]. Im ersten Fall kann der Glaube nie zu einem Wissen werden. Historische Tatsachen können immer nur auf ein Zeugnis hin geglaubt, nie aber zu Gegenständen unmittelbaren Erkennens werden[6]. Im zweiten Fall dagegen soll und kann der Glaube in ein Wissen überführt werden. Die Einsicht in die göttlichen Dinge erfolgt, nachdem die Stufe des Glaubens durchlaufen ist[7]. Im ersten Fall besteht die Funktion des Glaubens primär darin, das Leben des Menschen nach intelligiblen Gesichtspunkten zu gestalten und seinen Geist auf diese Weise zu reinigen und für die Aufnahme des Intelligiblen habituell vorzubereiten[8]. Glaubensobjekt und Erkenntnisgegenstand sind dabei ganz verschiedene Dinge. Im zweiten Fall dagegen wird der spätere Erkenntnisgegenstand selbst schon angezielt. Die göttlichen Dinge sind auf der Ebene des Glaubens autoritativ angenommen und sollen nun in einem Fortschreiten vom Glauben zum Wissen eingesehen werden. Was bedeutet dieser Fortschritt? Wie verhält sich das Geglaubte zum später Gewußten? Welche erkenntnistheoretische Funktion hat der Glaube dabei?

Die traditionelle katholische Auffassung verstand das Fortschreiten vom Glauben zum Wissen im Sinne eines spekulativen Durchdringens des Glaubensinhalts, einer Entfaltung des im Glauben implizierten Wissens[9]. Im

---

5 De agon. christ. 13,15: Fides in Ecclesia brevissime traditur, in qua commendantur aeterna, quae intelligi a carnalibus nondum possunt, et temporalia praeterita et futura, quae pro salute hominum gessit et gestura est aeternitas divinae providentiae. De Trin. 14,1,3: ... etiam de rebus eaternis fidem temporalem... Fidem quoque de temporalibus rebus, quas pro nobis aeternis fecit et passus est in homine, quem temporaliter gessit.

6 Vgl. hierzu M. Löhrer, Der Glaubensbegriff des Hl. Augustinus in seinen ersten Schriften bis zu den Confessiones, Einsiedeln/Zürich/Köln 1955, 127: „Eine Auffassung der Geschichte als Wissenschaft ist Augustinus fremd." — Ebenso J. Ratzinger, Die Geschichtstheologie des hl. Bonaventura, 79.

7 De divers. quaest. 83, qu. 48: ... alia sunt quae semper creduntur, et numquam intelliguntur: sicut est omnis historia, temporalia et humana gesta percurrens. Alia ... quae primo creduntur, et postea intelliguntur: qualia sunt ea quae de divinis rebus non possunt intelligi nisi ab his qui mundo sunt corde.

8 Nach D. Pirson, Der Glaubensbegriff bei Augustinus, Erlangen 1953, 142ff, muß man in diesem Aspekt das Spezifikum des augustinischen Glaubensbegriffs erblicken. Pirson weist von daher die scholastische Interpretation des augustinischen ‚credo ut intelligam‘, gläubige Annahme des kirchlichen Dogmas erwirke dessen vernünftige Erfassung, als einseitig zurück (151). Er übertreibt allerdings, wenn er 150f sagt, der Glaube der carnales richte sich ausschließlich auf das zeitliche Geschehen und dessen *immanente* Erklärung.

9 Siehe z.B. P. Battifol, a.a.O. 512ff; M. Schmaus, Die psychologische Trinitätslehre, 169ff (176 findet sich zahlreiche Literatur dazu); E. Gilson, Der heilige Augustinus, 62ff; und vor allem M. Grabmann, Augustins Lehre vom Glauben und Wissen und ihr Einfluß auf das mittelalterliche Denken, in: Mittelalterliches Geistesleben 2 (1936)

Christentum gebe es keine esoterische Lehre neben oder hinter dem Glauben. Es gebe nicht verschiedene Arten der Lehre selbst, sondern nur unterschiedliche Intensität der Erfassung und Aneignung ein und derselben Lehre[10].

Duchrow hat diese Interpretation zurückgewiesen mit dem Hinweis, daß Glaubensobjekt, die von Gott in die Zeit hinein abgeschattete Wahrheit, und Erkenntnisgegenstand, die intelligible Wahrheit und das Wesen Gottes selbst, im Sinne der augustinischen Metaphysik immer streng geschieden seien[11]. Lütcke hat dem zwar entgegengehalten, daß diese Behauptung nur bezüglich des Glaubens an historische Tatsachen richtig sein könne, nicht aber bezüglich der im Glauben autoritativ angenommenen ewigen Wahrheiten. Denn im letzteren Fall identifiziere Augustinus ganz offensichtlich den Gegenstand des Glaubens mit dem des Wissens[12]. Dennoch kann man Duchrow rechtgeben. Denn Lütcke berücksichtigt bei seiner Kritik nicht den wesensmäßigen Unterschied von Geglaubtem und Gewußtem, den Duchrow im Sinn hat. Der Glaubensinhalt verweist zwar auf die ewige Wahrheit, läßt sich in seiner Inhaltlichkeit aber in keiner Weise mit der ewigen Wahrheit vergleichen. Alle Glaubensinhalte, auch die, welche sich auf ewige Dinge beziehen, sind nur zeitliche Repräsentationen[13]. Der Glaube hat es zu tun mit bildhafter Sprache und mit Zeichen, nicht aber mit den Sachen selbst. Zwischen Zeichen und Sache aber klafft die kosmische Trennung von sensibler und intelligibler Welt[14].

Die Beziehung zwischen Geglaubtem und Gewußtem läßt sich also mit Hilfe von Augustins metaphysisch bestimmter Zeichentheorie beschreiben. Von daher wird einsichtig, daß das Wissen sich nicht aus dem Geglaubten heraus entfalten läßt und daß das Gewußte gegenüber dem Geglaubten tatsächlich eine ganz neue Art der Lehre darstellt. Die Vorstellungen des Glaubens werden durch die intelligiblen Wahrheiten ersetzt. Lorenz hat deshalb recht, wenn er sagt, der Fortschritt vom Glauben zum Wissen bestünde nicht in einer rationalen Analyse des Glaubensinhalts, sondern in der Ablösung des Glaubens durch das Schauen[15]. Der Fortschritt vom Glauben zum

---

35—61. Auch die Arbeit von M. Löhrer ist dieser theologischen Tradition verpflichtet (siehe z.B. 215).

[10] D.B. Capelle, Le progrès de la connaissance religieuse d'après St. Augustin, in: Recherches de Théologie ancienne et médiévale 2 (1930) 410—419; 415: „Il y a donc non plusieurs degrés de doctrine, mais seulement différence dans l'assimilation d'une même doctrine." — Vgl. T. van Bavel, L'humanité du Christ, 264f.

[11] U. Duchrow, Sprachverständnis und biblisches Hören, 77.

[12] K.H. Lütcke, a.a.O. 188ff. Ähnliche Kritik an Duchrow übt E. König, a.a.O. 136 Anm. 30.

[13] De Trin. 14,1,3: ... etiam de rebus aeternis fidem temporalem quidem, et temporaliter in credentium cordibus habitare...

[14] J. Ratzinger, Volk und Haus Gottes, 247.

[15] R. Lorenz, Die Wissenschaftslehre Augustins, 228. Vgl. auch D. Pirson, a.a.O. 167:

Wissen bedeutet die Ablösung der äußerlich vermittelnden Autorität, zum Beispiel der Bibel, durch die innerlich offenbarende Wahrheit selbst[16].

Die erkenntnistheoretische Funktion, die Augustinus dem Glauben innerhalb dieses Prozesses zuschreibt, vermag das Gesagte weiter zu erhellen. In *De Trinitate* heißt es dazu kurz und bündig: „Der Glaube sucht, das Verstehen findet."[17] Der Satz unterstreicht zunächst noch einmal die Verschiedenheit von Glauben und Wissen. Denn der Glaube sucht eben das, was er selbst nicht hat[18]. Doch worin besteht nun das Suchen des Glaubens? Augustins Definition des Glaubens als ein „mit Zustimmung denken"[19] macht deutlich, daß der Glaube sich nicht in einem statischen Akt des Für-wahr-haltens erschöpft und darin beruhigt, sondern eine dynamische Bewegung in Gang setzt. Man kann diese Bewegung beschreiben als ein raumgebendes Sicheinlassen[20] auf den Glaubensinhalt in seiner über sich hinaus verweisenden Zeichenhaftigkeit. Im *Johanneskommentar* bezeichnet Augustinus sie einmal treffend als *intentionale Anstrengung* (labor intentionis)[21]. Der Glaubende

---

„Beim Fortschreiten des Glaubens zur Einsicht werden nicht etwa die Glaubensgeheimnisse für das menschliche Denken begreifbar gemacht, sondern es werden die Vorstellungen aus der Glaubensstufe durch die Wahrheiten aus dem intelligiblen Bereich richtiggehend ersetzt."

[16] Epist. 147,2: ... aut Scripturis canonicis credas, si quid nondum, quam verum sit, vides, aut interius demonstranti veritati, ut hoc plane videas.

[17] De Trin. 15,1,2: Fides quaerit, intellectus invenit.

[18] Vgl. De lib. arb. 2,2,6: Deinde iam credentibus dicit: Quaerite et invenietis: nam neque inventum dici potest, quod incognitum creditur; neque quisquam inveniendo Deo fit idoneus, nisi antea crediderit quod est postea cogniturus... Quod enim hortante ipso quaerimus, eodem ipso demonstrante inveniemus...

[19] De praed. sanct. 2,5: ... ipsum credere nihil aliud est quam cum assensione cogitare. Vgl. De spir. et litt. 31,54: Quid est enim credere nisi consentire verum esse quod dicitur; Enchir. 7,20: ... si tollatur assensio, fides tollitur, quia sine assensione nihil creditur. − D. Pirson hat versucht, das Moment der Zustimmung im Glaubensbegriff Augustins durch Rückgriff auf einen „primären Glauben" zu erklären. Unter primärem Glauben versteht er dabei ein durch Selbstreflexion aus dem Bewußtsein des Ich erhobenes subjektives Wissen von Gott und Gottes Heilswillen (siehe z.B. a.a.O. 129ff, 157, 166 und passim). Von diesem „primären Glauben" her könne Augustinus die Berechtigung einer Autorität überprüfen (97f). R. Lorenz, Die Wissenschaftslehre, 225f, weist jedoch nach, daß diese These Pirsons unhaltbar ist; man könne Augustinus keine Bewußtseinstheologie unterschieben. Siehe auch K.H. Lütcke, a.a.O. 181: Was Pirson trennt, nämlich primären Glaubensbestand und sekundären Glauben aus Autorität, gehöre zusammen. − Allerdings läßt sich die Zustimmung zur Autorität auch nicht ausschließlich mit dem Hinweis auf die Überzeugungsmacht der äußeren Autorität erklären. Vielmehr spielt hier ebenso das Moment der inneren Gnade eine Rolle. Siehe dazu R. Lorenz, Gnade und Erkenntnis, 31.

[20] Vgl. den Sachverhalt, daß für Augustinus der eigentliche Glaube immer mit Liebe verbunden ist. In evang. Ioh. 29,6: Quid est ergo credere in eum? Credendo amare, credendo diligere, credendo in eum ire. − Siehe dazu D. Pirson, a.a.O. 181ff; U. Duchrow, Sprachverständnis und biblisches Hören, 113ff.

[21] In evang. Ioh. 48,1: Quisquis autem ad sumendum solidum cibum verbi Dei adhuc

richtet seine ganze Aufmerksamkeit auf das Geglaubte und zugleich über es hinaus. Er öffnet sich auf ein mögliches Verstehen hin. Die vom Glauben in Gang gesetzte und getragene intentionale Anstrengung kann dieses Verstehen zwar nicht erzwingen; aber sie ist doch die unabdingbare Voraussetzung für Verstehen. Das glaubende Sicheinlassen auf den geglaubten Gegenstand öffnet den menschlichen Geist für die Offenbarung der Wahrheit[22].

Der Fortschritt vom Glauben zum Wissen vollzieht sich in diesem Leben freilich nur in sehr beschränktem Maß. Augustinus gibt davon aus eigener Erfahrung Zeugnis in seinem berühmten Werk *De Trinitate*, das einen einzigen großen Versuch darstellt, das über Gottes Sein Geglaubte in ein unmittelbares Wissen aufzuheben[23]. Denn Augustins Bemühen scheitert letztlich. Er kommt nicht an ein Verstehen der wirklichen Trinität heran. Alle Erklärungsversuche und Analogien sind doch immer nur in der menschlichen Wirklichkeit vielfach gebrochene Spiegelungen der transzendenten Wahrheit. Letztlich ist Augustinus auf den autoritativ angenommenen Glauben zurückgeworfen[24]. Das bedeutet jedoch nicht, daß sich Augustins Verhältnisbestimmung von Glauben und Wissen dadurch verändern würde. Nach wie vor geht es um eine Ablösung des Glaubens durch ein Wissen, nicht etwa nur um ein Verstehen innerhalb des Glaubens.

b) Das bisher Gesagte soll nun anhand der Texte, in welchen Augustinus den Fortschritt vom Glauben zum Wissen ausdrücklich auf Offenbarung zurückführt, weiter erörtert werden. In der im Jahre 393 entstandenen Schrift *De fide et symbolo*, die aus einem Vortrag Augustins vor einem Konzil der Bischöfe Afrikas hervorgegangen ist[25], heißt es:

„Der katholische Glaube wird den Gläubigen im Symbolum in knapper und einprägsamer Fassung bekannt gemacht. Dadurch wird den *Anfängern* im Glauben, denen, die zwar schon in Christus wiedergeboren sind, die aber noch nicht gestärkt sind durch eine sorgfältige und geistliche Denkarbeit an der Bibel, mit wenigen Worten vorgesetzt, was sie fürs erste zu glauben haben und was erst später, wenn sie voranschreiten und sich in standhafter Demut und Liebe zur göttlichen Lehre erheben, mit mehr Worten auszulegen sein wird. Unter dem Deckmantel dieser wenigen, im Symbol festgelegten Worte haben nun sehr viele Irrlehrer ihr Gift zu verbergen gesucht. Ihnen widersetzt sich und hat sich schon immer widersetzt die göttliche Barmherzigkeit mit Hilfe von Geistesmännern (*spirituales* viros), denen die Gnade zuteil wurde, den katholischen

---

minus idoneus est, lacte fidei nutriatur, et verbum quod intelligere non potest, credere non cunctetur. Fides enim meritum est, intellectus praemium. In ipso labore intentionis desudat acies mentis nostrae, ut ponat sordiculas nebulae humanae, et serenetur ad verbum Dei.

[22] Vgl. In evang. Ioh. 27,7: Prius haereamus per fidem... Nam qui non haeret, resistit; qui resistit, non credit... Adversarius est radio lucis, quo penetrandus est: non avertit aciem, sed claudit mentem... *Credant et aperiant, aperiant et illuminabuntur.*

[23] Siehe H.I. Marrou, a.a.O. 64f und A. Schindler, a.a.O. 120ff.

[24] Siehe das Ergebnis von A. Schindler, a.a.O. bes. 233.

[25] Retract. 1,17.

Glauben nicht nur in jenen Worten aufzunehmen und zu glauben, sondern darüber hinaus durch göttliche *Offenbarung* zu verstehen und einzusehen. Es steht nämlich geschrieben: Wenn ihr nicht glaubt, werdet ihr nicht verstehen (Is 7,9)."[26]

Die Worte des Glaubensbekenntnisses sind wie Zeichen. Man kann sie, wie es die Häretiker in verführerischer Absicht tun, akzeptieren und dennoch Falsches darunter verstehen. Das richtige Verstehen wird nicht durch das Zeichen selbst garantiert, sondern ganz im Sinne von Augustins Zeichentheorie erst durch göttliche Offenbarung ermöglicht, welche die in den Zeichen bedeutete Wahrheit unmittelbar zeigt. Der Offenbarung voraus geht zwar eine vom Glauben getragene, angestrengte Denkarbeit an der Bibel (vgl. labor intentionis), in welcher die wenigen Sätze des Glaubensbekenntnisses diskursiv entfaltet werden. Dieses diskursive biblische Denken gehört aber noch der Ebene des Glaubens an. Es stellt zwar eine vorbereitende Einübung des menschlichen Geistes dar. Der eigentliche Fortschritt vom Glauben zum Wissen vollzieht sich aber erst, wenn sich auf die fromme Denkanstrengung des Menschen hin die göttliche Wahrheit selbst gnadenhaft offenbart.

Die vom Glauben zum Wissen Fortgeschrittenen nennt Augustinus im Anschluß an 1 Kor 3,1f häufig Geistige *(spirituales)*, die Anfänger im Glauben dagegen Unmündige (parvuli) oder Fleischliche *(carnales)*[27]. In *Traktat 98 zum Johannesevangelium* fragt Augustinus, worin der Unterschied zwischen den beiden Gruppen von Christen bestehe. Wenn Paulus sagt, er habe den einen Milch (lac), den anderen feste Speise (cibus) gegeben, heißt das dann, daß er den einen etwas anderes als den anderen gepredigt habe, daß die Geistigen also sozusagen eine Geheimlehre hätten[28]? Augustinus weist diese Ansicht, mit welcher manche Häretiker ihre Sonderlehren verteidigen, entschieden zurück[29]. Alle haben die gleiche Verkündigung gehört. Auf der Ebene

---

[26] De fide et symb. 1,1: Est autem catholica fides in Symbolo nota fidelibus, memoriaeque mandata, quanta res passa est brevitate sermonis: ut incipientibus atque lactantibus, eis qui in Christo renati sunt, nondum Scripturarum divinarum diligentissima et spirituali tractatione atque cognitione roboratis, paucis verbis credendum constitueretur, quod multis verbis exponendum esset proficientibus, et ad divinam doctrinam certa humilitatis atque caritatis firmitate surgentibus. Sub ipsis ergo verbis paucis in Symbolo constitutis, plerique haeretici venena sua occultare conati sunt: quibus restitit et resistit divina misericordia per spirituales viros, qui catholicam fidem, non tantum in illis verbis accipere et credere, sed etiam Domino revelante intelligere atque cognoscere meruerunt.

[27] Siehe dazu W.-A. Schumacher, Spiritus and Spiritualis. A study in the Sermons of saint Augustin, Illinois 1957, bes. 182−192; T. van Bavel, L'humanité du Christ comme „lac parvulorum" et comme „via" dans la spiritualité de saint Augustin, in: Augustiniana 1957, 256ff und 267ff; M.-F. Berrouard, Saint Augustin et le ministère de la prédication, 459ff und 482f.

[28] In evang. Ioh. 98,1: Haec est autem quaestio, utrum spirituales homines habeant aliquid in doctrina, quod carnalibus taceant, et spiritualibus dicant...

[29] In evang. Ioh. 98,1: ... cavendum est, ne sub hac occasione in occultis nefaria

der sprachlich artikulierten Lehre gibt es keine Unterschiede. Aber die Geistigen haben das Gehörte auf die intelligible Wahrheit hin eingesehen. Die Fleischlichen dagegen konnten es nur im Glauben annehmen[30]. Den einen wurde offenbart, den anderen nicht:

„Paulus wollte, daß das Wissen der Geistigen (*spirituales*) fest sei, so daß nicht der bloße Glaube entgegengebracht (accomodaretur)[31], sondern eine sichere Erkenntnis festgehalten würde. Und darum glaubten die noch Fleischlichen (*carnales*) jene Dinge bloß, welche die Geistigen darüber hinaus erkannten... Denn dem Fleischlichen wurde noch nicht *offenbart*, damit er, was er glaubt, auch weiß."[32]

Battifol bemerkt, Augustinus beschreibe hier zwar den Fortschritt im Verstehen des Glaubens als Offenbarung; es handle sich jedoch nicht um eine Offenbarung im eigentlichen Sinne. Denn eine eigentliche Offenbarung würde dem Bereich des Glaubens angehören. Die Offenbarung, an die Augustinus hier denke, gehöre aber dem Bereich des Verstehens an. Sie bedeute das Sichauftun einer in sich evidenten oder notwendigen Wahrheit. Der Fortschritt im Verstehen komme zwar unter Mitwirkung des inneren Lehrers zustande, bleibe aber doch ein Unternehmen der menschlichen Vernunft, einer Vernunft, die sich in der Reflexion der biblischen Gegebenheiten erprobe und diese im Rahmen der Glaubensregel entfalte[33].
Damit aber mißversteht Battifol den augustinischen Offenbarungsbegriff gründlich. Denn einmal ist Offenbarung bei Augustinus insgesamt dem Ver-

---

doceantur... – Vgl. schon Traktat 96f, wo Augustinus fragt, wie Joh 16,12 zu verstehen sei: ‚Adhuc multa habeo vobis dicere; sed non potestis portare modo: cum autem venerit ille Spiritus veritatis, docebit vos omnem veritatem'. Augustinus lehnt ein divinatorisches Sonderwissen ab (97,3) und interpretiert den Satz stattdessen im Sinne seiner Theorie von Glauben und Wissen.

[30] In evang. Ioh. 98,2: Christus crucifixus ... vocatis Iudaeis et Graecis Dei Virtus et Dei Sapientia: sed carnalibus parvulis id tantum credendo tenentibus, spiritualibus autem capacioribus id etiam intelligendo cernentibus; illis ergo tanquam lacteus potus, istis tanquam solidus cibus. – Unter dem Bild der Milch versteht Augustinus zwar in erster Linie die Menschheit Christi als ein soteriologisches Mittel, das zur Gottheit Christi führt (siehe z.B. En. in psalm. 8,5). Diesen Aspekt heben T. van Bavel, a.a.O. und M.F. Berrouard, a.a.O. hervor; vgl. auch M. Comeau, Le Christ, chemin et terme de l'ascension spirituelle d'après saint Augustin, in: Recherches de science religieuse 40 (1952) 80–89. ‚Milch' meint aber auch allgemeiner den Glauben überhaupt, also auch die auf die göttliche Wahrheit bezogenen Glaubensaussagen; siehe obiges Zitat und In evang. Ioh. 98,5: Quod autem in lactis commemoratione posuit et doctrinam, ipsa est quae per symbolum traditur et orationem dominicam.

[31] In dem Wort ‚accomodare' schwingt mit, daß der Glaube eine Abschattung der göttlichen Wahrheit in die sensible Welt hinein ist.

[32] In evang. Ioh. 98,2: Solidam profecto voluit esse scientiam spiritualium, ubi non sola fides accomodaretur, sed certa cognitio teneretur; ac per hoc illi ea ipsa credebant, quae spirituales insuper agnoscebant ... quia nondum ei revelatum est, ut quod credit sciat.

[33] P. Battifol, a.a.O. 512f.

stehen zugeordnet, nicht dem Glauben[34]. Battifol denkt also von einem unaugustinischen Offenbarungsbegriff her. Zum anderen ist die Offenbarung,
die sich zwischen Glauben und Wissen ereignet, wirkliche, unableitbare Offenbarung von Gott her, nicht nur Entfaltung des im Glaubensinhalt impli-
zit schon Gegebenen: Gott zeigt dem menschlichen Geist die Sachen, von
denen der Glaube in zwar verbindlicher, aber dennoch inadäquater Sprache
Zeugnis gibt. Das Offenbarte läßt sich durchaus nicht aus dem Geglaubten
selbst erheben[35]. Die Reflexion der menschlichen Vernunft über die Gegebenheiten des Glaubens bedeutet gerade noch keinen eigentlichen Fortschritt vom Glauben zum Wissen, sondern ist nur Voraussetzung dafür. Sie
öffnet den Geist für die Offenbarung der dem menschlichen Leistungsvermögen entzogenen Wahrheit.

Allerdings ist sich Augustinus bewußt, daß dem Menschen nur in den sel-
tensten Fällen eine auch nur annähernd vollkommene Offenbarung zuteil
wird, daß also auch die Geistigen noch auf dem Weg des Glaubens gehen[36].
Augustinus scheut sich deshalb nicht, auch sich selbst noch zu den Fleischlichen und zu den Anfängern im Glauben zu rechnen[37]. Der Mensch bleibt
in diesem Leben auf den Glauben angewiesen und muß in seiner Erkenntnisbemühung immer wieder von diesem Glauben ausgehen.

2. Bleibende Angewiesenheit auf den Glauben

a) Das Fortschreiten vom Glauben zum Wissen kommt in diesem Leben an
kein Ende. Augustinus artikuliert diese Tatsache öfter mit *Phil 3,15f.* Paulus nennt dort die Adressaten seines Briefes einerseits Vollkommene (perfecti); andererseits sagt er zu ihnen: ‚Und wenn ihr etwas anders versteht, wird
euch Gott auch das *offenbaren.*' In dieser doppelten Aussage sieht Augustinus genau die Situation der Christen in bezug auf Glauben und Verstehen

---

[34] Vgl. A.C. de Veer, a.a.O. 351: „Revelare — revelatio, en effet, est mis en rapport
avec intelligere — intellectio, non pas avec credere. Credere est une réponse à la parole
extérieure (fides ex auditu), intelligere l'effet d'une parole intérieure."

[35] Battifol vertritt hier die traditionelle Interpretation des Verhältnisses von Glauben
und Wissen bei Augustinus. Vgl. ebenso die Darstellung von In evang. Ioh. 96—98 bei
D.B. Capelle, Le progrès de la connaissance religieuse; sowie bei E. Hendrikx, Augustins
Verhältnis zur Mystik, Würzburg 1936, 90ff.

[36] Siehe z.B. In evang. Ioh. 97,1: Quo sciendi modo, si nunc ea vellet interior magister
dicere, id est, nostrae menti aperire atque monstrare, humana infirmitas portare non
potest ... ea ipsa quae in doctrina religionis in quorumlibet hominum notitia legimus et
scribimus, audimus et dicimus, si vellet eo modo nobis Christus dicere, sicut ea dicit
Angelis sanctis in seipso unigenito Patris Verbo, Patrique coaeterno, quinam portare
homines possunt, etiam si iam esset spirituales... In evang. Ioh. 98,8: Quanquam et
inter ipsos spirituales sunt utique aliis alii capaciores atque meliores; ita ut quidam illorum ad ea pervenerit quae non licet homini loqui.

[37] Siehe Sermo 53,15,16 und 117,5,7.

beschrieben: Auch denen, die man schon mit gewissem Recht als Vollkommene bezeichnen kann, ist noch vieles verborgen, muß Gott also noch vieles *offenbaren*[38]. Mag jemand in der Erkenntnis des Geistigen noch so weit fortgeschritten sein; er ist doch noch unterwegs. Er soll sich nicht selbst täuschen und meinen, er sei schon im Besitz des vollen Wissens, sondern sich weiter darum bemühen, daß Gott ihm *offenbare,* was er noch nicht gut versteht[39]. Auch diejenigen, die schon Einsicht in die Gleichheit des Sohnes mit dem Vater haben, bedürfen noch weiterer *Offenbarung.* Denn auch ihre Einsicht ist erst bruchstückhaft und nicht zu vergleichen mit der eschatologischen Schau. Auch sie sind noch auf dem Weg[40]. Und das bedeutet: Auch sie sind weiter auf den Glauben angewiesen. In dem für Augustins Verhältnisbestimmung von Glauben und Wissen bedeutsamen *120. Brief*[41] heißt es dazu:

„Wenn er (der seinen Glauben in ein Wissen aufheben möchte) nur nicht vom Weg des Glaubens abweicht, bis er zur Fülle der Erkenntnis und zur Vollkommenheit gelangt. In diesem Sinne sagt der Apostel: ‚Wenn ihr etwas anders versteht, wird euch Gott auch das *offenbaren;* indessen wollen wir aber in dem wandeln, wohin wir schon gelangt sind' (Phil 3,15f). Als Gläubige sind wir schon auf den Weg des Glaubens gelangt. Wenn wir diesen Weg nicht verlassen, dann werden wir nicht nur zu einer solch tiefen Einsicht *(intelligentia)* in die unkörperlichen und unwandelbaren Dinge gelangen, wie sie in diesem Leben nicht von allen erreicht werden kann, sondern ohne Zweifel auch zu der Höhe der Anschauung *(contemplatio),* die der Apostel ‚von Angesicht zu Angesicht' nennt."[42]

---

[38] De pecc. mer. et rem. 2,15,22: Sicut in doctrina Legis dici potest quisque perfectus, etiamsi eum aliquid adhuc latet; sicut perfectos dicebat Apostolus, quibus tamen ait: Et si quid aliter sapitis, id quoque vobis Deus revelabit: verumtamen in quod pervenimus, in eo ambulemus.

[39] Sermo 169,15,18: ... ut scias viatores eum dixisse, non habitatores, non possessores; audi quod sequitur: ‚Quotquot ergo perfecti, hoc sapiamus. Et si quid aliter sapitis', ne forte subrepat vobis, quia vos aliquid estis. Qui autem se ipsum putat esse aliquid, cum nihil sit, seipsum seducit... Ergo, ‚Et si quid aliter sapitis', quasi parvuli, ‚id quoque vobis Deus revelabit. Verumtamen in quo pervenimus, in eo ambulemus.' Ut revelet nobis Deus et quod aliter sapimus, in quo pervenimus, non in eo remaneamus, sed in eo ambulemus... Quid est ambulare? Breviter dico, Proficere.

[40] En. in psalm. 130,14: ‚Quotquot ergo perfecti, hoc sapiamus'. Non loquor, inquit, imperfectis, quibus adhuc non possum loqui sapientiam, qui adhuc lacte potantur, non solido cibo pascuntur; sed illis dico, qui iam manducant solidum cibum. Iam videntur esse perfecti, quia intelligunt aequalitatem Verbi cum Patre: adhuc non sic vident, quomodo videndum est, facie ad faciem; adhuc ex parte, in aenigmate. Currant ergo, quia cum via finita fuerit, tunc redimus ad patriam... ‚Quotquot ergo perfecti, hoc sapiamus; et si quid aliter sapitis, hoc quoque vobis Deus revelabit.'

[41] Vgl. D. Pirson, a.a.O. 160—163.

[42] Epist. 120,1,4: Si autem iam fidelis rationem poscat, ut, quod credit, intelligat...: dum tamen quousque ad plenitudinem cognitionis perfectionemque perveniat, ab itinere fidei non recedat. Hinc est quod dicit Apostolus: ‚Et tamen si quid aliter sapitis, id quoque vobis Deus revelabit; verumtamen in quod pervenimus, in eo ambulemus.' Iam ergo si fideles sumus, ad fidei viam perveniemus, quam si non dimiserimus, non

Die bleibende Angewiesenheit auf den Glauben zeigt sich hier in zwei Aspekten. Einmal behält der Glaube deshalb seine Notwendigkeit, weil der Offenbarungsfortschritt, welchen der Glaube ermöglichen soll, in diesem Leben immer unvollkommen bleibt. Das im Glauben zeichenhaft Ergriffene wird noch nicht restlos auf seine wahre Bedeutung hin transzendiert[43]. Die deutliche Unterscheidung zwischen Einsicht (intelligentia) und eschatologischer Schau (contemplatio) trägt diesem ,noch nicht' Rechnung. Zugleich macht diese Unterscheidung auf einen zweiten Aspekt aufmerksam. Sie weist nämlich nicht nur auf einen noch ausstehenden Erkenntnisfortschritt, sondern auch auf eine noch ausstehende strukturelle Veränderung im Erkenntnisvorgang: Nur in der eschatologischen Schau ist der menschliche Geist dauerhaft bei der von ihm erkannten Wahrheit. Die Einsicht in diesem Leben dagegen muß immer wieder neu vollzogen werden. Solange der menschliche Geist den Bedingungen der sensiblen Welt unterworfen ist, kann er nicht einfach bei der einmal eingesehenen unwandelbaren Wahrheit bleiben. Die Erkenntnisbemühung hat vielmehr immer wieder neu bei der Welt der Zeichen einzusetzen[44]. Auf die Glaubensproblematik bezogen heißt das: Der Mensch kann auch nach geglückter Einsicht den zeichenhaften Glauben nicht einfach hinter sich lassen, sondern muß immer wieder neu von ihm seinen Ausgang nehmen und von ihm her immer wieder neu versuchen, zur Einsicht zu gelangen.

b) Die Tatsache, daß der Mensch in diesem Leben auf den Glauben angewiesen bleibt, hat für Augustinus soteriologische Relevanz. Denn sie macht dem Menschen bewußt, daß er heilungsbedürftig ist. Sie erinnert ihn immer wieder neu an seine durch die Sünde verursachte Schwachheit. Und sie läßt ihn erfahren, daß die seiner Unheilssituation allein angemessene Haltung vor Gott die Demut (humilitas) ist[45]. Derjenige aber, dem schon viel offenbart wurde, ist in Gefahr, sich seines Wissens zu rühmen und so in die Ursünde der Selbstüberhebung (superbia) zurückzufallen. Darauf weist Augustinus im Anschluß an das Selbstzeugnis des Apostels Paulus in 2 Kor 12,7–9:

---

solum ad tantam intelligentiam rerum incorporearum et incommutabilium, quanta in hac vita capi non ab omnibus potest, verum etiam ad summitatem contemplationis, quam dicit Apostolus ,facie ad faciem', sine dubitatione perveniemus.

[43] Vgl. In evang. Ioh. 53,7: ... Si in quod pervenimus, in eo ambulemus, sicut dicit Apostolus, non solum quod nescimus et scire debemus, sed etiam si quid aliter sapimus, id quoque nobis Deus revelabit. Pervenimus autem in viam fidei... Ambulandum est, proficiendum est, crescendum est, ut sint corda nostra capacia earum rerum quas capere modo non possumus. Quod si nos ultimus dies proficientes invenerit, ibi discemus, quod hic non potuimus.

[44] Vgl. C.P. Mayer, Die Zeichen II, 216.

[45] En. in psalm. 130,14: Quid ergo? Cum videro quae non poteram... Ipsa est perfectio nostra, humilitas.

„Paulus sagt: ‚Damit ich mich wegen der Größe meiner *Offenbarungen* nicht überhebe‘. Dort also müßte man die Überhebung fürchten, wo Großes *offenbart* worden ist.“[46]

Augustinus mahnt deshalb, man solle mehr die Schwachheit und das Unvollkommene in sich sehen als das schon Erreichte und wie Paulus daran festhalten, daß wir bei aller noch so weitgehenden Offenbarung noch nicht am Ziel sind[47]:

„Sehr Großes wurde dem Paulus *offenbart*. Denn es bestand die Gefahr, daß er sich wegen dieser Größe der *Offenbarungen* überhebe, wenn er nicht mit einem Engel Satans geschlagen worden wäre. Und dennoch sagte er, dem so Großes *offenbart* wurde: Brüder, ich bilde mir nicht ein, daß ich es schon ergriffen hätte (Phil 3,12f)... Paulus ist noch auf dem Weg; und du glaubst dich schon im Vaterland?“[48]

3. Korrektur eines Irrtums

Ein Sonderfall der Verstehen ermöglichenden Offenbarung ist die Offenbarung zur Korrektur eines Irrtums, einer falschen Interpretation biblischer Gegebenheiten. Hier vor allem argumentiert Augustinus mit *Phil 3,15*: ‚Wenn ihr in etwas anderer Meinung seid, wird euch Gott auch das offenbaren‘.

a) Ein interessanter Text hierzu findet sich zu Beginn von *De Trinitate*. Augustinus erläutert dort die Schwierigkeiten seines Vorhabens, zu einem Verstehen der Trinität zu gelangen. Er bittet seine Leser um sorgfältiges Lesen; um Bereitschaft, unter Umständen ihre eigenen Vorstellungen korrigieren zu lassen; und um nachsichtige Kritik, wenn er selbst etwas Falsches sagt. Dabei versichert er, daß er auf jeden Fall nur das schreiben werde, was ihm aus einem unermüdlichen Nachdenken über der Bibel in den Sinn komme. Zugleich erhofft er sich zum Gelingen seines Werkes die offenbarende Hilfe Gottes. Gott möge ihn, wenn er auf eine falsche Interpretation kommt, korrigieren:

---

[46] Sermo 354,7,7: Ait enim: ‚In magnitudine revelationum mearum ne extollar‘. Ibi ergo metuenda erat elatio, ubi magnarum rerum erat revelatio. – Vgl. Quaest. in Hept. 7,49: ... Galaad etiam ‚revelatio‘ interpretatur... Specula itaque Galaad congruenter mihi videtur significare superbiam revelationis: unde dicit Apostolus, ‚Et in magnitudine revelationum mearum ne extollar‘.

[47] Vgl. dazu die folgenden Stellen, in denen jeweils 2 Kor 12,7–9 zitiert ist: Sermo 47,10,17; Sermo Den. 20,11; Sermo M. Wilm. 12,4; De anim. et eius orig. 4,9,13; C. Faust. 22,20; In evang. Ioh. 62,1.

[48] En. in psalm. 130,14: ... ille qui accepit colaphum ne extolleretur in revelationibus (quanta ei revelabantur) propter ipsam magnitudinem revelationum, quia poterat extolli, nisi acciperet angelum Satanae: et tamen cui tanta revelabantur, quid ait? ‚Fratres, ego meipsum non arbitror apprehendisse‘... Adhuc Paulus in via est, et tu te putas in patria?

„Ich sinne auf jeden Fall über dem Gesetz des Herrn nach..., so oft es geht, ... und hoffe dabei auf das Erbarmen Gottes, daß er mich in all dem Wahren, das mir schon gewiß ist, unbeirrbar macht. Wenn ich aber etwas nicht richtig verstehe, möge er selbst mir auch das *offenbaren;* sei es über (per) verborgene Eingebungen und Mahnungen (inspirationes atque admonitiones), sei es durch seine offen zuhandenen Aussprüche (in der Bibel), sei es durch Gespräche mit Brüdern. "[49]

Das Interessante an diesem Text ist, daß Augustinus darin verschiedene Impulse anführt, und zwar äußere und innere, deren sich Gott bedienen und die er zum Anlaß nehmen kann, eine Fehlinterpretation durch Einsicht eröffnende Offenbarung zu korrigieren[50]. Zwar ist das Nachdenken über der Bibel der primäre hermeneutische Ort. Aber Gott offenbart, wenn der Hermeneut etwas schlecht oder falsch versteht, die Wahrheit nicht ausschließlich im Anschluß an das Wort der Bibel, etwa an einschlägige Stellen, die er den Hermeneuten finden läßt, sondern wählt als Anlaß dafür auch das deutende Wort von anderen sowie vor allem auch innere Eingebungen. Man wird sich diese Eingebungen vielleicht als einfache innere Impulse (admonitiones) vorstellen können, die auf die Fragwürdigkeit einer bestimmten Interpretation aufmerksam machen und so für die Offenbarung der Wahrheit disponieren. Dennoch ist es erstaunlich, daß gerade hier, wo es doch um ein Verstehen des biblischen Glaubens geht, neben die Bibel als Ausgangspunkt des Verstehens besondere Eingebungen treten können, an denen sich das Verstehen der göttlichen Wahrheit ebenfalls entzündet. Daran wird deutlich, wie offen Augustins Denken für revelationistische Tendenzen ist, auch wenn er diese immer wieder zurückzudrängen sucht.

b) In *De praedestinatione sanctorum* führt Augustinus den eigenen Erkenntnisfortschritt in gnadentheologischen Fragen, den er zu Beginn seines Episkopats gemacht hat, auf Offenbarung zurück. Er erinnert daran, daß er in der Zeit vor seinem Episkopat im Grunde die semipelagianische Position vertreten habe, mit der er sich nun auseinanderzusetzen hat: Er war der Meinung, daß der Glaube nur insofern Gnade sei, als er die äußere Predigt des Evangeliums voraussetzt; den inneren Glaubensakt der Zustimmung dagegen sah er als eine in der Macht des Menschen liegende Leistung. Erst in seiner Schrift De diversis quaestionibus ad Simplicianum sei er zu einem vertieften Gnadenverständnis gekommen[51]. Den äußeren Anstoß für die Kor-

---

[49] De Trin. 1,3,5: Ego tamen in lege Domini meditor ... quibus temporum particulis possum ... sperans de misericordia Dei, quod in omnibus veris quae certa mihi sunt, perseverantem me faciet; si quid autem aliter sapio, id quoque mihi ipse revelabit, sive per occultas inspirationes atque admonitiones, sive per manifesta eloquia sua, sive per fraternas sermocinationes.

[50] Es ist zu beachten, daß die äußeren Worte und inneren Eingebungen nicht selbst die Einsicht eröffnende Offenbarung sind, sondern nur der Anlaß dazu. Siehe dazu auch A.C. de Veer, a.a.O. 353.

[51] De praed. sanct. 3,7: Quo paraecipue testimonio etiam ipse convictus sum, cum si-

rektur gab in diesem Fall ein Wort der Bibel, nämlich das paulinische Zeugnis 1 Kor 4,7: ‚Was aber hast du, das du nicht empfangen hast?‘ Innerlich ermöglicht und gegeben aber wurde die neue Erkenntnis durch Offenbarung:

„Durch dieses apostolische Zeugnis vor allem wurde auch ich selbst des Irrtums überführt, als ich über diese Sache noch anderer Meinung war, Gott mir aber, als ich mich in meinem Schreiben an den Bischof Simplicianus mit der Lösung dieses Problems befaßte, die Sache *offenbarte.*"[52]

Die neue Erkenntnis über das Wesen der Gnade ist Augustinus durchaus nicht mirakelhaft zugefallen. Vielmehr gelangt er zu ihr aufgrund eingehender Beschäftigung mit der Bibel, und da vor allem aufgrund der ‚Entdeckung‘ von 1 Kor 4,7. Daß ihm der Satz des Paulus aber plötzlich etwas Neues sagt, das er vorher nicht gesehen hatte, dies ist zugleich das Werk unableitbarer göttlicher Erleuchtung[53].

c) Das offenbarende Wirken Gottes lenkt den Geist des Menschen auf etwas, was er vorher noch nicht gesehen hat. Das aber setzt voraus, daß der Mensch nicht hartnäckig auf seiner mangelhaften oder falschen Interpretation besteht, sondern bereit ist, Neues zu erfahren[54]. Dies kommt in der Einleitung von *De gratia et libero arbitrio* zum Ausdruck. Augustinus richtet diese Schrift an die Mönche von Hadrumetum, unter denen Streit entstanden ist über das Verhältnis von Gnade und freiem Willen. Die einen verteidigen die Gnade so sehr, daß der Eindruck entsteht, sie würden dabei den

---

militer errarem, putans fidem qua in Deum credimus, non esse donum Dei, sed a nobis esse in nobis... Neque enim fidem putabam Dei gratia praeveniri ... nisi quia credere non possemus, si non praecederet praeconium veritatis: ut autem praedicato nobis Evangelio consentiremus, nostrum esse proprium, et nobis ex nobis esse arbitrabar. – 4,8: In qua sententia istos fratres nostros esse nunc video, quia non sicut legere libros meos, ita etiam in eis curaverunt proficere mecum. Nam si curassent, invenissent istam quaestionem secundum veritatem divinarum Scripturarum solutam in primo libro duorum, quos ad beatae memoriae Simplicianum scripsi (siehe De divers. quaest. ad Simpl. 1,2,9).

[52] De praed. sanct. 4,8: Ecce quare dixi superius, hoc apostolico testimonio etiam me ipsum fuisse convictum: cum de hac re aliter saperem; quam mihi Deus in hac quaestione solvenda, cum ad episcopum Simplicianum, sicut dixi, scriberem, revelavit.

[53] Vgl. die Bemerkung in der Mauriner-Ausgabe zu dem zitierten Text: Revelatum id sibi a Deo dicit, quia non ingenio et sagacitati suae, sed divinae gratiae adiutorio tribuendum sentit, quod hoc ipsum de quo aliter sapiebat, considerato attentius Apostoli testimonio tandem intellexerit.

[54] Hier geht es letztlich wieder um die beiden Grundhaltungen superbia und humilitas. Vgl. hierzu auch Augustins Argumentation mit Hilfe von Mt 11,25: C. Iul. Pel. 2,1,3: Haec si fideli diligentia quaerentis, nec ea quae catholicae fidei veritate atque antiquitate fundata sunt infideli oppugnaretis audacia; in ea quae abscondita sunt sapientibus et prudentibus, et *revelata* sunt parvulis, nutriti Christi gratia veniretis; siehe ebenso C. Iul. Pel. 6,4,10 und Op. imperf. c. Iul. 1,57.

freien Willen negieren. Dagegen verteidigen andere den freien Willen und geraten so in die Nähe der pelagianischen Irrlehre, welche die Gnade negiert[55]. Augustinus ermahnt nun beide Gruppen, sie sollten nur an dem von ihnen sicher Erkannten festhalten und ansonsten untereinander *Frieden* bewahren, um so offen zu bleiben für die Offenbarung des noch nicht Erkannten:

„In dieser Sache gibt es unter euch Meinungsverschiedenheiten... Ich ermahne euch deshalb zuerst, daß ihr Gott für das Dank sagt, was ihr schon versteht. Was immer es aber sei, wohin eure Einsicht noch nicht gelangen konnte: haltet Frieden untereinander und bewahrt die Liebe und bittet so den Herrn um Verstehen. Und bis er selbst euch zu dem führt, was ihr noch nicht versteht, wandelt in dem, wohin ihr schon gelangen konntet... (Phil 3,15f) ... Denn Gott *offenbart* uns, wenn wir in etwas anderer Meinung sind, sofern wir das nicht verlassen, was er uns schon *offenbart* hat."[56]

Das, was die Mönche schon verstehen und woran sie festhalten sollen, ist einerseits die Tatsache, daß im Menschen ein freier Wille ist, und andererseits, daß der Mensch ohne Gnade nichts Gutes zu tun vermag. Was sie noch nicht wissen und worüber sie nicht in Streit liegen sollen, ist nur die Art und Weise, wie man sich das Verhältnis von Gnade und freiem Willen denken soll, ohne einer häretischen Interpretation zu verfallen. Bevor Augustinus versucht, ihnen dieses Problem zu entfalten, erinnert er sie an das, was sie schon wissen, was Gott ihnen schon offenbart hat. Er beginnt mit dem freien Willen:

„Schon *offenbart* aber hat er uns durch seine Schriften, daß im Menschen ein freier Wille ist. Wie er uns das offenbart hat, daran will ich euch nun erinnern."[57]

Es folgen Schriftzeugnisse, aus denen, wenn man sie recht versteht — und darum spricht Augustinus hier von Offenbarung[58] — die Tatsache des freien Willens abzuleiten ist. In einem zweiten kurzen Abschnitt führt Augustinus dann Bibelzitate an, die die Gnade bezeugen[59]. Der Hauptteil ist schließlich

---

55 Siehe Retract. 2,66 und Epist. 204,1.

56 De gratia et lib. arb. 1,1: ... de hac re dissensiones in vobis sint. Itaque ... moneo vos primum, ut de iis quae intelligitis, agatis Deo gratias: quidquid est autem quo pervenire nondum potest vestrae mentis intentio, pacem inter vos et caritatem servantes, a Domino ut intelligatis orate; et donec vos ipse perducat ad ea quae nondum intelligitis, ibi ambulate, quo pervenire potuistis... Deo nobis revelante si quid aliter sapimus, si ea quae iam revelavit non relinquamus.

57 De gratia et lib. arb. 2,2: Revelavit autem nobis per Scripturas suas sanctas, esse in homine liberum voluntatis arbitrium. Quomodo autem revelaverit, commemoro vos, non humano eloquio, sed divino.

58 Nicht der Text der Bibel ist Offenbarung, sondern der am Text sich entzündende Verstehensprozeß. In diesem Sinne muß man wohl auch En. in psalm. 61,22 verstehen, wo Augustinus sein Wissen um das Warum des Todes Christi auf Offenbarung zurückführt: Quid dicam de Christo... Ibi enim consilium Dei novimus, quod nonnisi ipso *revelante* nossemus.

59 Von 4,6—4,9.

der Darstellung des strittigen Problems gewidmet. Augustinus vermag dieses Problem freilich nicht aufzulösen. Auch ihm bleibt letztlich nur die Flucht in das Geheimnis Gottes. Deshalb kommt er am Schluß seiner Schrift noch einmal auf seine anfängliche Mahnung an die Mönche zurück:

„Haltet euch also daran, was ich euch am Anfang dieses Schreibens gesagt habe: Wohin ihr schon gelangt seid, in dem wandelt; dann wird euch Gott auch dieses Problem *offenbaren* — wenn nicht in diesem Leben, dann sicher im jenseitigen. Denn nichts ist verborgen, was nicht *offenbart* wird (Mt 10,26)."[60]

Das Argument, daß die Korrektur einer falschen Interpretation biblischer Sachverhalte und die entsprechende Offenbarung nur dann möglich wird, wenn man zur Korrektur bereit ist, erhält in Augustins Auseinandersetzung mit den Donatisten besonderes Gewicht und auch besonderes Gepräge. Denn Augustinus bestimmt dort diese Bereitschaft näher als demütiges Sichfügen in die kirchliche Einheit. Dies soll im ersten Abschnitt des folgenden Paragraphen dargelegt werden, der offenbarungstheologischen Frontstellungen Augustins gewidmet ist.

§ 15 Frontstellungen

1. Gegen die Donatisten: Kirchlichkeit der Offenbarung

a) Das Bleiben in der Einheit der Kirche ist für jeden einzelnen Voraussetzung dafür, daß er zu einem rechten Verstehen des Glaubens gelangt und Fehlinterpretationen überwindet. Es ist Voraussetzung für den Empfang von Offenbarung. Diesen Gedanken entwickelt Augustinus an seinem in der Auseinandersetzung mit den Donatisten entwickelten Kirchenbegriff.
Die für diesen Kirchenbegriff entscheidende Frage ist die nach der theologischen Bedeutung der soziologischen Einheit der Kirche. Gegen die Infragestellung dieser Einheit durch das donatistische Schisma versucht Augustinus, deren Heilsrelevanz zu erweisen. Er tut dies mit der im donatistischen Streit zentralen Idee des „totus Christus caput et corpus"[1]. Sie besagt, daß die sichtbare Kirche die in die Geschichte der Menschheit hinein verlängerte Menschheit Christi ist[2]. Wenn aber Christus und die Kirche auf diese Weise eins sind, dann kommt die Heilsbedeutung der sichtbaren Kirche der Heils-

---

[60] De gratia et lib. arb. 23,45: ... sed sicut vos exhortatus sum ab initio sermonis huius, in quod pervenistis, in eo ambulate, et hoc quoque vobis Deus revelabit, et si non in hac vita, certe in altera: Nihil est enim occultum, quod non revelabitur.
[1] Siehe dazu F. Hofmann, a.a.O. 148ff; und speziell die Dissertation von E. Franz, Totus Christus. Studien über Christus und die Kirche, Bonn 1959, der die zentrale Bedeutung dieses Motivs im donatistischen Streit herausgearbeitet hat.
[2] Daß Christus nicht als ewiger Logos Haupt der Kirche ist, sondern als das Verbum incarnatum, zeigen F. Hofmann, a.a.O. 141ff, 158ff; und E. Franz, a.a.O. 102ff.

bedeutung der Menschheit Christi gleich; dann kann derjenige nicht zum Heil gelangen, der sich zwar als Christ bekennt, sich aber wegen irgendwelcher Kontroversen von der Kirche getrennt hat und damit zeigt, daß ihm die heilsentscheidende Liebe zu Christus fehlt. Das Einssein mit der als Leib Christi gedeuteten kirchlichen Gemeinschaft ist dann Voraussetzung für das Einssein mit dem Geist Christi. Die Verbundenheit mit dem äußeren Liebesband der Kirche ist Voraussetzung für den Empfang der eigentlich heilsschaffenden innerlichen Liebe[3]. Heilsnotwendig ist also zuallererst das Sein im Frieden (pax) und in der Liebe (caritas) der kirchlichen Gemeinschaft[4]. An diesem Liebesband ist deshalb über alle Meinungsverschiedenheiten in der Interpretation des Glaubens hinweg festzuhalten.

Im Mittelpunkt des antidonatistischen Kirchenbegriffs Augustins steht demnach nicht primär die Forderung nach Einheit in der Lehre als vielmehr die Forderung nach Einheit in der Liebe[5]. Diese Einheit in der Liebe hat nun aber eine zentrale Bedeutung für die Lehre, das heißt, für die richtige Interpretation des Glaubens. Aufgrund der dargestellten theologischen Bedeutung der soziologischen Einheit der Kirche kann Augustinus, analog zu deren Funktion für das Heil, deren Funktion für die Wahrheitserkenntnis hervorheben. Einmal ist das Sichfügen in die soziologische Einheit der Kirche Voraussetzung für den Empfang der innerlichen Liebe, das anderemal Voraussetzung für Offenbarung der Wahrheit. Dies gilt vor allem bei noch ungelösten, kontroverstheologischen Fragen. Das Bleiben in der Einheit der Kirche trotz theoretischer Kontroversen ist dann Voraussetzung zur Überwindung von Irrtümern und zur Vertiefung der Erkenntnis. Wer sich dagegen von der Kirche trennt, der bleibt unweigerlich im Irrtum befangen. In *De baptismo contra Donatistas* (401) heißt es bezüglich solcher Kontroversen:

„Wenn in einer noch dunklen Sache länger geforscht werden muß und wegen der Schwierigkeit, eine Lösung zu finden..., verschiedene Meinungen entstehen, dann soll

---

3 Vgl. J. Ratzinger, Volk und Haus Gottes, 183f. Zur Deutung der sichtbaren Kirche als pax und caritas siehe auch a.a.O. 137ff.
4 Vgl. hierzu den in diesen Zusammenhang gehörenden Gedanken des ‚cogite intrare‘ (z.B. Epist. 185,24); zur Geschichte dieses Gedankens bei Augustinus siehe P. Monceaux, Saint Augustin et le Donatisme, 199ff, 222ff. Monceaux glaubt, das ‚cogite intrare‘ sei bei Augustinus nur eine Gelegenheitstheorie, habe aber keine tiefergehende theologische Begründung. Die gegenteilige Auffassung vertritt mit Recht R. Joly, Saint Augustin et l'intolérance religieuse, in: Revue Belge de Philologie et d'Histoire, 33 (1955) 263–294. Vgl. auch F. Hofmann, a.a.O. 515: Das ‚cogite intrare‘ „entspringe ... bei ihm der tiefen Überzeugung, daß die katholische Kirche allein der fortlebende Christus sei und daß darum nur in ihr ein Leben aus dem heiligen Geist möglich sei". – Es ist hier noch darauf hinzuweisen, daß natürlich nicht alle, die äußerlich in der pax und caritas der Kirche sind, diese caritas auch innerlich haben. Zu dieser Antinomie in Augustins Kirchenbegriff siehe vor allem J. Ratzinger, a.a.O. 139ff; sowie F. Hofmann, a.a.O. 188ff.
5 Vgl. J. Ratzinger, a.a.O. 183 Anm. 36.

das Band der Einheit fest bleiben, bis man zur sicheren Wahrheit gelangt ist, damit nicht etwa in einem abgespaltenen Teil die Wunde des Irrtums unheilbar bleibe. Deshalb wird auch den Gebildeteren zumeist weniger *offenbart*, damit ihre geduldige und demütige Liebe ... darin erprobt werde, wie sie an der Einheit festhalten, wenn sie in einer noch dunklen Sache unterschiedliche Meinungen haben, oder wie sie die Wahrheit annehmen, wenn sie erfahren, daß sie gegen ihre eigene Meinung erklärt worden ist... Wem aber *offenbart* Gott überhaupt, wenn er will, sei es in diesem Leben oder auch erst nach diesem Leben, wenn nicht denen, die auf dem kirchlichen Weg des Friedens wandeln und in keine Spaltung abirren? ... Als deshalb der Apostel sagte: ,Wenn ihr in etwas anderer Meinung seid, wird euch Gott auch das *offenbaren*' (Phil 3,15), fügte er sogleich hinzu: ,Wohin wir aber schon gelangt sind, in dem wollen wir wandeln', damit nicht jemand meine, ihm könne das, worin er anderer Meinung ist, auch außerhalb des Weges des kirchlichen Friedens *offenbart* werden."[6]

Das Sein im Frieden und in der Liebe der Kirche ist also das Entscheidende. Alles andere kommt dann sozusagen von selbst. Dabei wirkt das Einheitsband der Kirche aber nicht automatisch, wie eine magische Kraft. Vielmehr interpretiert Augustinus das Bleiben in der Kirche trotz theoretischer Kontroversen als einen bewußten Akt der Demut *(humilitas)*. Darin bekundet der Mensch seine grundsätzliche Bereitschaft, die eigene Position korrigieren zu lassen. Die Demut ist eine der Selbstüberhebung entgegengesetzte soteriologische Tugend. Sie schafft Raum für die innerlich heilende Liebe; und diese innerliche Liebe muß sich in der kirchlichen Demut immer wieder bewähren. Die Demut setzt im Menschen einen Prozeß der Heilung in Gang und macht ihn so allmählich für die Offenbarung der Wahrheit empfänglich. Wer dagegen seine eigene Meinung verabsolutiert und dafür sogar eine Trennung von der Kirche in Kauf nimmt, der handelt aus Selbstüberhebung, die den Menschen erst recht blind macht für die göttliche Wahrheit. Offenbarung geschieht darum nur in der Einheit der Kirche, nur in den solchermaßen Demütigen. Ganz ausdrücklich sagt Augustinus das in der *Enarratio zu Psalm 130* (412), in deutlicher Anspielung auf die Donatisten:

„Wenn du in irgendeiner Sache irrst, warum kehrst du dann nicht zur Milch der Mutter Kirche zurück? Denn wenn ihr euch nicht überhebt..., sondern *Demut* bewahrt, dann wird euch Gott *offenbaren*, worin ihr anderer Meinung seid (Phil 3,15). Wenn ihr aber

---

[6] De bapt. c. Don. 2,4,5—5,6: Hoc autem facit sanitas pacis, ut cum diutius aliqua obscuriora quaeruntur, et propter inveniendi difficultatem, diversas pariunt in fraterna disceptatione sententias, donec ad verum liquidum perveniatur, vinculum permaneat unitatis, ne in parte praecisa remaneat insanabile vulnus erroris. Et ideo plerumque doctioribus minus aliquid revelatur, ut eorum patiens et humilis caritas, ... comprobetur, vel quomodo teneant unitatem, cum in rebus obscurioribus diversa sentiunt; vel quomodo accipiant veritatem, cum contra id quod sentiebant, declaratam esse cognoscunt... Quibus autem revelat cum voluerit, sive in hac vita sive post hanc vitam, nisi ambulantibus in via pacis, et in nullam praecisionem deviantibus? ... Ideoque Apostolus cum dixisset, ,Et si quid aliter sapitis, hoc quoque vobis Deus revelabit'; ne putarent praeter viam pacis quod aliter sapiebant sibi posse revelari, continuo addidit, ,Verumtamen in quod pervenimus in eo ambulemus'.

das, worin ihr anderer Meinung seid, verteidigen und hartnäckig behaupten wollt, und zwar auch gegen den Frieden der Kirche, dann wird euch jener Fluch zuteil... Wenn ihr aber standhaft im Frieden der Catholica bleibt, dann wird euch Gott, wenn ihr irgend etwas anders versteht, als man es verstehen muß, *offenbaren,* weil ihr *demütig* seid."[7]

b) Der eigentliche Anlaß für diese Argumentation Augustins ist die Haltung der Donatisten in der Frage der Ketzertaufe und die Art und Weise, wie sie diese ihre Haltung verteidigen. Entgegen der durch Konzilsentscheidung festgelegten katholischen Auffassung bestreiten sie nämlich die Gültigkeit dieser Taufe und praktizieren deshalb die Wiedertaufe. Dabei berufen sie sich ausdrücklich auf den in der Kirche als Heiligen verehrten und als Autorität anerkannten Cyprian, der die Gültigkeit der Ketzertaufe ebenfalls bestritt[8].

In *De baptismo contra Donatistas* setzt sich Augustinus ausführlich mit dieser Position der Donatisten auseinander. Dabei spielt nun ebenfalls das Beispiel Cyprians die entscheidende Rolle. Augustinus zeigt nämlich, daß Cyprian die Donatisten gerade im entscheidenden Punkt widerlegt. Denn Cyprian hatte zwar in bezug auf die Taufe in der Tat noch eine falsche Meinung. Aber im Gegensatz zu den Donatisten hielt er an der *Einheit* der Kirche zusammen mit allen Andersdenkenden unerschütterlich fest. Im Gegensatz zu den Donatisten war er also bereit, seine Ansicht zu ändern, sobald ihm überzeugende Argumente geliefert würden oder sobald die eindeutige Entscheidung eines Plenarkonzils vorliegen würde[9]. Er zeichnete sich aus durch *Liebe* und *Demut*[10]. Diese Haltung war aber Voraussetzung für die Offenbarung der Wahrheit. Auf Cyprian und diejenigen, die so gesinnt waren wie er, trifft deshalb zu, was Paulus in *Phil 3,15* sagt: ‚Wenn ihr in etwas anderer Meinung seid, wird euch Gott auch das *offenbaren*'[11]:

Cyprian und seine Mitbischöfe waren bemüht, die Einheit und das Band des Friedens zu wahren, bis der Herr schließlich den einen von ihnen *offenbarte,* was sie falsch verstanden[12]. Die Liebe zur Einheit und zum Frieden hat in

---

7   En. in psalm. 130,14: Si forte erras in aliquo, quare non redis ad lac matris? Quia si non extollimini..., sed servatis humilitatem, revelabit vobis Deus quod aliter sapitis. Si autem hoc ipsum quod aliter sapitis, defendere vultis, et pertinaciter astruere, et contra pacem Ecclesiae, fit vobis maledictum... Si autem perseveratis in pace catholica, si quid forte aliter sapitis quam oportet sapere, Deus vobis revelabit humilibus.

8   Vgl. dazu F. Hofmann, a.a.O. 359ff.

9   Siehe besonders De bapt. c. Don. 2,2,3—2,6,7.

10 De bapt. c. Don. 7,1,1: ... adversus haereticos vel schismaticos...: quos praecisos ab unitate quam tenuit, et arescentes a caritate qua viguit, et elapsos ab humilitate qua stetit...

11 Insgesamt gebraucht Augustinus diese Argumentation bei direktem oder indirektem Verweis auf Phil 3,15 in De bapt. c. Don. 16 mal: 2,5,6; 2,6,7; 2,6,8; 3,15,20; 4,8,11; 4,11,17; 5,2,2; 5,27,38; 6,1,2; 6,7,10; 6,22,39; 6,25,47; 6,25,48; 7,1,1; 7,23,45; 7, 54,103.

12 De bapt. c. Don. 2,6,8: Hos omnes catholica unitas materno sinu complectitur, in-

ihnen bewirkt, daß Gott ihnen später *offenbarte,* was sie damals noch falsch verstanden[13]. Weil Cyprian in der Liebe blieb und die Einheit der kirchlichen Gemeinschaft wahrte, hat Gott ihm später *offenbart,* worin er damals anderer Meinung war[14]. Weil Cyprian seine eigene Meinung über die Taufe nicht über das Band der Einheit stellte, sondern in ausdauernder Geduld den Weg des Friedens ging, wurde ihm *offenbart,* was er falsch verstand, vielleicht schon in diesem Leben, ganz sicher aber, als er in das himmlische Licht gelangte[15].

Die gleiche Argumentationsweise findet sich auch in einer Reihe von Texten außerhalb De baptismo contra Donatistas: so in Traktat 5,16 zum Johannesevangelium; in Contra Cresconium Donatistam 2,31,39 und 2,38,49; in Epistula 93,10,35 und 108,3,9; und in De unico baptismo contra Petilianum 13,22. In all diesen Texten geht es um die im donatistischen Streit zentrale Frage der Ketzertaufe. Augustinus argumentiert jeweils mit dem Verhalten Cyprians in dieser Frage. Er hebt hervor, daß in solchen Kontroversen nur diejenigen mögliche Irrtümer überwinden, die wie Cyprian demütig an der Einheit der Kirche festhalten; daß aber diejenigen, die sich von der Kirche trennen, aufgrund eben dieser Trennung unbelehrbar werden. Dabei zitiert er jeweils direkt oder indirekt Phil 3,15: Die Überwindung eines Irrtums geschieht durch göttliche Offenbarung, im Raum der Kirche als dem Raum der Demut und der Liebe[16].

c) Die Vorstellung, daß in innerkirchlichen Kontroversen der einzelne durch göttliche Offenbarung schließlich zu einem richtigen Verstehen dessen kommen kann, worüber er sich vorher im Irrtum befand, kann Augustinus

---

vicem onera sua portantes, et studentes servare unitatem spiritus in vinculo pacis, donec alteris eorum, si quid aliter sapiebant, Dominus revelaret.

[13] De bapt. c. Don. 6,25,48: Ecce quantum valeat in bonis Ecclesiae filiis amor unitatis et pacis... Hoc autem et illi faciebant, qui de Baptismi sacramento verius sentiebant, et isti quibus pro merito tantae caritatis Deus erat revelaturus, si quid aliter sapiebant.

[14] De bapt. c. Don. 4,8,11: Qua (caritate) vigilantissime custodita, cum collegis suis non malivole de Baptismo diversa sentientibus, nec ipse malivola contentione, sed humana tentatione aliter sapiens, quod illi Deus in caritate perseveranti cum vellet postea revelaret...

[15] De bapt. c. Don. 2,5,6: In quo ambulans Cyprianus perseverantissima tolerantia ... pervenit ad angelicam lucem; ut si non antea, ibi certe revelatum agnosceret, quod cum aliter saperet, sententiam diversae opinionis vinculo non proposuit unitatis. – Auch in De bapt. c. Don. 7,1,1 spricht Augustinus von der Möglichkeit, daß die Offenbarung erst im jenseitigen Leben erfolgt. Das entspricht der schon wiederholt festgestellten Tatsache, daß die Offenbarung in diesem Leben immer unvollkommen bleibt.

[16] Siehe hier auch den interessanten Text De unit. eccl. 11,28, wo allgemein die Möglichkeit von Irrtümern bei katholischen Bischöfen ins Auge gefaßt wird: Nec catholicis episcopis consentiendum est, sicubi forte falluntur, ut contra canonicas Dei Scripturas aliquid sentiant. Sed si custodito unitatis et caritatis vinculo in hoc incidunt, fiet eis quod Apostolus ait: Et si quid aliter sapitis, hoc quoque Deus vobis revelabit.

auch auf die Gesamtkirche übertragen. Jedenfalls findet sich im 6. Buch von *De baptismo contra Donatistas* eine kurze Bemerkung, in welcher er die auf einem Plenarkonzil für die Gesamtkirche herbeigeführte Klärung in Sachen Ketzertaufe als Offenbarungsgeschehen qualifiziert. Augustinus kommentiert in diesem 6. Buch die Aussagen eines von Cyprian mitgetragenen Konzils. Auf die dort vorgetragene Behauptung, ein bei Häretikern Getaufter müsse in der katholischen Kirche wiedergetauft werden, entgegnet er:

„Dieser Meinung ist aber nicht die Kirche, welcher Gott inzwischen durch ein Plenarkonzil *offenbart* hat, was ihr damals noch falsch verstanden habt."[17]

Der Text ist ungewöhnlich, weil Augustinus darin einen formulierten Konzilsbeschluß als Offenbarung Gottes an die Kirche bezeichnet, hier also eine der ganz wenigen augustinischen Stellen vorliegt, wo die Offenbarungskategorie ein nach *außen* gerichtetes göttliches Mitteilungsgeschehen benennt. Ohne diesen Ausnahmecharakter leugnen zu wollen, wird man sich diesen Text aber doch auch im Rahmen des bisher vorgetragenen augustinischen Offenbarungskonzepts erklären können: Zu Beginn des 2. Buches von *De baptismo contra Donatistas* sagt Augustinus, die so lange umstrittene Frage der Ketzertaufe habe allein deshalb bis zur eindeutigen Klärung und Entscheidung eines Plenarkonzils gebracht werden können, weil sie schon vorher in allen Teilen der Gesamtkirche in zahlreichen Versammlungen und Diskussionen von Bischöfen immer wieder erörtert worden ist[18]. Die Konzilsentscheidung ist also der Endpunkt eines allmählichen gesamtkirchlichen und an die Einheit der Kirche gebundenen Klärungsprozesses[19]. Ermöglicht aber wird dieser Klärungsprozeß durch das erleuchtende, offenbarende Wirken Gottes. Von daher erscheint der Konzilsbeschluß als das Ergebnis allmählicher Offenbarung, das nun der Gesamtkirche verkündet wird, und kann von Augustinus deshalb selbst als Offenbarung Gottes an die Kirche bezeichnet werden. In dieser Ausdrucksweise spiegelt sich ganz sicher die Hochschätzung, die Augustinus der Institution des Plenarkonzils entgegenbringt[20]. Die Bindung der Offenbarung an die Einheit der Kirche wird dabei besonders deutlich.

---

[17] De bapt. c. Don. 6,39,76: Sed non hoc censet Ecclesia, cui Deus iam plenario concilio revelavit, quod tunc adhuc aliter quidem sapiebatis...

[18] De bapt. c. Don 2,4,5: Quomodo enim potuit ista res tantis altercationum nebulis involuta, ad plenarii concilii luculentam illustrationem confirmationemque perduci, nisi primo diutius per orbis terrarum regiones, multis hinc atque hinc disputationibus et collationibus episcoporum pertractata constaret?

[19] Siehe die Fortsetzung des Zitats von Anm. 19: Hoc autem facit sanitas pacis... (siehe Anm. 6).

[20] Siehe dazu F. Hofmann, a.a.O. 311ff; und besonders ders., Die Bedeutung der Konzilien für die kirchliche Lehrentwicklung nach dem hl. Augustinus, in: Kirche und Überlieferung. Festschrift Geiselmann; hrsg. v. J. Betz / H. Fries, Freiburg 1960, 81—89; vgl. auch E. Benz, Augustins Lehre von der Kirche, Wiesbaden 1954, 33ff.

2. Gegen die Pelagianer: Affektive Offenbarung

a) Augustinus versteht die innerliche Offenbarung der Wahrheit nicht als bloße Mitteilung eines theoretischen Wissens. Offenbarung ist vielmehr das innerliche Aufleuchten der Wahrheit und die gleichzeitige Bewegung des menschlichen Willens durch die Freude an der Wahrheit.[21] Dieser Affekt der Freude an der Wahrheit bewirkt, daß sich der Mensch von der in ihm offenbarten Wahrheit in Anspruch nehmen läßt und sich für sie engagiert, daß die Wahrheit für den einzelnen auch wirklich heilsrelevant wird.

Klassischen Ausdruck hat dieser Gedanke in *Traktat 26 zum Johannesevangelium* gefunden. Augustinus fragt dort nach der Bedeutung des Satzes Jesu: ‚Niemand kommt zu mir, wenn ihn der Vater nicht zieht' (Joh 6,44). Worin besteht dieses Ziehen des Vaters? In seiner Antwort[22] schließt Augustinus zunächst jeden Gedanken an Gewalt aus. Der Vater zieht den Menschen nicht gegen seinen Willen, sondern dadurch, daß er dessen Willen durch Liebe in Bewegung setzt. Die treibenden Kräfte sind nicht Notwendigkeit oder Zwang, sondern Gefallen, Lust, Faszination, Liebe − ganz im Sinne von Vergils Wort, jeden ziehe seine Lust *(trahit sua quemque voluptas)*. Denn, so hebt Augustinus hervor, es gibt nicht nur sinnliche Lust, sondern auch Lust des Geistes. Derjenige wird also zu Christus gezogen, der fasziniert ist von der Wahrheit, der seine Lust hat an der Glückseligkeit, an der Gerechtigkeit, am ewigen Leben: Denn das alles ist Christus[23].

Doch wie geschieht das? Warum, so muß man fragen, sind nicht alle, die mit Christus in Berührung kommen, von ihm fasziniert? Hier nun kommt Augustinus auf Offenbarung zu sprechen: Nur diejenigen können von Christus fasziniert sein, denen die Wahrheit Christi innerlich einleuchtet. Nur diejenigen werden zu Christus gezogen, denen der Vater die Wahrheit Christi inner-

---

[21] Vgl. R. Lorenz, Gnade und Erkenntnis bei Augustinus, 52f, über die augustinische Illuminationstheorie: „Die innere Bewegung des Willens durch die delectatio an der Wahrheit ist der Schlüssel zum Verständnis der augustinischen Illuminationslehre. Die Erleuchtung ist das ‚Anwesen' der Wahrheit und die gleichzeitige Bewegung des Willens durch die Freude an der Wahrheit. Der so bewegte Wille kehrt den Intellekt der Wahrheit zu."

[22] Siehe dazu und zur Wirkungsgeschichte der augustinischen Auslegung von Joh 6,44 M. Seckler, Instinkt und Glaubenswille, 98ff. Vgl. auch G. de Plinval, Pour connaître la pensée de saint Augustin, Paris 1954, 191; T. van Bavel, Christ in dieser Welt, 68ff; R. Hardy, a.a.O. 87ff.

[23] In evang. Ioh. 26,4: ‚Nemo venit ad me nisi quem Pater attraxerit'. Noli te cogitare invitum trahi: trahitur animus et amore... Quomodo voluntate credo, si trahor? Ego dico: parum est voluntate, etiam voluptate traheris... Porro si poetae dicere licuit, ‚Trahit sua quemque voluptas'; non necessitas, sed voluptas, non obligatio, sed delectatio: quanto fortius nos dicere debemus trahi hominem ad Christum, qui delectatur veritate, delectatur beatitudine, delectatur iustitia, delectatur sempiterna vita, quod totum Christus est? An vero habent corporis sensus voluptates suas et animus deseritur a voluptatibus suis?

lich offenbart. Augustinus erinnert dabei an die Offenbarung des Petrus, in welcher dieser Christus als den Sohn Gottes erkannte und bekannte (Mt 16,16f):

„Siehe, wie er gezogen wurde und vom Vater gezogen wurde: ‚Selig bist du Simon, Sohn des Jona, denn nicht Fleisch und Blut hat dir das *geoffenbart*, sondern mein Vater in den Himmeln.' *Diese Offenbarung, das ist die Anziehung*... Denn wenn schon die irdischen Wonnen und Lüste anziehen, sobald sie den Liebenden offenbart[24] werden..., sollte dann etwa der vom Vater *geoffenbarte* Christus nicht anziehen? Denn wonach sehnt sich die Seele mehr als nach Wahrheit?"[25]

Im weiteren Verlauf des Traktats erklärt Augustinus das Gemeinte noch einmal anhand der schon weiter oben wiedergegebenen Interpretation von Js 54,13: ‚Und sie werden alle von Gott belehrt werden'.[26] Er führt aus, daß der Mensch in dieser Welt zwar noch auf die Unterweisung durch Menschen angewiesen ist, sei es durch das menschliche Wort der Bibel oder durch das des Predigers; daß aber diese äußerliche Unterweisung doch nur dann ans Ziel kommt, wenn Gott selbst innerlich offenbart, wovon äußerlich gesprochen wird. Eigentlicher Lehrer kann also auch jetzt nur Gott sein. Augustinus schließt den Gedankengang dann ab mit der Bemerkung:

„Seht, wie der Vater zieht: Indem er lehrt, schafft er zugleich Freude *(docendo delectat).*"[27]

Nicht schon die äußerliche Unterweisung, sondern erst das innerliche Lehren Gottes ermöglicht also heilsrelevantes Erkennen. Denn es bewirkt im Menschen den Affekt der Freude und der Faszination. Dabei sind Offenbarung der Wahrheit und Wecken der Freude an der Wahrheit nicht zwei verschiedene Akte Gottes. Vielmehr fasziniert Gott gerade durch sein innerliches Lehren. Die Offenbarung der Wahrheit *ist* Inspiration der Liebe. Erkennen und Lieben gehören unmittelbar zusammen und bedingen sich gegenseitig[28]. Augustinus kann freilich beides, zumindest begrifflich, auch

---

[24] Der Gebrauch des Wortes ‚revelare' überrascht hier. Denn gemeint ist das sinnenfällige Vorzeigen verlockender Dinge (vgl. a.a.O.: Ramum viridum ostendis ovi, et trahis illam. Nuces puero demonstrantur, et trahitur.). Es scheint aber, daß Augustinus diese Ausdrucksweise wegen der Symmetrie zu ‚revelatus Christus a Patre' gewählt hat: Das einemal wird den Sinnen Sinnliches gezeigt; das anderemal dem Geist Geistiges. — Vgl. A.C. de Veer, a.a.O. 352 Anm. 59.

[25] In evang. Ioh. 26,5: Vide quia tractus est et a Patre tractus est. ‚Beatus es Simon Bar-Iona, quia non tibi revelavit caro et sanguis, sed Pater meus qui in coelis est (Mt 16,16). Ista revelatio, ipsa est attractio!... Si ergo ista quae inter delicias et voluptates terrenas revelantur amantibus, trahunt; quoniam verum est, ‚Trahit sua quemque voluptas'; non trahit revelatus Christus a Patre? Quid enim fortius desiderat anima quam veritatem?

[26] Siehe § 12,3a.

[27] In evang. Ioh. 26,7: Videte quomodo trahit Pater: docendo delectat.

[28] Vgl. In evang. Ioh. 96,4f: Non enim diligitur quod penitus ignoratur. Sed cum diligitur quod ex quantulacumque parte cognoscitur, ipsa efficitur dilectione, ut melius et

deutlich unterscheiden, um so die Bedeutung der Liebe besser hervorzuheben. In *Sermo 169* sagt er:

„Ich will nun über diese Sache sprechen so gut ich kann. Der aber *offenbare* euch besser, der in euch wohnt. Er gebe euch die Einsicht *(intellectum)* und die Liebe *(affectum)* dazu. Er gibt nämlich die Wirkung (effectum), wenn er die Liebe gibt."[29]

b) In dieser Hervorhebung der Liebe macht sich der Einfluß des pelagianischen Gnadenstreites bemerkbar, in welchem es Augustinus eben darum geht zu zeigen, daß Gott im Menschen auch das Tun hervorbringt, daß sich sein innerliches Wirken in konkretes Handeln des Menschen umsetzt. Für die Pelagianer ist nach Augustins Meinung Gnade etwas Äußerliches, nämlich die objektiv gegebene und verfügbare biblische Lehre, welche der einzelne aus eigenem Wollen heraus annehmen oder ablehnen könne. Das Entscheidende an dem von Augustinus verfochtenen Gnadenbegriff dagegen ist, daß Gott auch den Willen eines Menschen innerlich bewegen muß, damit dieser Mensch dem Heilsangebot Gottes wirklich folgen kann: Ein äußerliches Wissen vom christlichen Heilsweg nützt nichts, wenn dieser Heilsweg nicht zugleich innerlich gefällt (delectat) und überzeugt[30]. Der Ruf der äußeren Verkündigung bleibt ohne Wirkung, wenn Gott nicht zugleich in einem besonderen Akt der inneren Begnadung im Menschen die Freude (delectatio) an dem Verkündeten wachruft[31]. Analog zu seinem erkenntnistheoretischen Schema ‚äußeres Wort — innere Offenbarung der Wahrheit' bildet Augustinus auf diese Weise das gnadentheologische Schema ‚äußerer Ruf — innere Inspiration der Liebe' heraus[32]. Beide Schemata fallen bei ihm aber nicht auseinander, sondern stellen nur verschiedene Aspekte des einen innerlichen

---

plenius cognoscatur... Isto enim modo vos docebit Spiritus sanctus omnem veritatem, cum magis magisque diffundet in cordibus vestris caritatem.

[29] Sermo 169,6,8: Iam ergo dicam ut potero: revelet melius qui vos possidet, donet et intellectum et affectum. Donabit enim effectum, si donabit affectum.

[30] De spir. et litt. 3,5: Nam neque liberum arbitrium quidquam nisi ad peccandum valet, si lateat veritatis via: et cum id quod agendum et quo nitendum est coeperit non latere, nisi etiam delectet et ametur, non agitur, non suscipitur, non bene vivitur. Ut autem diligatur, caritas Dei diffunditur in cordibus nostris.

[31] Siehe schon De divers. quaest. ad Simpl. 1,2,21: ... quis potest credere nisi aliqua vocatione? ... quis habet in potestate tali viso adtingi mentem suam, quo eius voluntas movetur ad fidem? ... quis autem animo amplectitur aliquid quod eum non delectat... Cum ergo nos ea delectant quibus proficiamus ad Deum, inspiratur hoc et praebetur gratia Dei... — Siehe dazu U. Duchrow, Sprachverständnis, 184ff. Zum prädestinatianischen Hintergrund dieser Gnadenauffassung G. Nygren, Das Prädestinationsproblem in der Theologie Augustins, Göttingen 1956, passim.

[32] Die Strukturgleichheit von Gnade und Erkenntnis hat sehr gut R. Lorenz, Gnade und Erkenntnis, herausgearbeitet; siehe vor allem sein Ergebnis a.a.O. 57f. Lorenz weist von daher darauf hin, daß Augustins innere Entwicklung eine weitgehende Kontinuität aufweise und man deshalb die Unterschiede zwischen dem frühen und dem späten Augustinus nicht überakzentuieren dürfe.

Wirkens Gottes dar, welches alles äußere Wirken erst zum Ziel kommen läßt. Gegen die pelagianische Interpretation der Gnade als verfügbare äußere Lehre (doctrina) kann Augustinus deshalb nach wie vor die unverfügbare innere Belehrung durch Gott setzen, wobei er freilich deren affektive Kraft besonders hervorhebt[33]. So sagt er in *De gratia Christi* (418):

„Wenn man diese Gnade als Lehre bezeichnen will, dann muß man das auf jeden Fall so verstehen, daß Gott selbst diese Lehre mit unaussprechlicher Süßigkeit (*suavitas*) ausgießt, tiefer und innerlicher (*altius et interius*), nicht nur durch die, welche äußerlich pflanzen und begießen, sondern auch durch sich selbst, der verborgen das Wachstum gibt (1 Kor 3,7); und zwar so, daß er nicht nur die *Wahrheit* sehen läßt, sondern zugleich auch die *Liebe* gibt. So nämlich *lehrt* Gott diejenigen, die gemäß seinem Prädestinationsratschluß berufen sind: Er gibt ihnen nicht nur ein Wissen darüber, was sie tun sollen, sondern auch das Tun dessen, was sie wissen."[34]

Die von Gott im Innern des Menschen offenbarte Wahrheit trägt in sich selbst ihre Effektivität[35]. Denn sie bezaubert den Menschen durch ihren ‚Geschmack‘[36]. Sie zieht seine Liebe auf sich und wird so für sein Leben bedeutsam. Das innerliche Wirken Gottes setzt sich auf diese Weise in Wollen und Handeln des Menschen um. Es ist wirkmächtige, innerliche Gnade. Offenbarung der Wahrheit und Inspiration der Liebe ist ein einziger, unverfügbar-innerlicher Vorgang, in welchem Gott den Menschen auf wunderbare Weise in Anspruch nimmt und ergreift:

„Mögen die Pelagianer doch genau hinsehen und bekennen, daß Gott nicht durch das Gesetz und die äußerlich tönende Lehre, sondern durch eine innerliche und verborgene, wunderbare und unaussprechliche Macht in den Herzen der Menschen nicht nur die *wahren Offenbarungen*, sondern zugleich die *guten Willen* hervorbringt."[37]

---

[33] Siehe dazu besonders J. Bonnefoy, L'idée du chrétien dans la doctrine augustinienne de la grâce, in: Recherches augustiniennes 5 (1968) 41–66; bes. 58ff den Abschnitt „Le chrétien, l'homme de l'expérience intérieure de Dieu"; und C. Kannengiesser, Enarratio in psalmum 118, 359–381. Beide Autoren zeigen sehr gut, wie Augustinus den Pelagianern ein legalistisches bzw. litteralistisches Verständnis der biblischen Lehre vorwirft und statt dessen auf die Innerlichkeit, Unverfügbarkeit und Wirkmächtigkeit der göttlichen Wahrheit verweist.

[34] De gratia Christi 1,13,15: Haec gratia si doctrina dicenda est, certe sic dicatur, ut altius et interius eam Deus cum ineffabili suavitate credatur infundere, non solum per eos qui plantant et rigant extrinsecus, sed etiam per seipsum qui incrementum suum ministrat occultus, ita ut non ostendat tantummodo veritatem, verum etiam impertiat caritatem. Sic enim docet Deus eos qui secundum propositum vocati sunt, simul donans et quid agant scire, et quod sciunt agere.

[35] Vgl. J. Bonnefoy, a.a.O. 60, zu dem zitierten Text.

[36] Zur ‚suavitas‘ der innerlichen Wahrheit Gottes siehe auch C. Kannengiesser, a.a.O. 372.

[37] De gratia Christi 1,24,25: ... intueantur atque fateantur, non lege atque doctrina insonante forinsecus, sed interna et occulta, mirabili ac ineffabili potestate operari Deum in cordibus hominum non solum veras revelationes, sed bonas etiam voluntates. – Vgl. zu diesem Text J. Bonnefoy, a.a.O. 59.

c) Nun findet sich in der eben zitierten Schrift *De gratia Christi* aber doch auch ein etwas anderer Offenbarungsbegriff; einer, wonach Offenbarungsgeschehen und Inspiration der Liebe gerade nicht mehr zusammengehören; ein Offenbarungsbegriff, den Augustinus dem Extrinsezismus und Legalismus der Pelagianer nicht entgegensetzt, sondern den er damit gerade identifiziert: Pelagius, so sagt Augustinus, sehe die Gnadenhilfe Gottes nur darin, daß Gott, „damit wir uns vom Bösen abwenden und das Gute tun, uns *offenbart und zeigt, was zu tun ist*"[38]. Er bekenne sich nur zu der Gnade, „durch welche Gott uns *zeigt und offenbart*, was wir tun müssen"[39]. Pelagius verlege die Hilfe der göttlichen Gnade „in die bloße *Offenbarung* der Lehre"[40]. Er sehe die Gnadenhilfe darin, „daß uns durch die Lehre, die uns der Geist *offenbart*, ein zusätzliches Wissen gegeben wird"[41].

Gnade ist in diesen Texten nur zeigende, nicht wirkmächtige Gnade. Und Offenbarung ist bloß theoretische Wissensmitteilung, hat aber keinerlei direkten Einfluß auf das menschliche Wollen. Das Offenbarte ist nicht die den Menschen innerlich ergreifende und faszinierende, unaussprechliche Wahrheit Gottes, sondern verbleibt letztlich im Bereich der äußeren Lehre und des befehlenden Gesetzes. Es ist distanziertes, steriles Wissen. Wie kommt Augustinus zu solchen Aussagen, die doch seinem eigenen Offenbarungskonzept eindeutig widersprechen? Wieso gebraucht er hier das Wort ‚Offenbarung‘ in einer solch verflachten und extrinsezistischen Bedeutung?

Eine immanente Analyse von *De gratia Christi* ergibt zunächst folgende Antwort: Augustinus arbeitet hier mit einem Offenbarungsbegriff, den er den pelagianischen Schriften entnehmen zu können glaubt. Und er setzt diesen Offenbarungsbegriff als polemisches Mittel gegen die Pelagianer ein. Pelagius spricht nämlich in seinen Schriften, aus denen Augustinus in De gratia Christi zitiert, selber von „*Offenbarung* der Lehre"[42]. Zur Verteidigung seines Gnadenbegriffs bekennt er offensichtlich, daß die Lehre, durch welche

---

[38] De gratia Christi 1,3,3: Gratiam Dei et adiutorium, quo adiuvamur ad non peccandum, aut in natura et libero ponit arbitrio, aut in lege atque doctrina: ut videlicet, cum adiuvat Deus hominem, ut declinet a malo et faciat bonum, revelando et ostendendo quid fieri debeat, adiuvare credatur.

[39] De gratia Christi 1,8,9: ... hanc eum gratiam confiteri, qua demonstrat et revelat Deus quid agere debeamus.

[40] De gratia Christi 1,37,40: ... in sola revelatione doctrinae; 1,37,41: Auxilium vero divinae gratiae potest et hic ponere in revelatione doctrinae.

[41] De gratia Christi 1,40,44: ... adiutorium eum credibile est in hoc constituere, quod nobis additur scientia revelante Spiritu per doctrinam.

[42] Augustinus zitiert Pelagius wörtlich in De gratia Christi 1,7,8: „Adiuvat enim nos", inquit, „per doctrinam et *revelationem* suam, dum cordis nostri oculos aperit..."; und De gratia Christi 1,10,11: „Operatur in nobis velle quod bonum est..., dum nos ... futurae gloriae magnitudo et praemiorum pollicitatione succendit; dum *revelatione* sapientiae in desiderium Dei stupentem suscitat voluntatem...".

Gott uns helfen wolle, uns vom heiligen Geist *offenbart* und erschlossen werde und daß wir in unseren Gebeten Gott um solche Offenbarung bitten sollten[43]. Pelagius würde demnach also nicht einfach die Meinung vertreten, die biblische Lehre sei schlechthin verfügbare Wahrheit. Zumindest verbal ließe er dem gnadenhaften Wirken Gottes im einzelnen durchaus Raum. Denn er gesteht zu, daß Gott dem einzelnen durch erleuchtende Offenbarung ein richtiges Verstehen der Lehre gibt. Aber Augustinus interpretiert den pelagianischen Offenbarungsbegriff dennoch in einem extrinsezistisch-legalistischen Sinne[44]. Er ist überzeugt, daß es dem Pelagius trotz allem nur um ein äußerliches Buchstabenwissen geht; um ein Wissen, das von der eigentlichen Tiefe und Überzeugungsmacht der Wahrheit nichts weiß. Als Beweis für die Richtigkeit seines Urteils dient Augustinus die Tatsache, daß bei Pelagius Wissen und Lieben trotz allem getrennt bleiben. Offenbarung der Wahrheit ist bei ihm nicht zugleich Inspiration der Liebe, durch welche Gott den Willen des Menschen bewegt. Offenbarung ist für ihn nicht beseligendes und in Anspruch nehmendes Wirken Gottes im Innern des Menschen, sondern eben nur theoretische Belehrung. Augustinus stellt nun aber nicht etwa diesen pelagianisch verkürzten Offenbarungsbegriff grundsätzlich in Frage, sondern benutzt ihn, um den entscheidenden Ansatzpunkt der Gnade, den Willen, um so deutlicher hervorzuheben:

„Wie Pelagius in seinen Schriften ganz offen versichert, ist er der Meinung, wir bräuchten in unseren Gebeten nur darum zu bitten, daß uns die Lehre sogar durch göttliche *Offenbarung* erschlossen werde, nicht aber darum, daß der menschliche Geist auch Hilfe bekomme, daß er in tatkräftiger Liebe vollbringe, was er als Gebot theoretisch erkannt hat."[45]

„Wir wollten, Pelagius würde auch einmal die Gnade bekennen, durch welche die zukünftige Herrlichkeit nicht nur verheißen, sondern auch geglaubt und erhofft wird; die Weisheit nicht nur *offenbart*, sondern auch geliebt wird; und das Gute nicht nur bezeugt wird, sondern auch überzeugt."[46]

---

[43] De gratia Christi 1,41,45: ... doctrina, quam nobis fatetur etiam sancto Spiritu revelari, propter quod et orandum esse concedit.

[44] Vgl. den Kommentar Augustins zu den Pelagiuszitaten in De gratia Christi 1,7,8: Denique Dei adiutorium multipliciter insinuandum putavit, commemorando doctrinam et revelationem, et oculorum cordis adapertionem...: ad hoc utique ut divina praecepta et promissa discamus. Hoc est ergo gratiam Dei ponere in lege atque doctrina; und De gratia Christi 1,10,11: Quid manifestius, nihil aliud eum dicere gratiam, qua Deus in nobis operatur velle quod bonum est, quam legem atque doctrinam... Ad doctrinam pertinet etiam quod sapientia revelatur...

[45] De gratia Christi 1,41,45: ... nisi in lege atque doctrina: ita ut ipsas quoque orationes, ut in scriptis suis apertissime affirmat, ad nihil aliud adhibendas opinetur, nisi ut nobis doctrina etiam divina revelatione aperiatur, non ut adiuvetur mens hominis, ut id quod faciendum esse didicerit, etiam dilectione et actione perficit.

[46] De gratia Christi 1,10,11: Sed nos eam gratiam volumus isti aliquando fateantur, qua futurae gloriae magnitudo non solum promittitur, verum etiam creditur et speratur; nec solum revelatur sapientia, verum etiam amatur; nec solum suadetur omne quod bonum est, verum et persuadetur.

d) Man kann nun allerdings fragen, ob diese Argumentation Augustins eigene ‚Entdeckung' ist oder ob er sie nur übernommen hat. Denn der pelagianisch verkürzte Offenbarungsbegriff ist zwar einerseits dazu geeignet, die gravierenden Mängel der gnadentheologischen Position des Pelagius sichtbar zu machen. Andererseits muß die Verwendung dieses Offenbarungsbegriffs für Augustinus doch auch problematisch sein. Denn wenn Augustinus immer wieder von Offenbarung spricht, die gar nicht wirklich unverfügbar-innerliche Offenbarung ist, muß dann nicht auch sein eigenes Offenbarungskonzept ins Zwielicht geraten oder allmählich verflachen[47]? Muß nicht zumindest Verwirrung entstehen über die jeweilige Bedeutung von Offenbarung und von Wahrheit? Wenn der pelagianisch verkürzte Offenbarungsbegriff letztlich im Bereich des äußerlich-verfügbaren Buchstabenwissens verbleibt, wäre es dann für Augustinus um der Klarheit seines eigenen Offenbarungskonzepts willen nicht besser, das Wort ‚Offenbarung' im Zusammenhang mit der pelagianischen Position zu vermeiden? Wäre es nicht sinnvoller, hier ausschließlich von äußerer Lehre zu sprechen, damit kein Mißverständnis entsteht über die von Augustinus verfochtene unauslotbare Tiefe und gnadenhafte Innerlichkeit der sich offenbarenden biblischen Wahrheit? Augustinus war sich dieser Probleme vielleicht bewußt. Auf jeden Fall gebraucht er den pelagianisch verkürzten Offenbarungsbegriff nach De gratia Christi nicht mehr, und zwar gerade auch dort nicht, wo die pelagianisch verkürzte Sicht der biblischen Wahrheit ausdrückliches Thema ist[48]. Liegt von daher nicht die Vermutung nahe, Augustinus habe die Argumentation mit diesem Offenbarungsbegriff gar nicht selbst initiiert, sondern zunächst nur übernommen, weil sie ihm zur antipelagianischen Polemik nützlich erschien; er habe sie aber später bewußt wieder fallenlassen, da sie nicht in sein Konzept von Wahrheit passen konnte?

Nun ist es in der Tat so, daß Augustinus De gratia Christi im Jahre 418 in Karthago geschrieben hat, gleich nachdem dort am 1. Mai 418 die Irrtümer des Pelagius durch ein spanisch-afrikanisches Konzil verurteilt worden sind.

---

[47] Siehe z.B. De gratia Christi 1,11,12: Um den Pelagianern zu zeigen, daß die von ihnen beanspruchte Offenbarung der Weisheit (vgl. 10,11) nichts nützt, wenn nicht die Liebe hinzukommt, zitiert er 2 Kor 12,7–9: In magnitudine revelationum mearum ne extollar. Die Offenbarung des Paulus, die Augustinus doch im allgemeinen als ein unaussprechliches und überwältigendes innerliches Wirken Gottes versteht, gerät dadurch plötzlich in die Nähe des pelagianisch verkürzten Offenbarungsbegriffs: Offenbarung und Inspiration der Liebe sind getrennt.

[48] Siehe z.B. En. in psalm. 118 und die ausgezeichnete Analyse dieser Enarratio durch C. Kannengiesser, a.a.O. Kannengiesser datiert diese Schrift in das Jahr 420/21. Ihr Thema ist der von Pelagius in Frage gestellte Zusammenhang von Wissen und Liebe (363). S. 371: „L'audace fondée sur le libre arbitre qui s'oppose à la grâce implorée par les croyants consiste, en somme, à méconnaître le caractère proprement surnaturel de la science du mystère révélé, ou plutôt son ‚intériorité' selon le terme préféré de saint Augustin."

Zur Vorbereitung dieses Konzils hatte sich Augustinus schon seit Mitte April in Karthago aufgehalten; und auch die Wochen danach blieb er dort zur Erledigung von Konzilsgeschäften[49]. De gratia Christi ist sozusagen ein erster Kommentar zu den von dem Konzil entschiedenen Fragen. Kanon 4 dieses Konzils enthält nun aber genau die zur Debatte stehende Argumentation. Er verurteilt diejenigen, die sagen, die Gnade Gottes helfe nur insofern, als „uns durch sie ein Verstehen der Gebote *offenbart* und erschlossen wird, so daß wir wissen, wonach wir trachten und wovor wir uns hüten sollen; sie gewähre aber nicht, daß wir, was wir als Gebot erkannt haben, auch *lieben* und zu tun vermögen"[50]. Man könnte deshalb annehmen, daß der von Augustinus in De gratia Christi verwendete pelagianisch verkürzte Offenbarungsbegriff auf eben diesen Kanon 4 zurückzuführen ist. Allerdings wäre diese Annahme nur unter der Voraussetzung richtig, daß Augustinus diesen Offenbarungsbegriff in der Zeit vor dem Konzil nicht gebraucht. Doch das ist nicht der Fall.

Es ist insgesamt nur eine einzige Schrift, in welcher Augustinus mit dem besagten Offenbarungsbegriff wie in De gratia Christi argumentiert, nämlich *Epistula 188*. Und zwar rekurriert er in diesem relativ kurzen Brief, in welchem er die zur römischen Aristokratie gehörende Witwe Juliana vor pelagianischen Irrtümern warnt, gleich viermal auf diesen Offenbarungsbegriff:

Die Pelagianer würden die Gnadenhilfe Gottes nur darin sehen, „daß Gott uns ein *Wissen offenbart*", nicht aber darin, daß wir das, „was wir als Gebot theoretisch erkannt haben, auch *liebend tun*"[51].

Für sie läge die Gnade „nur in der *Offenbarung eines Wissens*" darüber, was wir tun sollen, aber nicht zugleich „in der *Inspiration der Liebe*, daß wir, was wir theoretisch erkannt haben, auch liebend tun"[52].

Außer dem natürlichen freien Willen, der Vergebung der Sünden und „der *Offenbarung der Lehre*" bezeichnen die Pelagianer nichts als Gnade[53].

---

[49] Zur Chronologie des Jahres 418 siehe C. Kannengiesser, a.a.O. 359f; sowie vor allem O. Perler, Les voyages de saint Augustin, Paris 1969, 340ff. Siehe auch Retract. 2,50.

[50] DS 226: Item, quisquis dixerit, eandem gratiam Dei per Iesum Christum Dominum nostrum propter hoc tantum nos adiuvare ad non peccandum, quia per ipsam nobis revelatur et aperitur intelligentia mandatorum, ut sciamus, quid appetere, quid vitare debeamus, non autem per illam nobis praestari, ut quod faciendum cognoverimus, etiam facere diligamus atque valeamus, an. s.

[51] Epist. 188,1,3: Nec sane parvus est error illorum qui putant ex nobis ipsis nos habere si quid iustitiae, continentiae, pietatis, castitatis in nobis est, eo quod ita nos condiderit Deus, ut ultra, praeter quod nobis revelat scientiam, nihil nos adiuvet ut ea quae facienda discendo novimus, etiam diligenda faciamus; naturam scilicet atque doctrinam definientes tantummodo esse Dei gratiam.

[52] Epist. 188,2,7: ... non sicut isti sentiunt, tantummodo scientiam revelando, ut noverimus quid facere debeamus; sed etiam inspirando caritatem, ut ea quae discendo novimus, etiam diligendo faciamus.

[53] Epist. 188,3,12: ... excepta natura, excepto, quod ad eamdem naturam pertinet, arbitrio voluntatis, excepta remissione peccatorum et revelatione doctrinae, tale Dei adiutorium confitetur...

Gott hilft uns „nicht nur durch die *Offenbarung eines Wissens...*, das sich ohne die Liebe aufbläht, sondern auch durch die *Inspiration der Liebe*"[54].

Goldbacher datiert den Brief zwischen Oktober 417 und April 418, also vor das Konzil vom 1. Mai 418[55]. Der terminus ad quem ergibt sich für ihn daraus, daß der Brief auf jeden Fall vor De gratia Christi geschrieben worden sein muß[56]. Da Augustinus sich zur Zeit der Abfassung des Briefes zudem in Hippo aufhielt[57], kann man auch nicht von der Hypothese ausgehen, der Brief sei zwar vor De gratia Christi, aber doch nach dem Konzil entstanden: Epistula 188 ist auf jeden Fall vor dem Konzil vom 1. Mai 418 geschrieben worden. Der Kanon 4 konnte für Augustinus hier also noch nicht maßgebend sein. Dennoch hat man den Eindruck, daß Augustinus in dem Brief ein ihm vorgegebenes Argument aufgreift. Denn er gebraucht es sehr unvermittelt und gibt keinerlei Erklärungen darüber ab. Vor allem die viermalige, beinahe stereotype Verwendung ist auffallend. Könnte es sein, daß das Argument schon auf dem Ende 417/Anfang 418 ebenfalls nach Karthago zusammengerufenen Konzil gegen die Pelagianer formuliert wurde und daß Augustinus den Brief gleich nach seiner Rückkehr nach Hippo noch unter dem Eindruck des Konzils geschrieben hat[58]? Die Frage läßt sich nicht beantworten, weil von dem genannten Konzil keinerlei inhaltliche Dokumente existieren[59]. Dennoch ist die Frage als solche nicht sinnlos und nicht unbegründet: Sie ist nicht sinnlos, weil sie zu erklären versucht, warum Augustinus in den beiden genannten Schriften einen pelagianisch verkürzten Offenbarungsbegriff verwendet, obwohl dieser seinem eigenen Offenbarungskonzept zuwiderläuft; und sie ist nicht unbegründet, weil sie der auffallenden Tatsache Rechnung trägt, daß Augustinus diesen Offenbarungsbegriff nur im Jahre 417/418 verwendet, kurz vor und kurz nach dem Konzil vom 1. Mai 418.

3. Gegen die Platoniker: Verweis auf Christus

Schon wiederholt in diesem Kapitel hat sich die grundlegende Bedeutung von Selbstüberhebung (superbia) und Demut (humilitas) für Erkennen und

---

[54] Epist. 188,3,13: ... nec sola revelatione scientiae nos divinitus adiuvari, ut pie iusteque vivamus, quae sine caritate inflat, verum etiam inspiratione caritatis ipsius, quae plenitudo legis est.

[55] A. Goldbacher, CSEL 58,48 (Index III).

[56] In Epist. 188,3,14 bittet Augustinus Juliana um Auskunft, ob ein bestimmtes, an ihre Tochter ergangenes Schreiben, welches er gelesen hat, identisch sei mit dem Schreiben des Pelagius an ihre Tochter. In De gratia Christi 1,37,40 geht Augustinus davon aus, daß der Verfasser des von ihm gelesenen Schreibens Pelagius ist.

[57] Siehe Epist. 188,1,1.

[58] Zu den sich überstürzenden Ereignissen der Jahre 417/418 siehe O. Perler, a.a.O. 335ff.

[59] Siehe O. Perler, a.a.O. 339.

Heil des Menschen gezeigt. In Augustins Auseinandersetzung mit den Platonikern spielen diese beiden Kategorien die entscheidende Rolle. „Ihr wollt nicht Christen sein", wirft Augustinus den Platonikern vor, „weil Christus demütig kam, ihr aber seid hochmütig."[60]

Augustinus erkennt an, daß es den Platonikern im Gegensatz zu den anderen Philosophen dieser Welt gelungen ist, über das Sichtbare der vergänglichen Welt hinauszukommen und so das unsichtbare, unwandelbare, geistige Sein Gottes zu erkennen[61]. Und unzählige Male erklärt er diese erstaunliche Tatsache mit Röm 1,20: Das Unsichtbare Gottes kann seit Erschaffung der Welt durch das Geschaffene eingesehen und geschaut werden[62]. Dabei ist für Augustinus klar, daß das Gelingen dieser Einsicht nicht eigene Leistung der Platoniker sein kann, sondern immer nur Gnade, Geschenk aus göttlicher Erleuchtung[63].

Aber sind die Platoniker deshalb schon am Ziel? Sind sie schon im vollen Besitz der beseligenden Wahrheit? „Irgendwie erblickt ihr das Vaterland, in welchem unsere Bleibe ist, wenngleich von ferne und trüben Auges; aber den Weg, den ihr gehen müßt, schlagt ihr nicht ein."[64] Das Vaterland in der Ferne erblicken: In diesem Bild bringt Augustinus immer wieder zum Ausdruck, daß ein Unterschied besteht zwischen rechtem Erkennen und beständigem Sein. Noch ist der Mensch unterwegs. Noch lebt er in dieser sinnlichen Welt und in schuldhafter Verstrickung. In dieser Situation geht es gar nicht primär darum, das Erkennen zu steigern, sondern vielmehr darum, seinsmäßig umgewandelt und geheilt zu werden[65]. Augustinus spricht hier

---

60 De civ. Dei 10,29,2: Quid causae est, cur ... christiani esse nolitis, nisi quia Christus humiliter venit, et vos superbi estis?

61 Einen sehr guten Einblick in die verschiedenen Aspekte der Auseinandersetzung Augustins mit den Philosophen und speziell mit den Platonikern vermittelt W. Kamlah, a.a.O. 200ff. Zur überragenden Erkenntnis der Platoniker siehe a.a.O. 205 und 207. Vgl. auch A. Becker, a.a.O. 75ff.

62 Siehe z.B. De lib. arb. 2,24,72; Conf. 7,9,13; 7,20,26; De civ. Dei 8,6; 11,21; De Trin. 13,19,24; In evang. Ioh. 2,4; 14,3; Sermo 68,2,3; Retract. 1,11,1. Vgl. auch die zahlreichen Zitationen von Röm 1,20 unabhängig vom Thema der Platoniker: Conf. 7, 17,23; C. Faust. 21,6; 22,54; En. in psalm. 41,7; in psalm. 103 sermo 1,1 und 1,5; 144,6; De Trin. 2,15,25; De gen. ad litt. 2,8,17. – Einen Überblick über Augustins Argumentationsweise zu Röm 1,18–25 gibt G. Madec, Connaissance de Dieu et action de grâce, 273–309.

63 In evang. Ioh. 14,3: ... quia non eos fecerat sapientes nisi Deus... In evang. Ioh. 2,4: ... ingrati ei qui illis praestitit quod videbant; De civ. Dei 2,7: Et quidam eorum quaedam magna, quantum divinitus adiuti sunt, invenerunt; quantum autem humanitus impediti sunt, erraverunt.

64 De civ. Dei 10,29,1: Itaque videtis utcumque, etsi de longinquo, etsi acie caligante, patriam in qua manendum est; sed viam, qua eundum est, non tenetis.

65 Conf. 7,21,27: ... et ut te, qui es semper idem, non solum admoneatur ut videat, sed etiam sanetur ut teneat: et qui de linginquo videre non potest, viam tamen ambulet qua veniat, et videat, et teneat; quia etsi condelectetur homo legi Dei secundum in-

aus eigener Erfahrung: „Ich begehrte nicht, deiner gewisser zu sein", bekennt er in den *Confessiones*, „sondern fester in dir zu stehen"[66]. Dazu aber bedarf es eines Heils*weges*, der das konkrete Leben eines Menschen auf das erkannte Ziel hinlenkt. Dieser Heilsweg ist in der Seinsweise des demütigen Christus gegeben[67]. Die Platoniker aber lehnen diesen Heilsweg ab, und zwar aus Selbstüberhebung, welche gerade durch die Demut Christi geheilt werden sollte. Ihre Selbstüberhebung fängt damit an, daß sie stolz sind auf ihre Erkenntnisse und sie als eigene Leistung betrachten. Darin aber verkennen sie auf verhängnisvolle Weise die Situation des Menschen: seine ontische Heilungsbedürftigkeit und grundsätzliche Angewiesenheit auf Gnade. Ihr Hochmut macht sie blind für den helfenden Gott und erst recht für die Demut Christi, der sich als Heilsweg anbietet. Deshalb müssen sie zwangsläufig wieder von dem schon erkannten Ziel abkommen und es letztlich durch ihr gelebtes Leben verfehlen[68].

Augustinus zitiert in diesem Zusammenhang des öfteren den Lobpreis Jesu in Mt 11,25: ‚Ich preise dich Vater, daß du dies den Weisen und Verständigen verborgen und den Kleinen *offenbart* hast.'[69] In den Kleinen sieht er dabei die Demütigen, die sich ihrer Schwachheit und Heilungsbedürftigkeit bewußt sind, in den Weisen dagegen die sich ihres Wissens rühmenden Philosophen dieser Welt, besonders natürlich die Platoniker. Und das, was verborgen bzw. *offenbart* wird, ist die Heilsbedeutsamkeit des demütigen

---

teriorem hominem, quid faciet de alia lege in membris suis, repugnante legi mentis suae, et se captivum ducente in lege peccati, quae est in membris eius?

[66] Conf. 8,1,1: Nec certior de te, sed stabilior in te esse cupiebam.

[67] Conf. 7,20,26: Certus quidem in istis eram, nimis tamen infirmus ad fruendum te. Garriebam quasi peritus, et nisi in Christo Salvatore nostro viam tuam quaererem, non peritus, sed periturus essem. – Bei der Begründung, daß gerade Christus dieser Heilsweg ist, spielen der Gedanke der auctoritas (Überzeugungsmacht; vgl. schon De vera rel. 3,3) und des exemplum eine zentrale Rolle. Siehe dazu den 2. Teil dieser Arbeit.

[68] In evang. Ioh. 2,4: Dicentes enim se esse sapientes, stulti facti sunt. Viderunt quo veniendum esset: sed ingrati ei qui illis praestitit quod viderunt, sibi voluerunt tribuere quod viderunt: et facti superbi amiserunt quod videbant... Viderunt hoc quod dicit Ioannes, quia per Verbum Dei facta sunt omnia. Nam inveniuntur et ista in libris philosophorum: et quia unigenitum Filium habet Deus... Illud potuerunt videre quod est, sed viderunt de longe: noluerunt tenere humilitatem Christi, in qua navi securi pervenirent ad id quod longe videre potuerunt... O sapientia superba! Irrides crucifixum Christum; ipse est quem longe vidisti. In principio erat Verbum, et Verbum erat apud Deum. Sed quare crucifixus est? Quia lignum tibi humilitatis eius necessarium erat. Superbia enim tumueras, et longe ab illa patria proiectus eras; et fluctibus huius saeculi interrupta est via, et qua transeatur ad patriam non est, nisi ligno porteris. Ingrate, irrides eum qui ad te venit ut redeas! Ipse factus est via...

[69] Siehe vor allem Conf. 7,9,14 und Conf. 7,21,27, wo Mt 11,25 innerhalb eines jeweils längeren Abschnitts über die Platoniker zitiert wird. Weitere Stellen sind Sermo 67,5,8; 68,5,6; 184,1,1. In Sermo 29,2,2 und En. in psalm. 18,I,8 fehlt der unmittelbare Bezug auf die Platoniker.

Christus[70]: Den Hochmütigen muß der Menschgewordene unverständlich und unzugänglich bleiben; sie können ihn nicht als Heilsweg begreifen und erst recht nicht sich auf ihn einlassen[71]. Nur die Demütigen verstehen, daß er für ihr Heil von Bedeutung ist; nur ihnen tut er sich als Heilsweg auf. Augustinus beschwört deshalb die Platoniker:

> „Als Demütige mögen sie also an der Demut Gottes festhalten... Wenn sie aber wie Weise und Verständige nur die Erhabenheit Gottes suchen und sich nicht auf seine Demut einlassen, dann werden sie, weil sie diese übergehen, auch zu jener nicht gelangen."[72]

Damit tritt die christliche Religion als der universale Heils*weg* der Menschheit in das Blickfeld des theologischen Interesses. Denn nicht die Frage nach Offenbarung intelligibler Wahrheit steht hier im Vordergrund, sondern die Frage nach einer der Seinslage des Menschen entsprechenden Heilsvermittlung in einem umfassenderen Sinn. Es geht um die Frage nach dem soteriologischen Wirken Gottes in der Geschichte des Menschen, um die Frage nach dem einen christlichen Heilsweg im Fortgang der Zeiten. Dies ist Thema des zweiten Teiles dieser Untersuchung.

---

[70] Sermo 184,1,1: Quid enim nobis praestiterit tantae sublimitatis humilitas, fides habet Christianorum, remotum est a cordibus impiorum; quoniam abscondit Deus haec a sapientibus et prudentibus, et revelavit ea parvulis.
[71] Vgl. die bekannte Stelle Conf. 7,21,26f: ... ut ... discernerem atque distinguerem, quid interesset inter praesumptionem et confessionem; inter videntes quo eundum sit nec videntes qua, et viam ducentem ad beatificam patriam, non tantum cernendam, sed et habitandam... Et aliud est de silvestri cacumine videre patriam pacis, et iter ad eam non invenire. – Siehe zu diesem Text G. Madec, a.a.O. 281f.
[72] Sermo 184,1,1: Teneant ergo humiles humilitatem Dei... Sapientes autem illi et prudentes, dum alta Dei quaerunt, et humilia non credunt, ista praetermittentes, et propter hoc nec ad illa pervenientes.

Zweiter Teil

GESCHICHTE UND OFFENBARUNG

I. Kapitel

VERFASSUNG UND ORDNUNG DER ZEITEN
(Geschichtstheologische Grundlagen)

§ 1 Offenbarung als Strukturbegriff der Geschichtstheologie

1. Das Schema ‚occultatio — revelatio'

Die offenbarungstheologische Fragestellung, die den zweiten Teil dieser Untersuchung bestimmt, kommt in prägnanter Form in einem bekannten Satz aus dem 16. Buch von *De civitate Dei* (418/20) zum Ausdruck. Es heißt dort:

„Im Alten Bund ist der Neue wie in einem vorausgeworfenen Schatten vorgebildet. Denn was ist das, was Alter Bund genannt wird, anderes als die *Verbergung* (occultatio) des Neuen? Und was ist das, was Neuer Bund genannt wird, anderes als die *Offenbarung* (revelatio) des Alten?"[1]

Ganz ähnlich formuliert Augustinus in einer *Predigt* zum Festtag des Martyriums der Makkabäerbrüder (2 Makk 7,1—42):

„Damals war das Geheimnis Christi noch verhüllt. Denn der Alte Bund ist die *Verhüllung* (velatio) des Neuen Bundes. Und der Neue Bund ist die *Offenbarung* (revelatio) des Alten Bundes."[2]

Der Unterschied zur bisherigen Fragestellung liegt auf der Hand. Bisher bezeichnete ‚Offenbarung' fast immer ein je aktuelles, gnadenhaftes Mitteilungsgeschehen im Innern des einzelnen. Hier aber geht es um ein äußeres und objektives Offenbarwerden, um eine geschichtliche Manifestation von vorher in der Geschichte zeichenhaft Verhülltem. Das Wort weist auf einen innergeschichtlichen, realhermeneutischen Bedeutungszusammenhang. Es ist ein Strukturbegriff der Geschichtstheologie. Es bringt zum Ausdruck, daß die Geschichte Gottes mit den Menschen nicht in zusammenhanglose Epochen zerfällt, sondern ein strukturiertes Ganzes ist: Der Neue Bund ist nichts absolut Neues. Zwar unterscheidet er sich vom Alten Bund in dem äußeren, geschichtlichen Erscheinungsbild, in den jeweiligen religiösen Lebensformen, heiligen Handlungen, sakramentalen Zeichen und objektiven Verheißungen. Aber die äußeren Unterschiede werden doch zusammengehalten durch eine innere Struktur. Der Alte Bund ist die verborgene, typologi-

---

[1] De civ. Dei 16,26: In Testamento Vetere obumbratur Novum. Quid est enim quod dicitur Testamentum Vetus nisi Novi occultatio? Et quid est aliud quod dicitur Novum nisi Veteris revelatio?

[2] Sermo 300,3,3: Adhuc velabatur Christi mysterium. Testamentum enim Vetus velatio est Novi Testamenti; et Testamentum Novum revelatio est Veteris Testamenti.

sche Entsprechung des Neuen. Der Neue Bund ist nichts anderes als die Manifestation dessen, was auch schon der Alte Bund seiner inneren Intention nach darstellte. Die folgenden Texte, die dadurch gekennzeichnet sind, daß sie Varianten der eben zitierten formelhaften Wendungen enthalten, sollen das verdeutlichen:

In einer *Predigt* (412/16) sagt Augustinus: „Das Zeichen des Alten Bundes ist die Beschneidung am verborgenen Fleisch. Das Zeichen des Neuen Bundes dagegen ist das Kreuz auf offener Stirn. Dort nämlich ist *Verhüllung* (occultatio), hier *Offenbarung* (revelatio). Jenes Zeichen ist unter einer Hülle, dieses im Angesicht... Oh, der du dich der Beschneidung rühmst... Sie ist ein Zeichen, wahr, von Gott angeordnet. Aber sie ist ein Zeichen der *Verbergung* (occultationis). Der Neue Bund wurde nämlich im Alten *verhüllt* (velabatur), der Alte Bund im Neuen aber *geoffenbart* (revelabatur). Deshalb muß das Zeichen aus dem *Verborgenen* (occulto) ins *Offene* (manifestum)... Denn wer möchte bezweifeln, daß in diesem Zeichen Christus vorherverkündet worden ist? ... Es kam der Neue Bund, und was *verborgen* war (occultabatur), ist *offenbart* worden (revelatum). Die im Schatten des Todes saßen, über denen ging ein Licht auf. Ihnen wurde *offenbar* gemacht (revelatum), was *verborgen* war (occultabatur). Das *Verschlossene* (latebat) liegt nun *offen zutage* (in aperto)."[3]

Im *Kommentar zu Psalm 105* (414/16) heißt es: „Gib nun acht, der du dies liest; und du wirst die Gnade Gottes, in welcher wir durch unseren Herrn Jesus Christus zum ewigen Leben losgekauft werden, in den apostolischen Schriften durch bloßes Lesen erkennen, in den prophetischen aber, indem du sie erforschst. Und du siehst dann, daß der Alte Bund im Neuen *offenbart* (revelatum) und im Alten der Neue *verhüllt* (velatum) ist."[4]

In *Contra Adversarium Legis et Prophetarum* (420/21) schließlich heißt es: „So wie der eine wahre Gott der Schöpfer der zeitlichen und der ewigen Güter ist, so ist er auch der Stifter der beiden Testamente. Denn das Neue ist im Alten *figürlich vorgebildet* (figuratum), das Alte im Neuen *offenbart* (revelatum)."[5]

Außer in dem zuletzt zitierten Text wurde das lateinische ,testamentum' bisher immer mit ,Bund' übersetzt. Damit sollte verdeutlicht werden, daß

---

[3] Sermo 160,6: Signum Veteris Testamenti circumcisio in latenti carne. Signum Novi Testamenti crux in libera fronte. Ibi enim occultatio est, hic revelatio: Illud est sub velamine, hoc in facie... O qui gloriaris de circumcisio... Signum est, verum est, a Deo praeceptum est: sed occultationis signum est. Novum enim Testamentum in Vetere velabatur, Vetus Testamentum in Novo revelabatur. Ideo signum ab occulto transeat in manifestum... Nam in eo signo Christum esse praenuntiatum quis ambigat... Venit Testamentum Novum, revelatum est, quod occultabatur. Qui sedebant in umbra mortis, lumen ortum est eis. Revelatum est eis, quod occultabatur. Quod latebat, in aperto est. Venit ipsa Petra, omnes nos spiritu circumcidit, et suae humilitatis signum in redemptorum fronte defixit.

[4] En. in psalm. 105,36: Age nunc, quisquis haec legis, et gratiam Dei, qua in aeternam vitam per Dominum nostrum Iesum Christum redimimur, legendo in apostolicis Litteris, in propheticis autem scrutando cognoscis, et Vetus Testamentum in Novo revelatum, in Vetere Novum velatum vides.

[5] C. adv. Leg. 1,17,35: Sicut autem Deus unus et verus creator bonorum est et temporalium et aeternorum, ita idem ipse auctor est amborum Testamentorum; quia et Novum in Vetere est figuratum, et Vetus in Novo est revelatum. — Vgl. auch Quaest. in Hept. 2,73: ... quanquam in Vetere Novum lateat, et in Novo Vetus pateat.

Augustinus mit dem Schema ‚occultatio — revelatio' nicht zuerst das Verhältnis zwischen alttestamentlichen und neutestamentlichen Schriften auf einen Nenner bringt, sondern dasjenige zwischen den geschichtlichen Realitäten, die diesen Schriften zugrundeliegen; daß die Kategorie ‚Offenbarung' hier also primär realhermeneutischer Art ist. Die von Gottes Vorsehung getragene und beabsichtigte geschichtliche Bewegung bringt an den Tag, offenbart, macht manifest, was in der Geschichte zuvor schon unter anderen Zeichen verborgen da war. Freilich spiegelt sich die geschichtliche Relation zwischen Altem und Neuem Bund in den Schriften des Alten und Neuen Testaments wider. Von daher kann das Schema ‚occultatio — revelatio' auch zu einem bibelhermeneutischen Prinzip werden. Primär ist aber doch in allen Texten Augustins das konkrete, geschichtliche Verständnis von Offenbarung: Die neutestamentliche Wirklichkeit ist Erschließung und Manifestation des verborgenen Sinnes der alttestamentlichen Wirklichkeit.

2. Erschließung und Manifestation

Das Wort ‚Offenbarung' hat eine doppelte semantische Struktur. Dies ist schon aus den bisher zitierten Texten ersichtlich. Einmal war dort nämlich die Rede von der *Offenbarung des Alten Testaments* und einzelner alttestamentlicher Zeichen. Zum anderen aber war auch die Rede von der Offenbarung der im Alten Testament verborgenen Sachen, sinngemäß also auch von der *Offenbarung des Neuen Testaments*. ‚Offenbarung' bedeutet also einmal *Erschließung eines Zeichens:* das Alte Testament wird von dem Neuen her erschlossen. Das anderemal hat es den Sinn von *Manifestation einer Sache*, die vorher in einem Zeichen verhüllt war: das im Alten Testament verborgene Neue Testament wird manifest. Das einemal ist das Neue Testament mediales Subjekt der Offenbarung: in ihm erschließt sich das Alte. Das anderemal ist es Objekt: es wird selbst offenbart.

a) Die Zahl der Texte, in denen ‚Offenbarung' die Erschließung alttestamentlicher Zeichen meint, ist freilich verschwindend gering im Vergleich zu der Flut von Texten, in denen das Wort die Manifestation der neutestamentlichen Wirklichkeit zum Ausdruck bringt. Außer in den schon zitierten Texten begegnet dieser Wortgebrauch bei Augustinus nur noch viermal, und zwar gerade in den beiden frühesten Schriften, in denen die geschichtstheologische Kategorie überhaupt zu finden ist: in *De doctrina christiana* (396) und in *Contra Faustum* (397/98).

In *De doctrina christiana* sagt Augustinus im Verlauf seiner bibelhermeneutischen Überlegungen: „Die Juden hielten die Zeichen von geistigen Sachen, aus Unkenntnis über ihre Bedeutung, (quo referrentur) für die Sachen selbst... Und deshalb konnten sie, die an diesen Zeichen hartnäckig festhielten, den Herrn nicht ertragen, der sich über

diese Zeichen hinwegsetzte, da doch die Zeit ihrer *Offenbarung* gekommen war."[6]
Nur die Zeit vor Christus sei „Zeit der Knechtschaft" gewesen, „in welcher den fleischlich Gesinnten jene Zeichen noch nicht *offenbart* (= in ihrer eigentlichen Bedeutung
sichtbar gemacht) werden sollten. Denn sie sollten durch das Joch dieser Zeichen erst
noch bezähmt werden"[7].

In *Contra Faustum*, wo Augustinus gegen die Manichäer die Einheit der beiden Testamente verteidigt, heißt es: „Andere Vorschriften gab Gott damals den Vermittlern des
Alten Bundes, in welchem die Gnade verhüllt war; andere den Predigern des Neuen
Bundes, in welchem die Dunkelheit (obscuritas) des Alten *offenbart* (= aufgehoben, ge-
lichtet) wird."[8]
Und er schließt dieses Werk ab mit der Aufforderung an die Manichäer, sie sollten der
unversehrten Autorität der apostolischen Schriften folgen: „Dort werdet ihr nämlich
sehen, wie sich auch die Dunkelheiten des Alten Testaments *auftun* (revelari) und wie
sich seine Weissagungen erfüllen."[9]

Wie soll man sich den Textbefund erklären? Der Gebrauch des Wortes ‚Offenbarung' im Sinne von ‚Erschließung eines Zeichens' hat eine große Nähe
zu der rein hermeneutischen Verwendung des Wortes. ‚Offenbarung' im Sinne von ‚Manifestation einer Sache' dagegen bringt deutlicher den objektiven,
geschichtlichen Charakter des Offenbarungsfortschritts zum Ausdruck.
Man kann nun vermuten, daß Augustinus, als er sich den Offenbarungsbegriff für seine Geschichtstheologie zunutze machte, zunächst von dieser hermeneutischen Verwendung des Wortes her dachte[10]. Denn eine solche Verwendung war ihm in 2 Kor 3,14ff vorgegeben, einem Text, auf den er sich
bei der Darstellung der Beziehungen zwischen den beiden Testamenten unzählige Male direkt oder indirekt beruft[11] und der sein geschichtstheologisches Denken wesentlich angeregt haben dürfte. Die zitierten Texte wären
dann ein Reflex dieser Anfänge. Seinem geschichtstheologischen Anliegen
entspricht aber doch eher die Vorstellung geschichtlicher Manifestation.
Deshalb gebraucht er in der Folgezeit das Wort ‚Offenbarung' ausschließlich

---

[6] De doctr. christ. 3,6,10: ... Iudaeo populo ... signa rerum spiritualium pro ipsis rebus observarent, nescientes quo referrentur... Et ideo qui talibus signis pertinaciter inhaeserunt, contemnentem ista Dominum, cum iam tempus revelationis eorum venisset,
ferre non potuerant.
[7] De doctr. christ. 3,9,13: ... etiam tempore servitutis, quo carnalibus animis nondum
oportet signa illa revelari, quorum iugo edomandi sunt.
[8] C. Faust. 22,77: ... quod aliud tunc Deus praecepit dispensatoribus Veteris Testamenti, ubi gratia velabatur, aliud praedicatoribus Novi Testamenti, ubi Veteris obscuritas revelatur.
[9] C. Faust. 33,9: Ibi enim videbitis etiam Veteris Testamenti et obscura revelari, et
praedicta compleri.
[10] Siehe z.B. En. in psalm. 17,16 aus dem Jahre 392, wo Augustinus den Psalmvers ‚et
revelata sunt fundamenta orbis terrarum' wie folgt interpretiert: Et *revelati* sunt Prophetae, qui non intelligebantur, super quos aedificaretur orbis terrarum credens Domino.
[11] Siehe z.B. De util. cred. 3,9; C. Faust. 12,4; In evang. Ioh. 9,3 und 24,5; De spir. et
litt. 15,27 und 17,30; C. duas epist. Pelag. 4,12; Sermo 300,3,3.

in diesem Sinne. Wenn der alte Wortgebrauch dann doch noch einmal in relativ späten Texten auftaucht, dann ist das vermutlich auf Augustins Bestrebungen zurückzuführen, das Verhältnis der beiden Testamente auf eine griffige Formel zu bringen: Der Alte Bund ist die Verhüllung des Neuen; der Neue Bund ist die Offenbarung des Alten.

b) Die konkret-geschichtliche Deutung des Offenbarungsbegriffs — Offenbarung als geschichtliche Manifestation, als sichtbares An-den-Tag-kommen und Öffentlichwerden von vorher in Zeichen verhüllten und zeichenhaft angedeuteten Sachen — erhält bei Augustinus dadurch besonderen sprachlichen Ausdruck, daß er das Wort ‚manifestare — manifestatio‘ als Äquivalent für ‚revelare — revelatio‘ gebraucht. Im folgenden werden solche Texte zitiert, in denen beide Worte in parallelen Formulierungen, in kombinierten Ausdrücken oder ganz einfach nebeneinander verwendet werden. Sie sollen die Bedeutungsgleichheit beider Begriffe dokumentieren und das bisher über das Schema ‚occultatio — revelatio‘ Gesagte weiter illustrieren.
Ganz deutlich ist die Parallelisierung beider Begriffe in je einem Text aus den *Quaestiones in Heptateuchum* (419) und aus einer *Predigt* (417):

„Es ist richtig, daß an dieser Stelle die beiden Testamente unterschieden werden. Dieselben Sachen sind freilich im Alten und im Neuen, dort jedoch schattenhaft vorgebildet, hier *offenbart*, dort vorausbedeutet, hier *manifest gemacht* (manifestata). Denn nicht nur die sakramentalen Zeichen sind verschieden, sondern auch die Verheißungen. Dort werden dem Augenschein nach zeitliche Dinge verheißen, durch die jedoch der geistige Lohn verborgen bezeichnet werden soll. Hier aber werden in ganz *manifester* Weise (manifestissime) geistige und ewige Dinge verheißen."[12]
„Manche ... wollen Christen genannt werden, kennen aber immer noch nicht die Gerechtigkeit Gottes, sondern wollen ihre eigene aufrichten, und zwar auch noch in unserer Zeit: in der Zeit der offenliegenden (apertae) Gnade, in der Zeit der schon *offenbarten*, früher dagegen noch verborgenen Gnade, in der Zeit der schon *manifest gewordenen* (manifestatae) Gnade... Gib doch acht auf die Zeit des Neuen Testaments...: Der ganze Erdkreis ist erfüllt von der nun nicht mehr verborgenen, sondern *manifesten* (manifestae) Gnade."[13]

In vorwiegend kombinierten Wendungen kommen beide Begriffe in je einem Text aus *Contra Faustum* (397/98) und aus dem *Kommentar zu Psalm 77* (414/16) vor:

---

[12] Quaest. in Hept. 4,33: Recte intelligitur duo testamenta distinguere. Eadem quippe sunt in vetere et novo: ibi obumbrata, hic revelata; ibi praefigurata, hic manifestata. Nam non solum sacramenta diversa sunt, verum etiam promissa. Ibi videntur temporalia proponi, quibus spirituale praemium occulte significetur; hic autem manifestissime spiritualia promittuntur et aeterna.
[13] Sermo 131,9,9: Quidam vero... Christianos se dici volunt, et adhuc ignorantes Dei iustitiam, suam volunt constituere, etiam temporibus nostris, temporibus apertae gratiae, temporibus nunc revelatae prius occultae gratiae, temporibus nunc in area manifestae gratiae... Attende modo tempus Novi Testamenti...: orbis vero totus tanquam illa area plenus est gratia non occulta, sed manifesta.

„Diese Bücher sind unseretwegen geschrieben worden, damit wir erkennen, daß das, was uns schon *geoffenbart* und *in offener Darbietung* (in manifestatione) verkündet worden ist, vor so langer Zeit in jenen Figuren vorausverkündet wurde, und wir deshalb treu und standhaft an diesen Dingen festhalten... Aber das war in den Zeiten des Alten Bundes noch in einer Figur verborgen und wurde nur von einigen Heiligen eingesehen. Zur Zeit des Neuen Bundes aber ist es *in sichtbarer Darbietung offenbart* worden (in manifestatione revelatum) und wird nun den Völkern gepredigt... Damals war nämlich die Zeit des zeichenhaften Bedeutens, jetzt ist die Zeit des *offenen Darbietens* (manifestandi). So war auch die Schrift damals Mahnerin für zeichenhafte Handlungen; jetzt aber ist sie Zeuge für bezeichnete Sachen. Und was damals beobachtet wurde zur Vorausverkündigung, wird nun vorgelesen zur Bestätigung. Deshalb halten wir an derselben Schrift fest, die damals mit Macht (potestate) vorschrieb, was in Schatten verhüllt war und jetzt an den Tag gebracht wurde, und die jetzt mit Autorität (auctoritate)[14] bezeugt, was in offenem Licht ist und damals verhüllt war.“[15]

„In der Anordnung jener Zeit war alles Gleichnis und Abbild. Alles nämlich, was damals geschah und was gepredigt wurde, enthielt verhüllte Bedeutungen, wurde aber nicht in *offenbarten Manifestationen* (revelatis manifestationibus) geschaut.“[16]

Schließlich sind noch zwei Texte zu nennen, in denen beide Begriffe zur Bezeichnung der gleichen Sache nebeneinander gebraucht werden. Im ersten Text, aus dem *Kommentar zu Psalm 137* (414), gibt Augustinus eine allegorische Auslegung von Ri 6,36—40; im zweiten Text, aus den *Quaestiones zum Matthäusevangelium,* interpretiert er Mt 13,51f:

„Zuerst wurde das Fell vom Regen naß, die Tenne aber blieb trocken; danach wurde die Tenne vom Regen naß, das Fell aber blieb trocken. Was, Brüder, ist eurer Meinung nach die Tenne? Stellt sie nicht den Erdkreis dar? Und was ist das Fell? Es ist gleichsam

---

[14] Die Unterscheidung zwischen potestas und auctoritas entspricht der zwischen Furcht und Liebe, zwischen Altem und Neuem Testament. Vgl. dazu K.H. Lütcke, a.a.O. 160ff. 72 zitiert Lütcke den hier angeführten Text und kommentiert: „Christus zwingt nicht, wie das Gesetz des Alten Testaments, mit Gewalt, sondern er bringt die Menschen durch seine Autorität, seine vollmächtige Lehre — nihil egit vi, sed omnia suadendo et monendo (de vera rel. 16,31) — dazu, daß sie gerne gehorchen. So hat — Augustin den auctoritas-Begriff und die traditionelle Entgegensetzung von auctoritas und potestas für die Unterscheidung von Altem und Neuem Testament fruchtbar gemacht. War im Alten Testament die lex, die potestas..., so ist es im Neuen Testament die auctoritas.“

[15] C. Faust. 6,9: ... eosdem libros qui propter nos scripti sunt, ut ea quae iam nobis revelata et in manifestatione annuntiata sunt, tanto ante illis figuris pronuntiata cognoscentes, fideliter et firmiter teneremus... Sed hoc veteris testamenti temporibus, in figura occultatum, a quibusdam sanctis intelligebatur, tempore autem novi testamenti in manifestatione revelatum, populis praedicatur... Illud enim erat tempus significandi, hoc manifestandi. Ergo ipsa scriptura, quae tunc fuit exactrix operum significantium, nunc testis est rerum significatarum, et quae tunc observabatur ad praenuntiationem, nunc recitatur ad confirmationem... Itaque eamdem scripturam tenemus: tunc potestate praecipientem umbris tegendum, quod nunc aperiretur; et nunc auctoritate attestantem luce apertum, quod tunc tegebatur.

[16] En. in psalm. 77,7: ... in illa dispensatione parabolae et propositiones erant. Ea quippe quae praedicabantur et fiebant, velatis significationibus condebantur, et non revelatis manifestationibus cernebantur.

das jüdische Volk inmitten des Erdkreises, welches das Sakrament der Gnade hatte, nicht *in offener Darbietung* (in manifestatione), sondern nur in der Wolke eines Geheimnisses, so wie den Regen im Fell gleichsam in einer Hülle. Es kam aber die Zeit, da der Regen auf der Tenne *offenbart* werden sollte; er wurde *manifest gemacht* (manifestata), nicht mehr verhüllt. Und so geschah, was geschrieben steht: ,*Alle* Könige der Erde sollen dich preisen, Herr.'"[17]

„Vielleicht wollte er mit diesem letzten Gleichnis vom Hausherrn, der aus seinem Schatz Altes und Neues hervorholt, zeigen, daß in der Kirche derjenige als gelehrt zu gelten habe, der auch die in Gleichnissen verfaßten alten Schriften verstehen würde und sich die Regeln dazu von den neuen her geben ließe. Denn auch dieses Neue sprach der Herr in Gleichnissen, obwohl Christus selbst deren Ende sein sollte, weil in ihm jenes Alte erfüllt werden sollte. Wir sollten daraus erkennen, daß, wenn selbst er, in dem jenes Alte *erfüllt und manifest gemacht* wird (complentur et manifestantur), noch solange in Gleichnissen spricht, bis sein Leiden den Schleier aufreißen würde, damit nichts verborgen sei, was nicht *offenbart* würde, erst recht das in Gleichnissen verhüllt sein muß, was zur Empfehlung eines so großen Heiles vor so langer Zeit von Christus geschrieben worden ist."[18]

Einen sprachlichen Sonderfall stellt ein Text aus *De catechizandis rudibus* (399) dar. Augustinus gebraucht darin nämlich das Schema ,occultatio – manifestatio' in Analogie zu den anfangs zitierten formelhaften Wendungen. Er sagt:

„Die ganze heilige Schrift, die vor Christus geschrieben wurde, ist zum Vorausverkünden der Ankunft des Herrn geschrieben worden. Und alles, was später schriftlich niedergelegt und mit der Kraft göttlicher Autorität ausgestattet worden ist, enthält nichts anderes als die Predigt von Christus und die Ermahnung zur Liebe... Deshalb ist im Alten Bund die *Verhüllung* (occultatio) des Neuen, und im Neuen Bund ist die *Manifestation* (manifestatio) des Alten."[19]

Die Formulierung ist sprachlich nicht ganz korrekt. Denn strenggenommen ist der Neue Bund nicht die Manifestation des Alten Bundes selbst, sondern

---

[17] En. in psalm. 137,9: Primo complutum vellus, sicca area; postea compluta area, sicco vellere. Quid vobis videtur area, fratres? Nonne orbis terrarum? Quid vellus? Tanquam gens Iudaea in medio orbe terrarum, habens gratiae sacramentum, non in manifestatione, sed in nube secreti, tanquam in velamento pluviam in vellere. Venit tempus quando revelaretur pluvia in area; manifestata est, non operta. Factum est ergo, quod dictum est: Confiteantur tibi, Domine, omnes reges terrae.

[18] Quaest. in Matth. 16: Fortasse ista similitudine ultima patrisfamilias proferentis de thesauro suo nova et vetera, ostendere voluit eum doctum habendum esse in Ecclesia, qui etiam Scripturas veteres parabolis explicatas intellexerit, ab istis novis accipiens regulas. Quia et ista Dominus per parabolas ennuntiavit, quamvis ipse Christus esset finis illorum; id est, ut in eo illa vetera complerentur: ut si ipse in quo illa complentur et manifestantur, per parabolas adhuc loquitur, donec eius passio velum discindat, ut nihil sit occultum quod non reveletur, multo magis illa quae ad commendandam tantam salutem tam longe ab illo scripta sunt, parabolis operta esse noverimus.

[19] De catech. rud. 4,8: Omnisque Scriptura divina, quae ante scripta est, ad praenuntiandum adventum Domini scripta est. Et quidquid postea mandatum est litteris et divina auctoritate firmatum, Christum narrat, et dilectionem monet... Quapropter in Veteri Testamento est occultatio Novi, in Novo Testamento est manifestatio Veteris.

die Manifestation dessen, was in der äußeren Gestalt des Alten Bundes verhüllt ist; er ist die Manifestation der verborgenen Intention des Alten Bundes. Vermutlich hat Augustinus diese sprachliche Unschärfe aber um der
sprachlichen Symmetrie und der Kürze des Ausdrucks willen in Kauf genommen. Daß er dies kann, zeigt, wie geläufig und selbstverständlich ihm der
zum Ausdruck gebrachte Sachverhalt ist.

3. Grenzbestimmungen

a) Die neutestamentliche Wirklichkeit ist nicht schlechthin Offenbarung.
Sie ist es vielmehr nur in bezug auf die alttestamentliche Wirklichkeit, so
wie auch die alttestamentliche Wirklichkeit nur in bezug auf die neutestamentliche Wirklichkeit Verhüllung ist. Die geschichtstheologische Kategorie
‚Offenbarung‘ ist also ein Relationsbegriff. Sie bezeichnet kein Objekt, sondern ein Relationsgeschehen zwischen Objekten. Offenbarung ist nicht gegenständlich zu verstehen, sondern *akthaft* und *funktional*. Zwei relativ
frühe Texte Augustins, einer aus *Contra Faustum* (397/98) und ein zweiter
aus *Epistula 36* (396/97), scheinen hier jedoch eine Ausnahme zu bilden.
Denn ihre sprachliche Struktur legt ein gegenständliches Verständnis von
Offenbarung durchaus nahe:

In Contra Faustum heißt es: „Zeugnisse für das ewige Leben und die Auferstehung der
Toten finden sich in jener Schrift des Alten Bundes in Überfluß. Aber den Namen dafür, nämlich ‚Reich der Himmel‘, finde ich dort nirgends. Dieser gehört nämlich im eigentlichen Sinne zur *Offenbarung* des Neuen Bundes."[20]
In Epistula 36 spricht Augustinus von „den Evangelien und den Schriften der Apostel,
die im eigentlichen Sinne zur *Offenbarung* des Neuen Bundes gehören"[21].

Die Konstruktion „*gehört zur* Offenbarung des Neuen Bundes" läßt Zweifel
aufkommen, ob „des Neuen Bundes" genitivus objectivus oder genitivus
subjectivus ist, und das heißt, ob Offenbarung hier akthaft oder gegenständlich zu verstehen ist[22]. Die Verbindung von Schrift und Offenbarung im
zweiten Text verstärkt den Eindruck eines gegenständlichen Verständnisses.
Dementsprechend lautet zum Beispiel die Übersetzung in der ‚Bibliothek der
Kirchenväter‘: „... in den Evangelien und den Briefen der Apostel, die die
Offenbarung des Neuen Bundes enthalten"[23]. Doch dürfte diese Übersetzung in ihrer Fixierung des gegenständlichen Verständnisses von Offenba-

---

[20] C. Faust. 19,31: Proinde testimoniis vitae aeternae et resurrectionis mortuorum
abundat illa Scriptura: sed hoc nomen, id est regnum coelorum, nullo inde loco mihi
occurrit; hoc enim proprie pertinet ad revelationem Novi Testamenti.
[21] Epist. 36,14,32: ... in evangelicis et apostolicis Litteris, quae ad Novi Testamenti
revelationem proprie pertinent.
[22] Siehe A.C. de Veer, a.a.O. 347f, zu Epist. 36,14,32.
[23] BKV, Des heiligen Kirchenvaters Aurelius Augustinus ausgewählte Schriften, Bd. 9,
Kempten 1917, 136.

rung über die Tendenz des Textes hinausgehen. In Anbetracht der sonst üblichen akthaften Bedeutung von Offenbarung ist es vermutlich das Sinnvollste, beide Texte zumindest in ihrer Ambivalenz zu belassen.

b) Die geschichtstheologische Kategorie ,Offenbarung' bezeichnet in der Regel ein realhermeneutisches, geschichtliches Geschehen, und zwar auch dann, wenn Augustinus sie in der Bedeutung von ,Erschließung eines Zeichens' gebraucht. Eine Ausnahme stellt hier ein Text aus *Epistula 102* (409) dar. In bezug auf Mt 12,39f, wo Jesus die Jonasgeschichte nach Augustins Meinung christologisch deutet, heißt es dort:

„Die Tatsache freilich, daß Jona drei Tage lang im Bauch des Walfisches war, darf man nicht anders verstehen, als es von dem himmlischen Lehrer selbst, wie wir erwähnt haben, im Evangelium *offenbart* worden ist."[24]

In Analogie zum Prozeß der realhermeneutischen Offenbarung benennt Augustinus hier mit dem Wort ,Offenbarung' den Akt der *theoretischen* Auslegung und Erschließung des Alten Testaments. Man kann diesen Wortgebrauch als eine Ausweitung des ursprünglichen geschichtstheologischen Offenbarungskonzepts verstehen. In Augustins Werk ist diese Ausweitung aber eine Seltenheit. Der einzige vergleichbare Text, der ermittelt werden konnte, findet sich im 10. Buch von *De civitate Dei* (415/17). Dieser Text enthält zudem, wie sich gleich zeigen wird, eine weitere Besonderheit.

c) Die geschichtstheologische Kategorie ,Offenbarung' bezeichnet nicht einfach eine Tätigkeit Gottes, wie das bei dem erkenntnistheoretischen Offenbarungsbegriff der Fall war. Sie beschreibt vielmehr die realhermeneutische Relation zwischen dem gegenwärtigen und einem früheren geschichtlichen Wirken Gottes. Das eigentliche Objekt der Offenbarung – die geschichtliche Wirklichkeit des Neuen Testaments, die aus der Verborgenheit des Alten Testaments offenbar wird – ist dabei zugleich das geschichtliche Subjekt der Offenbarung: Die neutestamentliche Wirklichkeit ist die Offenbarung der alttestamentlichen Wirklichkeit. Insofern aber Christus der Angelpunkt des Neuen Testaments ist, sieht Augustinus auch in Christus, oder besser im Christusgeschehen, das eigentliche Subjekt der Offenbarung: In Christus und durch ihn, durch sein Leben und Leiden, erschließt sich das Alte Testament und wird die neutestamentliche Wirklichkeit offenbar[25]. Der folgende Text aus *De civitate Dei* stellt nun hinsichtlich dieses Subjekts der Offenba-

---

[24] Epist. 102,37: Illud plane, quod in ventre ceti triduo fuit, fas non est aliter intelligere, quam ab ipso coelesti magistro in Evangelio commemoravimus revelatum.
[25] Siehe die Textbeispiele im weiteren Verlauf der Arbeit. Außer in C. Faust. 19,18 und 22,76 heißt es überall dort, wo Christus als Subjekt der Offenbarung angegeben ist, „in Christus" oder „durch Christus"; diese Ausdrucksweise unterstreicht den realhermeneutischen Charakter der offenbarenden Funktion Christi.

rung eine Besonderheit dar. Denn darin erscheinen nicht nur Christus, sondern darüber hinaus auch die Apostel als Offenbarer der neutestamentlichen Wirklichkeit:

> „Der im Fleische gegenwärtige Mittler selbst aber und seine seligen Apostel haben die Gnade des nunmehr Neuen Bundes *geoffenbart* und haben das offener bekanntgemacht (indicarunt), was in den früheren Zeiten, gemäß der durch Gottes Weisheit verfügten Einteilung der Zeitalter des Menschengeschlechts, nur verborgen angedeutet worden ist."[26]

Der Text wird verständlich, wenn man davon ausgeht, daß das Wort ‚Offenbarung' darin nicht mehr nur einen realhermeneutischen Prozeß bezeichnet, sondern in analoger Weise auch den Akt des theoretischen Auslegens und Bekanntmachens. Denn allein Christus ist in seinem ganzen Sein offenbarend. An seinem Leben und Leiden wird die Gnade des Neuen Bundes sichtbar. Sein Leben und Leiden macht die neutestamentliche Wirklichkeit manifest. Die Apostel dagegen können nur in einem abgeleiteten Sinne offenbarende Funktion haben. Sie offenbaren, indem sie das Alte Testament auf Christus hin auslegen und die neutestamentliche Wirklichkeit offen ansagen, indem sie also die durch Christus heraufgeführte geschichtliche Offenbarung des Neuen Bundes in ihrer Verkündigung nachvollziehen und öffentlich bekanntmachen.

4. Implizierte Fragen

a) Das Schema ‚occultatio — revelatio' soll die innere Einheit der beiden Testamente und somit die Einheit des Heilshandelns Gottes aufzeigen. Es thematisiert die Frage nach dem einen, universalen Heilsweg der Menschheit, nach der einen wahren Religion, die für Augustinus allein die christliche sein kann. Die geschichtstheologische Reflexion Augustins beantwortet damit zugleich die Frage nach Heilsmöglichkeit und Heilsbedingungen der Menschen vor Christus. In *Contra adversarium Legis et Prophetarum* heißt es dazu:

> „Obwohl nämlich im Alten Bund, der durch die Verheißung zeitlicher Güter und die Androhung zeitlicher Übel gekennzeichnet ist, das zeitliche Jerusalem Knechte gebiert, im Neuen Bund aber, wo der Glaube die Liebe erlangt..., das ewige Jerusalem Freie hervorbringt, gab es dennoch sowohl in jenen Zeiten Gerechte und geistig Gesinnte (*iusti spirituales*), die nicht der gebietende Buchstabe tötete, sondern der helfende Geist belebte — deshalb war auch der *Glaube* an den kommenden Christus zumindest in den Propheten, die vorherverkündeten, daß Christus kommen würde —, und auch jetzt gibt es sehr viele fleischlich Gesinnte (*carnales*)... Denn der Neue Bund ist im Alten figürlich vorgebildet, und der Alte Bund ist im Neuen *geoffenbart*."[27]

---

[26] De civ. Dei 10,32,2: Praesens autem in carne ipse Mediator, et beati eius Apostoli, iam Testamenti Novi gratiam revelantes, apertius indicarunt, quae aliquanto occultius superioribus sunt significata temporibus, pro aetatum generis humani distributione.
[27] C. Adv. Leg. 1,17,35: Quamvis enim in Vetere Testamento propter temporalium

Die beiden Testamente haben demnach zwar ihre jeweilige Eigenwirklichkeit; aufgrund der sie verbindenden Struktur ‚occultatio — revelatio' ist diese Eigenwirklichkeit jedoch relativiert. Die beiden Testamente werden transparent füreinander, sie gehen ineinander über. Im Neuen Bund gibt es fleischlich Gesinnte, die für die neutestamentliche Wirklichkeit trotz ihrer geschichtlichen Offenbarkeit letztlich blind bleiben. Und im Alten Bund gab es geistig Gesinnte, die den Alten Bund auf den Neuen hin einsehen und durchschauen konnten. Diese geistig Gesinnten waren nicht den alttestamentlichen Zeichen und Lebensformen als solchen verhaftet, sondern lebten, wenn auch auf verborgene Weise, gemäß der verborgenen neutestamentlichen Intention dieser Zeichen. Ja, sie hatten schon den Glauben an Christus. Deshalb gehörten sie auf verborgene Weise schon zum Neuen Bund und zu Christus.

Augustinus bindet also das Heil der alttestamentlichen Gerechten an eine ausdrückliche christusbezogene religiöse Erkenntnis. Den objektiven Ermöglichungsgrund für eine solche christusbezogene Erkenntnis sieht er in der Tatsache, daß der Alte Bund nichts anderes ist als die Verbergung des Neuen und folglich grundsätzlich auf diesen Neuen Bund hin eingesehen werden kann. Doch wie kommt diese Einsicht zustande? In welchem Zusammenhang stehen dabei innere Begnadung und christusbezogene Erkenntnis? Wie muß man sich vor allem die Art der christusbezogenen Erkenntnis vorstellen? Handelt es sich um einen ‚christusförmigen' Glauben, wie auch immer dies zu verstehen wäre? Warum legt Augustinus überhaupt solchen Wert auf eine christusbezogene Erkenntnis der alttestamentlichen Gerechten? Und das heißt: Welche Heilsbedeutung hat Christus nach der Theologie Augustins? Worin sieht Augustinus das für das Heil des Menschen Unverzichtbare am Christusgeschehen?

b) So wie es im Alten Bund nicht nur fleischlich Gesinnte gab, die die Zeichenhaftigkeit der alttestamentlichen Zeichen nicht erkannten und deshalb die eigentliche Intention des Alten Bundes verfehlten, sondern auch geistig Gesinnte, die den Verweisungszusammenhang dieser Zeichen einsahen und deshalb der neutestamentlichen Wirklichkeit gemäß lebten, so gibt es umgekehrt in der Zeit des Neuen Bundes nicht nur solche, die die neutestamentliche Wirklichkeit richtig verstehen und ihrer Bestimmung gemäß leben, sondern auch solche, die die eigentliche Intention des Neuen Bundes mißverstehen und deshalb im Grunde in die alttestamentliche Wirklichkeit zurückfallen.

---

bonorum promissionem malorumque comminationem, servos pariat temporalis Ierusalem; in Novo autem, ubi fides impetrat caritatem..., liberos pariat aeterna Ierusalem: tamen et illis temporibus fuerant iusti spirituales, quos non occidebat littera iubens, sed vivificabat spiritus iuvans. Unde et fides venturi Christi habitabat utique in Prophetis, venturum praenuntiantibus Christum; et nunc sunt plurimi carnales... Quia et Novum in Vetere est figuratum, et Vetus in Novo est revelatum.

Diese Parallelisierung kommt sehr deutlich in einem Text aus *De catechizandis rudibus* zum Ausdruck:

„Im Alten Bund ist die *Verbergung* des Neuen, und im Neuen Bund ist die *Manifestation* des Alten. Gemäß jener *Verbergung* leben die fleischlich Gesinnten, die fleischlich verstehen, *damals wie heute* unter dem Joch der strafenden Furcht. Gemäß dieser *Manifestation* aber haben die geistig Gesinnten, die geistig verstehen, *damals wie heute* durch das Geschenk der Liebe die Freiheit erlangt: damals die, denen wegen ihres frommen Anklopfens sogar das Verborgene erschlossen wurde, heute die, welche nicht hochmütig suchen und sich so davor bewahren, daß ihnen sogar das schon Offene wieder verschlossen würde."[28]

Im Alten und im Neuen Bund geht es zwar letztlich um die gleiche Sache. Beide geschichtliche Wirklichkeiten stellen aber doch unterschiedliche Modalitäten dieser Sache dar. Ja, sie repräsentieren sogar zwei gegensätzliche Seinsweisen: fleischliche und geistige Gesinnung, Furcht und Liebe. Diese beiden Seinsweisen sind nun aber doch wieder unabhängig von der jeweiligen Heilszeit, unabhängig von geschichtlicher Verborgenheit oder Offenbarkeit Christi, jederzeit mögliche Alternativen menschlicher Existenz. Dieser Sachverhalt aber wirft Fragen auf.

Ist der Offenbarungsfortschritt des Neuen Bundes von irgendeiner Relevanz für das Heil des Menschen? Was bringt der Neue Bund letztlich an Neuem? Welchen offenbarungstheologischen und soteriologischen Stellenwert hat das geschichtliche Wirken Gottes überhaupt? Und welchen Stellenwert hat der christusbezogene Glaube? Begründet der Glaube die Zugehörigkeit eines Menschen zum Neuen Bund? Oder kommt es nicht vielmehr auf die heilsentscheidende Liebe an[29]? Ist es der christusbezogene Glaube, der im Menschen die heilsentscheidende Liebe wirkt? Oder ermöglicht erst die gnadenhafte Umwandlung des der Selbstüberhebung verfallenen menschlichen Seins durch die gottgerichtete Liebe[30], daß sich der Mensch glaubend auf Christus

---

28 De catech. rud. 4,8: Quapropter in Veteri Testamento est occultatio Novi, in Novo Testamento est manifestatio Veteris. Secundum illam occultationem carnaliter intelligentes carnales, et tunc et nunc poenali timore subiugati sunt. Secundum hanc autem manifestationem spirituales, et tunc, quibus pie pulsantibus etiam occulta patuerunt, et nunc, qui non superbe quaerunt, ne etiam aperta claudantur, spiritualiter intelligentes donata caritate liberati sunt.

29 Zur allmählichen Hervorhebung der caritas gegenüber der fides als Konstitutivum der civitas Dei in Augustins Theologie siehe F. Hofmann, Der Kirchenbegriff des heiligen Augustinus, 53ff und 188ff; sowie J. Ratzinger, Volk und Haus Gottes, 149ff. Besonders hinzuweisen ist in diesem Zusammenhang auf Ratzingers Kritik an dem programmatischen Titel des Kommentars zu De civitate Dei von H. Scholz, Glaube und Unglaube in der Weltgeschichte, Leipzig 1911 (J. Ratzinger, a.a.O. 290–293). – Zum Verhältnis des äußeren, kirchlichen Aspekts von caritas und des inneren, prädestinatianischen Aspekts siehe J. Ratzinger, a.a.O. 137ff, 183f; sowie ders., Herkunft und Sinn der Civitas-Lehre Augustins. Begegnung und Auseinandersetzung mit Wilhelm Kamlah, in: AM 2 (1954) 965–979.

30 Zur näheren Bestimmung der superbia siehe De gen. c. Manich. 2,4,5f und 1,23,40;

einlassen kann? Und noch einmal: Warum bindet Augustinus das Heil aller, auch das der alttestamentlichen Gerechten, an eine ausdrückliche christusbezogene Erkenntnis? Welche offenbarungstheologische und soteriologische Bedeutung hat der auf Christus zulaufende geschichtliche Offenbarungsfortschritt?

Innerhalb dieses Fragehorizonts soll nun in den folgenden vier Paragraphen dieses Kapitels die Geschichtstheologie Augustins entfaltet werden. Die Stoffgliederung orientiert sich dabei an vier sowohl geschichts- als auch offenbarungstheologisch relevanten Topoi des augustinischen Denkens: ,dispensatio temporalis', die beiden Testamente, die eine Religion im Fortgang der Zeiten, der eine christliche Glaube von Abel an.

§ 2 Dispensatio temporalis

1. Offenbarungstheologische und soteriologische Einordnung

a) Augustinus bezeichnet das geschichtlich vermittelte Wirken Gottes, von welchem die Schriften des Alten und Neuen Testaments Zeugnis geben, sehr oft als ,dispensatio temporalis'. Die Vorstellungen, die er mit diesem Ausdruck verbindet, sind grundlegend für seine Geschichtstheologie. Sie betreffen nicht nur sein eigentliches geschichtstheologisches Konzept der Periodisierung und Ordnung der Geschichte, sondern darüber hinaus auch grundsätzliche Fragen der ontologischen Verfaßtheit und des theologischen Stellenwerts der biblischen Geschichte[1]. Ein deutsches Äquivalent, das die verschiedenen Bedeutungselemente dieses Ausdrucks wiedergibt (siehe weiter unten), ist kaum zu finden. Die einfache Übersetzung mit „zeitliches Handeln Gottes" wäre zwar möglich, bliebe aber eben doch zu blaß und zu allgemein. Präziser wäre „Heilsökonomie"; doch verdeckt dieses theologisch befrachtete Wort möglicherweise das spezifisch Augustinische[2]. Im folgen-

---

zur Bestimmung der caritas siehe Epist. 140,2,4. Zur Gegenüberstellung von superbia und caritas siehe De gen. ad litt. 11,15,19; Sermo 306,3,3; En. in psalm. 121,1; De lib. arb. 2,19,53; De gen. c. Manich. 1,23,40. – Daß die als superbia und caritas gekennzeichneten Grundhaltungen des Menschen Konstitutiva der Civitas Dei und der Civitas terrena sind, kommt sehr gut in De gen. ad litt. 11,15,20 zum Ausdruck: Hi duo amores, quorum alter sanctus est, alter immundus...; alter subditus, alter aemulus Deo; alter tranquillus, alter turbulentus, alter pacificus, alter seditiosus..., praecesserunt in Angelis, alter in bonis, alter in malis, et distinxerunt conditas in genere humano civitates duas..., alteram iustorum, alteram iniquorum.

[1] Zum erstgenannten Aspekt der ,dispensatio temporalis' siehe vor allem Eva Hoffmann, Die Anfänge der augustinischen Geschichtstheologie in ,De vera religione'. Ein Kommentar zu den Paragraphen 48–51, Heidelberg 1960, 10 und 20ff. Zum zweiten Aspekt siehe C.P. Mayer, Die Zeichen I, 259ff; vgl. auch G. Strauss, a.a.O. 44–73.

[2] Schon die Vulgata übersetzt das griechische Wort ,oikonomia' mit ,dispensatio'; siehe zum Beispiel Eph 1,10 und 3,9, wo von ,oikonomia/dispensatio' in der Bedeutung

den bleibt deshalb ‚dispensatio temporalis' in der Regel unübersetzt.

Im ersten Abschnitt dieses Paragraphen sollen nun die Grundsatzfragen der ontologischen Verfaßtheit und des theologischen Stellenwerts der dispensatio temporalis erörtert werden: Was ist die ‚dispensatio temporalis'? Wozu ist sie gut? Warum ist sie notwendig? In *De vera religione* (390), wo Augustinus das Wort zum erstenmal gebraucht[3], heißt es dazu:

„Der Hauptgegenstand dieser Religion ... sind Geschichte und Prophetie der von der göttlichen Vorsehung zum Heil des Menschengeschlechts, das zum ewigen Leben umgestaltet und erneuert werden soll, entfalteten *dispensatio temporalis*. Wenn man sich auf sie glaubend einläßt, dann reinigt das so den göttlichen Vorschriften versöhnte Leben den Geist und macht ihn fähig, geistige Dinge zu vernehmen, die weder vergangen sind noch zukünftig, sondern immer auf gleiche Weise bleiben und keinem Wandel unterworfen sind, das heißt, den einen und selben Gott, den Vater, den Sohn und den Heiligen Geist."[4]

Der Text macht deutlich: Die dispensatio temporalis gehört dem Bereich der sensiblen und veränderlichen Welt an. Sie steht zwar in einem metaphysischen Zusammenhang, stellt sich aber doch als eine irdische, kontingente Geschichte dar[5]. Sie ist ein von Gottes Ewigkeit her planvoll in die Zeit hinein entfalteter Geschehensablauf, der vergangene und prophetisch angesagte zukünftige Ereignisse umfaßt. Die dispensatio temporalis ist nicht Offenbarung der intelligiblen Welt Gottes, des unwandelbar geistigen Seins, sondern ein der Seinslage des gefallenen Menschen angepaßtes Heilsmittel. Sie ist nicht ‚revelatio', sondern ‚*accomodatio*'[6]. Sie ist eine dem menschlichen

---

von ‚Heilsplan Gottes' die Rede ist. In der griechischen Theologie der alten Kirche hat das Wort seinen Platz vor allem in der Lehre vom dreifaltigen Gott, die sich darin stark von der lateinischen Theologie, speziell der des Augustinus, unterscheidet. Denn die heilsökonomische Sicht der Griechen ist hier ersetzt durch eine vom Neuplatonismus beeinflußte Gottesvorstellung; siehe dazu S. Otto, Art. ‚Patristik', in: Handbuch theologischer Grundbegriffe Bd. 2, München 1963, 282f. Zur heutigen Verwendung des Begriffs ‚Heilsökonomie', auf die hier Bezug genommen ist, siehe K. Rahner, Bemerkungen zum dogmatischen Traktat „De Trinitate", in: Schriften zur Theologie Bd. 4, Einsiedeln/Zürich/Köln [4]1964, 103—133, bes. 115ff.

3 E. Hoffmann, a.a.O. 22. Zuvor findet sich nur einmal in De mor. eccl. cath. 1,7,11 der Ausdruck ‚per dispensationem ineffabilis Sapientiae' (siehe unten Anm. 7).

4 De ver. rel. 7,13: Huius religionis sectandae caput est historia et prophetia dispensationis temporalis divinae providentiae, pro salute generis humani in aeternam vitam reformandi atque reparandi. Quae cum credita fuerit, mentem purgabit vitae modus divinis praeceptis conciliatus, et idoneam faciet spiritualibus percipiendis, quae nec praeterita sunt, nec futura, sed eodem modo semper manentia, nulli mutabilitati obnoxia: id est, unum ipsum Deum Patrem et Filium et Spiritum sanctum.

5 Vgl. J.C. Guy, Unité et structure logique de la Cité de Dieu de saint Augustin, Paris 1961, 109f: Die Geschichte der Civitas Dei stehe zwar in einem metaphysischen Zusammenhang, stelle sich aber doch dar wie eine „histoire ‚historique'", eine „histoire temporelle et contingente".

6 Siehe z.B. De ver. rel. 17,33: Ipse totius doctrinae modus ... ad omnem animae

Denkvermögen angeglichene ‚Abschattung‘ der göttlichen Wahrheit in sinnenfällige Zeichen hinein[7]. Zu Recht bemerkt Ratzinger, daß ein Hineintreten des ‚mundus intelligibilis‘ in den ‚mundus sensibilis‘ für Augustinus an sich nichts Erstrebenswertes sein könne, da es keine Offenbarung der Wahrheit sei, sondern deren Verhüllung. „Die Enthüllung müßte gerade in einem Herauswachsen des Menschen aus dem mundus sensibilis und in einem Erschauen des mundus intelligibilis in sich selbst bestehen."[8] Aber der gefallene Mensch ist eben nicht in der Lage, das Göttliche zu schauen. Vielmehr ist er an sinnliche Vorstellung gebunden. Deshalb kommt ihm Gott in der dispensatio temporalis entgegen. Aber diese dispensatio temporalis ist nicht Selbstzweck, sondern Mittel zum Zweck. Sie soll den Menschen für die eigentliche Offenbarung der Wahrheit bereit machen. Der Mensch, der die Wahrheit selbst noch nicht schauen kann, soll sich glaubend auf die dispensatio temporalis einlassen, um dadurch für die unwandelbare Wahrheit allmählich empfänglich zu werden[9].

b) Augustinus spricht in dem zitierten Text von der reinigenden Wirkung des Glaubens[10]. In dieser Ausdrucksweise meldet sich ein doppelter funktionaler Aspekt der dispensatio temporalis: Sie hat einerseits eine auf Erkenntnis bezogene *admonitive* Funktion und andererseits eine auf die ontologische Grundausrichtung des Menschen bezogene *heilende* Funktion.
Einerseits ist die dispensatio ein System von sinnenfälligen Zeichen, mit denen Gott die in die sensible Welt verstrickten Menschen auf die intelligible Welt aufmerksam machen und ihnen ihre durch die Sünde verschüttete ursprüngliche Bestimmung in Erinnerung rufen will[11] und auf deren Verweis-

---

instructionem exercitationemque *accomodatus*. − Siehe dazu C.P. Mayer, Die Zeichen I, 304ff; Mayer weist dort den Charakter der ‚accomodatio‘ an der Bedeutung von ‚sacramentum‘ auf. Vgl. auch J. Guitton, a.a.O. 163ff („L'économie temporelle").
[7] Siehe z.B. De mor. eccl. cath. 1,7,11: At ubi ad divina perventum est, avertit sese; intueri non potest... Ergo refugere in tenebrosa cupientibus per dispensationem ineffabilis Sapientiae nobis illa opacitas auctoritatis occurrat, et mirabilibus rerum, vocibusque librorum *veluti signis temperatioribus veritatis umbrisque* blandiatur. − Siehe zu diesem Text C.P. Mayer, Die Zeichen II, 178−189; Mayer weist auf die Analogien der in diesem Text gebrauchten Bilder zu denen in Platons Höhlengleichnis.
[8] J. Ratzinger, Volk und Haus Gottes, 153 Anm. 67; Ratzinger macht diese Bemerkung innerhalb seiner Erörterung des geschichtlichen Offenbarungscharakters der Kirche.
[9] Vgl. dazu den zu De ver. rel. 7,13 parallelen Text in De civ. Dei 11,2. Die Parallelität der beiden Texte ist ein Hinweis auf die Kontinuität des augustinischen Denkens.
[10] Siehe dazu D. Pirson, a.a.O. 59ff (Glaubensbegriff in De vera religione) und 147ff (reinigende Wirkung des Glaubens). Vgl. auch G. Strauss, a.a.O. 1−31; und U. Duchrow, Sprachverständnis und biblisches Hören, 76−81 und 105−109.
[11] Diesen Aspekt der dispensatio temporalis („Commemorationsfunktion") hebt C.P. Mayer, Die Zeichen I, 259ff, hervor.

struktur sich der Mensch deshalb glaubend einlassen soll[12].

„In seiner unaussprechlichen Barmherzigkeit kommt Gott in einer *dispensatio temporalis*, durch wandelbares, aber den ewigen Gesetzen gehorchendes Geschaffenes, teils einzelnen Menschen, teils dem Menschengeschlecht im Ganzen zu Hilfe, um ihnen dadurch ihre ursprüngliche und vollkommene Natur in Erinnerung zu rufen *(ad commemorationem)*. "[13]

Diese erkenntnistheoretische Funktion der dispensatio temporalis wird aber umgriffen und getragen von einer fundamentalen soteriologischen Funktion. Denn es kann nach Augustins Überzeugung nicht damit getan sein, den Menschen theoretisch zu ermahnen und auf sein eigentliches Seligkeitsziel aufmerksam zu machen. Vielmehr muß er in seinem von der Sünde pervertierten Sein selbst umgewandelt werden. Er muß von seinem kranken Wollen, von der Sünde der Selbstüberhebung, allmählich geheilt und zur gottgerichteten Liebe hin befreit werden, damit er dem Verweisungszusammenhang der dispensatio temporalis überhaupt nachgehen kann[14]. Für Augustinus kann sich das Heil des Menschen nicht einfach in der vertikalen Bewegung eines gnoseologischen Aufstiegs ereignen, in dem plötzlichen Erwachen geistiger Schau, das die Defizite des menschlichen Lebens mit einemmal hinfällig werden ließe. Vielmehr vollzieht es sich, da doch der Mensch von Gott durch eine Geschichte der Schuld getrennt ist, in einer in die Zeit eingeschriebenen Konversion des menschlichen Herzens[15]. Und deshalb fordert und ermöglicht die dispensatio temporalis nicht nur eine geistige Umkehr,

---

12 In De ver. rel. 3,3 begründet Augustinus die Notwendigkeit der christlichen Religion als einen für alle Menschen gangbaren Weg zur Wahrheit und zur Glückseligkeit damit, daß keine menschliche Autorität in der Lage wäre, die Menschen zum Glauben an diese Wahrheit zu bewegen. Die Stelle zeigt, daß sich der Gedanke einer dem menschlichen Fassungsvermögen angepaßten Wahrheit (religio christiana / dispensatio temporalis) mit dem Gedanken der ‚auctoritas' verbindet. Siehe dazu K.H. Lütcke, a.a.O. bes. 119–165 (auctoritas divina). Lütcke weist wiederholt darauf hin, daß zwar sowohl ‚auctoritas' als auch repräsentierendes ‚signum' eine auf Erkenntnis bezogene admonitive Funktion haben, daß beide aber dennoch nicht auf gleiche Denkmodelle zurückzuführen sind. Denn im Gegensatz zu ‚signum' bedeute ‚auctoritas' immer auch Überzeugungsmacht.

13 De ver. rel. 10,19: ... ineffabili misericordia Dei temporali dispensatione per creaturam mutabilem, sed tamen aeternis legibus servientem, ad commemorationem primae suae perfectaeque naturae, partim singulis hominibus, partim vero ipsi hominum generi subvenitur. Ea est nostris temporibus christiana religio...

14 Siehe schon Soliloq. 1,1,3: Deus ... quem nemo quaerit nisi *admonitus;* quem nemo invenit nisi *purgatus.* – G. Strauss, a.a.O. 29ff, weist auf die „Wechselwirkung des gnoseologischen und ontologischen Aufstiegs" (29) und zeigt so, wie Augustinus die theoretische Betrachtungsweise der dispensatio temporalis entscheidend ergänzt durch den Aspekt der Liebe (caritas); das als ‚Reinigung' verstandene Wachsen der Liebe mache den „ontischen Wert" der aus der dispensatio temporalis geschöpften Erkenntnis sichtbar (31).

15 Siehe J.N. Bezançon, Le mal chez Plotin et Augustin, in: Recherches augustiniennes 3 (1965) 133–160. 155ff stellt Bezançon die Position Augustins in der beschriebenen Art der Position Plotins gegenüber.

sondern ebenso und vor allem eine Konversion des Lebens[16], eine Umkehr von der Selbstüberhebung zur Liebe, eine seinsmäßige Umwandlung des Menschen. Die dispensatio ist für das durch die Sünde verderbte Menschsein Heilmittel; sie hat eine umgreifende soteriologische Funktion. Deshalb bezeichnet sie Augustinus auch als „*Medizin* der göttlichen Vorsehung"[17].

c) Der doppelte funktionale Aspekt der dispensatio temporalis zeigt sich besonders deutlich am augustinischen Verständnis der *Inkarnation*. Denn diese ist für Augustinus der Angelpunkt, auf den die ganze dispensatio temporalis zuläuft und von dem her sie von Anfang an innerlich strukturiert ist:

„Eben das ist durch die zu unserem Heil entfaltete *dispensatio temporalis* heraufgeführt worden, daß die unwandelbare und dem Vater wesensgleiche und gleichewige Kraft und Weisheit Gottes sich herabließ, unsere menschliche Natur anzunehmen."[18]

Die „Ökonomie der Menschwerdung" ist also von gleicher ontologischer Verfaßtheit wie die dispensatio temporalis insgesamt und teilt deshalb auch deren theologischen Stellenwert[19]. Der Inkarnierte hat einerseits eine auf Erkenntnis bezogene *admonitive* Funktion. Seine menschliche Gestalt ist ein der Schwachheit des Menschen angepaßtes sichtbares Zeichen, ein ‚*sacramentum*'[20], das auf die unsichtbare göttliche Wahrheit verweisen soll[21]. An-

---

16 J. Guitton, a.a.O. 144, spricht von „conversion mental" (Plotin) und „conversion morale" (Augustinus).

17 De ver. rel. 26,48: Dispensatio ergo temporalis, et medicina divinae providentiae erga nos... — Zur Verankerung der ‚theologia medicinalis' in Augustins Anthropologie siehe auch R. Schneider, Was hat uns Augustins ‚theologia medicinalis' heute zu sagen?, in: Kerygma und Dogma 3 (1957) 307—315. Schneider zeigt, daß die Heilung der als superbia gedeuteten kranken Grundbefindlichkeit des gefallenen Menschen Fundament des gesamten augustinischen Erlösungsprozesses ist.

18 De ver. rel. 55,110: Nam id ipsum actum est temporali dispensatione ad salutem nostram, ut naturam humanam ipsa Dei Virtus et Dei Sapientia incommutabilis et consubstantialis Patri et coaeterna suscipere dignaretur.

19 M. Löhrer, a.a.O. 192: „Die ganze Ökonomie der Menschwerdung ist freilich nur ein Teil der dispensatio temporalis und hat darum wie diese einen relativen Charakter."

20 Siehe C.P. Mayer, Die Zeichen I, 310ff; und ders., Die Zeichen II, 199ff. Vgl. auch T.J. van Bavel, Christ in dieser Zeit, 149. — Zum Begriff ‚sacramentum' überhaupt siehe C. Couturier, ‚Sacramentum' et ‚Mysterium' dans l'œuvre de s. Augustin, im Sammelband: Etudes augustiniennes, Paris 1953, 163—332; sowie C.P. Mayer, Die Zeichen I, 302ff.

21 Vgl. De ord. 2,9,27: Illa ergo auctoritas divina dicenda est, quae non solum in sensibilibus signis transcendit omnem humanam facultatem, sed et ipsum hominem agens, ostendit ei quousque se propter ipsum depresserit; *et non teneri sensibus..., sed ad intellectum iubet evolare.* — De lib. arb. 3,10,30: Sic enim posset panem Angelorum homo manducare, nondum Angelis adaequatus, si panis ipse Angelorum hominibus dignaretur aequari. Nec sic descendit ad nos, ut illos desereret; sed simul integer illis, integer nobis *illos intrinsecus pascens* per id quod Deus est, *nos forinsecus admonens per id quod nos sumus,* idoneos facit per fidem, quos per speciem pascat aequaliter. — Conf. 11,8,10: Sic in Evangelio per carnem ait, et hoc insonuit foris auribus hominum, ut

dererseits aber hat der Menschgewordene vor allem eine auf die ontologische Grundausrichtung des Menschen bezogene *heilende* Funktion. Die Selbstüberhebung, die den Menschen blind macht für das Göttliche und somit auch für die Verweisstruktur der dispensatio temporalis und des Menschen Christus, muß allererst gebrochen und durch die der Seinsordnung Gottes entsprechende Liebe ersetzt werden. Dies geschieht in einmaliger Weise durch die als Niedrigkeit und Demut *(humilitas)* gekennzeichnete Seinsweise Christi, und zwar durch seine in der Inkarnation selbst erwiesene ontische Niedrigkeit sowie durch deren Fortführung in der beispielgebenden Demut seines Lebens, Leidens und Sterbens[22]:

Die ewige Wahrheit wurde niedrig, damit sie die der Selbstüberhebung verfallenen Menschen „aus ihrer Eigenhöhe hinabdrücke..., den *Hochmut* (tumor) brechend und die *Liebe* (amor) nährend. Sie sollten nicht noch weiter ins Selbstbegnügen sich verirren; sie sollten ihre Schwachheit fühlen, wenn sie zu ihren Füßen die Gottheit sehen...; sie sollten, im Gefühle ihrer Ohnmacht, sich zu ihr zu Boden werfen – sie aber stünde auf, um sie mit sich emporzuheben"[23].

Das Erste und Entscheidende im Heilungsprozeß des Menschen ist somit „die *Liebe* (caritas), die aufbaut auf dem Fundament der *Demut* (humilitas), welches Christus Jesus ist"[24]. Der Mensch ist aufgerufen, sich auf das *Beispiel*

---

crederetur, et intus quaereretur. – Zur sprachtheoretischen Deutung der Inkarnation siehe § 13,2 und 4 des 1. Teiles der Arbeit. Siehe in diesem Zusammenhang auch D. Pirovano, La parola di Dio como ‚incarnazione' del Verbo in San Agostino, in: Augustinianum 4 (1964) 77–104; Pirovano versucht, bei Augustinus eine Parallelisierung von Inkarnation und Evangelium nachzuweisen.

[22] Vgl. dazu O. Schaffner, a.a.O. 93ff („Die Menschwerdung des Gottessohnes als Aufweis der Humilitas") und 107ff („Die Humilitas Christi in seinem Leben, Leiden und Sterben"). Schaffner betont gegen O. Scheel, Die Anschauung Augustins über Christi Person und Werk, Tübingen/Leipzig 1901, daß die ‚humilitas incarnationis' bei Augustinus nicht nur allgemeine Voraussetzung für die Darstellung der eigentlich allein bedeutsamen exemplarischen humilitas des Lebens Jesu ist, sondern deren innerer, ontologischer Grund (94–96); er verweist dazu 102 auf Ausdrücke wie ‚humilis Deus' (De catech. rud. 4,8) oder ‚humilitas Dei' (De Trin. 4,2,4). – T.J. van Bavel, L'humanité du Christ comme ‚lac parvulorum' et comme ‚via', 245ff, hebt sehr stark die soteriologische Funktion der humilitas der Inkarnation hervor. – K.H. Lütcke, a.a.O. 120ff und 163f, weist darauf hin, daß für Augustinus die göttliche auctoritas Christi einerseits zwar durch die das Menschenmögliche übersteigende potestas Christi ausgewiesen ist, andererseits aber doch erst durch die humilitas Christi ihr unterscheidendes Plus vor dämonischer Macht erhält.

[23] Conf. 7,18,24: Non enim tenebam Dominum meum Iesum, humilis humilem; ... Verbum enim tuum aeterna Veritas ... in inferioribus ... aedificavit sibi humilem domum de limo nostro, per quam subdendos deprimeret a seipsis, et ad se traiceret, sanans tumorem et nutriens amorem, ne fiducia sui progrederentur longius, sed potius infirmarentur videntes ante pedes suos infirmam divinitatem ... et lassi prosternerentur in eam, illa autem surgens levaret eos. – Die Übersetzung wurde J. Bernhart, a.a.O. 349, entnommen.

[24] Conf. 7,20,26: Ubi enim erat illa aedificans caritas a fundamento humilitatis, quod est Christus Iesus?

(exemplum) der sichtbaren Demut Christi einzulassen und es nachzuahmen (imitari), um so von der ‚Krankheit' der Selbstüberhebung geheilt und zur unsichtbaren Gottheit Christi emporgehoben zu werden[25]. Der Menschgewordene ist dann nicht in erster Linie ein auf Erkenntnis bezogenes göttliches Zeichen, sondern er ist der ‚demütige Arzt' (medicus humilis)[26]. Christus ist Arzt (medicus), weil er aus göttlicher Vollmacht heraus den Menschen Heilung bringt; und in seiner menschlichen Niedrigkeit und Demut ist er selbst das Heilmittel (medicamentum)[27].

d) Der Mensch wird in seinem Sein umgestaltet, indem er sich auf die Niedrigkeit Christi einläßt. Der Nachvollzug der Niedrigkeit und der Demut Christi wirkt in ihm die heilsentscheidende Liebe. Damit scheint die Vermittlung zwischen dem von Augustinus als heilsnotwendig erachteten christlichen Glauben und der heilsentscheidenden Liebe gegeben zu sein: Der Glaube, dessen Gegenstand die Niedrigkeit Christi ist und der ein raumgebendes Sicheinlassen auf diese Niedrigkeit darstellt, ist der Raum, in dem allein sich die Liebe entfaltet[28]. Und die Liebe wiederum ermöglicht es dem Menschen, im Glauben der Verweisfunktion der menschlichen Gestalt Christi nachzugehen. Freilich muß diese Vermittlung zwischen Glaube und Liebe noch einmal problematisiert werden. Denn es stellt sich die Frage, wie der demütige Christus und der hochmütige Mensch überhaupt zusammenkommen können. Ist der noch in der Selbstüberhebung befangene Mensch überhaupt fähig, sich glaubend auf die heilende Existenzform Jesu einzulassen? Muß er dazu nicht allererst innerlich befreit werden? Muß ihm also nicht schon vorgängig die Liebe innerlich mitgeteilt werden, wenn vielleicht auch erst in anfanghafter Weise, damit er sich überhaupt dem ‚demütigen Arzt' anvertrauen kann? Hat also der Menschgewordene wirklich eine heilende Funktion, oder heilt letztlich nur die unmittelbar von Gott inspirierte innerliche Liebe? Damit steht die gesamte Gnadentheologie Augustins

---

[25] Siehe z.B. De lib. arb. 3,10,30: Sic eum anima, quem superbiens intus reliquerat, foris humilem invenit, imitatura eius humilitatem visibilem, et ad invisibilem altitudinem reditura; En. in psalm. 88,11: Dato tanto humilitatis exemplo, didicerunt homines damnare superbiam suam, imitari humilitatem eius; In evang. Ioh. 2,16: Gloriam eius nemo posset videre, nisi carnis humilitate sanaretur.

[26] Vgl. dazu R. Arbesmann, Christ the ‚medicus humilis' in St. Augustine, in: Augustinus Magister 2 (1954) 623—629; siehe auch ders., The Concept of ‚Christus medicus' in St. Augustine, in: Traditio 10 (1954) 1—28; und T. van Bavel, L'humanité du Christ comme ‚lac parvulorum' et comme ‚via', 245—281.

[27] Sermo 374,3: Medicus, quia Verbum; medicamentum, quia Verbum caro factum est.

[28] Vgl. dazu J. Bonnefoy, L'idée du chrétien dans la doctrine augustinienne de la grâce, 41—66; bes. 53f. 49f heißt es: „Il ne peut donc y avoir de vraie justice pour l'homme que dans ... l'accueil de la Personne même de Jésus Christ, et de l'amour, qu'à partir de lui, à travers de lui et en lui, l'Esprit de Dieu diffuse dans le cœur..."

zur Debatte, speziell die Frage nach dem Verhältnis zwischen dem geschichtlichen Christusgeschehen und der innerlich heilenden Liebe[29], analog zur Problematik der augustinischen Erkenntnistheorie also die Frage nach dem Zusammenhang zwischen ,außen' (humilitas) und ,innen' (caritas)[30]. Im folgenden Exkurs soll dieser Frage kurz nachgegangen werden.

Exkurs II: Christus und die Gnade

a) Augustinus versteht im Laufe der Entfaltung seiner Gnadenlehre Christus immer mehr als *Modell* der Gnade, die auch jedem anderen, von Gott erwählten Menschen zuteil wird[31]. In zwei seiner letzten Schriften, in *De praedestinatione sanctorum* (428/29) und in dem unvollendet gebliebenen Werk *Contra responsionem Iuliani* (429/30), heißt es:

„Durch die gleiche Gnade, durch welche jener Mensch von Anfang an Christus war, wird auch jeder andere Mensch von Anfang seines Glaubens an Christ."[32]
„Durch die gleiche Gnade, durch welche Christus als gerechter Mensch geboren wurde, werden auch die in Christus wiedergeborenen Menschen gerechtfertigt."[33]

Die gleiche Gnade also, durch die Gott die Menschen erwählt und begnadet, hat in der Menschwerdung und im Leben Christi unüberbietbare und exemplarische Gestalt angenommen[34]. Dieser Sachverhalt macht deutlich, daß die Christologie bei Augustinus letztlich von der Gnadenlehre umgriffen ist,

---

29 Vgl. dazu G. Greshake, Gnade als konkrete Freiheit. Eine Untersuchung zur Gnadenlehre des Pelagius, Mainz 1972. Im 4. Kapitel (193–274) setzt sich Greshake sehr kritisch mit der Gnadentheologie Augustins auseinander. Siehe auch die Rezension der Untersuchung Greshakes von B. Studer, in: Freiburger Zeitschrift für Philosophie und Theologie 21 (1974) 458–467.
30 Zur Strukturparallelität der Illuminationslehre und der Gnadenlehre Augustins siehe R. Lorenz, Gnade und Erkenntnis bei Augustinus, 21–78; U. Duchrow, Sprachverständnis 202; G. Greshake, a.a.O. 214. Greshake sieht in der Gnadenlehre Augustins sogar noch eine erhebliche Radikalisierung der Zirkelstruktur zwischen Außen und Innen: „Dieses Gnadenverständnis ... führt zu einer noch größeren Entwertung von äußerem Wort und Geschehen. Denn in bezug auf die innere Wahrheitserleuchtung hatte das ,Außen' noch die Funktion des Zeichens, der ,admonitio', im Hinblick auf die Liebe aber hat das ,Außen' jede notwendige Funktion verloren" (218). Dieses Urteil Greshakes ist aber doch zu einseitig von der pelagianischen Problematik her bestimmt. Siehe dazu das Folgende.
31 Siehe dazu die ausgezeichnete Untersuchung von A. Sage, De la grâce du Christ, modèle et principe de la grâce, in: REA 7 (1961) 17–34; vgl. auch G. Nygren, Das Prädestinationsproblem, 278f.
32 De praed. sanct. 15,31: Ea gratia fit ab initio fidei suae homo quicumque christianus, qua gratia homo ille ab initio factus est Christus.
33 C. Iul. op. imperf. 1,140: Ea gratia fiunt iusti homines qui renascuntur in Christo, qua gratia iustus homo natus est Christus.
34 Vgl. G. Greshake, a.a.O. 226. A. Sage, a.a.O. 26: „Cette grâce se déploie en plénitude dans le Christ; nous la recevons selon le degré de foi que Dieu nous départit, mais dans le Chef et dans les membres, elle demeure de même nature."

Gnade also *theozentrisch,* nicht christozentrisch konzipiert ist[35]. Nicht eigentlich das Christusgeschehen vermittelt Gnade, sondern die Gnadenordnung Gottes setzt das Christusgeschehen als historisches ‚Vehikel' der Gnade, als unerläßliche Vorbedingung, daß Gott auch uns seine Gnade erteilt[36]. Christus ist der ‚Bereich' der Gnade in dieser Welt. Wer deshalb Gnade sucht, der muß die Zugehörigkeit zu Christus suchen. Die Frage ist nun allerdings, wie man sich diese Verbindung zwischen Christuszugehörigkeit und Gnade näher denken soll.

b) Nach Greshake waltet zwischen dem inneren Wirken der Gnade und der äußeren Christusverbindung des Menschen „allenfalls eine ‚okkasionalistische' Geschehensparallelität"[37]. Das geschichtliche Heilswerk Christi sei eine nur äußerlich von Gott gesetzte „conditio sine qua non" des inneren Gnadengeschehens[38]. Aber: Wenngleich diese völlige Entwertung des ‚Außen' in der theoretischen Konsequenz der metaphysischen Prämissen Augustins liegen mag, so darf man doch nicht ein von der augustinischen Praxis her gegebenes Korrektiv übersehen[39]. Berücksichtigt man nämlich, daß Augustinus keineswegs einem konsequenten ‚soteriologischen Ontologismus' das Wort redet, sondern immer weiß, daß die innerlich heilende Gnade in diesem Leben erst anfanghaft wirkt, daß der Mensch also nur einem allmählichen inneren Heilungsprozeß unterliegt, in welchem er immer wieder auf das zeichenhafte ‚Außen' zurückgeworfen ist[40]; und berücksichtigt man weiter, daß

---

[35] E. Dinkler, a.a.O. 172: „Theozentrisch, nicht christozentrisch ist Augustins Lehre von der Gnade." Vgl. G. Greshake, a.a.O. 226.

[36] Siehe G. Greshake, a.a.O. 226. – Das Erlösungswerk Christi, wie es z.B. J. Plagnieux, Die augustinische Soteriologie, in: ders., Heil und Heiland, Paris 1969, 47–69, im Anschluß an De Trin. 13,13 zu skizzieren versucht, kann nur innerhalb dieses umgreifenderen Rahmens richtig gedeutet werden.

[37] G. Greshake, a.a.O. 225.   [38] Ders., a.a.O. 228.

[39] B. Studer, a.a.O. 467, weist darauf hin, daß man bei Augustinus eine Unausgeglichenheit zwischen verkündigtem Glauben und philosophischem Glaubensverständnis feststellen könne. – J. Plagnieux, Le Chrétien en face de la Loi d'après le De Spiritu et Littera de saint Augustin, in: Theologie in Geschichte und Gegenwart. Michael Schmaus zum sechzigsten Geburtstag, München 1957, 752; sowie A. Mandouze, Saint Augustin. L'Aventure de la Raison et de la Grâce, Paris 1968, 407ff, machen geltend, daß Augustins Aussagen über die Gnade nicht einfach auf bestimmte Theoreme gebracht werden dürften, da sie immer auch Ausdruck einer gelebten Spiritualität seien.

[40] G. Greshake, a.a.O. 267, kommt zwar auf die Frage zu sprechen, ob oder inwiefern Augustinus bei seiner Betonung der Interiorität und der Gottunmittelbarkeit einem Ontologismus verfalle, wertet diese Frage aber nicht für seine Beurteilung der Gnadenauffassung Augustins aus. – J. Plagnieux, Le Chrétien en face de la Loi, zeigt 742ff, daß das spirituelle Drama des reifen Augustinus nicht einfach in der schroffen Alternative ‚Heil oder Unheil', ‚Geist oder Fleisch', ‚Entweder – Oder' besteht, sondern in der „tension toute spirituelle entre la perfection de l'au-delà et l'infirmité d'ici-bas, liée à son obscurité" (749). Greshake aber geht insgesamt zu sehr von dieser schroffen, theoretisierten Alternative aus.

dieses zeichenhafte ‚Außen‘, die Niedrigkeit und Demut Christi, kein beliebig austauschbares Zeichen ist, sondern einmalige und anthropologisch begründete Sinnfigur der Gnade in dieser Welt[41], dann braucht man dem augustinischen Christus eine konstitutive Funktion im Erlösungsprozeß des Menschen nicht ganz abzusprechen. Denn dieser Erlösungsprozeß läßt sich, analog zur Dialektik der Wahrheitserkenntnis, als eine, unter den Bedingungen dieses Lebens notwendige, Dialektik zwischen innerer Gnadenmitteilung und äußerlich motivierender und Hoffnung gebender Sinnfigur beschreiben.

Zwar muß man dem innerlichen Wirken der Gnade von den metaphysischen Prämissen Augustins her unbedingte Priorität zubilligen; zwar kann man letztlich allein von diesem innerlichen Wirken Heil erwarten. Aber weil die Heilung selbst nur ein allmählicher Prozeß ist und sich unter den Bedingungen des irdischen Lebens immer nur anfanghaft verwirklicht, deshalb ist der Mensch immer wieder auf die äußere Sinnfigur des historischen Christusgeschehens zurückgeworfen und auf sie angewiesen. In sie hinein kann sich sein anfanghaft neues Leben auslegen. Sie gibt seiner Hoffnung konkrete Gestalt und wird so für den anfanghaft von der Gnade Ergriffenen exzitatorische Folie seiner inneren Begnadung. Das historische Christusgeschehen tritt dann zwar ,,nicht qualifizierend in das eigentliche Liebesgeschehen zwischen Gott und Mensch ein‘‘[42], aber doch strukturierend, konkretisierend, Hoffnung gebend. Es vermittelt die Gnade zwar nicht, aber es stellt den anfanghaft von der Gnade Ergriffenen in eine unter den Bedingungen des irdischen Lebens notwendig andauernde Dialektik von innerer Gnadenmitteilung und äußerer, exzitatorischer und responsorischer Sinnfigur.

2. Das geschichtstheologische Konzept

Aufgrund des dargestellten Charakters der dispensatio temporalis und des zu ihr gehörenden historischen Christusereignisses ist es wenig sinnvoll, den augustinischen Christus ohne weitere Differenzierung als die ,,Fülle der Offenbarung‘‘ zu bezeichnen, wie dies Arsenault in seiner der Offenbarungsproblematik Augustins gewidmeten Arbeit tut[43]. Christus hat zwar in der Tat eine zentrale offenbarende Funktion, allerdings nicht in bezug auf die intelligible Wahrheit Gottes, sondern ‚nur‘ innerhalb der dispensatio temporalis. Christus

---

41 Vgl. den Hinweis von B. Studer, a.a.O. 465ff, man dürfe die Bedeutung der ,,Menschwerdung Christi als sacramentum, signum, exemplum, forma oder auctoritas‘‘ nicht zu gering veranschlagen (467). Studer weist in diesem Zusammenhang auch auf die Arbeit von K.H. Lütcke, ‚Auctoritas‘ bei Augustin, 72–76 (auctoritas und exemplum).

42 G. Greshake, a.a.O. 226f.

43 F. Arsenault, Le Christ plénitude de la révélation selon saint Augustin; siehe dazu die Kritik in der Einleitung § 3.

ist in seiner menschlichen Gestalt der *Angelpunkt* der dispensatio temporalis. In ihm kommt ihre innergeschichtliche Intentionalität ans Ziel. In ihm wird manifest, woraufhin die gesamte von Gott her zum Heil des Menschen entfaltete Geschichte angelegt war: Christus und die christliche Religion ist ihr eigentlicher Gegenstand.

„In seiner übergroßen Barmherzigkeit hat Gott den Menschen durch eine *dispensatio temporalis* die christliche Religion gegeben, die die wahre Religion ist.“[44]

a) Damit steht nun das besondere *geschichtstheologische Konzept* Augustins zur Debatte[45], das in dem Terminus ‚dispensatio temporalis‘ seinen grundlegenden Ausdruck findet. Welche Vorstellungen verbindet Augustinus mit diesem Wort? Was bedeutet es? Zunächst ist hervorzuheben, daß ‚dispensatio‘ bei Augustinus immer eine Tätigkeit Gottes bezeichnet[46]. In Verbindung mit dem Adjektiv ‚temporalis‘ hat das Wort vor allem zwei Bedeutungselemente: Es bedeutet ein Abwägen, Ordnen und *Einteilen* der Geschichtszeit durch Gott sowie ein *Zuteilen* und Verwalten des Abgewogenen und Eingeteilten[47]. Der Begriff ‚dispensatio temporalis‘ formuliert so das Prinzip der Geschichtsdeutung Augustins, das es ihm erlaubt, in der scheinbar ungeordneten und zusammenhanglosen Vielfalt geschichtlicher Abläufe ein strukturiertes und planvolles Ganzes zu sehen[48]. Die Geschichte, und somit auch die Vielfalt und Verschiedenheit der geschichtlichen Heilsveranstaltungen Gottes, ist in der Vorsehung Gottes[49] aufgehoben und deshalb nicht ohne Sinn.

b) Das mit ‚dispensatio temporalis‘ Gemeinte läßt sich mit Hilfe einiger verwandter und erläuternder Kategorien verdeutlichen. An erster Stelle

---

[44] Retract. 1,8,1: Tunc etiam de Vera Religione librum scripsi; in quo multipliciter et copiosissime disputatur ... quanta misericordia eius per temporalem dispensationem concessa sit hominibus christiana religio, quae vera religio est...
[45] Dazu und besonders zu den verschiedenen Periodisierungssystemen siehe W. Kamlah, a.a.O. 311ff („Die pädagogisch fortschreitende Heilsgeschichte beim jungen und beim späten Augustin“); E. Hoffmann, Die Anfänge der augustinischen Geschichtstheologie in ‚De vera religione‘; A. Wachtel, Beiträge zur Geschichtstheologie des Augustinus, Bonn 1960; A. Luneau, L'histoire du salut chez les Pères de l'Eglise. La doctrine des âges du monde, Paris 1964; H. König, Das organische Denken Augustins, München/ Paderborn 1966; K.H. Schwarte, Die Vorgeschichte der augustinischen Weltalterlehre, Bonn 1966.
[46] Siehe E. Hoffmann, a.a.O. 23. Die einzige Ausnahme findet sich nach Hoffmann in der kleinen Schrift *Regula ad servos Dei;* dort bezeichnet ‚dispensatio‘ in Nr. 7 die Tätigkeit eines kirchlichen Vorgesetzten.
[47] Siehe E. Hoffmann, a.a.O. 20ff. „Ein deutsches Wort, das alle Momente zugleich enthält, gibt es nicht“ (20).
[48] Vgl. K.H. Schwarte, a.a.O. 2f.
[49] Zum Begriff der ‚providentia‘ bei Augustinus und in der klassischen Philosophie siehe E. Hoffmann, a.a.O. 25–32.

sind hier die beiden Worte ‚*distributio*' und ‚*dispositio*' zu nennen. Beide Worte zusammen bezeichnen detailliert dasselbe, was in dem Begriff ‚dispensatio temporalis' enthalten ist. ‚Distributio' bringt mehr den Gedanken der zeitlichen Zuteilung zum Ausdruck[50]; ‚dispositio' meint die zeitenthobene Ordnung und Einteilung der Zeiten[51]: Den zeitlichen Zuteilungen (distributio) der dispensatio temporalis liegt ein zeitenthobener, bei Gott als gesamtgegenwärtig gedachter Heilsplan (dispositio) zugrunde, der in sich zeitlos all das enthält, was als dessen Entsprechung nacheinander in die Zeit hinein entfaltet wird[52]. In *Epistula 138* (um 412) heißt es dazu:

„Was in der Zeit neu ist, ist nicht neu bei dem, der die Zeiten gründete und ohne Zeit all das in sich hat, was er den verschiedenen Zeiten entsprechend ihrer Verschiedenheit zugeteilt hat *(distribuit)*... So steht fest, daß, was zu einer bestimmten Zeit ordnungsgemäß eingesetzt wurde, zu einer anderen Zeit ebenso ordnungsgemäß verändert werden kann, und zwar durch das Wort dessen, der verändert, nicht aber aufgrund eines veränderten Heilsplanes *(dispositio)*. Dieser Plan *(dispositio)* ist in der intelligiblen Vernunft enthalten, wo ohne Zeit gleichzeitig ist, was in den Zeiten nicht gleichzeitig sein kann, weil die verschiedenen Zeiten nicht zugleich verlaufen."[53]

Der Gedanke eines unwandelbaren Heilsplanes Gottes, der sich in zeitliche und deshalb wandelbare Zuteilungen hinein entfaltet, ermöglicht es, die Vielfalt der geschichtlichen Abläufe als geordnete Einheit zu begreifen. Denn die vorausgehende Ordnung der Zeiten garantiert die Ordnung der zeitlichen Zuteilungen. Die unterschiedlichen geschichtlichen Erscheinungsformen der biblischen Religion sind dann nicht Ausdruck von Diskontinuität, Bruch, Willkür oder Sinnlosigkeit. Vielmehr offenbart sich in ihnen eine ins Zeitliche transponierte ewige Ordnung. Die sich wandelnden Zeiten erweisen sich zunächst einmal als eine ontologische Notwendigkeit. Denn was

---

[50] C. Faust. 6,9: ... quidquid Deus temporibus congruis iubendo *distribuit*; 10,3: ... omnia enim quae in Vetere scripta sunt, nos et vera esse dicimus, et divinitus mandata, et congruis temporibus *distributa*; Epist. 138,1,7: ... sine tempore habet omnia, quae suis quibusque temporibus pro eorum varietate *distribuit*; De civ. Dei 10,15: Haec autem Lex *distributione* temporum data est.

[51] Epist. 138,1,7f: ... quo convenienter significationes ad doctrinam religionis saluberrimam pertinentes, per mutabilia tempora sine ulla sui mutatione *disponeret*; ... mutantis opere, non *dispositione* mutata, quam *dispositionem* intelligibilis ratio continet. – Zur entsprechenden Bedeutung von ‚praedestinatio' siehe Conf. 13,34,49: Ubi autem coepisti praedestinata temporaliter exequi...; De doctr. christ. 3,34,49: Quoniam ipsa promissionis vel praedestinationis firmitate iam data est (scl. Ecclesia), quae danda suo tempore a patribus credita est.

[52] Vgl. A. Wachtel, a.a.O. 38ff.

[53] Epist. 138,1,7f: ... id quod in tempore novum est, non esse novum apud eum qui condidit tempora, et sine tempore habet omnia, quae suis quibusque temporibus pro eorum varietate distribuit... Hic iam si satis constitit, quod recte alio tempore constitutum est, itidem recte alio tempore posse mutari, mutantis opere, non dispositione mutata, quam dispositionem intelligibilis ratio continet, ubi sine tempore simul sunt quae in temporibus simul fieri non possunt, quia tempora non simul currunt.

in der unwandelbaren Idee Gottes eins ist, das läßt sich zeitlich nur in Vielfalt, Verschiedenheit und Veränderung erfahren[54]. Zugleich aber ist diese zeitliche Veränderung selbst geordnet; sie ist von der ewigen Ordnung Gottes her strukturiert. Und diese Strukturen der Veränderung lassen sich erkennen. Ja, die Ordnung und Verknüpfung der sich wandelnden Zeiten springt so sehr in die Augen, daß sie zum Glauben an den Gott der Geschichte zu bewegen vermag[55].

c) Sehr oft artikuliert Augustinus die Vorstellung der geordneten Einheit der dispensatio temporalis mit Hilfe *ästhetischer* Kategorien. Hier sind vor allem die ungefähr gleichbedeutenden Begriffe ‚*congruum*‘, ‚*opportunum*‘ und ‚*aptum*‘ zu nennen[56]. Augustinus gebraucht sie, um die innere Harmonie und Schönheit der dispensatio temporalis zum Ausdruck zu bringen. Die Ordnung der Zeiten erweist sich an der ‚*Gemäßheit*‘ der jeweiligen zeitlichen Zuteilungen, an ihrer angemessenen Stellung innerhalb des Gesamtverlaufs der Geschichte: Die Zuteilungen Gottes kommen zu den jeweils passenden Zeiten (congruis temporibus)[57], zur gelegenen Zeit (opportuna aetate)[58]; in Übereinstimmung mit den jeweiligen Zeiten (pro temporum congruentia)[59]; sie passen zu der jeweiligen Zeit (tempori congruum)[60], sie sind gelegen

---

[54] Siehe O. Lechner, a.a.O. 157: „Was in der Idee eins ist, wird in Zeit ausgeführt, das heißt auseinandergeführt. Seiendes, das in seiner Idee, in seiner Intelligibilität eins, wandellos, klar umrissen ist, wirkt sich zeitlich und körperhaft in Vielfalt, Verschiedenheit, Veränderung aus, läßt sich von den Sinnen in ergötzender Abwechslung erfahren." – Zu beachten ist, daß Augustinus den Gedanken der ‚dispositio‘ auch mit der Schöpfung in Verbindung bringt: Schon in De gen. ad litt. imperf. 7,28 (393) unterscheidet er die dispositio Gottes, in welcher Gott alles zugleich erschaffen hat und die nur in seiner ewigen Vernunft selbst geschaut werden kann, von der zeitlichen Entfaltung des ursprünglich Geschaffenen.

[55] Epist. 137,4,15: Quem non moveat ad credendum tantus ab initio ipse rerum gestarum ordo, et ipsa connexio temporum; De civ. Dei 10,15: Sic itaque divinae providentiae placuit ordinare temporum cursum...

[56] Vgl. G. Strauss, a.a.O. 90f; Strauss erwähnt allerdings nur den Begriff ‚aptum‘.

[57] C. Faust. 6,9: ... quidquid Deus *temporibus congruis* iubendo distribuit...; 10,3: ... et *congruis temporibus* distributa...

[58] De divers. quaest. 83 qu. 44: Nam et quicumque singuli ad certam sapientiam pervenerunt, nonnisi ab eadem veritate suarum singillatim aetatum opportunitate illustrati sunt: a qua veritate, ut populus sapiens fieret, ipsius generis humani *opportuna aetate* homo susceptus est; Epist. 137,3,12: In quo Christo, *eo tempore quod opportunissimum* ipse noverat, et ante saecula disposuerat, venit hominibus magisterium et adiutorium.

[59] Epist. 102,21: Dispertita autem divinis eloquiis sacrificia *pro temporum congruentia*...

[60] C. Faust. 10,3: ... etiam illa praecepta vitae significandae, quibus eorum oblatrat offensio, et illi tunc tempori observanda *congruisse*; 19,13: ... quod duro et carni dedito populo *congruebat*; Epist. 102,21: ... ut alia fierent ante manifestationem Novi Testamenti..., et aliud nunc quod *huic manifestationi congruum*...; *temporibus congrua sacra mysteria*...

(opportunum)[61], sie sind den Zeiten angemessen (temporibus aptum)[62].
Der Gesamtverlauf der dispensatio temporalis ist demnach als ein nach den
Gesetzen der Schönheit komponiertes Ganzes zu begreifen. In diesem Sinne
vergleicht Augustinus die Weltgeschichte mit einem kunstvoll geformten
Lied, in dem alle Einzelteile an der ihnen zugewiesenen Stelle zur Schön-
heit des Ganzen beitragen[63]:

„Den ersten Zeiten *angemessen* (aptum) war..., was Gott damals angeordnet hat. Jetzt
aber sind andere Zeiten. Etwas anderes nämlich, was der jetzigen Zeit *angemessen*
(aptum) sein würde, hat Gott für jetzt angeordnet, er, der mehr und besser als jeder
Mensch weiß, was einer jeden Zeit *angemessen* (accomodate) ist und ihr deshalb zukommen soll; der besser weiß, was er, der Unwandelbare, der Schöpfer und Lenker der
wandelbaren Dinge, zu welcher Zeit zuteilen, hinzufügen, wegnehmen, abziehen, ver-
mehren oder vermindern soll, solange bis die gesamte Weltzeit in ihrer *Schönheit*, welche sich zusammensetzt aus dem, was zu seiner jeweiligen Zeit *passend* (aptum) ist, wie
das gewaltige *Lied* eines unsagbaren Tonkünstlers ausläuft."[64]

Weil Augustinus Geschichte in Analogie zum Lied versteht, „zu kunstmäßig
geformter, in zeitlichem Nacheinander ergehender und dabei jeweils Neues
sagender Rede"[65], deshalb vermag er die verschiedenen Heilsveranstaltungen
Gottes in ihrer Verschiedenheit zu rechtfertigen. Denn auch die unterschiedlichsten zeitlichen Zuteilungen bleiben nun in eine höhere Einheit
hinein aufgehoben; sie sind Teil der einen planvollen dispensatio temporalis. Erst diese höhere Einheit ermöglicht es Augustinus, Geschichte mit Hil-

---

61 De ver. rel. 28,51: ... per prophetiam intimans id quod exhibere *opportunum* non
erat.
62 Epist. 138,1,5: *Aptum fuit primis temporibus* sacrificium quod praeceperat Deus...
Aliud enim praecepit quod *huic tempori aptum* esset ... universi saeculi pulchritudo,
cuius particulae sunt quae suis quibusque *temporibus apta* sunt...
63 Siehe dazu H.I. Marrou, L'ambivalence du temps de l'histoire chez saint Augustin,
Montréal 1950, 82ff; A. Wachtel, a.a.O. 30. Zum Bild des ‚carmen universitatis' in De
musica 6,9,19, wo es mehr kosmisch verstanden wird, und in De ver. rel. 21f,41–43,
siehe C.P. Mayer, Die Zeichen I, 251 und 267.
64 Epist. 138,1,5: Aptum fuit primis temporibus sacrificium quod praeceperat Deus,
nunc vero non ita est. Aliud enim praecepit quod huic tempori aptum esset, qui multo
magis quam homo novit, quid cuique tempori accomodate adhibeatur: quid quando
impertiat, addat, auferat, detrahat, augeat, minuatve, immutabilis mutabilium sicut
creator ita moderator, donec universi saeculi pulchritudo, cuius particulae sunt, quae
suis quibusque temporibus apta sunt, velut magnun *carmen* cuiusdam ineffabilis modu-
latoris excurrat... – Vgl. auch Epist. 166,5,13: Si homo faciendi artifex carminis novit,
quas quibus moras vocibus tribuat, ut illud, quod canitur, decedentibus ac succedenti-
bus sonis pulcherrime currat ac transeat; quanto magis Deus, cuius sapientia, per quam
fecit omnia, longe omnibus artibus praeferenda est, nulla in naturis nascentibus et
occidentibus temporum spatia, quae *tanquam syllabae ac verba* ad particulas huius saeculi pertinent, in hoc labentium rerum tanquam mirabili *cantico*, vel brevius vel pro-
ductius, quam modulatio praecognita et praefinita deposcit, praeterire permittit; De
civ. Dei 11,18: ... ordinem saeculorum tanquam *pulcherrimum carmen*.
65 G. Strauss, a.a.O. 101.

fe von Periodisierungssystemen zu deuten und so zu bewältigen. Denn wenn die Abfolge der verschiedenen Zeitalter als Ausdruck einer in die Zeit transponierten ewigen Schönheit gilt, dann kann auch ein jedes einzelne Zeitalter in seiner ihm eigenen Schönheit und Sinnhaftigkeit, welche freilich erst der „nach-denkenden Betrachtung"[66] sichtbar wird, gewürdigt werden[67].

3. Äußere und innere Einheit der dispensatio temporalis

a) Die Einheit der unterschiedlichen Heilsveranstaltungen Gottes stellt sich für Augustinus im Lauf seiner Entwicklung fortschreitend in zwei Aspekten dar. Die Analogie des Liedes, dessen Verse und Silben aufeinanderfolgende Teile eines kunstvollen Ganzen sind, das wiederum nur die zeitliche Entfaltung dessen ist, was die unwandelbare, intelligible Tonkunst zeitlos-gleichzeitig bei sich hat[68], bringt zunächst nur die in Gottes ewigem Heilsplan begründete *äußere funktionale Einheit* des biblischen Geschehens zum Ausdruck: Die zeitlichen Zuteilungen Gottes mögen zwar zu verschiedenen Zeiten Verschiedenes beinhalten; sie gehören aber doch alle zu dem einen planvollen Ganzen der dispensatio temporalis, so wie die einzelnen Liedverse Teile des einen Liedes sind. Dieser Gedanke der äußeren Einheit bestimmt die frühen geschichtstheologischen Reflexionen Augustins, vor allem seine Schrift *De vera religione*.
Die Argumentation Augustins stützt sich dort jedoch nicht nur auf die Vorstellung einer göttlichen Ästhetik[69], sondern darüber hinaus und vor allem auf die einer göttlichen *Pädagogik* und einer göttlichen *Heilkunst*[70]. Die als

---

[66] Ders., a.a.O. 90.
[67] De divers. quaest. 83 qu. 44: ... temporalis autem pulchritudo rebus decedentibus succedentibusque peragitur. Habet autem decorum suum in singulis quibusque hominibus singula quaeque aetas ab infantia usque ad senectutem... Absurdum est, qui in ipso universo genere humano unam aetatem desiderat; nam et ipsum tanquam unus homo aetates suas agit.
[68] Vgl. De ver. rel. 22,42: Nec ideo tamen ars ipsa qua versus fabricatur, sic tempori obnoxia est, ut pulchritudo eius per mensuras morarum digeratur: sed simul habet omnia, quibus efficit versum non simul habentem omnia, sed posterioribus priora tollentem; propterea tamen *pulchrum, quia extrema vestigia illius pulchritudinis ostentat*, quam constanter atque incommutabiliter ars ipsa custodit. In 22,43 erfolgt dann die Parallelisierung des Liedes mit der Geschichte; siehe dazu C.P. Mayer, Die Zeichen I, 267ff.
[69] Siehe Anm. 68.
[70] Zur pädagogisch gedeuteten dispensatio temporalis siehe vor allem W. Kamlah, a.a.O. 311ff. Kamlah überspitzt allerdings den pädagogischen Gedanken; siehe die Kritik von K.H. Schwarte, a.a.O. 14. Außerdem ist der pädagogische Gedanke, entgegen der Darstellung Kamlahs, auch den späteren Schriften Augustins nicht fremd, wenngleich er dort nicht mehr im Mittelpunkt steht: z.B. De civ. Dei 10,14: Sicut autem unius hominis, ita humani generis ... recta *eruditio* per quosdam articulos temporum tanquam aetatum profecit accessibus, ut a temporalibus ad aeterna capienda et a visibilibus ad invisibilia surgeretur; siehe dazu E. Hoffmann, a.a.O. 200f.

pädagogisch-medizinische Maßnahmen interpretierten Heilsveranstaltungen Gottes sind zwar in den verschiedenen Zeiten je verschieden; sie sind aber doch alle Ausdruck des einen Heilsplanes Gottes, der wiederum in Analogie zu der einen pädagogischen Gerechtigkeit und zu der einen Heilkunst zu denken ist, die in den unterschiedlichsten pädagogischen oder medizinischen Vorschriften die gleichen bleiben: So wie ein gerechter Vater denen, für die er eine härtere Knechtschaft für nützlich hält, etwas anderes befiehlt als anderen, die er an Kindesstatt annehmen will, so hat Gott auch im Alten Bund andere Sakramente und Zeichen angeordnet als im Neuen. Und so wie ein Arzt seinen Kranken aufgrund ihrer verschiedenen Krankheiten eine je andere Behandlung zukommen läßt, ohne daß die Heilkunst selbst dabei irgendeinem Wandel unterliegt, so hat Gott im Alten Bund andere Lebensvorschriften erteilt als im Neuen. Die göttliche Vorsehung ist ganz und gar unveränderlich; dennoch kommt sie den wandelbaren Geschöpfen auf verschiedene Weise zu Hilfe und befiehlt oder verbietet je nach der Verschiedenheit der Krankheiten jeweils Verschiedenes [71].

b) In den späteren Schriften Augustins kommt zu diesem geschichtstheologischen Modell, das die Verschiedenheiten der Heilsveranstaltungen Gottes in eine äußere funktionale Einheit hinein aufhebt, ein neuer Gedanke hinzu, der auf die *innere inhaltliche Einheit* der verschiedenen zeitlichen Zuteilungen abzielt und so das erste Modell geschichtsphilosophisch weiter durchdringt. Aus der bloß funktionalen Ordnung der Zeiten wird die innere Verbindung und Verknüpfung der Zeiten durch typologische Entsprechungen [72]. Die verschiedenen, den fortschreitenden Zeiten entsprechenden zeitlichen Zuteilungen sind nicht mehr nur unterschiedlich dosierte pädagogisch-medizinische Maßnahmen, sondern unterschiedliche Ausdrucksformen der gleichen Sache, nämlich der christlichen Religion und des Mittlers Christus selbst. Diejenigen irren, heißt es in dem gegen die Manichäer gerichteten

---

[71] De ver. rel. 17,34: Quisquis autem ideo negat utrumque Testamentum ab uno Deo esse posse, quia non eisdem sacramentis tenetur populus noster, quibus Iudaei tenebantur vel adhuc tenentur; potest dicere non posse fieri, ut unus paterfamilias iustissimus aliud imperet eis, quibus servitutem duriorem utilem iudicat, aliud eis quos in filiorum gradum adoptare dignatur. Si autem praecepta vitae movent, quod in veteri Lege minora sunt, in Evangelio maiora, et ideo putatur non ad unum Deum utraque pertinere; potest qui hoc putat perturbari, si unus medicus alia per ministros suos imbecillioribus, alia per seipsum valentioribus praecipiat ad reparandam vel obtinendam salutem. Ut enim *ars medicinae*, cum eadem maneat, neque ullo pacto ipsa mutetur, mutat tamen praecepta languentibus, quia mutabilis est nostra valetudo: ita divina providentia, cum sit ipsa omnino incommutabilis, mutabili tamen creaturae varie subvenit, et pro diversitate morborum alias alia iubet aut vetat. — Siehe zu diesem Text C.P. Mayer, Die Zeichen I, 266.
[72] Siehe C.P. Mayer, Die Zeichen II, 267—273, über fortschreitende, in Christus zusammenlaufende Verweisungen.

Werk *Contra Faustum*, „die glauben, auch die Sachen selbst würden verschieden sein, wenn sich die Zeiten und Sakramente ändern"[73]. Und in *Epistula 102* sagt Augustinus in Auseinandersetzung mit der neuplatonischen Kritik an der historischen Bedingtheit des christlichen Heilsweges, die sich wandelnden Zeiten bedeuteten „keinen Wandel Gottes, auch keinen der Religion selbst, sondern nur einen Wandel der Opfer und der Sakramente"[74]. Die vorchristlichen Epochen der dispensatio temporalis sind nun also nicht mehr nur die Vorgeschichte Christi, sondern werden als dessen Verkündigungsgeschichte verstanden[75]. Die Heilsveranstaltungen der dispensatio temporalis verweisen von Anfang an auf das Ziel der geschichtlichen Bewegung; sie repräsentieren es auf verhüllte, aber zunehmend offenbar werdende Weise.

Dieses geschichtstheologische Modell der auf Christus hin ausgelegten inneren Einheit der gesamten dispensatio temporalis begegnet bei Augustinus zum erstenmal in der antimanichäischen Schrift *De utilitate credendi* (391) und erfährt dann seine volle Entfaltung in *Contra Faustum* (397/98)[76]. Es ist der eigentliche theoretische Hintergrund der innergeschichtlichen Offenbarungsfunktion Christi.

c) Der Unterschied der beiden skizzierten geschichtstheologischen Modelle wird besonders gut sichtbar an der Art und Weise, wie Augustinus beide mit Hilfe *sprachlicher Vergleiche* zu fassen sucht. Während er zur Illustration des ersten Modells der äußeren Einheit die dispensatio mit einer sich Silbe für Silbe in vergehende Zeitabschnitte erstreckenden Rede vergleicht, in die hinein Gott sein zeitlos-ewiges, intelligibles Sprechen transponiert[77], rekurriert

---

[73] C. Faust. 19,16: quanto errore delirent qui putant signis sacramentisque mutatis, etiam res ipsas esse diversas...

[74] Epist. 102,21: Mutatio quippe non Dei, non ipsius religionis, sed sacrificiorum et sacramentorum. ... ita in universo tractu saeculorum, cum aliud oblatum est ab antiquis sanctis, aliud ab eis, qui nunc sunt, offertur, non humana praesumptione, sed auctoritate divina, temporibus congrua sacra mysteria celebrantur, non Deus aut religio commutatur. − ‚Sacramentum' bedeutet an den beiden zitierten Stellen ‚heiliges Zeichen' im Sinne von religiösem Symbol oder Ritus; vgl. dazu C. Couturier, a.a.O. 189−251 (Sacramentum-Symbole) und 173−188 (Sacramentum-Rite).

[75] Siehe K.H. Schwarte, a.a.O. 14f, der gegen A. Wachtel, a.a.O. 57ff, zeigt, daß in De genesi contra Manichaeos (Periodisierung der Geschichte anhand einer Typologie der sechs Schöpfungstage) die vorchristlichen Weltalter zwar als Vorgeschichte Christi, nicht aber als dessen Verkündigungsgeschichte verstanden werden.

[76] Siehe vor allem P. Cantaloup, L'harmonie des deux testaments dans le ‚Contra Faustum' de s. Augustin, Toulouse 1955; vgl. auch A. Becker, a.a.O. 216f und 243−248.

[77] De civ. Dei 10,15: Sic itaque divinae providentiae placuit ordinare temporum cursum ... et syllabatim per transitorias temporum morulas humanae linguae vocibus loqueretur, qui in sua natura non corporaliter, sed spiritualiter; non sensibiliter, sed intelligibiliter; non temporaliter, sed, ut ita dicam, aeternaliter, nec incipit loqui, nec

er zur Erklärung der inneren Einheit auf innersprachliche Zusammenhänge. Die von Gott in seiner dispensatio temporalis eingesetzten Zeichen sind wie Wörter, die, auch wenn sie je dasselbe bezeichnen, dennoch ihre Form entsprechend der Modalität des Bezeichneten verändern:

„Wenn sich nämlich der Klang der Wörter, die wir zum Sprechen benutzen, entsprechend der Zeitform verändert, so daß dieselbe Sache anders als eine noch hervorzubringende *(facienda)* ausgedrückt wird und anders als eine schon hervorgebrachte *(facta)*..., was wundert es dann, wenn das Leiden und die Auferstehung Christi mit anderen das Geheimnis anzeigenden Zeichen als zukünftig *(futura)* verheißen, mit anderen als schon gekommen *(facta)* verkündet wird?"[78]

Wie also ‚facienda' und ‚facta' oder ‚futura' und ‚facta' verschiedene, den jeweiligen Zeiten gemäße Wortformen sind, welche sich gleichwohl auf die gleiche Sache beziehen, so repräsentieren[79] auch die sich entsprechend der jeweiligen Zeit ändernden Zeichen und Sakramente die je gleiche Sache, nämlich Christus.

d) Auch dieser zweite Aspekt der Geschichtstheologie Augustins, die Idee der inneren Einheit der dispensatio temporalis, basiert auf der Vorstellung eines unwandelbaren göttlichen Heilsplanes (dispositio), einer zeitlosen und der Zeit vorausgehenden Totalität der zeitlichen Zuteilungen in der Einheit ihres göttlichen Ursprungs. Denn nur weil „in der *Anordnung und Vorherbestimmung* Gottes (in dispositione ac praedestinatione Dei) schon geschehen" ist, was zu seiner Zeit geschehen bzw. manifest werden würde[80], deshalb ist jede einzelne zeitliche Manifestation von der ihr vorausgehenden Totalität her bestimmt und erhält von ihr her ihre innere Intentionalität[81]. Weil

---

desinit. – Siehe dazu J.C. Guy, a.a.O. 109f. Die Metaphorik des Liedes entspricht dem Vergleich mit der Sprache; siehe vor allem Epist. 166,5,13; zitiert in Anm. 64.

[78] C. Faust. 19,16: Si enim soni verborum quibus loquimur, pro tempore commutantur, eademque res aliter enuntiatur facienda, aliter facta ... quid mirum si aliis mysteriorum signaculis passio et resurrectio Christi futura promissa est, aliis iam facta annuntiantur. – Vgl. Epist. 138,1,8: Quispiam fortassis expectet causas a nobis ipsius mutationis accipere ... breviter dici potest..., aliis sacramentis praenuntiari Christum cum venturus esset, aliis cum venisset annuntiari oportuisse. Sicut modo nos idipsum loquentes, diversitas rerum compulit etiam verba mutare; C. Faust. 19,16: Quid enim sunt aliud quaequae corporalia sacramenta, nisi quaedam quasi verba visibilia, sacrosancta quidem, verumtamen mutabilia et temporalia.

[79] Vgl. den Ausdruck ‚personare' in C. Faust. 19,16: Iam non promittitur nasciturus, passurus, resurrecturus, quod illa sacramenta quondam personabant; sed annuntiatur, quod natus sit, passus sit, resurrexerit, quod haec sacramenta, quae a Christianis aguntur, iam personant.

[80] De doctr. christ. 3,34,49: Quoniam in dispositione ac praedestinatione Dei iam factum erat quod suo tempore futurum fuerat, quod ipse dicit manifestatum...

[81] Vgl. J. Chaix-Ruy, Saint Augustin. Temps et histoire, Paris 1958, 46ff. Chaix-Ruy deutet die Intentionalität der Geschichte in Analogie zur augustinischen memoria-Lehre (Conf. 11,31,41) als Gegenwärtigsein der Ewigkeit in jedem Zeitaugenblick. Vgl. auch O. Lechner, a.a.O. 141.

der eigentliche Sinn der dispensatio temporalis, Christus und die Kirche, schon vor aller Zeit in der Vorherbestimmung Gottes gegeben ist[82], deshalb können alle der Manifestation dieses Sinnes vorausgehenden Zuteilungen diesen Sinn schon auf verborgene Weise darstellen[83]; und deshalb können auch schon Menschen früherer Zeiten von der erst später manifest werdenden Kirche erfaßt werden[84].

Die Idee der inneren Einheit der dispensatio temporalis ermöglicht es Augustinus, die Distanz der Zeiten zu überwinden und so den Universalitätsanspruch der christlichen Religion mit ihrer historischen Bedingtheit und Relativität zu versöhnen. Denn die Zeiten werden nun untereinander transparent. Gegenwart bringt den Sinn vergangener Ereignisse ans Licht, Vergangenheit verweist auf Zukünftiges, Zukunft ist in Vergangenem vorgebildet[85]. Formelhaften Ausdruck findet diese Sicht der Geschichte in dem Schema ,occultatio — revelatio‘, tägliche Anwendung in Augustins Praxis der *vergegenwärtigenden Schriftinterpretation*[86]. Ihr theologisches Grundimplikat ist ein *„eher protologisch als eschatologisch"*[87] ausgerichtetes Denken. Augustins betontes Interesse am biblischen Schöpfungsbericht, vor allem an dessen allegorisch-figürlicher Auslegung[88], gibt davon beredtes Zeugnis. Treffend urteilt O. Lechner: „Augustin sucht Seiendes in seinem Ursprung zu fassen; der Rückgriff zum Anfang aber ist möglich, weil dieser Anfang sich durchträgt, jedwedes Seiende bestimmt und in ihm gegenwärtig ist. Der Anfang birgt in sich den Plan des Ganzen und sein Ziel. Darum kann der

---

[82] Conf. 13,34,49: ... in verbo tuo, in unico tuo, coelum et terram, caput et corpus ecclesiae, in praedestinatione ante omnia tempora sine mane et vespera. Ubi autem coepisti praedestinata temporaliter exequi, ut occulta manifestares...

[83] Conf. 13,34,49: Inspeximus etiam *propter quorum figurationem* ista vel tali ordine fieri vel tali ordine scribi voluisti.

[84] De doctr. christ. 3,34,49: Ecclesia quippe sine macula et ruga, ex omnibus gentibus congregata, atque in aeternum regnatura cum Christo...; ipsa intelligenda est patribus data, quando eis certa et incommutabili Dei voluntate promissa est: quoniam ipsa promissionis vel praedestinationis firmitate iam data est, quae danda suo tempore a patribus credita est.

[85] Epist. 137,4,15: Quem non moveat ad credendum tantus ab initio ipse *rerum gestarum ordo*, et ipsa *connexio temporum*, praeteritis fidem de praesentibus faciens, priora posterioribus et recentioribus antiqua confirmans? — Vgl. vor allem A. Wachtel, a.a.O. 30ff.

[86] Siehe dazu A. Holl, Die Welt der Zeichen, 106ff („Vergegenwärtigung").

[87] O. Lechner, a.a.O. 116. Lechner zitiert wiederum selbst H. Urs von Balthasar, Augustinus. Bekenntnisse, Frankfurt/Hamburg 1955, Nachwort 218. — Vgl. auch A. Holl, a.a.O. 106ff; Holl verweist 114 auf M. Eliade, Mythen, Träume und Mysterien, Salzburg 1961, 63, der den „regressus ad originem" als das Grundphänomen der Religionen bezeichnet.

[88] Siehe besonders Conf. 11—13; Augustins Interesse am Schöpfungsbericht ist hier in der Frage formuliert, propter quorum figurationem ista vel tali ordine fieri vel tali ordine scribi voluisti (Conf. 13,34,49). — Den Zusammenhang von Schöpfung und Erlösung bei Augustinus zeigt K. Grotz, a.a.O. 135ff, auf.

Schöpfungsbericht die Konstitution von Seiendem überhaupt erhellen und, allegorisch ausgelegt, auch die innere Gesetzmäßigkeit von Welt-, ja Heilsgeschichte aufreißen."[89]

§ 3 Altes und Neues Testament

1. Der Argumentationshintergrund

a) Das geschichtstheologische Konzept der dispensatio temporalis im allgemeinen und die Idee der inneren Einheit der verschiedenen Heilsveranstaltungen Gottes im besonderen erwächst Augustinus vor allem aus der Auseinandersetzung mit den Manichäern[1]. Kern dieser Auseinandersetzung ist, wie Chr. Walter zeigt, die von Manichäern und von Augustinus unterschiedlich beantwortete Frage nach dem rechten Verstehen der Bibel[2]. Die Manichäer meinen, in der Lehre Manis die autoritative Offenbarung der Wahrheit und Deutung der Bibel zu haben, die es ihnen erlaubt, in der Bibel Wahres von Falschem zu unterscheiden[3]. Deshalb lehnen sie im Rahmen ihres dualistischen Weltbildes Altes Testament und Teile des Neuen als widergöttlich ab. Gegen diesen eigenmächtigen hermeneutischen Anspruch der Manichäer setzt Augustinus die unversehrte Autorität und Wahrheit der *ganzen* Schrift[4]. Um dies rechtfertigen und begründen zu können, muß er aber die augenscheinliche Differenz zwischen Altem und Neuem Testament, welche die Manichäer zu ihrer Bibelkritik veranlaßt, in irgendeiner Weise bewältigen. Er tut dies, indem er die beiden Testamente vermittels eines allegorisch-typologisch hergestellten Sinnbezugs als eine Einheit begreift[5] und so das

---

89 O. Lechner, a.a.O. 116. — Damit zeigt sich auch in Augustins linearer Geschichtskonzeption ein zu deren bergender Bewältigung unverzichtbares zyklisches Moment; siehe M. Seckler, Das Heil in der Geschichte. Geschichtstheologisches Denken bei Thomas von Aquin, München 1964, bes. 158ff.

1 Siehe z.B. J. Guitton, a.a.O. 337ff; E. Lamirande, L'Eglise céleste selon Saint Augustin, Paris 1963, 19f; P. Stockmeier, a.a.O. 81. — Vgl. auch A.D.R. Polman, a.a.O. 75—122, über die Christozentrik der Schrift; sowie C.P. Mayer, Die Zeichen II, 350—415, der die hermeneutische Auseinandersetzung Augustins mit den Manichäern unter dem Gesichtspunkt des metaphysisch bestimmten ‚signum-res-Schemas' darstellt.

2 Chr. Walter, a.a.O. 10ff.

3 Ders., a.a.O. 14.

4 Daß die Bibel für Augustinus unantastbare Autorität und Wahrheit ist, dies darzustellen ist das Hauptanliegen von A.D.R. Polman, a.a.O. bes. 63—66 und 120f.

5 Die Begriffe ‚typos, allegoria, praefiguratio, figura, imago, significatio' u.ä. werden nach K.H. Schwarte, a.a.O. 7 (unter Berufung auf H. de Lubac, ,,Typologie" et ,,Allegorisme", in: Recherches de science religieuse 34 (1947) 180ff) unterschiedslos verwendet; zur Einordnung des Problems in die christliche Tradition siehe H. de Lubac, L'Ecriture dans la Tradition, Paris 1966, vor allem 115—202 (,,Le double Testament"). — C.P. Mayer, Die Zeichen II, 346, weist darauf hin, daß Augustinus die genannten Be-

Problem der Unterschiede von der Sachebene auf die bloße Zeichenebene herunternimmt.

Schon in seiner ersten antimanichäischen Schrift, in *De moribus ecclesiae catholicae* aus dem Jahre 388, weist Augustinus darauf hin, daß bei allen Unterschieden zwischen den beiden Testamenten dennoch „jeweils das eine im andern enthalten sei"[6]. In *De utilitate credendi* (392) sagt er dann schon pointierter, „die Übereinstimmung von Altem und Neuem Testament sei so groß, daß kein einziger Buchstabe übrigbleibe, der nicht in die Harmonie paßte"[7]; dabei bezeichnet er unter Berufung auf 2 Kor 3,14ff Christus als den hermeneutischen Schlüssel des Alten Testaments. Ähnlich pointiert äußert sich Augustinus schließlich in *Contra Adimantum* (394). Zugleich bringt er dort deutlicher als zuvor den typologischen Zusammenhang zum Ausdruck:

„Gemäß der wunderbaren und überaus geordneten Einteilung der Zeiten wurde vor der Ankunft des Herrn jenes Volk, welches das Alte Testament empfangen hatte, durch bestimmte Schatten und Figuren niedergehalten. Dennoch stellt das Alte Testament eine so weitreichende Vorhersage und Vorausverkündigung des Neuen Testaments dar, daß es in der Lehre der Evangelien und der Apostel *keine* göttlichen Gebote und Verheißungen gibt, und seien sie noch so erhaben, die nicht auch in jenen alten Büchern enthalten wären."[8]

Bei der Revision seiner Schriften in den *Retractationes* (426/27) glaubt Augustinus zwar, diese Identitätsaussage durch Einfügung eines ‚beinahe‘ (paene) etwas einschränken zu müssen: Im Neuen Testament finde sich beinahe nichts, was nicht auch im Alten wäre[9]. Als Grund für diese Korrektur führt er an, daß doch auf jeden Fall die Antithesen der Bergpredigt gegenüber dem Alten Testament eine Neuheit darstellten; und auch die Verheißung des Reiches der Himmel würde man im Alten Testament nicht finden. Damit aber macht er deutlich, daß er die Einschränkung doch nur in bezug auf die ausdrücklichen Gebote und Verheißungen des Alten Testaments macht, auf die alttestamentlichen Aussagen in ihrem Litteralsinn also. Versteht man diese jedoch in ihrem tieferen Signifikationswert, dann wird die Einschränkung wieder hinfällig. Denn bei einer figürlichen Auslegung, so

---

griffe deshalb unterschiedslos gebrauche, weil er alle gleichermaßen in den umfassenderen Rahmen seiner Metaphysik stelle.

[6] De mor. eccl. cath. 1,28,56: ... quanquam enim utrumque in utroque sit.

[7] De util. cred. 3,9: ... et Veteris Testamenti ad Novum tanta congruentia, ut apex nullus, qui non consonet, reliquatur.

[8] C. Adim. 3,4: Certis enim quibusdam umbris et figuris rerum ante Domini adventum, secundum mirabilem atque ordinatissimum distributionem temporum, populus ille tenebatur, qui Testamentum Vetus accepit; tamen in eo tanta praedicatio et praenuntiatio Novi Testamenti est, ut nulla in evangelica atque apostolica doctrina reperiantur, quamvis ardua et divina praecepta et promissa, quae illis etiam liberis veteribus desint.

[9] Retract. 1,22,2: Sed addendum erat ‚paene‘...

fügt Augustinus auch an der zitierten Stelle der Retractationes hinzu, findet man im Alten Testament *alles* prophetisch vorhergesagt, was durch Christus Wirklichkeit wurde[10].

Ihre volle und breiteste Entfaltung erfährt diese Idee der inneren Einheit der Testamente in der großen antimanichäischen Schrift *Contra Faustum* (397/98). Schon formelhaft heißt es hier zum Beispiel:

„Warum sagte der Apostel, die Testamente würden den Israeliten in besonderer Weise zugehören, wenn nicht deshalb, weil ihnen zum einen das Alte Testament gegeben worden ist und zum anderen das Neue im Alten *figürlich dargestellt* ist?"[11]

Zur Artikulation dieses Sachverhalts verwendet Augustinus in diesem Werk auch erstmals auf breiter Front die geschichtstheologische Kategorie ‚Offenbarung‘[12]. Vorher hatte er das Wort nur zweimal in De doctrina christiana[13] und einmal in Epistula 36[14] gebraucht (beide Schriften sind aus dem Jahre 396); hier aber kommt es insgesamt dreißigmal vor.

b) Von Contra Faustum aus durchzieht die Argumentation mit dem geschichtstheologischen Schema ‚occultatio − revelatio‘ das gesamte weitere Werk Augustins und erhält aus neuen Kontroversen neues Gewicht. Gegen die *neuplatonische Kritik*, die christliche Religion sei ein historisch bedingtes und deshalb höchst relatives Gebilde, erweist Augustinus mit Hilfe dieses Schemas die zeitliche Universalität der christlichen Sache[15]. In der *donatistischen Kontroverse* spielt es zwar nur eine sehr geringe Rolle[16]; aber immerhin kann Augustinus auch hier den Gedanken der gegenseitigen Durchdringung der beiden Testamente heranziehen, um mit seiner Hilfe das rigori-

---

10 Retract. 1,22,2: Proinde si figurae discutiantur, omnia ibi prophetata reperiuntur, quae sunt praesentata, vel expectantur praesentandae per Christum. − Siehe dazu G. Strauss, a.a.O. 68 Anm. 97.

11 C. Faust. 12,3: Iam vero Testamenta cur dixit (scl. Apostolus) ad Israelitas praecipue pertinere, nisi quia et Vetus Testamentum illis est datum, et Novum in Vetere figuratum?

12 C. Faust. 6,4; 6,5; 6,7; 6,9; 10,2; 11,8; 12,11; 15,2; 16,13; 16,32; 18,4; 19,8; 19,13; 19,14; 19,17; 19,18; 19,30; 19,31; 22,23; 22,76; 22,77; 31,4; 33,9. − P. Cantaloup, L'harmonie des deux testaments dans le ‚Contra Faustum‘, geht nicht ausdrücklich auf die geschichtstheologische Kategorie ‚revelatio‘ ein, obwohl er sie für seine Arbeit hätte fruchtbar machen können. 153ff führt er die verschiedenen Termini an, mit denen Augustinus den präfigurativen Charakter des Alten Testaments faßt; das Schema ‚occultatio − revelatio‘ aber fehlt. Cantaloup bestimmt das Verhältnis des Neuen Testaments zum Alten vor allem mit dem Begriff ‚accomplissement‘ (176f).

13 De doctr. christ. 3,6,10 und 3,9,13; zitiert in § 1,2a des 2. Teiles.

14 Epist. 36,14,32; zitiert in § 1,3a des 2. Teiles; zur Datierung des Briefes siehe A. Goldbacher, in: CSEL 58 (1923) 14. − In allen anderen, vor 397 zu datierenden Texten hat ‚revelatio‘ die Bedeutung von ‚innerer Offenbarung‘.

15 Epist. 102,2,8ff und De civ. Dei 10,32; siehe dazu weiter unten § 4.

16 De bapt. c. Don. 1,15,24 ist die einzige Stelle in Augustins antidonatistischen Schriften, an welcher das Schema ‚occultatio − revelatio‘ begegnet.

stische Kirchen- und Sakramentsverständnis der Donatisten[17] zurückzuweisen und seinen eigenen, mehrschichtigen, ‚spiritualisierenden‘ Kirchenbegriff zu erläutern, nach welchem äußeres Sakrament und innere Gnade, äußere und innere Kirchenzugehörigkeit, Zeichen- und Sachebene, nicht einfach deckungsgleich sind[18]. In der *Auseinandersetzung mit den Pelagianern* schließlich bekommt das Schema ‚occultatio – revelatio‘ erneut aktuelle Bedeutung[19]. Denn mit seiner Hilfe kann Augustinus gegen eine vermeintlich naturalistische Gnadenauffassung der Pelagianer[20] zeigen, daß zu keiner Zeit irgendein Mensch ohne den Glauben und ohne die Gnade Christi gerechtfertigt wurde. Auch die alttestamentlichen Gerechten hatten den ‚christlichen‘ Glauben. Denn die Gnade Christi war auch im Alten Bund gegenwärtig. In den sich wandelnden Zeiten hat sich nicht die Gnade selbst verändert, sondern nur der Grad ihrer Offenbarkeit[21].

2. Zwei Heilszeiten und ihre Relation

Bei aller Betonung der Einheit von Altem und Neuem Testament bzw. Altem und Neuem Bund erkennt Augustinus natürlich an, daß es sich jeweils um objektiv verschiedene Heilszeiten handelt. Er hebt ihre Verschiedenheit sogar immer wieder ausdrücklich hervor, so etwa, wenn er auf den Unterschied der die beiden Testamente kennzeichnenden *Verheißungen* hinweist: Im Alten Bund beziehen sich die Verheißungen auf *Irdisches* (terrena),

---

[17] Siehe dazu R. Crespin, Ministère et sainteté. Pastorale du clergé et solution de la crise donatiste dans la vie et la doctrine de saint Augustin, Paris 1965.

[18] Zu Augustins mehrschichtigem Kirchenbegriff siehe vor allem F. Hofmann, Der Kirchenbegriff des hl. Augustinus, bes. 212ff; und J. Ratzinger, Volk und Haus Gottes, bes. 296ff.

[19] Siehe z.B. A. Luneau, a.a.O. 377f, und A.D.R. Polman, a.a.O. 102f.

[20] Zur pelagianischen Position siehe z.B. C. Kannengiesser, a.a.O. bes. 378ff. – Zur kritischen Aufarbeitung des antipelagianischen Streits siehe G. Greshake, Gnade als konkrete Freiheit. Greshake versucht zu zeigen, daß Pelagius durchaus „für unsere Frage nach einem konkreten, erfahrungsbezogenen und in diesem Sinne verifizierbaren Sprechen von Gnade von Bedeutung sein kann" (27). Er will damit hinsichtlich der Kontroverse zwischen Pelagius und Augustinus ersteren zwar nicht rehabilitieren (249), aber doch zu seinen Gunsten geltend machen, daß die beiden Hauptkontrahenten des Streites im Grunde aneinander vorbeigeredet haben, weil das jeweils unterschiedliche fundamentale Wirklichkeitsverständnis, innerhalb dessen sich Erfahrung und Auslegung von Gnade bewegt, kaum in den Blick kam (252). Zur Kritik siehe die oben zitierte Besprechung von B. Studer.

[21] C. duas epist. Pelag. 3,4,6: Quis enim catholicus dicat, quod nos dicere iactitant, „Spiritum sanctum adiutorem virtutis in Veteri Testamento non fuisse"; nisi cum Vetus Testamentum sic intelligamus, quemadmodum Apostolus dixit, „A monte Sina in servitutem generans"? Sed quia in eo praefigurabatur novum, qui hoc intelligebant tunc homines Dei, secundum distributionem temporum veteris quidem Testamenti dispensatores et gestatores, sed novi demonstrantur haeredes. – Siehe weiter unten die zahlreichen Stellenangaben aus antipelagianischen Schriften.

Zeitliches (temporalia), auf ein irdisches Reich, das irdische Jerusalem, irdisches Glück und Heil; im Neuen Bund aber auf *Himmlisches* (coelestia), *Ewiges* (aeterna) auf das Reich der Himmel, das himmlische Jerusalem, ewiges Glück und Heil[22]. Im Alten Bund gehen die Verheißungen auf *Fleischliches* (carnalia), auf die Güter des vergänglichen Fleisches; im Neuen aber auf *Geistiges* (spiritualia), auf „ein Gut des Herzens..., ein Gut des Geistes, ein Gut der Seele, das heißt ein intelligibles Gut"[23]. Und er erklärt diese Verschiedenheit zumeist mit Hilfe eines pädagogisch-organologischen Deutemodells: So wie jeder einzelne Mensch in seiner Entwicklung vom Fleischlichen ausgeht und erst später zu den geistigen Dingen gelangt, so sollten auch bei der Entfaltung der dispensatio temporalis vor den geistigen Dingen zuerst irdische verheißen werden[24].

Diese Verschiedenheit der Testamente wird aber doch zugleich immer wieder dadurch überwunden, daß das Irdische als *Figur*[25] für das Himmlische verstanden wird[26]. Die alttestamentliche Wirklichkeit wird dann nicht mehr in ihrer historischen Eigenbedeutung gesehen, sondern nur noch in ihrem verborgenen, prophetischen Signifikationswert[27]. Und Altes und Neues Testament verhalten sich dann zueinander wie vorauskündende Figur (figura praenuntians) und offenbare Sache (res manifesta)[28], in Figuren gehüllte

---

[22] Siehe z.B. En. in psalm. 34 sermo 1,7; 119,7; Epist. 140,2,5; C. duas epist. Pelag. 3,4,10; De civ. Dei 18,11; In evang. Ioh. 11,8.

[23] De spir. et litt. 21,36: Quia in eo, sicut dixi, promissa terrena et temporalia recitantur, quae bona sunt huius corruptibilis carnis, quamvis eis sempiterna atque coelestia ad Novum scilicet Testamentum pertinentia figurentur; nunc ipsius bonum cordis promittitur, mentis bonum, spiritus bonum, hoc est intelligibile bonum. Vgl. auch De civ. Dei 17,7. – Zu den verschiedenen Bedeutungselementen im Begriff ‚carnalis‘ („das ontologisch-beschreibende, das ontologisch-wertende, das hermeneutische, das soteriologisch-anthropologische und das heilsgeschichtliche") siehe Chr. Walter, a.a.O. 110f.

[24] Siehe z.B. De civ. Dei 18,11: Hunc enim ordinem servari oportebat, sicut in unoquoque homine, qui in Deum proficit, id agitur, quod ait Apostolus, ut non sit prius quod spirituale est, sed quod animale. Vgl. auch Epist. 140,2,5: Prioribus saeculi temporibus dispensandum iudicavit Testamentum Vetus, quod pertineret ad hominem veterem, a quo ista vita necesse est incipiat. – Zuweilen sagt Augustinus, Gott habe deshalb zuerst zeitliche Dinge verheißen, weil er damit zeigen wollte, daß er der Herr sowohl über die zeitlichen als auch über die ewigen Güter ist; siehe z.B. En. in psalm. 34 sermo 1,7.

[25] Siehe zu diesem Begriff A. Becker, a.a.O. 236–242.

[26] En. in psalm. 34 sermo 1,7: Haec terrena promissa sunt, sed tamen figurata; En. in psalm. 119,7: Omnia ista promissiones sunt terrenae. In figura spiritualiter intelliguntur.

[27] Epist. 140,2,5: Illa quippe terrena munera in manifesto promittebantur et tribuebantur; in occulto autem illis omnibus rebus Novum Testamentum figurate praenuntiabatur. Vgl. auch En. in psalm. 89,1: Fuit ergo Moyses minister Testamenti Veteris, et propheta Testamenti Novi.

[28] C. Faust. 6,2.

Prophetie (figurata prophetia) und offenbare Wahrheit (manifesta veritas)[29], figürliches Bild (figurata imago) und gemeinte Sache (res ipsa)[30], zeichenhaftes Bild (imago significans) und ausdrückliche Wahrheit (veritas expressa)[31], Figur (figura) und Wahrheit (veritas)[32], Schatten (umbra) und Körper (corpus)[33], ganz allgemein also wie Zeichen (signum) und Sache (res)[34].

Der Unterschied der Testamente reduziert sich dann auf die Verschiedenheit der *Modalität* der gleichen Sache[35]. „Die Lehre ist nicht verschieden, nur die Zeit ist verschieden."[36] Alles, was in den Büchern des Alten Testaments aufgeschrieben ist, handelt letztlich von Christus und ist wegen ihm aufgeschrieben worden[37]. Nur ist es wegen der Ordnung der Zeiten dort noch in Figuren verhüllt, deren Wahrheit sich erst durch die historische Ankunft Christi erschließt. Christus ist die verborgene Wahrheit des Alten Testaments, sein inneres Prinzip, und folglich der hermeneutische Schlüssel zu seinem Verstehen[38]. Christus und die von ihm heraufgeführte neutestamentliche Wirklichkeit ist der „objektive Intellekt" des Alten Bundes; und die neutestamentlichen Schriften sind der „erkenntnismäßige Inhalt" des Alten Testaments[39].

3. Zwei zeitunabhängige Seinsweisen

Die beiden Testamente repräsentieren in ihrer objektiven Unterschiedenheit zwei unterschiedliche Seinsweisen[40], die Augustinus mit den Gegensatzpaaren Buchstabe und Geist (littera − spiritus), Gesetz und Gnade (lex − gratia), Furcht und Liebe (timor − caritas) kennzeichnet. Wenn das Alte

---

[29] C. Faust. 16,28. [30] In evang. Ioh. 12,11.

[31] De civ. Dei 15,2.

[32] In evang. Ioh. 11,8; vgl. auch En. in psalm. 84,4: Illa figura erat, haec autem expressio veritatis.

[33] In evang. Ioh. 11,8; sehr oft heißt es auch ‚umbra-res', so z.B. in C. Adim. 16,2; C. Faust. 6,2; De civ. Dei 15,2.

[34] C. Adim. 16,2.

[35] Siehe z.B. C. Adim. 16,3: Duorumque Testamentorum differentiam sic probamus, ut ... in illo cognoscatur praefiguratio possessionis nostrae, in isto teneatur ipsa possessio.

[36] C. Faust. 16,28: Non ergo diversa doctrina est, sed diversum tempus.

[37] C. Faust. 12,7: ... quandoquidem omnia quae illis continentur libris, vel de ipso dicta sunt, vel propter ipsum.

[38] En. in psalm. 98,1: ... omnes Litteras antiquorum patrum nostrorum, qui scripserunt verba Dei et magnalia Dei ... et dixerunt futura ista tempora: sed ita dixerunt, ut quibusdam figuris rerum tegerent sententias suas, ipsumque velamen quo tecta est veritas in libris antiquorum, tunc tolleretur, quando iam ipsa veritas de terra oriretur... Modo ergo tota intentio nostra est, quando Psalmum audivimus, quando Prophetam, quando Legem..., Christum ibi videre, Christum ibi intelligere. Vgl. De civ. Dei 17,7: Quamdiu legitur Moyses, velamen super corda eorum posita est; cum autem inde quisque transierit ad Christum, auferetur velamen.

[39] J. Ratzinger, Volk und Haus Gottes, 298; vgl. A. Wachtel, a.a.O. 32f.

[40] Vgl. J. Ratzinger, a.a.O. 299ff. G. Greshake, a.a.O. 206f, spricht in diesem Zusammenhang von Zeitqualität (Seinsweise) und Zeitquantität (historische Zeit).

Testament ausschließlich in seinem sichtbaren Eigenwert gesehen wird und nicht darüber hinaus auch als Figur für das Neue, dann wird es zur bloßen *‚littera‘*[41] und stellt so die irdische, ‚eindimensionale‘ Existenzweise dar. Es wird zum bloßen niederdrückenden Gesetz, das die auf Eigenmächtigkeit Pochenden einem gnadenlosen Sein in Furcht und Sorge überläßt. Dem Neuen Bund aber entspricht die Seinsweise des das Irdische transzendierenden Geistes und der im Glauben zur Liebe befreienden Gnade[42]:

„Die unter das *Gesetz* Gestellten, die der *Buchstabe* niederdrückt, tun das Gebotene aus Gier, irdisches Glück zu erlangen, oder aus *Furcht,* es zu verlieren. Und darum tun sie es nicht wahrhaft, denn fleischliche Begierde ... kann nicht durch weitere Begierde geheilt werden. Diese also gehören zum Alten Testament... Die unter die *Gnade* Gestellten aber, die der *Geist* lebendig macht, tun das Gebotene aus *Glauben,* der durch die *Liebe* wirkt, und zwar in der Hoffnung auf geistige, nicht fleischliche Güter, auf himmlische, nicht irdische, ewige, nicht zeitliche... Diese gehören zum Neuen Testament.‘‘[43]

Diese beiden Seinsweisen sind aber doch zugleich wieder unabhängig von den sie repräsentierenden objektiven Heilszeiten. Sie stellen jederzeit mögliche Alternativen menschlichen Lebens dar. Denn aufgrund der die Differenz der Testamente überwindenden Struktur ‚figura — res‘ oder ‚occultatio — revelatio‘ können auch schon Menschen des Alten Bundes an der Seinsweise des Neuen Bundes teilhaben, und das heißt für Augustinus vor allem, aus dem einen und selben neutestamentlichen Glauben heraus leben[44]. Und andererseits können Menschen des Neuen Bundes die Bewegung des neutestamentlichen Glaubens verfehlen und so an die alttestamentliche Seinsweise, an den Buchstaben und das Irdische, gebunden bleiben. Denn auch die neu-

---

41 C. duas epist. Pelag. 3,4,12: Aliter itaque dicitur iam obtinente loquendi consuetudine Vetus Testamentum, Lex et Prophetae omnes, qui usque ad Ioannem prophetaverunt; quod distinctius vetus Instrumentum vocatur quam vetus Testamentum; aliter autem sicut apostolica appellat auctoritas..., idipsum significans Testamentum nomine litterae.

42 C. Faust. 19,7: Neque enim Lex iubebat delictum, ut illa subintrante abundaret delictum. Sed *superbos* multum sibi tribuentes, mandati sancti et iusti et boni adiectio reos etiam praevaricationis effecerat: ut eo modo *humiliati,* discerent ad *gratiam* pertinere per *fidem.* — C. Faust. 15,4: Tantum noli esse sub Lege, ne illam *timore* non impleas; sed sub gratia, ut sit in te plenitudo Legis caritas. — De mor. eccl. cath. 1,28, 56: Quanquam enim utrumque in utroque sit, praevalet tamen in Vetere *timor, amor* in Novo, quae ibi *servitus,* hic *libertas* ab Apostolis praedicatur.

43 C. duas epist. Pelag. 3,4,11: Faciunt ista sub Lege positi, quos littera occidit, terrenam filicitatem vel cupiditate adipiscendi vel timore amittendi: et ideo non vere faciunt, quoniam carnalis cupiditas, ... cupiditate alia non sanatur. Hi ad vetus Testamentum pertinent... Sub gratia vero positi, quos vivificat spiritus, ex fide ista faciunt, quae per dilectionem operatur, in spe bonorum, non carnalium, sed spiritualium, non terrenorum, sed coelestium, non temporalium, sed aeternorum... Hi pertinent ad Testamentum novum...

44 Siehe z.B. die Fortsetzung des eben zitierten Textes C. duas epist. Pelag. 3,4,11: Huius generis fuerunt antiqui omnes iusti, et ipse Moyses Testamenti minister Veteris, haeres Novi; quia ex fide, qua nos vivimus, una eademque vixerunt. — Siehe dazu weiter unten § 5.

testamentliche Wirklichkeit ist noch den Bedingungen der sensiblen irdischen Welt unterworfen. Auch der Neue Bund ist, trotz geschichtlicher Manifestation, nur in zeichenhafter Vermittlung da. Er ist nur in defizienter Weise verwirklicht und deshalb Fehldeutungen ausgesetzt. Davon soll im folgenden Abschnitt die Rede sein.

4. Defizienz des Neuen Testaments in dieser Welt

a) Der Neue Bund ist auch in der Zeit des Neuen Testaments noch nicht voll verwirklicht, weil er eigentlich eine Sache der Innerlichkeit ist, dennoch aber noch über den Seinsbereich des ‚Draußen‘ vermittelt wird. Aufschlußreich ist hier eine Passage aus *De spiritu et littera*[45]. Im Anschluß an die Prophetie des Jeremias über den Neuen Bund (Jer 31,31—34) beschreibt Augustinus dort den Unterschied zwischen den beiden Testamenten mit Hilfe der ontologischen Kategorien ‚außen‘ und ‚innen‘. Im Alten Bund gab Gott den Menschen *von außen äußere* Gesetze, die für sich allein toter Buchstabe waren. Im Neuen Bund aber legt er durch den lebendigmachenden Geist sein Gesetz in ihr Herz, er schreibt es *innerlich* in ihren Geist; er ist in jedem einzelnen Menschen innerlich wirkendes Prinzip der Liebe, die alles äußerliche Wissen erst fruchtbar macht[46]. Nun kennzeichnet Jeremias aber den Neuen Bund durch eine noch weitergehende Interiorität Gottes, nämlich durch die Wiederherstellung der ursprünglichen Gottunmittelbarkeit des Menschen, die alle äußere Belehrung und jede äußere Vermittlung eines Wissens über Gott überflüssig macht. Augustinus muß zugeben, daß diese Wiederherstellung der ursprünglichen Gottunmittelbarkeit noch aussteht, daß also die neue Interiorität des Neuen Bundes erst anfanghaft Geltung hat:

„Jetzt ist gewiß schon die Zeit des Neuen Testaments, auf die sich jene durch den Propheten gesprochene Verheißung bezieht... Warum aber belehrt dann immer noch einer den anderen und sagt: Erkenne den Herrn? Oder geschieht das etwa nicht, wenn das *Evangelium gepredigt* wird? ... Wenn sich also jetzt die Verkündigung des Evangeliums überall ausbreitet, wie kann dann jetzt die Zeit des Neuen Testaments sein, von welcher der Prophet sagt: ‚Sie werden sich nicht mehr gegenseitig belehren und einander sagen ‚Erkenne den Herrn‘, denn alle werden mich kennen.‘? Wir müssen deshalb annehmen, der Prophet habe den *ewigen Lohn* des Neuen Bundes, nämlich die beseligende Schau Gottes, in seine Verheißung einbezogen.“[47]

---

[45] De spir. et litt. 19,32ff.

[46] Siehe vor allem De spir. et litt. 19,32: Illa (scl. Lex) enim sine adiuvante spiritu procul dubio est littera occidens: cum vero adest vivificans spiritus, hoc ipsum *intus* conscriptum facit diligi, quod *foris* scriptum lex faciebat timeri. — 21,36: Unde significavit eos non *forinsecus* terrentem legem formidaturos, sed *intrinsecus* habitantem ipsam legis iustitiam dilecturos. — 25,42: Non ideo dicendum est quod Deus adiuvet nos..., quia praeceptis iustitiae *forinsecus* insonat sensibus nostris, sed quia *intrinsecus* incrementum dat.

[47] De spir. et litt. 24,39: Nunc certe iam tempus est Testamenti Novi, cuius per

Die vollkommene Interiorität des Neuen Bundes bleibt also auch noch in der Zeit des Neuen Testaments Zielvorstellung. Zunächst gilt weiter das Gesetz des ‚Draußen‘, der Mittelbarkeit, der admonitiven Zeichen und gerade deshalb des Glaubens. Zwar wirkt in den dem Neuen Bund Zugehörenden schon das innerliche Gesetz der Liebe, die allein den äußerlich vermittelten Glauben intentional ausrichtet, theonom qualifiziert und so allererst wirksam werden läßt[48]; zwar kann der Glaube schon anfanghaft – quantum in hac vita potest – in innerliche Einsicht aufgehoben werden[49]. Die volle Einlösung der verheißenen Interiorität des Neuen Bundes geschieht aber erst, wenn die zu ihm Gehörenden aus dem Seinsbereich der sensiblen irdischen Welt befreit sein werden[50].

b) Weil das so ist, steht auch noch der neutestamentliche Mensch ständig in der Gefahr, wieder der alttestamentlichen Seinsweise des ‚Draußen‘ zu verfallen. Denn auch in der Zeit des schon offenbar gewordenen Neuen Testaments bewegt er sich strenggenommen erst *zwischen den Testamenten*[51], befindet er sich im Übergang vom Alten zum Neuen[52]. Noch trägt er den äuße-

---

Prophetam facta est promissio per haec verba... Cur ergo adhuc dicit unusquisque civi suo et fratri suo, Cognosce Dominum? An forte non dicitur, cum Evangelium praedicetur? ... Cum ergo nunc ista praedicatio usquequaque crebrescat, quomodo tempus est Testamenti novi, de quo Propheta dixit, ‚Et non docebit unusquisque civem suum et unusquisque fratrem suum, dicens, Cognosce Dominum; quia omnes cognoscent me...‘; nisi quia eiusdem Testamenti Novi aeternam mercedem, id est, ipsius Dei beatissimam contemplationem promittendo coniunxit?

[48] Dies aufzuzeigen ist Hauptanliegen von De spiritu et littera. Gegen die Meinung der Pelagianer, Gott helfe durch die Vermittlung einer doctrina, eines äußeren Glaubenswissens (siehe z.B. 2,4), besteht Augustinus darauf, daß der Mensch dazuhin den heiligen Geist empfangen müsse, quo fiat in animo eius *delectatio dilectioque* summi illius atque incommutabilis boni quod Deus est, etiam nunc cum per fidem ambulatur, nondum per speciem. Denn: Cum id quod agendum et quo nitendum est coeperit non latere, nisi etiam *delectet et ametur*, non agitur, non suscipitur, non bene vivitur. Ut autem diligatur, caritas Dei diffunditur in cordibus nostris ... per Spiritum sanctum (3,5).

[49] De spir. et litt. 24,41: ... minores ... qui tantummodo credere, maiores autem qui etiam intelligere, quantum in hac vita potest, lumen incorporeum atque incommutabile valuerunt.

[50] Siehe De spir. et litt. 24,41: ... ita lex fidei scripta in cordibus mercesque eius species contemplationis, quam spiritualis domus Israel *ab hoc mundo liberata* percipiet, pertinet ad Testamentum Novum. Tunc fiet, quod dicit Apostolus: Sive prophetiae evacuabuntur, sive linguae cessabunt, sive scientia evacuabitur (1 Kor 13,8).

[51] Vgl. dazu J. Ratzinger, Volk und Haus Gottes, 304f, zum Thema „Die Kirche: Zwischen den Testamenten".

[52] In diesen Zusammenhang gehören die zahlreichen Texte Augustins über die ‚peregrinatio a patria‘; siehe z.B. En. in psalm. 38,8f: Mansio quaedam erit finis currendi; et in ipsa mansione patria sine peregrinatione... Nondum ibi sum, ne superbiam ex eo in quo iam sum... In comparatione enim illius quod est, attendens ista quae non ita sunt, et plus mihi videns deesse quam adesse, ero humilior ex eo quod deest, quam elatior ex eo quod adest... Nunc ergo in hoc cursu transimus a veteribus ad nova.

ren Menschen der Sünde, der Mühsal, der Vergänglichkeit, der dahingehenden Zeiten, und sieht dort „den alten Menschen, den alten Tag, das alte Lied, das Alte Testament". Wendet er sich aber dem inneren Menschen zu, „dem, was neu gemacht werden soll", findet er dort „den neuen Menschen, den neuen Tag, das neue Lied, das Neue Testament". Freilich ist diese innerliche Erneuerung erst noch im Gang und deshalb durch das noch verbleibende Alte ständig gefährdet: „Wir wollen deshalb das Neue so lieben, daß wir das noch Alte darin nicht fürchten müssen."[53]

Dieses soteriologisch-ontologische ‚Zwischen' des neutestamentlichen Menschen hat einerseits seine Entsprechung in der objektiv gegebenen heilsgeschichtlichen Situation: In der Zeit des Neuen Testaments ist das „Erbe des Alten Bundes", die Erdenseligkeit des äußeren Menschen, schon grundsätzlich abgetan, das „Erbe des Neuen Bundes", die immerwährende Unsterblichkeit, steht aber noch aus. Das neue Volk lebt deshalb „noch nicht im realen, sondern erst im hoffenden Innesein des himmlischen Erbes" und deshalb eigentlich erst „*zwischen zwei Erbteilen*", zwischen den beiden Testamenten[54]. Andererseits aber ist auch schon die Seinsweise der Heiligen aus vorchristlicher Zeit durch dieses ‚Zwischen' gekennzeichnet:

„*Alle* Heiligen Gottes, von Anfang des Menschengeschlechts bis zur Zeit der Apostel..., von der Zeit der Apostel, in welcher der Unterschied zwischen den beiden Testamenten deutlicher zutage trat (*revelata est*)..., bis heute, ‚schliefen zwischen den Erbteilen' (Ps 67,14), das heißt, sie verachteten schon die Glückseligkeit des Erdenreiches und erhofften, besaßen aber noch nicht die Ewigkeit des Reiches der Himmel."[55]

---

[53] En. in psalm. 38,9: ‚Et si exterior, inquit, homo noster corrumpitur, sed interior renovatur de die in diem' (2 Kor 5,17). Ergo ad peccatum, ad mortalitatem, ad praetervolantia tempora, ad gemitum et laborem et sudorem, ad aetates succedentes, non manentes, ab infantia usque ad senectutem sine sensu transeuntes, ad haec attendentes, videamus hic veterem hominem, veterem diem, vetus canticum, Vetus Testamentum. Conversi autem ad interiorem, ad ea quae innovanda sunt, pro his quae immutabuntur, inveniamus hominem novum, diem novum, canticum novum, Testamentum Novum; et sic amemus istam novitatem, ut non ibi timeamus vetustatem. Nunc ergo in hoc cursu transimus a veteribus ad nova.

[54] En. in psalm. 67,20 (Kommentar zu Psalm 67,14: ‚Si dormiatis inter medios cleros'): ... ut cleros multo probabilius ipsas haereditates intelligamus: ut quoniam haereditas Veteris Testamenti est, quamvis in umbra significativa futuri, terrena felicitas, haereditas vero Novi Testamenti est aeterna immortalitas; dormire sit inter medios cleros, nec illam iam quaerere ardenter, et adhuc istam exspectare patienter... Hoc est, quantum mihi videtur, dormire inter medios cleros, id est inter medios haereditates: nondum in re, sed tamen in spe coelestis haereditatis habitare, et a terrena felicitatis iam cupiditate conquiescere. Cum autem venerit quod speramus, non iam inter duos haereditates requiescemus, sed in nova vera, cuius vetus erat umbra, regnabimus. — Siehe zu diesem Text auch J. Ratzinger, Volk und Haus Gottes, 305.

[55] En. in psalm. 67,20: Omnes ergo sancti Dei ab initio generis humani, usque ad tempus Apostolorum..., et a tempore Apostolorum, ex quo duorum Testamentorum differentia clarius revelata est..., usque ad hoc tempus dormierunt inter medios cleros, regni

Nivelliert Augustinus damit aber nicht den geschichtlichen Offenbarungsfortschritt zur Bedeutungslosigkeit? Bringt dieser Offenbarungsfortschritt eine neue Heilsqualität mit sich? Worin besteht das eigentlich Neue des Neuen Testaments?

5. Das offenbarungstheologisch Neue des Neuen Testaments

a) Das Neue des Neuen Bundes besteht nicht in einer qualitativ neuen Beziehung zwischen Gott und dem einzelnen Menschen. Denn zu allen Zeiten konnten Menschen der neutestamentlichen Seinsweise gemäß leben. Der Neue Bund überwindet nicht die grundlegende Heilsdifferenz des Menschen, das Gesetz der Mittelbarkeit und der Zeichen. Er stellt nicht die ursprüngliche Gottunmittelbarkeit des Menschen wieder her. Weder Altes noch Neues Testament bringen die eigentliche Offenbarung der unwandelbaren Wahrheit Gottes. Sowohl Altes als auch Neues Testament haben im Blick auf diese Offenbarung vielmehr nur *instrumentalen Charakter.* Dies kommt sehr gut in dem terminologischen Befund zum Ausdruck, daß Augustinus Altes *und* Neues Testament des öfteren als ,*instrumentum*' bezeichnet. Zwar meint er mit diesem Wort in erster Linie die biblischen Schriften, doch ist dies natürlich nicht ohne Bedeutung für Augustins Einschätzung der diesen Schriften zugrunde liegenden geschichtlichen Realitäten[56].

In bezug auf das Alte Testament verbindet sich mit dem Wort ,instrumentum' zunächst nur das Problem der *heilsgeschichtlichen Differenz* zwischen Altem und Neuem Bund: Das Alte Testament heißt zwar ,littera', insofern es, in seinem bloßen Eigenwert genommen, die in sich verschlossene, irdische Seinsweise des Menschen repräsentiert. Insofern es aber auch Figur des Neuen ist, nennt man es besser ,instrumentum'. Denn es stellt dann ein intentional auf Christus ausgerichtetes Heils-Mittel dar; es ist ein Instrument, das den Neuen Bund auf verborgene Weise vermittelt und so den alttestamentlichen Menschen aus seiner irdischen Seinsweise in das Sein des Neuen Bundes rufen will[57].

---

terreni felicitatem iam contemnentes, et regni coelorum aeternitatem sperantes, nondum tenentes.

[56] Siehe z.B. De civ. Dei 20,4: Huius itaque ultimi iudicii Dei testimonia de Scripturis sanctis, quae ponere institui, prius eligenda sunt de libris Instrumenti Novi, postea de Veteris. — Vgl. G. Strauss, a.a.O. 39f, der im Anschluß an De doctr. christ. 1,35,39 (dispensatio temporalis, qua debemus uti, non quasi mansoria quadam dilectione atque delectatione, sed transitoria potius, tanquam *viae*, tanquam *vehiculorum* vel aliorum quorumlibet *instrumentorum*) den instrumentalen Charakter der dispensatio temporalis sowie der ihr entsprechenden Heiligen Schrift im Blick auf das zu erreichende Seligkeitsziel darstellt und von daher 40 Anm. 151 auf ,,die von Augustinus häufig geübte Gewohnheit, Altes bzw. Neues Testament als ,instrumentum vetus' bzw. ,instrumentum novum' zu bezeichnen", verweist. Vgl. auch F. Schnitzler, a.a.O. 12f.

[57] C. duas epist. Pelag. 3,4,12: Aliter itaque dicitur iam obtinente loquendi consuetu-

In bezug auf das Neue Testament zeigt das Wort ‚instrumentum' dann aber die eigentliche Grenze des geschichtlichen Offenbarungsfortschritts auf, nämlich die bleibende *ontologische Differenz* zwischen Zeichen und Sache. Im Blick auf das immer noch ausstehende innerliche Ziel, die unmittelbare Offenbarung der intelligiblen Welt Gottes, ist auch das Neue Testament nur ‚instrumentum', Hilfsmittel, admonitives Zeichen: „Das Evangelium ist *instrumentum"*, so sagt Augustinus in *Sermo 317*, „weil wir noch Knechte sind", das heißt, weil wir noch dieser Welt angehören, weil noch das Gesetz des ‚Draußen' gilt; „und es ist *testamentum,* weil wir schon Söhne sind", das heißt, es ist wahrhaft neuer Bund und neue Seinsweise, weil und insofern wir schon in seine theonome Situation hineingenommen sind. Aber diese testamentale Dimension ist eben doch immer nur instrumental vermittelt da[58].

b) Das offenbarungstheologisch Neue des Neuen Testaments liegt demnach allein in der Überwindung der heilsgeschichtlichen Differenz, in der geschichtlichen Manifestation, der weltweiten Ausbreitung und der öffentlichen Verkündigung des in vorchristlicher Zeit in Figuren verborgenen und nur wenigen Menschen bekannten einen christlichen Heilsweges[59]. Es liegt nicht in der Überwindung des Zeichenhaften und Sakramentalen, sondern darin, daß nun der christliche Heilsweg zu einem öffentlich sichtbaren, in alle Völker hineinwirkenden und geschichtlich bestimmenden Zeichen geworden ist. Das Neue besteht also gerade nicht in einer auf das individuelle Heil der Menschen bezogenen neuen *Heilsqualität,* sondern in einer auf die Umkehr der Menschheit überhaupt bezogenen neuen *Überzeugungsmächtigkeit* des christlichen Heilsweges.

Man wird die Bedeutung dieses von Augustinus immer wieder hervorgehobenen geschichtlichen, öffentlichen und autoritativen Charakters des neutestamentlichen Offenbarungsfortschritts nicht zu gering veranschlagen dürfen. Auf jeden Fall wird sich jede Augustinusinterpretation, die aus dem Werk Augustins ein einseitig individualistisches, prädestinatianisches, geschichtsloses oder entgeschichtliches Heilsverständnis herausliest, von hierher in Frage stellen lassen müssen[60]. Der folgende Paragraph wird dies weiter verdeutlichen.

---

dine vetus Testamentum, Lex et Prophetae omnes, qui usque ad Ioannem prophetaverunt; quod distinctius vetus Instrumentum quam vetus Testamentum vocatur; aliter autem sicut apostolica appellat auctoritas, ... idipsum significans Testamentum nomine litterae.

[58] Sermo 317,2,3: Unum instrumentum nobis factum est. Evangelium instrumentum est, ubi omnes empti sumus... Quia servi sumus, instrumentum est; quia filii sumus, testamentum est. Ipsum attende, conservum attende.

[59] Vgl. dazu J. Ratzinger, a.a.O. 297 über den Offenbarungscharakter der Kirche.

[60] Siehe in diesem Zusammenhang z.B. W. Kamlah, a.a.O. 136ff, der ‚ecclesia' und ‚civitas Dei' bei Augustinus im Sinne einer radikalen eschatologischen Vereinzelung und Entgeschichtlichung deutet, welche Augustinus gegen eine einsetzende sakramenta-

1.   Christlicher Universalismus

Die christliche Religion als sichtbare *Heilsinstitution,* durch welche sich Gott im Bereich der sensiblen Welt auf verbindliche Weise vernehmbar macht, ist *so alt wie das Menschengeschlecht.* In diesem Sinne präzisiert Augustinus in den *Retractationes* einen Satz aus De vera religione, in welchem er sagt, die dispensatio temporalis, durch welche Gott den Menschen beistehe, würde in „unserer Zeit" in der christlichen Religion bestehen[1]:

„Das habe ich nur in bezug auf den Namen so gesagt, nicht aber in bezug auf die Sache selbst, für welche dieser Name steht. Denn die Sache selbst, die heute ‚christliche Religion' genannt wird, hat es schon bei den Alten gegeben, ja *von Anfang des Menschengeschlechts an* fehlte sie nicht, bis Christus selbst im Fleisch erschien. Von da an begann die wahre Religion, die es schon vorher gab, die christliche genannt zu werden... Wenn ich also gesagt habe: ‚Dies ist in unserer Zeit die christliche Religion', dann nicht deshalb, weil es sie in früheren Zeiten nicht gegeben hätte, sondern weil sie erst später diesen Namen erhalten hat."[2]

Dieser christliche Universalismus wird ermöglicht durch das geschichtstheologische Konzept, wie es im Schema ‚occultatio — revelatio' zum Ausdruck kommt. Er besagt nicht nur, daß schon vor Christus einzelnen auf dem Wege privater göttlicher Offenbarung das an Christus gebundene Heil direkt mitgeteilt werden konnte, sondern darüber hinaus, daß die christliche Religion als objektiv gegebene, geschichtlich vermittelte Heilsinstitution schon vor ihrer geschichtlichen Manifestation in bestimmten religiösen Zeichen, Sakramenten und Lebensformen verborgen da und somit geschichtlich präsent und ‚greifbar' war[3]. Wie stellt sich das Augustinus näher vor?

---

le Vergeschichtlichung der Kirche durchgehalten habe; J. Ratzinger, Herkunft und Sinn der Civitas-Lehre Augustins. Begegnung und Auseinandersetzung mit Wilhelm Kamlah, bes. 976—979, hebt demgegenüber zu Recht die konstitutive Bedeutung hervor, die das Sakramentale für das Kirchenverständnis Augustins hat.

[1] De ver. rel. 10,19: ... ineffabili misericordia Dei temporali dispensatione..., partim singulis hominibus, partim vero ipsi hominum generi subvenitur. Ea est nostris temporibus christiana religio, quam cognoscere ac sequi securissima ac certissima salus est.

[2] Retract. 1,13,3: Item quod dixi, ‚Ea est nostris temporibus christiana religio...', secundum hoc nomen dictum est, non secundum ipsam rem, cuius hoc nomen est. Nam res ipsa, quae nunc christiana religio nuncupatur, erat apud antiquos, nec defuit ab initio generis humani, quousque ipse Christus veniret in carne, unde vera religio quae iam erat, coepit appellari christiana... Propterea dixi, ‚Haec est nostris temporibus christiana religio', non quia prioribus temporibus non fuit, sed quia posterioribus hoc nomen accepit.

[3] F. Körner, Das Sein und der Mensch, 119, verkennt den geschichtlichen Charakter der ‚christiana religio' und zugleich deren offenbarungstheologischen Stellenwert, wenn er sie im Zusammenhang mit dem zitierten Text Retract. 1,13,3 als „jene von Gott sel-

2. Religionsgeschichtliche und heilsprädestinatianische Argumentation

Besonders aufschlußreich über die Art und Weise, wie Augustinus die Idee eines christlichen Universalismus begründet, ist *Epistula 102* aus dem Jahre 408/09. Augustinus befaßt sich in diesem Brief ausdrücklich mit der von irgendwelchen Heiden unter Berufung auf den Neuplatoniker Porphyrius aufgeworfenen Frage, wie sich denn der Absolutheitsanspruch der christlichen Religion mit ihrer unleugbaren historischen Relativität vereinbaren lasse:

„Wenn Christus sich den Weg des Heiles nennt, die Gnade und die Wahrheit, und wenn er die Heilsmöglichkeit aller an sich allein und an den Glauben an ihn bindet, was taten dann die Menschen so vieler Jahrhunderte vor Christus? ... Was geschah mit den unzähligen Seelen, die in keinerlei Schuld waren, wenn der, dem sie hätten glauben können, seine Ankunft den Menschen noch gar nicht hatte angedeihen lassen? ... Warum hat sich der sogenannte Erlöser so vielen Jahrhunderten entzogen?"[4]

a) In seiner Antwort argumentiert Augustinus in erster Linie *religionsgeschichtlich*. Er fragt zunächst die Heiden, ob nicht auch ihre Religion zu einer bestimmten Zeit eingesetzt worden sei und ob sich deshalb das von ihnen vorgetragene Problem nicht ebenso in bezug auf ihre Religion stelle. Warum haben sich denn die heidnischen Kultussysteme im Laufe der Geschichte immer wieder geändert? Sind die Anhänger früherer Religionsformen um ihr Heil betrogen worden[5]? Augustinus legt den Heiden dann eine Argumentation in den Mund, mit der sie sich vielleicht verteidigen könnten, die im Grunde aber schon seine eigene Problemlösung darstellt: Die Heiden sagen vielleicht, ihre Götter seien immer die gleichen geblieben und hätten zu allen Zeiten diejenigen befreit, die sie verehrten; nur hätten sie gewollt, daß ihnen entsprechend den sich wandelnden Zeiten und Orten in je verschiedenen Formen und Zeichen gedient werde. Wenn die Heiden aber auf diese Weise ihre Religion verteidigen, dann müssen sie die gleiche Argumentation auch in bezug auf die christliche Religion gelten lassen[6]. Von

---

ber stammende Uroffenbarung" deutet, „die dem Menschen immer wieder neu vom ‚magister qui intus docet' zuteil wird".

[4] Epist. 102,8: Si Christus, inquiunt, se salutis viam dicit, gratiam et veritatem, in seque solo ponit animis sibi credentibus reditum: quid egerunt tot saeculorum homines ante Christum? ... Quid, inquit, actum de tam innumeris animis, qui omnino in culpa nulla sunt, siquidem is cui credi posset, nondum adventum suum hominibus commodaret?... Quare, inquit, Salvator qui dictus est, sese tot saeculis subduxit? – Siehe zu diesem Brief F. Hofmann, a.a.O. 214ff.

[5] Epist. 102,9.

[6] Epist. 102,10: Si dicunt deos quidem ipsos semper fuisse, et ad liberandos cultores suos pariter ubique valuisse, sed pro varietate rerum temporalium ac terrenarum, quae scirent certis temporibus locisque congruere, in his alias atque alias, alibi atque alibi, aliter atque aliter sibi voluisse serviri: cur hanc quaestionem ingerunt religioni christianae, in qua nobis ipsi pro diis suis aut respondere non possunt, aut si possunt, in eo ipso sibi

hierher formuliert nun Augustinus seine These, die christliche Religion, die allein die wahre Religion sei, sei den Menschen nicht erst mit der geschichtlichen Ankunft Christi gegeben worden; vielmehr habe es zu allen Zeiten Ausdrucksformen dieser Religion gegeben, erst dunklere, dann deutlichere:

„Wenn dieselbe Sache durch je andere heilige Zeichen und Sakramente prophetisch vorausgesagt und verkündet wird, soll man nicht meinen, es handle sich gleich um je verschiedene Sachen und um ein je anderes Heil... Vielmehr wurde *die eine und selbe wahre Religion* früher mit *anderen Namen* bezeichnet und unter *anderen Zeichen* beobachtet als heute, zuerst dunkler, später klarer, und zuerst nur von wenigen, später aber von vielen."[7]

Dieses grundlegende religionsgeschichtliche Argument für die Universalität der christlichen Sache wird dann noch ergänzt durch einen *heilsprädestinatianischen* Aspekt. So wie es zu allen Zeiten sakramentale Zeichen der christlichen Religion gab, so gab es auch zu allen Zeiten und in allen Völkern von Gott erwählte Menschen, denen das Heil dieser Religion zugewandt wurde:

„Von Anfang des Menschengeschlechts an wurde Christus ohne Unterlaß prophetisch angekündigt, *bald dunkler, bald klarer,* so wie es der göttlichen Vorsehung den Zeiten angemessen erschien; und ebensowenig hat es an Menschen gefehlt, die an ihn *glaubten,* von Adam bis zu Moses, im Volk Israel, das aufgrund eines besonderen Geheimnisses ein prophetisches Volk war, und in anderen Völkern, ehe er im Fleische kam. Wenn nämlich in den heiligen Büchern der Hebräer schon aus der Zeit Abrahams einige erwähnt werden, die weder zu dessen leiblichen Nachkommen noch zum Volke Israel noch zur Proselytenschaft im Volke Israel gehörten und dennoch dieses Heilsgeheimnisses teilhaftig geworden waren, warum sollen wir dann nicht glauben, daß es auch in den übrigen Völkern überall immer wieder solche Menschen gegeben hat, auch wenn wir sie in jenen Schriften nicht erwähnt finden? So hat das *Heil dieser Religion,* die allein die wahre ist und das wahre Heil wahrhaftig verheißt, *niemals einem Menschen gefehlt, der seiner würdig war;* und wenn es jemandem fehlte, dann war er seiner nicht würdig. Von Anbeginn des Menschengeschlechts wird es gepredigt bis zu seinem Ende, den einen zum Lohne, den anderen zum Gericht."[8]

---

etiam pro nostra religione respondeant, ita nihil interesse *pro diversa temporum locorumque congruentia,* quam diversis sacramentis colatur, si quod colitur sanctum est?

[7] Epist. 102,12: Nec quia una eademque res, aliis atque aliis sacris et sacramentis vel prophetatur vel praedicatur, ideo alias et alias res, vel alias et alias salutes oportet intelligi... Proinde aliis tunc nominibus et signis, aliis autem nunc, et prius occultius, postea manifestius, et prius paucioribus, postea a pluribus, una tamen eademque religio vera significatur et observatur.

[8] Epist. 102,15: Et tamen ab initio generis humani, alias occultius alias evidentius, sicut congruere temporibus divinitus visum est, nec prophetari destitit, nec qui in eum crederent defuerunt, ab Adam usque ad Moysen, et in ipso populo Israel, quae speciali quodam mysterio gens prophetica fuit, et in aliis gentibus antequam venisset in carne. Cum enim nonnulli commemorantur in sanctis hebraicis libris iam ex tempore Abrahae, nec de stirpe carnis eius, nec ex populo Israel, nec adventitia societate in populo Israel, qui tamen huius sacramenti participes fuerunt; cur non credamus etiam in caeteris hac atque illac gentibus, alias alios fuisse quamvis eos commemoratos in eisdem auctor-

b) Der Text macht deutlich, daß der religionsgeschichtliche und der heils-prädestinatianische Gedanke in einer gewissen Spannung zueinander stehen. Denn der Universalismus der Gnade, die in vorchristlicher Zeit einzelnen Auserwählten aus allen Völkern das christliche Heil direkt zuwendet, reicht weiter als die zeichenhaft vorausverkündete christliche Religion. Nicht nur solche Menschen hatten teil am christlichen Heil, die innerhalb der seit Beginn der Menschheit von Gott her entfalteten Verkündigungsgeschichte Christi[9] standen, sondern auch Menschen außerhalb dieser dispensatio temporalis, Menschen aus allen Völkern und somit auch der verschiedensten religiösen Herkunft[10]. Bedeutet diese Spannung, daß der geschichtlich verankerte Universalismus bei Augustinus letztlich von einem geschichtslosen Universalismus der Gnade verdrängt wird?

Diesen Schluß zieht H. Reuter[11]. In seiner Analyse von Epistula 102 kommt er zu folgenden Ergebnissen: 1. Augustinus betrachte alle geschichtlichen Religionen als dunklere oder hellere Erscheinungen derselben Religion[12]. 2. Die Beschaffenheit der äußeren Zeichen und Sakramente der verschiedenen Kultussysteme sei für ihn durchaus irrelevant im Vergleich mit der einen wesentlichen Gnade, auf die allein es ankomme[13]. Die Gnade sei folglich für Augustinus an keinerlei geschichtliche Vermittlung geknüpft[14].

Diese Ergebnisse Reuters stellen jedoch grobe Vereinfachungen dar, die dem Denken Augustins nicht gerecht werden[15]. Es ist einfach nicht wahr, daß Augustinus der Geschichte keinerlei Heilsrelevanz beimißt. Einerseits kennt

---

tatibus non legamus? Ita salus religionis huius, per quam solam veram salus vera veraci-terque promittitur, nulli unquam defuit qui dignus fuit, et cui defuit, dignus non fuit. Et ab exordio propagationis humanae, usque in finem, quisbusdam ad praemium, quibusdam ad iudicium praedicatur. — Augustinus zitiert diesen Text später in De praed. sanct. 9,17 zur Verdeutlichung seiner Gnadenauffassung.

[9] Vgl. hier auch C. Faust. 12,14: Sicut sex aetatibus omne huius saeculi tempus extenditur, in quibus omnibus Christus nunquam destitit praedicari, in quinque per Prophetiam praenuntiatus, in sexta per Evangelium diffamatus; In evang. Ioh. 9,3: Erat prophetia antiquis temporibus, et a prophetiae dispensatione nulla tempora cessaverunt; In evang. Ioh. 9,4: Ergo prophetia ab antiquis temporibus, ex quo prorsus currit ordo nascentium in genere humano, de Christo non tacuit; sed occultum ibi erat.

[10] Vgl. hier auch das Motiv der ‚ecclesia ab Abel‘; De bapt. c. Don. 1,15,24: Ecclesia vero, quod est populus Dei, etiam in istius vitae peregrinatione antiqua res est. — Siehe dazu Y. Congar, Ecclesia ab Abel, in: Abhandlungen über Theologie und Kirche. Festschrift für K. Adam, Düsseldorf 1952, 79ff; und J. Beumer, Die Idee einer vorchristlichen Kirche bei Augustinus, in: Münchener Theologische Zeitschrift 3 (1952) 161—175.

[11] H. Reuter, Augustinische Studien, Gotha 1887 (Neudruck Aalen 1967), 91—105. Zur Kritik siehe F. Hofmann, a.a.O. 216—221.

[12] Ders., a.a.O. 93.　　　　　　　[13] Ders., a.a.O. 96.

[14] Ders., a.a.O. 94.

[15] F. Hofmann weist vor allem darauf hin, daß Augustinus in Epist. 102, entgegen der Interpretation Reuters, nur von der vorchristlichen Zeit spreche; für die Zeit nach Christus betrachte Augustinus die Zugehörigkeit zur sichtbaren, christlichen Religion auf jeden Fall als heilsnotwendig (a.a.O. 217f, 220).

er zwar eine „extrem prädestinatianische Gedankenreihe"[16], wonach dem einzelnen Prädestinierten das übergeschichtliche Heil ohne Vermittlung über die jeweilige geschichtliche Gestalt des christlichen Heilsweges direkt mitgeteilt werden kann. Dies zeigt sich besonders anschaulich an seiner Überzeugung, daß es während der Zeit des Alten Bundes einzelne außerhalb der biblischen dispensatio temporalis Stehende gab, „die nach dem ebenso verborgenen wie gerechten Ratschluß Gottes der göttlichen Gnade würdig waren"[17]. Andererseits legt Augustinus aber doch auch besonderes Gewicht auf die vermittelnde Geschichte. Selbst in dem geschilderten Fall des unmittelbaren Gnadenwirkens mildert er den heilsprädestinatianischen Absolutismus dadurch, daß er für die Erwählten außerhalb der biblischen dispensatio temporalis besondere Offenbarungen postuliert, durch welche sie dem *historischen Mittler* Jesus Christus als dem einzigen Weg zum Heil zugeordnet werden; die hier zutage tretenden soteriologischen Zusammenhänge werden später erörtert[18]. Außerdem ist er der Überzeugung, daß dieser besondere Gnadenweg nur in der vorchristlichen Zeit gegeben war, in der Zeit vor der weltweiten Manifestation des christlichen Heilsweges also. Jetzt, da die christliche Religion allen Menschen sichtbar vor Augen liegt, ist Heil nur noch über die sichtbare Verbindung mit dieser Religion möglich[19]. Und schließlich bemüht er sich, auch schon für die vorchristliche Zeit eine sichtbare Geschichte der christlichen Religion nachzuweisen und bis an den Anfang der Menschheit zurückzuverfolgen, obwohl er sich zur Lösung der Heilsfrage auch ausschließlich auf die Möglichkeit besonderer Offenbarungen einzelner berufen könnte[20].

Dabei denkt Augustinus auch für die Zeit vor Christus keinesfalls daran, alle geschichtlichen Religionen seien dunklere oder hellere Erscheinungen der einen wahren Religion gewesen, jede beliebige Volksreligion habe durch ihre Zeichen und Sakramente die eine Gnade Christi vermitteln können, sei also gleich heilsrelevant oder heilsirrelevant wie jede andere Religion gewesen,

---

[16] H. Reuter, a.a.O. 94.

[17] De civ. Dei 3,1: ... excepto uno populo Hebraeo, et quibusdam extra ipsum populum, ubicumque gratia divina digni occultissimo atque iustissmo Dei iudicio fuerunt.

[18] Siehe vor allem § 8,3 des 2. Teiles.

[19] Siehe F. Hofmann, a.a.O. 212ff.

[20] Dieser Frage der sichtbaren Geschichte der christlichen Religion in der Zeit vor Christus schenkt Hofmann zu wenig Beachtung, so daß er zumindest spiritualistisch mißverstanden werden kann, wenn er a.a.O. 220 sagt: „... dieselbe Religion – das Wort hier als innere Gesinnung des Einzelnen, nicht als objektive Lehre einer Gemeinschaft verstanden – war und ist lebendig in allen zum Heil Berufenen"; und: „Nur aufgrund besonderer Offenbarung oder Erleuchtung konnten die paucissimi sancti jener Zeit zum Heile kommen; dem Universalismus, der das Heil nicht an eine bestimmte sichtbare Religionsform bindet, steht also ein Partikularismus gegenüber, der die tatsächliche Verwirklichung des Heiles zum seltenen Ausnahmefall macht."

wie Reuter meint[21]. Vielmehr glaubt er, daß der eine, universale, christliche Heilsweg von Anfang an in *ganz bestimmten,* von Gott eigens gesetzten Zeichen und Sakramenten gegeben war, daß also die Geschichte der christlichen Religion durch eine kontinuierliche Kette ganz bestimmter religiöser Zeichen markiert ist, welche auf Christus hin immer offener und manifester werden. Die weltumspannende katholische Kirche ist die ausdrücklichste Manifestation dieses Heilsweges. Davor gab es den Alten Bund als dessen zwar vorläufige, aber doch schon geschichtlich-soziologisch faßbare Repräsentation. Und wiederum davor gab es nur vereinzelte Zeichen und Sakramente, die zwar schon objektiv gegeben waren, sich aber noch nicht zu dem geschichtlich-soziologisch faßbaren Gefüge einer Volksreligion verdichtet hatten.

3. Die drei fortschreitenden Phasen der christlichen Religion

a) Über die der Chronologie nach erste Phase der Geschichte der christlichen Religion äußert sich Augustinus verständlicherweise nur vage. Denn klare biblische Aussagen fehlen ihm darüber. Er neigt aber insgesamt doch dazu, auch schon für diese Zeit bestimmte präfigurative, das christliche Heil verborgen darstellende und vermittelnde Zeichen und Sakramente anzunehmen[22]. So bekennt er im 15. Buch von *De civitate Dei* (418/20) zwar sein Unvermögen, diese Zeichen im einzelnen konkret zu bestimmen; er zweifelt aber nicht daran, daß es überhaupt welche gab:

„Ob es indes vor der Sintflut ein äußeres und sichtbares *Zeichen der Wiedergeburt* gab, wie die Beschneidung eines war, die später dem Abraham anbefohlen wurde, und welcher Art es war, falls es eines gab, darüber schweigt die heilige Geschichte. Wohl aber spricht sie davon, daß bereits jene ältesten Menschen Gott *Opfer* darbrachten.“[23]

In *Contra Iulianum* (421) äußert sich Augustinus, wohl unter dem Einfluß der pelagianischen Kontroverse um die Gnadenabhängigkeit des Menschen, hinsichtlich dieses konkreten ‚Sakraments der Wiedergeburt‘ weniger zurückhaltend[24]. Dabei dient ihm der Hinweis auf die unbestreitbare Tatsache,

---

[21] Zu Augustins eindeutig negativer Beurteilung der ‚sacra‘ aller nicht-christlichen Religionen siehe F. Hofmann, a.a.O. 219f.

[22] Vor allem der Frage nach dem objektiven Charakter dieser ersten Phase geht F. Hofmann, a.a.O. 218ff, zu wenig nach.

[23] De civ. Dei 15,16,3: Utrum autem aliquod fuerit vel, si fuit, quale fuerit corporale atque visibile regenerationis signum ante diluvium, sicut Abrahae circumcisio postea est imperata, sacra historia tacet. Sacrificasse tamen Deo etiam illos antiquissimos homines non tacet.

[24] Die Kritik J. Beumers, a.a.O. 169f, Augustinus verwische in seiner antipelagianischen Literatur den Unterschied zwischen vorchristlichen und christlichen Sakramenten, indem er den präfigurativen vorchristlichen Sakramenten immer mehr heilswirksame, ja heilsnotwendige Funktion zuweist und sie deshalb auch immer stärker hervorhebt, ist tendenziell sicher richtig. Allerdings muß man beachten, daß diese Anglei-

daß schon in den frühesten Zeiten Opfer dargebracht wurden, die als präfigurative Zeichen für das Opfer Christi zu verstehen sind, als Stütze für die Plausibilität der vorgetragenen Meinung:

„Man darf nicht meinen, die Diener Gottes, in denen doch der Glaube an den im Fleische kommenden Mittler war, hätten in der Zeit vor der Anordnung der Beschneidung kein *Sakrament* von Gott als Hilfe für ihre Kleinen gehabt, obwohl die Schrift aus irgendeinem zwingenden Grund wollte, daß verborgen bleibe, welcher Art es war. Denn wir lesen ja auch von ihren *Opfern,* durch welche doch das Blut dessen vorgebildet wurde, der allein die Sünde der Welt trägt."[25]

b) Den Unterschied zwischen dieser ersten und der zweiten Phase der fortschreitenden Geschichte der christlichen Religion macht ein Text aus dem 7. Buch von *De civitate Dei* (415/17) deutlich:

„Dieses Geheimnis des ewigen Lebens (= das Werk Christi) ist schon von Anfang des Menschengeschlechts an durch bestimmte, den Zeiten angemessene *Zeichen und Sakramente* denen, die davon Kunde erhalten sollten, *durch Engel* verkündet worden. Sodann wurde das *Volk Israel* zu einer Art Staatswesen vereinigt, das dieses Geheimnis (sacramentum) darstellen sollte und worin ... das, was seit der Ankunft Christi bis heute und weiterhin geschieht, als zukünftig vorausverkündet werden sollte."[26]

Die zweite Phase bedeutet demnach gegenüber der ersten deshalb einen Fortschritt, weil die präfigurativen Zeichen nun nicht mehr nur vereinzelt einzelnen übertragen werden, sondern dauerhaft einem ganzen Volk, das in seinem gesamten Lebensgefüge selber zum sakramentalen Zeichen[27] wird; weil sie nicht mehr je neu durch Engel mitgeteilt, sondern durch die breite prophetische Tradition eines Volkes weitergegeben werden; weil also der Grad ihrer *Öffentlichkeit* und Geschichtsmächtigkeit entscheidend zugenommen hat.

c) In der dritten Phase erfährt diese Öffentlichkeit und Geschichtsmächtig-

---

chung eben in Augustins geschichtstheologischer Konzeption angelegt ist, also nicht eine polemische Übertreibung darstellt.

[25] C. Iul. 5,11,45: Nec ideo tamen credendum est, et ante datam circumcisionem famulos Dei, quandoquidem eis inerat Mediatoris fides in carne venturi, nullo sacramento eius opitulatos fuisse parvulis suis; quamvis quid illud esset, aliqua necessaria causa Scriptura latere voluit. Nam et sacrificia eorum legimus, quibus utique sanguis ille figurabatur, qui solus tollit peccatum mundi.

[26] De civ. Dei 7,32: Hoc mysterium vitae aeternae iam inde ab exordio generis humani per quaedam signa et sacramenta temporibus congrua, quibus oportuit, per Angelos praedicatum est. Deinde populus Hebraeus in unam quandam rempublicam quae hoc sacramentum ageret, congregatus est; ubi ... id quod ex adventu Christi usque nunc et deinceps agitur, praenuntiaretur esse venturum.

[27] Die Wendung „sakramentales Zeichen" steht hier für das augustinische „Sacramentum" und soll dessen Zeichencharakter verdeutlichen; zur Begriffsdefinition siehe Epist. 138,1,7: Nimis autem longum est convenienter disputare de varietate signorum, quae cum ad res divinas pertinent, sacramenta appellantur.

keit des christlichen Heilsweges ihre weltweite und weltumspannende Endgültigkeit. Vor allem aber verliert nun die christliche Sache die vormaligen Fesseln präfigurativer Eingebundenheit. Sie wird nun offen beim Namen genannt; sie wird für alle Menschen offen sichtbar und manifest. Ein klassischer Text aus dem 10. Buch von *De civitate Dei*, in welchem sich Augustinus wie in Epistula 102 mit dem heidnisch-neuplatonischen Einwand gegen den vermeintlich historisch-relativen Charakter des christlichen Heilsweges auseinandersetzt[28], soll die in den drei dargestellten Phasen sich entfaltende, fortschreitende Manifestation des einen, universalen, christlichen Heilsweges abschließend noch einmal illustrieren:

„Das also ist der universale Weg zur Befreiung der Seele, den die heiligen Engel und Propheten *vordem schon einigen wenigen,* für die Gnade Gottes empfänglichen Menschen zeichenhaft angedeutet und vor allem im *hebräischen Volk,* dessen gottgeweihtes Staatswesen schon an sich eine Prophetie und Vorhersage des aus allen Völkern zu sammelnden Gottesstaates darstellte, durch das Bundeszelt, den Tempel, das Priestertum und die Opfer angezeigt sowie durch Aussprüche, teils ganz unmißverständlich, zumeist aber geheimnishaft verhüllt vorhergesagt haben. Der im Fleisch erschienene Mittler selbst aber und seine seligen Apostel ... haben dann *offener bekannt gemacht,* was früheren Zeiten entsprechend der Zuteilung der Zeiten nur geheimnisvoll angedeutet worden ist."[29]

§ 5   Der eine christliche Glaube von Abel an

1. Christusbezogener Heilsglaube

Das universalistische Konzept des einen, seit Beginn der Menschheit in bestimmten sakramentalen Formen objektiv gegebenen christlichen Heilsweges hat auf der Subjektebene seine Entsprechung in Augustins Überzeugung, in allen Gerechten von Abel an[1] sei der eine, auf den Mittler Jesus Christus be-

---

[28] De civ. Dei 10,32,1 und 3 handelt ausdrücklich von Porphyrius und seinem Werk ,De regressu animae‘; in 10,32,2 preist Augustinus in beinahe hymnischer Sprache — sechsmal setzt er mit der Wendung ,haec est igitur animae liberandae universalis via‘ ein — die christliche Religion als genau den von Porphyrius gesuchten universalen Heilsweg.

[29] De civ. Dei 10,32,2: Haec est igitur universalis animae liberandae via, quam sancti Angeli sanctique Prophetae prius paucis hominibus ubi potuerunt Dei gratiam reperientibus, et maxime in Hebraea gente, cuius erat ipsa quodammodo sacrata respublica, in prophetationem et praenuntiationem civitatis Dei ex omnibus gentibus congregandae, et tabernaculo et templo et sacerdotio et sacrificiis significaverunt, et eloquiis quibusdam manifestis, plerisque mysticis, praedixerunt; praesens autem in carne ipse Mediator, et beati eius Apostoli ... apertius indicarunt, quae aliquanto occultius superioribus sunt significata temporibus, pro aetatum generis humani distributione.

[1] Vgl. das dem hier behandelten Thema verwandte Motiv der ,ecclesia ab Abel‘; siehe z.B. De civ. Dei 18,51,2; En. in psalm. 61,6; 90 sermo 2,1; 118,29,9; 142,3; Sermo 4,11,11; 341,9,11. Siehe dazu Y. Congar, Ecclesia ab Abel; und J. Beumer, Die Idee einer vorchristlichen Kirche bei Augustinus. — E. Lamirande, a.a.O. 70ff, weist auf die mögliche Abhängigkeit Augustins von dem historisch nur wenig bekannten Nicetas von Ramesiana, der wie Augustinus die Idee der einen Kirche ,ab exordio saeculi‘ und des alle Gerechten verbindenden einen Glaubens kennt. Vgl. auch A. Becker, a.a.O. 249f.

zogene christliche Glaube gewesen[2]. Augustins diesbezügliche Aussagen sind eindeutig, zahlreich und insgesamt gleichbleibend. Schon in *Contra Faustum* stellt er unmißverständlich fest, die Gerechten aus vorchristlicher Zeit hätten an Christus geglaubt als den, „der *kommen, leiden und auferstehen* würde"[3]. Ähnliche Formulierungen finden sich über das ganze augustinische Werk hin verstreut. Besonders häufig trifft man sie in der antipelagianischen Literatur an, in welcher der Gedanke eines christusbezogenen Glaubens der alten Gerechten wegen der von Augustinus verfochtenen Heilsnotwendigkeit der Gnade Christi besondere Bedeutung erlangt[4]. So heißt es zum Beispiel in *Contra duas epistulas Pelagianorum* (420/21):

„Von dieser Art waren alle alten Gerechten und auch Moses selbst...; denn sie lebten aus dem einen und selben Glauben wie wir. Sie glaubten *Inkarnation, Leiden und Auferstehung* Christi als zukünftig, so wie wir dieselben als schon geschehen glauben... Derselbe Glaube also ist es, der in jenen war, die zwar noch nicht dem Namen, aber doch *der Sache nach Christen* waren, und der jetzt in denen ist, die nicht nur Christen sind, sondern auch so genannt werden."[5]

Es ist also nicht nur ein allgemein theologaler Glaube, der die zum Heil Vorherbestimmten auszeichnet[6], sondern immer auch ein auf das geschichtliche Entgegenkommen Gottes bezogener und von Christus her qualifizierter Glaube. Bezugsgegenstand des Glaubens der alten Gerechten ist nicht einfach die intelligible Wahrheit Gottes, sondern das historische Geschehen um die Menschwerdung Jesu Christi. Augustinus hebt deshalb des öfteren ausdrücklich hervor, daß die alten Gerechten nicht etwa nur an die Gottheit Christi geglaubt hätten, sondern ebenso und vor allem an seine Menschheit:

„An denselben Christus, den Herrn, also haben die alten Väter geglaubt; und zwar bezog sich ihr Glaube nicht nur auf ihn als das *ewige Wort Gottes*, sondern ebenso auf den Mittler zwischen Gott und Menschen, den *Menschen Jesus Christus.*"[7]

---

2 Die einseitige Hervorhebung und Kritik der geschichtlich-typologischen und kirchlich-kollektiven Gedankenlinie Augustins, wie sie sich bei D. Lange, Zum Verhältnis von Geschichtsbild und Christologie in Augustins De civitate Dei, in: Evangelische Theologie 28 (1968) 430–441, findet, wird der Komplexität der augustinischen Gedankenwelt nicht gerecht.

3 C. Faust. 33,4: Iusti qui exierunt ex hac vita priusquam Christus in carne venisset..., qui in eum venturum, passurum, resurrecturum, non tantum crediderant, verum etiam ipsum, sicut oportebat, prophetico spiritu praenuntiaverant.

4 Siehe z.B. F. Hofmann, a.a.O. 176.

5 C. duas epist. Pelag. 3,4,11: Huius generis fuerunt antiqui omnes iusti, et ipse Moyses..., quia ex fide qua nos vivimus, una eademque vixerunt, incarnationem, passionem, resurrectionem Christi credentes futuram, quam nos credimus factam... Eadem igitur fides est, et in illis qui nondum nomine sed reipsa fuerunt antea christiani, et in illis qui non solum sunt, verum etiam vocantur. Vgl. En. in psalm. 104,10: An ideo christi, quia, etiamsi latenter, iam tamen *christiani...*

6 Daß der christliche Glaube den von Gott dazu Prädestinierten zukommt, zeigt De pecc. mer. et rem. 2,29,47.

7 Sermo 19,3: In eundem ergo Dominum Christum, non solum quod Verbum, sed

„Auch die alten Gerechten ... wurden allein durch den einen und selben Glauben befreit, durch den auch wir befreit werden, nämlich durch den Glauben an die *Inkarnation* Christi... Deshalb soll niemand meinen, die alten Gerechten hätten lediglich durch die *Gottheit Christi*, das heißt durch das ewige Wort, das im Anfang war, und nicht ebenso durch den Glauben an seine *Inkarnation*, im Hinblick auf welche Christus ja *Mensch* genannt wird, befreit werden können."[8]

2. Vermittlung des Glaubens

a) Voraussetzung dieser Theorie über die Identität des Glaubens der alten Gerechten und der Christen der Gegenwart ist einmal Augustins geschichtstheologisches Konzept. Weil nämlich die dispensatio temporalis von Anfang an in allen ihren Zeichen und Sakramenten das demütige Entgegenkommen Gottes in der Inkarnation zum Gegenstand hatte, deshalb war auch der Glaube, der den Menschen von der dispensatio temporalis her zuwuchs, von Anfang an auf Christus bezogen:

„Weil die *Inkarnation*, die uns als schon geschehen verkündet wird, jenen Alten als zukünftig vorausverkündet wurde und weil sie in der Zeit des Alten Bundes verborgen war, in der Zeit des Neuen Bundes aber *geoffenbart* wird, deshalb haben sich zwar die sie darstellenden Sakramente verändert, der *Glaube* selbst aber hat sich nicht verändert."[9]

‚Glaube' meint in diesem Text einerseits die subjektive Seite der Religiosität, das erkenntnismäßige Erfassen Christi durch die alten Gerechten, andererseits aber auch die in den Zeichen der dispensatio temporalis verborgene, transsubjektive Realität des Glaubensinhalts[10]. Weil dieser Glaubensinhalt von Anfang an in der dispensatio temporalis dargestellt war, deshalb konnten auch schon die alten Gerechten an Christus glauben. Weil andererseits aber der Christusglaube zur Zeit der Alten doch noch zeichenhaft verhüllt war und erst mit der sichtbaren Ankunft Christi „zur *Offenbarung* kam"[11],

---

etiam quod mediator est Dei et hominum homo Christus Jesus, et Patres antiqui crediderunt.

[8] Epist. 157,3,14: ... etiam antiquos iustos ... nonnisi per eamdem fidem liberatos, per quam liberamur et nos; fidem scilicet incarnationis Christi ... ne quis existimet antiquos iustos per Deum tantummodo Christum, id est per Verbum quod erat in principio, non etiam per fidem incarnationis eius, qua et homo Christus dicitur, potuisse liberari.

[9] Epist. 157,3,14: Quia illis futura praenuntiatur, quae facta nobis annuntiatur; et tempore Veteris Testamenti velabatur, quae tempore Novi Testamenti revelatur; ideo eius sacramenta variata sunt, ... cum fides ipsa varia non sit. – Vgl. Sermo 19,3: Sacramenta sunt mutata, non fides; In evang. Ioh. 45,9: Tempora variata sunt, non fides; En. in psalm. 50,17: Ita a sanctis Patribus dispensatio susceptae carnis futura credebatur, sicut a nobis facta creditur. Tempora variata sunt, non fides.

[10] Zu den beiden Seiten des Glaubensbegriffs Augustins siehe D. Pirson, a.a.O. 234ff.

[11] Epist. 177,12: Puto autem quod eum lateat, fidem Christi, quae postea in revelationem venit, in occulto fuisse temporibus patrum nostrorum. – Zur Offenbarung des Glaubens siehe weiter unten § 7,4.

deshalb war er damals nur den wenigen Erwählten sichtbar, während ihn heute auch die nichtprädestinierten Menschen als geschichtliche Gegebenheit erkennen[12]. Heute also ist der Glaube eine offenliegende und öffentliche Sache. Damals aber bedurfte es einer je besonderen, gnadenhaften *Erleuchtung,* die es ermöglichte, die präfigurativen Zeichen der dispensatio temporalis auf Christus hin einzusehen. Es bedurfte einer einsichthaften Offenbarung, die den verborgenen Sinn der Zeichen erschloß. Diese aber wurde nur wenigen zuteil. Die Menge der Menschen blieb unwissend über die tiefere Bedeutung der von ihnen verehrten religiösen Zeichen[13].

Bei den ‚wenigen Erwählten‘ aus der Zeit vor Christus denkt Augustinus in erster Linie an die *Patriarchen und Propheten,* durch welche die auf Christus weisenden Zeichen allererst vermittelt wurden und die natürlich wußten, wovon diese handelten[14]. An anderer Stelle fügt er den „wenigen Patriarchen und Propheten" noch *„einige verborgene Heilige"* hinzu, die die Zeichen ebenfalls verstanden[15]. Er kann aber auch ganz allgemein und grundsätzlich von der Möglichkeit sprechen, daß die Menschen früherer Zeiten über die vermittelnde Verkündigung der Propheten zum Glauben an Christus gelangen konnten:

„Auch die Menschen unter dem Gesetz hatten ‚Wolken‘, die den Menschensohn ankündigten. Denn Propheten kamen zu ihnen, die Christus ankündigten. Und manche von ihnen verstanden das Verkündete."[16]

„Denjenigen, die die Propheten gläubig (fideliter) hörten, half dieselbe Gnade, daß sie auch einsahen, was sie hörten."[17]

„Alle diejenigen also, die zu jener Zeit dem Abraham Glauben schenkten, oder dem Isaak, dem Jakob, dem Moses oder den anderen Patriarchen und Propheten, die Christus vorherverkündeten, waren Schafe Christi und hörten Christus."[18]

---

12 Siehe D. Pirson, a.a.O. 239.

13 En. in psalm. 39,12: Antiqui ... celebrabant figuras futurae rei: multi scientes, sed plures ignorantes.

14 En. in psalm. 39,12: Nam Prophetae et sancti Patriarchae noverant, quod celebrabant: caetera autem multitudo iniqua carnalis sic erat... Vgl. auch Ench. 31,118: Neque enim antiquorum quicumque iustorum praeter Christi fidem salutem potuit invenire, aut vero nisi et illis cognitus fuisset, potuisset nobis per eorum ministerium alias apertius, alias occultius prophetari; C. Faust. 16,23: Non solum de Christo dicit (scl. Moyses), quod etsi nesciens dixisset, de nullo alio dixisse deberet intelligi; verum etiam sciens dixit.

15 De catech. rud. 22,40: ... exceptis paucis intelligentibus Patriarchis et Prophetis et nonnullis latentibus sanctis...; De catech. rud. 20,35: ... quae tunc a paucis sanctis et intelligebantur ad fructum salutis, et observabantur ad congruentiam temporis.

16 En. in psalm. 35,13: Iam habebant (scl. homines sub lege) nubes annuntiantes Filium hominis. Venerunt ad illos Prophetae, annuntiaverunt Christum; et erant ibi quidem qui intelligebant.

17 En. in psalm. 77,2: Imo vero etiam, qui Prophetas fideliter audiebant, eadem adiuvabantur gratia, ut intelligerent, quod audiebant.

18 In evang. Ioh. 45,9: Quotquot ergo illo tempore crediderunt vel Abrahae vel Isaac

b) Neben dieser Möglichkeit der Glaubensvermittlung über prophetische Verkündigung und präfigurative Zeichen einerseits und einsichthafte Offenbarung andererseits kennt Augustinus eine zweite über *bloße* Offenbarung. Es ist dies die *prophetische Offenbarung*, die dem einzelnen das Glaubensobjekt unabhängig von allen äußeren Vermittlungen innerlich im Vorstellungsvermögen zeigt[19]. Solche Offenbarungen wurden einmal den Propheten selbst als Funktionsträgern der dispensatio temporalis zuteil[20]. Solche Offenbarungen, Visionen und Inspirationen spielen weiter eine Rolle in der ersten Phase der dispensatio temporalis, als die religiösen Zeichen und Sakramente noch nicht in der prophetischen Tradition eines ganzen Volkes weitergegeben, sondern nur einzelnen vereinzelt übertragen wurden[21]. Mit Hilfe solcher Offenbarungen erklärt sich Augustinus schließlich, daß auch ‚Heiden‘ in vorchristlicher Zeit den christlichen Glauben haben konnten, Menschen also, die außerhalb der Tradition der dispensatio temporalis standen und denen somit der Weg über die Einsicht in geschichtlich gegebene, prophetische Zeichen verwehrt war.

Die Vorstellung der Glaubensvermittlung über direkte prophetische Offenbarung[22] ermöglicht es demnach Augustinus, eine Brücke zu schlagen zwischen rigoros verstandener christlicher Heilsexklusivität und wirklicher

---

vel Iacob vel Moysi vel aliis Patriarchis aliisque Prophetis Christum praenuntiantibus, oves erant et Christum audierunt.

[19] F. Hofmann, a.a.O. z.B. 179, verwischt bei der Frage der Glaubensvermittlung den Unterschied zwischen prophetischer Offenbarung und Offenbarung im Sinne von Einsicht eröffnender Erleuchtung. Von daher kritisiert J. Beumer, a.a.O. 116 Anm. 46, Hofmann beachte die Möglichkeit der indirekten Glubensvermittlung zu wenig, und hebt demgegenüber hervor, Augustinus fordere zumindest für die im Bereich der dispensatio Stehenden nicht unbedingt besondere Offenbarungen. Beumer übersieht dabei aber, daß auch die Glaubensvermittlung über präfigurative Zeichen nicht ohne besondere, einsichthafte Offenbarung auskommt.

[20] Siehe z.B. C. Faust. 16,25: Videbat quippe ille (scl. Moyses) *spiritu prophetico* et Deo sibi loquente...; En. in psalm. 62,1: Spes nostra praedicta est a sanctis, qui illud non videbant impletum, sed in *spiritu* futurum videbant; En. in psalm. 104,10: Quomodo autem hunc illi ignorarent, aut in eum non crederent, cum propterea prophetae dicerentur, quia licet occultius, tamen Dominum praenuntiaverant? Unde aperte ipse dicit: ‚Abraham concupivit videre diem meum, et vidit, et gavisus est‘. Non enim quisquam praeter istam fidem quae est in Christo Iesu, sive ante eius incarnationem, sive postea, reconciliatus est Deo.

[21] De civ. Dei 10,25: Huius sacramenti fide etiam iusti antiqui mundari pie vivendo potuerunt, non solum antequam lex populo Hebraeo daretur (neque enim eis praedicator *Deus vel Angeli* defuerunt), sed ipsius quoque legis temporibus; Epist. 164,6,17: ... ab initio generis humani, vel ad arguendos malos, sicut ad Cain..., vel ad consolandos bonos, vel ad utrosque admonendos, ut alii ad salutem suam crederent, alii ad poenam suam non crederent, ipse (scl. Christus) utique non in carne, sed *in spiritu* veniebat, visis congruis alloquens...

[22] Siehe dazu weiter unten § 8.

Heilsuniversalität. Einerseits werden in der Tat alle Gerechten durch einen ausdrücklichen Glauben an den einen Mittler Jesus Christus erlöst. Andererseits aber gab es solche Gerechte in vorchristlicher Zeit nicht nur innerhalb der präfigurativen Geschichte der christlichen Religion, sondern auch außerhalb und unabhängig davon, in allen Völkern:

„Die christliche Wahrheit zweifelt nicht daran, daß auch die alten Gerechten nicht ohne den *Glauben an Inkarnation, Tod und Auferstehung Christi* ... von ihren Sünden gereinigt und durch die Gnade Gottes gerechtfertigt werden konnten: ob es sich dabei um die Gerechten handelt, welche die heilige Schrift erwähnt, oder um die, welche sie zwar nicht erwähnt, die es aber dennoch ganz sicher gegeben hat, sei es vor der Sintflut, oder von da bis zu der Zeit, da das Gesetz gegeben wurde, oder zur Zeit des Gesetzes selbst, und zwar nicht nur unter den Söhnen Israels, wie zum Beispiel die Propheten, sondern auch *außerhalb* dieses Volkes, wie zum Beispiel Ijob. Durch denselben Glauben an den Mittler nämlich wurde ihr Herz gereinigt und die Liebe in ihnen durch den Heiligen Geist ausgegossen."[23]

3. Expliziter Glaube?

Es kann kein Zweifel daran bestehen, daß sich Augustinus den Glauben der alten Gerechten als einen erkenntnismäßig *ausdrücklich* auf Christus bezogenen Glauben vorstellt[24]. Vor allem seine Theorie der inneren Offenbarungen verbietet es, diesen Glauben in irgendeinem Sinne als bloße ,fides implicita' zu interpretieren[25]. Denn Offenbarung ist auf ausdrückliche Erkenntnis bezogen. Dennoch sollte man auch nicht ohne weiteres von einer ,fides explicita' sprechen. Denn dieser Ausdruck überzieht möglicherweise das von Augustinus Gemeinte und

[23] De gratia Christi 2,24,28: Sine fide ergo incarnationis et mortis et resurrectionis Christi, nec antiquos iustos ... a peccatis potuisse mundari, et a Dei gratia iustificari, veritas christiana non dubitat: sive in eis iustis, quos sancta Scriptura commemorat, sive in eis, quos quidem illa non commemorat, sed tamen fuisse credendi sunt, vel ante diluvium vel inde usque ad legem datam vel ipsius legis tempore, non solum in filiis Israel, sicut fuerunt Prophetae, sed etiam extra eumdem populum, sicut fuit Iob. Et ipsorum enim corda eadem mundabantur mediatoris fide, et diffundebatur in eis caritas per Spiritum sanctum. − Vgl. De perf. iust. hom. 19,42: In cuius gratiam etiam iusti antiqui crediderunt, eadem ipsa gratia eius adiuti, ut gaudentes eum praenoscerent, et quidam etiam praenuntiarent esse venturum, vel in illo populo Israel, sicut Moyses, et Jesus Nave, et Samuel, et David, et caeteri tales; vel extra ipsum populum, sicut Iob; vel ante ipsum populum, sicut Abraham, sicut Noe, et quicumque alii sunt, quos vel commemorat vel tacet Scriptura divina.
[24] Darin stimmen die meisten diesbezüglichen Augustinusinterpretationen überein. Siehe z.B. F. Hofmann, a.a.O. 176ff; E. Lewalter, Eschatologie und Weltgeschichte in der Gedankenwelt Augustins, in: ZKG 53 (1943) 49ff; J. Beumer, a.a.O. 166; D. Pirson, a.a.O. 239. − Dagegen versucht A. Sage, La volonté salvifique universelle de Dieu dans la pensée de saint Augustin, in: Recherches augustiniennes 3 (1965) 107−131, die Ausdrücklichkeit der Glaubenserkenntnis abzuschwächen. T.J. van Bavel, Christ in dieser Welt, 113ff, glaubt, in der Liebe das alleinige Kriterium des Heiles der vorchristlichen Gerechten sehen zu können.
[25] Siehe F. Hofmann, a.a.O. 179.

macht es so dem heutigen Denken noch fremder, als es ohnehin schon ist.
Eine richtige Einschätzung und Würdigung der Vorstellungen Augustins über
den christusbezogenen Glauben der alten Gerechten ist nur möglich, wenn
man die spezifisch augustinische Bewertung der Christustatsachen und die spezifisch augustinische Fassung des Glaubensbegriffs vor Augen hat. Dies zeigt
sehr gut Pirson in seiner Monographie zum Glaubensbegriff Augustins[26]:
Der Glaube vermittelt für Augustinus nicht in erster Linie ein bestimmtes
Wissen über das Wesen des Göttlichen oder eine bestimmte theologisch-christologische *Lehre*. Vielmehr bezieht er sich auf die biblische dispensatio
temporalis, das heißt auf ein sinnenfälliges Zeichen des Göttlichen. Der
Glaube bewirkt für den einzelnen von daher vor allem die *Zuordnung* zu der
für alle Menschen verbindlichen *Heilsinstitution,* welche in dieser Welt den
Bereich der Gnade verkörpert[27]. Da Christus nichts anderes ist als die dichteste Form und der offenbare Inhalt der gesamten biblischen dispensatio temporalis, teilt er deren signifikative Funktion. Wenn deshalb bei Augustinus
sehr häufig Inkarnation, Leiden und Auferstehung Christi als Inhalte des
heilbringenden Glaubens genannt werden, dann soll damit noch nicht unbedingt die Heilswirkung dieser historischen Ereignisse in den Vordergrund gestellt werden. Vielmehr ist dies ganz allgemein ein Ausdruck dafür, daß Christus in seinem konkreten Sein den Bereich der Gnade in dieser Welt *verkörpert*[28]. Augustinus will damit nur auf das einmalige historische Ereignis hinweisen, an dem die Gnade sichtbar wurde und auf das sich deshalb aller
Glaube richten muß, der zum Bereich der Gnade hinlenken will[29].
Der heilsnotwendige Glaube der alten Gerechten setzt deshalb zwar auf jeden
Fall eine ausdrücklich christusbezogene Erkenntnis voraus, beinhaltet aber keinesfalls eine explizite christliche Lehre[30]. Der Glaube richtet sich allgemein auf
das *Faktum* des demütigen Entgegenkommens Gottes in der Gestalt eines niedrigen, demütigen Menschen, der den Bereich der Gnade in dieser Welt auf sichtbare Weise verkörpert; und er bedeutet die Zuordnung des einzelnen zu diesem
Bereich der Gnade, seine Eingliederung in das ‚corpus Christi'[31]. Der Glaube ist
ausdrücklich christusbezogener, aber doch nicht einfach expliziter Glaube.

---

[26] D. Pirson, a.a.O. 234ff. [27] Ders., a.a.O. 239.
[28] Ders., a.a.O. 240f. [29] Ders., a.a.O. 241.
[30] Der Versuch von E. Lewalter, a.a.O. 48ff, die Theorie Augustins über den einen
Glauben aller Gerechten dahin zu erklären, daß es sich dabei um die Konformität der
Lehrmeinung handele (49) und damit ein erster Schritt zur Christianisierung des Plato
oder des Aristoteles getan sei (50), wird dem augustinischen Glaubensbegriff nicht gerecht. Einmal überzeichnet Lewalter den theoretischen Lehrcharakter des Glaubens;
zum anderen verwischt er seine ausdrückliche Christusbezogenheit.
[31] Zum Glauben als dem Prinzip des ‚corpus Christi' siehe z.B. En. in psalm. 36 sermo
3,4: ... quia caput nostrum Christus est, corpus capitis illius nos sumus. Numquid soli
nos, et non etiam illi, qui fuerunt ante nos? Omnes qui ab initio saeculi fuerunt iusti,
caput Christum habent. Illum enim venturum esse crediderunt, quem nos venisse iam
credimus. – Siehe dazu F. Hofmann, a.a.O. 180.

II. Kapitel

VOM VERBORGENEN INS OFFENE
(Geschichte im Offenbarungsfortschritt)

Im vorangegangenen Kapitel wurden die mit dem Schema ‚occultatio — revelatio‘ angezeigten geschichtstheologischen Grundfragen erörtert. In dem nun folgenden Kapitel soll innerhalb des erarbeiteten Horizontes das Offenbarungsschema selbst weiter zur Darstellung kommen. Grundlage dafür sind die zahlreichen Texte, in denen Augustinus die geschichtstheologische Kategorie ‚Offenbarung‘ verwendet. Das Kapitel verfolgt dabei zwei Ziele, ein systematisches und ein semantisches. Einmal soll die Analyse der genannten Texte das bisher Gesagte offenbarungstheologisch vertiefen und erweitern. Zum anderen sollen diese Texte *vollständig* erfaßt und zusammengestellt werden, um so einen semantischen Gesamtüberblick zu ermöglichen. Aufgrund dieser zweiten Zielsetzung lassen sich im folgenden inhaltliche Wiederholungen in bezug auf das vorangegangene Kapitel nicht immer vermeiden. Die Überschaubarkeit einer in sich geschlossenen semantischen Übersicht dürfte diesen Mangel jedoch wieder ausgleichen und so die gewählte Gliederung rechtfertigen.

§ 6 Die beiden Testamente im Offenbarungsfortschritt

1. Durch Offenbarung bestimmte Chronologie der Heilszeiten

Das geschichtstheologische Schema ‚occultatio — revelatio‘ kennzeichnet in der Regel nur das Verhältnis der beiden Testamente zueinander. Gelegentlich aber weitet Augustinus den Anwendungsbereich dieses Schemas auf die gesamte dispensatio temporalis aus. Offenbarung wird dann zum Prinzip der Entfaltung von Geschichte überhaupt. Nicht nur das Neue Testament ist Offenbarung von vorher in der Geschichte zeichenhaft Verborgenem. Auch schon das Alte Testament verhält sich zu seiner Vorgeschichte wie Offenbarung zu Verhüllung. Die fortschreitenden Phasen der dispensatio temporalis werden konstituiert durch fortschreitende Offenbarung[1]. Damit erhält der

---

[1] Vgl. G. Strauss, a.a.O. 73: „Im Voranschreiten der Zeit überbietet Gott selbst immer wieder die Deutlichkeit der zeitlichen Manifestation seiner ewigen Wahrheit, wie sie in der heiligen Schrift niedergelegt ist." Dem Offenbarungsfortschritt entspricht bei Augustinus kein Fortschritt der Menschheit selbst. Siehe dazu E.Th. Mommsen, St. Augustine and the Idea of Progress, in: Journal of the History of Ideas 12 (1951) 346—374; J. Chaix-Ruy, a.a.O. 96f; A. Wachtel, a.a.O. 70f. Siehe z.B. C. duas epist. Pelag. 3,4,8: Non enim ex Abraham et deinceps iustorum generatio verior, sed prophetia manifestior reperitur.

Gedanke, die eine christliche Religion sei so alt wie das Menschengeschlecht, einen offenbarungsterminologisch prägnanten Ausdruck[2]. In der relativ frühen Schrift *De baptismo contra Donatistas* (400/01) heißt es:

„In den ersten Zeiten von Adam bis Moses waren beide Testamente *verborgen* (occultum). Seit der Zeit des Moses aber ist das Alte *offenbart* (manifestatum); und in diesem war das Neue *verborgen* (occultabatur), denn es war dort *verborgen* (occulte) dargestellt. Seit der Zeit aber, da der Herr im Fleische erschien, ist auch das Neue Testament *geoffenbart* (revelatum)."[3]

Während Augustinus in diesem Text noch allein das Offenbarwerden des Neuen Testaments mit der Kategorie ‚revelare‘ bezeichnet, das Offenbarwerden des Alten Testaments dagegen nur mit dem zwar gleichbedeutenden, aber doch weniger technischen Wort ‚manifestare‘, ist der Sprachgebrauch in der späteren Schrift *Contra duas epistulas Pelagianorum* (420/21) einheitlich geworden. Augustinus setzt sich dort mit Gal 3,17 auseinander, wo es heißt, daß das Gesetz des Moses 430 Jahre nach dem Bund Gottes mit Abraham gegeben worden sei. Da er überzeugt ist, daß der dem Abraham zuteil gewordene Bund schon der Neue Bund war — „allerdings noch in prophetische Verborgenheit gehüllt, bis die Zeit kommen würde, da er in Christus *offenbart* werden sollte"[4] —, sieht er sich vor die Frage gestellt, warum denn der durch Moses vermittelte Bund ‚*Alter* Bund‘ heißt, obwohl er doch erst 430 Jahre *nach* dem Bund Abrahams gegeben worden ist[5]. Augustins Antwort lautet, die Bezeichnungen ‚alt‘ und ‚neu‘ bezögen sich nicht auf die Zeit der Einsetzung der beiden Testamente, sondern nur auf den Zeitpunkt ihrer sichtbaren Manifestation, ihrer jeweiligen Offenbarung:

„Wenn der Alte Bund der früheren Zeit wegen ‚alt‘ genannt wird, der Neue aber der späteren Zeit wegen ‚neu‘, dann bezieht sich das nur auf die jeweilige Zeit ihrer *Offenbarung* (revelationes eorum), nicht aber auf die ihrer *Einsetzung* (institutiones). Durch Moses nämlich ist das Alte Testament *offenbart* worden (revelatum est), durch welches das heilige Gesetz gegeben wurde... Dieses Gesetz war aber schon von Anfang an *verborgen* da (occulta), als die Menschen durch die Natur selbst der Sünde überführt wurden... Die *Offenbarung* (revelatio) des Neuen Testaments aber geschah in Christus, als

---

[2] J.Cl. Guy, a.a.O. 79, drückt sich unaugustinisch aus, wenn er den Sachverhalt fortschreitender geschichtlicher Offenbarung unter der Überschrift „La révélation chrétienne dans l'histoire" behandelt.

[3] De bapt. c. Don. 1,15,24: Primis temporibus utrumque (scl. Testamentum) occultum fuit ab Adam usque ad Moysen. A Moyse autem manifestatum est vetus, et in ipso occultabatur novum, quia occulte significabatur. Postea vero, quam in carne Dominus venit, revelatum est novum.

[4] C. duas epist. Pelag. 3,4,7: Hic certe si quaeramus, utrum hoc Testamentum (scl. Abrahae) ... novum an vetus intelligendum sit: quis respondere dubitet novum, sed in propheticis latebris occultatum, donec veniret tempus quo revelaretur in Christo?

[5] C. duas epist. Pelag. 3,4,13: Quomodo vetus appellatur, quod post quadringentos et triginta annos factum est per Moysen; et novum dicitur, quod ante tot annos factum est ad Abraham?

er im Fleische erschien... Weil also das eine früher, das andere später *geoffenbart* worden ist (revelatum est), deshalb heißt jenes Testament das ,Alte', dieses aber das ,Neue'."[6]

Die zeitliche Folge der fortschreitenden Offenbarungen[7] markiert nur die geschichtliche Entfaltung dessen, was schon von Anfang an verborgen da war. Deshalb ist die geschichtliche Offenbarung des Neuen Bundes nicht identisch mit seiner Einsetzung. Aber diese Einsetzung kann strenggenommen auch nicht auf die Einsetzung des Abrahambundes fixiert sein. Denn auch vorher schon war der Neue Bund in zeichenhaft verhüllter Weise präsent. Und entsprechend war auch der Alte Bund, in dem der Neue verhüllt war, schon vor seiner geschichtlichen Offenbarung durch Moses verborgen gegenwärtig.

Bei dieser verborgenen Gegenwart des Alten Bundes denkt Augustinus nun aber nicht, wie bisher, nur an irgendwelche verhüllende sakramentale Zeichen. Vielmehr sagt er, das alttestamentliche Gesetz sei im Gesetz der menschlichen Natur selbst verborgen gewesen. Man darf diesen sicherlich interessanten Gedanken, den Augustinus leider nirgendwo eingehender entfaltet, jedoch nicht überinterpretieren. Augustinus sagt hier nicht, wie de Veer meint, *Altes und Neues Testament* seien im Gesetz der Natur verborgen gewesen[8]; vielmehr macht er diese Aussage nur in bezug auf das *alttestamentliche Gesetz*. Er verzichtet hier also nicht unbedingt auf die Grundidee seiner Geschichtstheologie, von Anfang des Menschengeschlechts an habe es fortschreitend offenbar werdende sakramentale Zeichen gegeben, Gott habe der Menschheit von Anfang an in einer *dispensatio temporalis* die eine, wahre, christliche Religion vermittelt.

2. Unterschied und Einheit der beiden Testamente

Weil die verschiedenen Heilszeiten bestimmt sind durch den jeweiligen Grad der fortschreitenden Offenbarung der christlichen Sache, deshalb stehen sie zueinander in einem Verhältnis der Differenz und der Identität zugleich.

---

6 C. duas epist. Pelag. 3,4,13: Si ex anteriore tempore dicitur vetus, ex posteriore autem novum, revelationes eorum considerantur in his nominibus, non institutiones. Per Moysen quippe revelatum est Testamentum Vetus, per quem data est Lex sancta... Erat autem occulta ista lex ab initio, cum homines iniquos natura ipsa convinceret, aliis facientes quod sibi fieri noluissent. Revelatio autem Novi Testamenti in Christo facta est, cum est manifestatus in carne... Ecce qua causa illud dicitur vetus Testamentum, quia priore, hoc autem novum, quia posteriore tempore revelatum est.

7 A.C. de Veer, a.a.O. 345, versteht ,revelationes' und ,institutiones' nicht in ihrer verbalen, sondern in ihrer objekhaften Bedeutung von ,offenbarte Sachen' und ,religiöse Institutionen' (siehe auch 347). Bei dieser Übersetzung verliert der Text aber seine innere Kohärenz und seine von Augustinus intendierte geschichtstheologische Pointe.

8 A.C. de Veer, a.a.O. 344f.

Die Zeichen sind verschieden, die Sache aber ist immer die gleiche. Zahlreich sind die Texte, in denen Augustinus das Verhältnis der beiden Testamente auf diese Weise erklärt:

Das Alte Testament „war eine Zeit, in der sowohl durch Worte als auch durch Handlungen die Dinge, die später *geoffenbart* werden sollten, prophetisch angedeutet wurden. Und nachdem sie durch Christus und in Christus *geoffenbart* waren, wurden die Lasten der alten Beobachtungen dem Glauben der Völker nicht mehr auferlegt"[9].

„Die Dinge, die jetzt *geoffenbart* sind, sollten damals auf diese Weise vorausverkündet werden."[10]

„Damals wurden die Dinge vorausverkündet, die jetzt *geoffenbart* sind."[11]

„Durch das Leiden Christi wurden den Glaubenden das Verborgene der (alttestamentlichen) Zeichen *geoffenbart*."[12]

„Die Christen praktizieren dasjenige aus dem Gesetz und den Propheten nicht mehr, wodurch das, was sie jetzt praktizieren, angedeutet wurde. Jene Dinge waren nämlich Figuren von Zukünftigem, von denen man ablassen sollte, als die Sachen selbst durch Christus *geoffenbart* und dargeboten wurden."[13]

„Was jetzt im Neuen Bund *geoffenbart* wird, das war im Alten entsprechend der überaus gerechten Zuteilung der Zeiten (dispensatione temporum) *verborgen*."[14]

„Was in den Büchern des Alten Testaments unter der Hülle irdischer Verheißungen *verborgen* ist, das wird in der Predigt des Neuen Testaments *geoffenbart*."[15]

„Der Neue Bund *offenbart*, was im Alten *verhüllt* war."[16]

Die in diesen Texten zum Ausdruck kommende geschichtstheologische Struktur bedeutet dreierlei:

1. Es handelt sich immer um die gleiche Sache oder, wie es in *Contra Faustum* einmal heißt, um die gleiche Lehre (doctrina): „Die eine Lehre der beiden Testamente ist dort *figuriert*, hier *geoffenbart*."[17]

---

[9] C. Faust. 6,7: Tempus enim erat quo non tantum dictis, sed etiam factis prophetari oporteret ea quae posteriore tempore fuerant revelanda. Quibus per Christum atque in Christo revelatis, fidei gentium onera observationum non sunt imposita.

[10] C. Faust 6,9: Ista quae nunc revelata sunt, tunc sic praenuntiari oportebat... Sed tunc agebatur sub praecepto figurato, nunc legitur in testimonio revelato.

[11] C. Faust. 10,2: ... tunc ... cum praenuntiabantur ista, quae nunc revelata sunt.

[12] C. Faust. 12,11: ... ut per Christi passionem revelentur secreta sacramentorum fidelibus.

[13] C. Faust. 18,4: Ea Christiani ex Lege et Prophetis non faciunt, quibus significata sunt ista quae faciunt. Illae quippe erant figurae futurorum, quas rebus ipsis per Christum revelatis et praesentatis auferri oportebat.

[14] De pecc. mer. et rem. 1,11,13: Hoc namque occultabatur in vetere Testamento pro tempore dispensatione iustissima, quod nunc revelatur.

[15] De pecc. mer. et rem. 1,27,53: De libris quoque Veteris Testamenti..., quandoquidem illic quod occultabatur sub velamento velut terrenarum promissionum, hoc in Novi Testamenti praedicatione revelatur.

[16] De civ. Dei 5,18,3: ... revelante Testamento Novo, quod in Vetere velatum fuit. − Siehe auch En. in psalm. 21,II,15: Inde et velum templi scissum est, quia quod velabatur, revelatum est.

[17] C. Faust. 16,32: Testamenti utriusque doctrinam ibi figuratam, hic revelatam...

2. Weil aber durch das schon offenbar gewordene Neue Testament die Gestalt des Alten Testaments als zeitbedingte Präfiguration erkannt und abgetan ist, offenbart sich mit der identischen Sache zugleich auch der Unterschied zwischen den beiden Testamenten: „In der Zeit der Apostel … wurde der Unterschied zwischen den beiden Testamenten deutlicher *offenbar* gemacht."[18]

3. Weil aber der Unterschied doch von der inneren Einheit der Testamente getragen ist, deshalb kann auch schon innerhalb des Alten Testaments die Differenz anfanghaft überwunden und die zukünftige Offenbarung umrißhaft vorweggenommen werden. Augustinus sagt das in bezug auf bestimmte Prophetien, die seiner Ansicht nach in unverhohlener Offenheit von der christlichen Zeit sprechen:

„Hört, was noch wunderbarer ist, daß nämlich die verborgenen und verhüllten Geheimnisse der alten Schriften zu einem beträchtlichen Teil schon von den alten Schriften selbst *geoffenbart* werden."[19]

3. Interdependenz der Testamente

Weil der Alte Bund die Verhüllung des Neuen ist und weil auch der Neue Bund noch Verhüllung darstellt, deshalb sind sowohl in der Zeit des Alten Bundes als auch in der Zeit des schon geoffenbarten Neuen Bundes beide Testamente ständig aktuelle Gegenwart. Bis zur endgültigen Offenbarung in der eschatologischen Vollendung bleiben beide Testamente ineinander verwoben.

a) Für die Zeit des Alten Testaments heißt das: Weil die Sache des Alten Testaments identisch ist mit dem Neuen Testament, deshalb kann diese Sache grundsätzlich auch schon vor ihrer geschichtlichen Manifestation von einzelnen ergriffen werden, deshalb können einzelne auch schon vor der Offenbarung des Neuen Testaments dem Bereich dieser Sache angehören:

„Alle jene Gerechten dienten zwar noch, der Zeitordnung entsprechend, den Figuren des Alten Testaments. Durch Gottes Gnade gehörten sie aber doch zum Neuen Testament, obgleich dieses noch nicht *geoffenbart* war."[20]

---

[18] En. in psalm. 67,20: … tempore Apostolorum, ex quo duorum Testamentorum differentia clarius revelata est.

[19] En. in psalm. 113 sermo 1,4: Audite quod est mirabilius, Librorum veterum sacramenta occultata atque velata, nonnulla ex parte a Libris veteribus revelari.

[20] C. Adv. Leg. et Proph. 2,8,31: Illi omnes (scl. iusti), etsi pro temporis dispensatione Veteris Testamenti ministrabant figuris, ad Novum tamen Testamentum, quamvis nondum revelatum, per gratiam Dei pertinebant. − Vgl. De civ. Dei 17,12: … universo populo Dei ad coelestem Ierusalem pertinenti, sive in illis qui latebant in Testamento Vetere, antequam revelaretur novum, sive in his, qui iam Testamento Novo revelato manifeste pertinere cernuntur ad Christum.

Die durch Gottes *Gnade* ermöglichte Zugehörigkeit zum Neuen Testament konstituiert sich in jedem einzelnen durch ein bestimmtes Maß an *Einsicht* in die neutestamentliche Bedeutung der alttestamentlichen Zeichen und durch die rechte Richtung der *Liebe* als Bedingung der Einsicht. Umgekehrt machen litterale Befangenheit und verkehrte Richtung der Liebe die Zugehörigkeit zum Alten Bund aus:

„Das Alte Testament ist denen, die es recht *verstehen,* Prophetie des Neuen. Deshalb hatten in jenem ersten Volk die heiligen Patriarchen und Propheten, denen die *Einsicht* gegeben war, ... ihre Hoffnung auf ewiges Heil aus dem Neuen Testament. Zu ihm nämlich gehörten sie, das sie *einsahen* und *liebten.* Denn auch wenn es noch nicht *geoffenbart* war, so war es doch schon figürlich dargestellt. Zum Alten Testament aber gehörten jene, die darin nichts anderes als irdische Verheißungen sahen und diesen nachtrachteten."[21]

Eine in historischer Hinsicht interessante, praktische Anwendung dieser Vorstellungen stellt *Sermo 300* dar, eine Predigt zum Festtag des Martyriums der Makkabäischen Brüder (2 Makk 7,1—42), in welcher Augustinus begründet, warum diese alttestamentlichen Märtyrer wahrhaft christliche Märtyrer waren und deshalb mit Recht von den Christen in ihren Kirchen gefeiert werden[22]. Er geht zunächst von der thesenartigen Behauptung aus, schon das Volk Gottes im Alten Bund sei ein christliches Volk gewesen, und schildert dann kurz den äußeren Sachverhalt des Martyriums der Makkabäischen Brüder, welcher dieser Behauptung widerspricht:

„Das ist vor langer Zeit geschehen, vor der Inkarnation und dem Leiden unseres Herrn und Erlösers Jesus Christus. Sie kamen aus jenem Volk, aus dem die Propheten kamen, die die nun Gegenwärtige vorausgesagt haben. Niemand soll nun aber meinen, Gott habe kein Volk gehabt, bevor es das christliche gab. Nein, vielmehr verhält es sich der Sache nach, wenn auch nicht dem gewöhnlichen Namen nach, so, daß auch schon jenes Volk damals ein *christliches* Volk war... Darauf also sei Eure Liebe besonders hingewiesen, damit ihr, wenn ihr jene Märtyrer bewundert, nicht meint, sie seien keine *Christen* gewesen. *Sie waren Christen,* nur sind sie dem erst später bekanntgewordenen Namen der Christen durch Taten vorausgegangen. Aber freilich, gleichsam *als wären sie nicht* Bekenner Christi, wurden sie von dem gottlosen König und Verfolger nicht genötigt, Christus zu verleugnen... Den Märtyrern aus jüngerer Zeit ... wurde von ihren Verfolgern befohlen: Leugnet Christus. Und weil sie das nicht taten, erlitten sie das, was

---

[21] C. Faust. 15,2: Vetus Testamentum recte intelligentibus prophetia est Novi Testamenti. Itaque et in illo primo populo sancti Patriarchae et Prophetae, qui intelligebant..., in Novo Testamento habebant istam spem salutis aeternae: ad illud enim pertinebant, quod intelligebant et diligebant; quia etsi nondum revelabatur, iam tamen figurabatur. Ad Vetus autem illi pertinebant, qui non illic amplius quam promissa temporalia cogitare concupiscebant, in quibus aeterna figurata et prophetata non intelligebant. — Vgl. C. duas epist. Pelag. 3,4,6: ... sed quia in eo praefigurabatur novum, qui hoc intelligebant tunc homines Dei, secundum distributionem temporum, veteris quidem Testamenti dispensatores et gestatores, sed novi demonstrantur haeredes.

[22] In Antiochia, dem Zentrum der Verehrung der Makkabäischen Brüder, befand sich zur Zeit Augustins eine ihnen geweihte Basilika; siehe Sermo 300,6,6.

auch die Makkabäischen Brüder erlitten haben. Diesen aber wurde gesagt: Leugnet das Gesetz des Moses. Sie taten es nicht und erlitten dafür den Märtyrertod für das Gesetz des Moses. Die einen starben *für den Namen Christi,* die anderen für das *Gesetz des Moses.* "[23]

Der Widerspruch gegen die vermeintliche Vereinnahmung der Makkabäer durch die Christen wird nun unter Hinweis auf diesen äußeren Befund noch einmal ausdrücklich formuliert und dann von Augustinus mit Hilfe des Schemas ‚occultatio — revelatio‘ zurückgewiesen:

„Vielleicht kommt nun ein Jude und sagt uns: Wie könnt ihr diese unsere Märtyrer zu den euren zählen? Mit welcher Unverfrorenheit feiert ihr deren Gedächtnis? Lest doch ihre Bekenntnisse! Gebt acht, ob sie etwa Christus bekannt haben! Dem antworten wir: ... Sie haben Christus nicht *offen* bekannt, weil das *Geheimnis Christi* bis dahin noch *verhüllt* war. Das Alte Testament ist nämlich die *Verhüllung* des Neuen Testaments; und das Neue Testament ist die *Offenbarung* des Alten Testaments."[24]

Zur Begründung verweist Augustinus auf 2 Kor 3,14—16. Er zeigt mit dem Zitat, daß ein Jude, der nicht an Christus glauben will, die alttestamentlichen Schriften gar nicht verstehen kann. Denn allein von Christus her wird die Hülle, die über dem Alten Testament liegt, durchstoßen, so daß seine verborgenen Geheimnisse eingesehen werden können. Allein Christus ist der Schlüssel zum Verstehen des Alten Testaments[25]. Denn „alles, was im Alten Testament *verhüllt* war, sollte durch das Geheimnis des Kreuzes Christi *geoffenbart* werden"[26]. Von daher kommt Augustinus wieder auf sein eigentliches Thema zurück und erklärt nun noch einmal abschließend die verbor-

---

[23] Sermo 300,1,1; 2,2: Olim ista gesta sunt, ante incarnationem, ante passionem Domini et Salvatoris nostri Iesu Christi. In primo populo illo exstiterunt, in quo Prophetae exstiterunt, qui haec praesentia praedixerunt. Nec quisquam arbitretur, antequam esset populus christianus, nullum fuisse populum Deo. Imo vero, ut sic loquar, quemadmodum se veritas habet, non nominum consuetudo, christianus etiam ille tunc populus fuit... Hoc ergo in primis commendandum est Caritati vestrae, ne, cum illos martyres admiramini, putetis non fuisse christianos. Christiani fuerunt: sed nomen christianorum postea divulgatum factis antecesserunt. Sed videlicet quasi non eis erat confessio Christi, a rege impio et persecutore non cogebantur negare Christum... Istis ergo martyribus recentioribus, ... imperabatur et dicebatur a persecutoribus: Negate Christum. Quod non facientes, patiebantur talia, qualia et isti perpessi sunt. Istis vero dicebatur: Negate legem Moysi. Non faciebant. Patiebantur pro lege Moysi. Isti pro nomine Christi, illi pro lege Moysi.
[24] Sermo 300,3,3: Existit aliquis Iudaeus, et dicit nobis: Quomodo istos nostros, vestros martyres computatis? Qua impudentia eorum memoriam celebratis? Legite confessiones eorum. Attendite si confessi sunt Christum. Cui respondemus: ... Non confitebantur illi aperte Christum, quia adhuc velabatur Christi mysterium. Testamentum enim Vetus velatio est Novi Testamenti; et Testamentum Novum revelatio est Veteris Testamenti.
[25] Sermo 300,3,3: Velamen ergo evacuatur, ut quod obscurum erat intelligatur. Hoc utique clausum erat, quia nondum clavis crucis accesserat.
[26] Sermo 300,4,4: Quia iam tempus erat, ut in mysterio crucis omnia, quae in Veteri Testamento velabantur, revelarentur, velum templi conscissum est.

gene, aber doch unleugbare Christlichkeit der Makkabäischen Brüder:

„Nach der Auferstehung wurde Christus in aller *Offenheit* gepredigt. Alles, was prophetisch vorhergesagt worden war, begann sich in ihm ganz *sichtbar* zu erfüllen. Und die Märtyrer begannen ihn überaus standhaft zu bekennen. Den gleichen Christus aber, den die Märtyrer jetzt in aller *Offenheit* bekannten, haben die Makkabäer damals im *Verborgenen* bekannt. Diese sind für den im Evangelium *geoffenbarten* Christus gestorben, jene für den im Gesetz *verhüllten* Namen Christi... Denn damit du weißt, und in aller Deutlichkeit weißt, daß sie, die für das Gesetz des Moses gestorben sind, für Christus gestorben sind, höre, o Jude, höre Christus selbst, und dein Herz möge endlich geöffnet, der Schleier von deinen Augen weggenommen werden: ... ,Wenn ihr Moses glaubtet, würdet ihr auch mir glauben, denn über mich hat jener geschrieben' (Joh 5,46). Wenn Moses von Christus geschrieben hat, dann hat der, der *wahrhaft für das Gesetz* des Moses gestorben ist, *für Christus* sein Leben hingegeben."[27]

Der letzte Satz legt die Vermutung nahe, Augustinus deute hier die Christlichkeit der Makkabäer nur als eine sakramental gegebene, nicht aber als eine subjektiv bewußte Christlichkeit; er binde sie also nicht an einen ausdrücklich christlichen Glauben und somit an eine bewußte Hingabe an den im Gesetz verborgenen Christus, sondern nur an die wahrhafte Hingabe an den unbedingten Anspruch dieses Gesetzes, in welcher sie auf sakramentale Weise mit Christus verbunden sind. Die zahlreichen anderslautenden Aussagen Augustins, die alten Gerechten hätten das Alte Testament auf Christus hin eingesehen und auf diese Weise einen subjektiv bewußten Glauben an Christus gehabt, stehen dieser Interpretation jedoch entgegen. Der Text mag aber immerhin ein Zeugnis dafür sein, daß sich Augustinus den Glauben der Alten nicht einfach als ,expliziten Glauben' vorgestellt hat.

b) Die Interdependenz der Testamente dauert auch in der Zeit des Neuen Testaments an. Denn weil auch das schon geoffenbarte Neue Testament noch in der Spannung von sakramentalem Zeichen und intelligibler Sache steht, weil also die Sache des Neuen Testaments immer nur zeichenhaft vermittelt da ist, deshalb besteht auch in dieser Zeit noch die Gefahr der litteralen Befangenheit und insofern der Zugehörigkeit zum Alten Testament. In *De baptismo contra Donatistas* heißt es dazu:

„So wie unter den Sakramenten des Alten Testaments einige geistig Gesinnte lebten, die auf *verborgene* Weise zum Neuen Testament gehörten, das damals noch verborgen

---

27 Sermo 300,5,5: Coepit ergo ex illo Christus post resurrectionem apertissime praedicari. Coeperunt in eo quae praedicta erant prophetica manifestissime impleri. Coeperunt eum martyres constantissime confiteri. Ipsum martyres in manifesto confessi sunt, quem tunc Machabaei in occulto confessi sunt. Mortui sunt isti pro Christo in Evangelio revelato; mortui sunt illi pro Christi nomine in lege velato... Nam ut noveris, aperteque noveris, quia pro lege Moysi morientes, pro Christo sunt mortui; audi ipsum Christum, o Iudaee, audi; et aperiatur tandem cor tuum, velum tollatur ab oculis tuis: ... ,Si crederetis Moysi, crederetis et mihi, quia de me ille scripsit.' Si de Christo Moyses scripsit, qui pro lege Moysi veraciter mortuus est, pro Christo animam posuit.

war, so leben auch jetzt unter dem Sakrament des Neuen Testaments, das schon *geoffenbart* ist, sehr viele noch fleischlich Gesinnte. Wenn diese nicht voranschreiten *wollen*, die Güter des Geistes zu erfassen..., dann gehören sie zum Alten Testament. Wenn sie sich aber aufmachen, dann gehören sie, schon bevor sie diese Güter erfassen, allein aufgrund dieses Aufbruchs und Anlaufs zum Neuen."[28]

Der Text hebt gegenüber der erkenntnisbezogenen Komponente des menschlichen Heilungsprozesses sehr stark das voluntative Moment darin hervor[29]. Er macht dadurch deutlich, daß ein äußerliches Glaubenswissen allein noch nicht die Zugehörigkeit zum Neuen Testament garantiert. Aufgrund der schon erfolgten äußeren Offenbarung mögen zwar alle nominellen Christen einen dem Buchstaben nach korrekten Glauben haben. Dieses Glaubenswissen bleibt aber heilsirrelevant, solange es nicht eine affektive Hinwendung zu dem vom Glauben eigentlich Intendierten in sich schließt[30]. Der Glaube bleibt bedeutungslos, wenn der Mensch nicht bereit ist, sich wirklich neu zu orientieren, wenn er sich nicht liebend in Bewegung setzt und der Intentionalität des Glaubens auf die ewige Wahrheit Gottes hin zu folgen begehrt. Allein die Liebe befähigt den Menschen, das vom Glauben intendierte geistige Gut mehr und mehr zu erfassen. Ausschlaggebend in der Frage der Zugehörigkeit zum Alten oder Neuen Testament und damit heilsentscheidend ist freilich nicht der Grad der in diesem Leben erreichten Vollkommenheit des geistigen Fortschritts, sondern allein der erste Schritt der Liebe.

4. Die Vorläufigkeit der neutestamentlichen Offenbarung

Daß das geoffenbarte Neue Testament nicht notwendig zugleich erkannt *und* geliebt wird, daß es den Menschen, der es kennt, nicht mit Notwendig-

---

[28] De bapt. c. Don. 1,15,24: Sicut enim in sacramentis Veteris Testamenti vivebant quidem spirituales, ad novum scilicet Testamentum, quod tunc occultabatur, occulte pertinentes: sic et nunc in sacramento Novi Testamenti, quod iam revelatum est, plerique vivunt animales. Qui proficere si nolunt ad percipienda quae sunt Spiritus Dei, ..., ad Vetus Testamentum pertinebunt. Si autem proficiunt, et antequam capiant, ipso profectu et accessu ad novum pertinent.

[29] Zur grundsätzlichen Beurteilung beider Momente im Denken Augustins vgl. E. Dinkler, Die Anthropologie Augustins, 149: „Es ist schwer zu entscheiden, ob die Insuffizienz des Menschen, zum Siege zu gelangen, primär in der ratio oder in der voluntas wurzelt. Augustin ist hier sehr schwankend in seinen Aussagen. Als er unter dem Eindruck des Neuplatonismus stand, hob er die rationale Seite hervor, in den Confessiones selbst verteilt er den Akzent auf ratio und voluntas in gleicher Stärke. In seinen späteren Schriften wiederum betont er das voluntaristische Moment im Kampf. Wie es den Anschein hat, läßt er in dieser Sphäre des Ringens um Gott und des Kampfes gegen die Concupiszenz Rationales und Voluntaristisches Hand in Hand gehen. Er verbindet so das Erlebte des philosophischen Aufstiegs mit dem mehr paulinisch bestimmten Blickpunkt seiner gegenwärtigen Situation. Damit faßt er den seelischen Akt als Ganzes und will mit der zeitweiligen Betonung des Einzelnen nur die ganze Kette andeuten."

[30] Siehe D. Pirson, a.a.O. 181–187; 192.

keit auch fasziniert und erfüllt, das liegt zwar einerseits an der Zerrissenheit der menschlichen Seele, die „bald nach oben, bald nach unten sich ausrichtet"[31], andererseits aber auch an der Vorläufigkeit der äußeren Offenbarung selbst. Die äußere, geschichtliche Offenbarung ist eben noch nicht Offenbarung im eigentlichen Sinn, Offenbarung der lichten Wahrheit Gottes, die zu schauen des Menschen Seligkeit ausmacht.

a) Diese Vorläufigkeit der innergeschichtlichen Offenbarung ist das Thema eines Textes aus dem *Psalmenkommentar.* Augustinus spricht dort zuerst davon, daß die alttestamentlichen Väter Gott nicht unmittelbar in seinem Sein geschaut hätten, von Angesicht zu Angesicht, sondern nur über geschöpfliche Vermittlung, da ja die unmittelbare Schau erst den Erlösten bei der Auferstehung gewährt werde. Zur Bekräftigung fügt er dann hinzu, daß selbst die neutestamentliche Offenbarung an vermittelnde Zeichen gebunden bleibt:

„Sogar jene Väter des Neuen Testaments sagten, sie würden noch immer wie im Spiegel und in rätselhafter Gestalt sehen..., obwohl sie doch deine Heilsgeheimnisse schon *geoffenbart* sahen und obwohl sie schon *geoffenbarte* Geheimnisse verkündeten. "[32]

b) Die Vorläufigkeit der neutestamentlichen Offenbarung kommt auch in *Epistula 237* sehr deutlich zum Ausdruck und wird dort zugleich in ihrem Charakter näher beschrieben. Augustinus setzt sich in diesem Brief mit dem Anspruch der Priszillianer auseinander, in bestimmten apokryphen Schriften ein über die kanonischen Schriften hinausgehendes, göttliches Geheimwissen zu besitzen. Dies gilt besonders in bezug auf einen Hymnus, den die Priszillianer Christus zuschreiben und den sie ausdrücklich über die Autorität des Kanons stellen. Sie sagen, dieser Hymnus sei nur für die geistig Gesinnten bestimmt und finde sich deshalb nicht im Kanon, damit die in ihm mitgeteilten Dinge nicht auch den fleischlich Gesinnten geoffenbart würden[33]. Augustinus widerlegt nun die Argumentation der Priszillianer damit, daß er ihnen nachweist, daß doch auch sie anderen gegenüber den Hymnus mit Hilfe der kanonischen Schriften zu deuten versuchten und damit zugeben würden, daß man im Kanon alles *geoffenbart* finde, was in jenem Hymnus nur ver-

---

[31] E. Dinkler, a.a.O. 148.

[32] En. in psalm. 43,5: Et illi patres etiam Novi Testamenti quamvis revelata mysteria tua viderint, quamvis revelata secreta annuntiaverint, tamen in speculo se videre dixerunt et in aenigmate, servari autem visionem in futurum facie ad faciem.

[33] Epist. 237,4: Habes verba eorum in illo codice ita posita: „Hymnus Domini, quem dixit secrete sanctis Apostolis discipulis suis, quia scriptum est in Evangelio, ‚Hymno dicto, ascendit in montem‘(Mt 26,30); et qui in canone non est positus propter eos, qui secundum se sentiunt, et non secundum spiritum et veritatem Dei, eo quod scriptum est, ‚Sacramentum regis bonum est abscondere; opera autem Dei revelare honorificum est‘ (Tob 12,7)."

schleier ausgedrückt sei[34].

Augustinus betrachtet deswegen die Bibel aber nicht als absolute Größe. Es ist zwar nicht so, wie die Priszillianer meinen, daß die kanonischen Schriften nur das enthielten, was die fleischlich Gesinnten wissen dürften, die geistig Gesinnten dagegen ein Sonderwissen aus Geheimschriften hätten. Auf der Ebene des äußerlich Wißbaren und Mitteilbaren gibt es keinen Offenbarungsfortschritt über das in den kanonischen Schriften Niedergelegte hinaus. Wohl aber gibt es einen Offenbarungsfortschritt im Verstehen und geistigen Erfassen der kanonischen Schriften. Hier allein verläuft auch die Trennungslinie zwischen den fleischlich und den geistig Gesinnten[35]. Die neutestamentliche Offenbarung hat also vorläufigen Charakter, jedoch nur in bezug auf die innerliche Offenbarung der Wahrheit Gottes selbst, nicht aber in bezug auf eine Erweiterung des äußeren biblischen Wissens durch eine vermeintliche Geheimlehre der Fortgeschrittenen.

§ 7 Die äußere Offenbarung und ihre Gehalte

1. Der Neue Bund

a) Die Gehalte, die durch die geschichtliche Offenbarung an den Tag kommen, sind die Gehalte der christlichen Religion: das demütige Entgegenkommen Gottes in Jesus Christus, die Realität der Gnade, das Prinzip der Theosoterik, der christliche Glaube, die Verheißung ewigen Lebens und ewiger geistiger Güter überhaupt, das Gesetz der Liebe, die Kirche. All diese Gehalte faßt Augustinus im Begriff des Neuen Bundes zusammen. Offenbarung des Neuen Bundes bedeutet dann, daß all diese Gehalte, die vorher nur auf verborgene, präfigurative Weise gegenwärtig waren, geschichtlich manifest werden. Sie werden nun offen und öffentlich *beim Namen genannt*. So heißt es zum Beispiel in *Contra Faustum:*

„Der Alte Bund hat das Heilsgeheimnis des Reiches der Himmel, das zur passenden Zeit enthüllt werden sollte, in irdischen Verheißungen verborgen und irgendwie schattenhaft verdunkelt. Als aber die Fülle der Zeit kam, in welcher *der Neue Bund offenbart* werden sollte, der in den Figuren des Alten *verhüllt* war, da sollte endlich durch ein ganz

---

[34] Epist. 237,5: Cum itaque ista in canone ... manifesta sint...; quid est quod isti hunc hymnum, ubi ... verba obscurissime sunt posita, propterea dicunt in canone non esse, ne *revelarentur* carnalibus? Cum potius ea videamus in canone *revelata*, in hoc autem hymno omnino velata, sicut ipsi asserunt; nam sicut magis credendum est, prorsus non sunt ipsa, sed nescio quae alia, quae tali expositione multo amplius velant, et *revelare* formidant. — Der Gebrauch des Wortes ‚revelare‘ ist in diesem Text durch die Argumentation der Gegner bestimmt.

[35] Epist. 237,4: Aut si Scripturae canonicae spiritualiter a spiritualibus, carnaliter a carnalibus sentiuntur; cur non est et iste hymnus in canone, si et ipsum spiritualiter spirtuales, carnales carnaliter sentiunt?

eindeutiges Zeugnis dargetan werden, daß es ein anderes Leben gibt, demgegenüber dieses Leben hier geringgeschätzt werden muß."[1]

b) Offenbarung des Neuen Bundes bedeutet weiter, daß die präfigurativen Vorschriften und Sakramente aus der Zeit des Alten Bundes ihre Gültigkeit verlieren und durch eine neue sakramentale Wirklichkeit ersetzt werden, die der Offenbarkeit der neutestamentlichen Gehalte entspricht. Die Texte, in denen Augustinus diesen Gedanken zum Ausdruck bringt, sind besonders zahlreich:

„Jene, die auch noch zur Zeit der schon erfolgten *Offenbarung des Neuen Bundes* glaubten, man müsse jene Schatten zukünftiger Dinge weiter befolgen, nennt der Apostel unrein, weil sie fleischlich gesinnt waren, und ungläubig, weil sie die Zeit der Gnade nicht von der Zeit des Gesetzes unterscheiden konnten."[2]
„Was tat Christus, das Haupt und die Glieder, zur Zeit der *Offenbarung des Neuen Bundes,* zur Zeit also, da die Gnade Gottes mitgeteilt und anempfohlen werden sollte? ... Die Sakramente des Gesetzes, jene Sakramente des Gesetzes, die den Heiden nicht auferlegt worden sind und die auch wir nicht mehr beachten, legte er ab."[3]
„Die Vorschriften der alten Sakramente werden jetzt, da der *Neue Bund schon geoffenbart* ist, von den Christen nicht mehr beobachtet."[4]
„Jene alten sakramentalen Beobachtungen haben mit der *Offenbarung des Neuen Bundes,* als die Dinge Wirklichkeit wurden, die durch sie angedeutet worden sind, zweifellos ihre verbindliche Gültigkeit verloren."[5]
„Jene Beobachtungen sind durch die *Offenbarung des Neuen Bundes* bedeutungslos geworden."[6]

---

[1] C. Faust. 22,76: Vetus Testamentum secretum regni coelorum tempore opportuno aperiendum promissionibus terrenis operuit, et quodam modo umbrosius opacavit. Ubi autem venit plenitudo temporis, ut Novum Testamentum revelaretur, quod figuris Veteris velabatur, evidenti testificatione iam demonstrandum erat, esse aliam vitam pro qua debet haec vita contemni. – Zu den beiden Texten Epist. 157,4,24 und En. in psalm. 73,2, in denen von der Offenbarung des Neuen Testaments im Zusammenhang mit der Offenbarung des Gesetzes der Liebe bzw. der himmlischen Verheißung die Rede ist, siehe weiter unten Abschnitt 9 und 12. – Die Offenbarung des Neuen Bundes schafft in jeder Hinsicht Sichtbarkeit. Vgl. dazu auch De coniug. adult. 1,25,31, wo Augustinus sagt, er erinnere sich nicht, daß irgendwo in den neutestamentlichen Schriften wegen des geoffenbarten Neuen Bundes die Ehe zwischen Gläubigen und Nichtgläubigen verboten worden sei.
[2] C. Faust. 31,4: Illos qui iam tempore revelationis Novi Testamenti adhuc illas umbras futurorum ita custodiendas putarent ... immundos dicit Apostolus, quod carnaliter saperent; et infideles, quod tempus gratiae a Legis tempore non discernerent.
[3] En. in psalm. 143,2: Christus caput et corpus, tempore revelationis Novi Testamenti, tempore insinuandae et commendandae gratiae Dei, quid fecit? ... Sacramenta Legis, sacramenta illa Legis, quae non sunt imposita gentibus, posuit, quae non observamus.
[4] Epist. 196,1,3: Illa opera Legis, quae sunt in veteribus sacramentis, et nunc revelato Testamento Novo non observantur a Christianis.
[5] Epist. 196,2,8: ... veteres illas observationes..., quae iam revelato Testamento Novo, posteaquam venerunt ea quae per illas significabantur esse futura, procul dubio esse necessariae destiterunt.
[6] Epist. 196,4,16: ... illis observationibus, quae Novo Testamento revelato evacuandae sunt.

„Jene Sakramente, die auf jeden Fall göttliche Vorschriften waren, sollten zwar nicht wie Sakrilege geflohen werden; man sollte sie aber nach der *Offenbarung des Neuen Bundes* auch nicht mehr für heilsnotwendig halten."[7]

„Jene schattenhaften Formen des Alten Bundes mußten durch die *Offenbarung des Neuen Bundes* mit Notwendigkeit bedeutungslos werden."[8]

„Wie töricht wären wir, wenn wir glaubten, jene vorauskündenden religiösen Beobachtungen würden uns noch heute, da doch der *Neue Bund schon manifest* geworden ist, irgend etwas nützen."[9]

„Nicht nur in den Evangelien, sondern auch in den prophetischen Schriften wird gezeigt, daß Gott jeweils passend zu den jeweiligen Zeiten verschiedene Opfer angeordnet hat, so daß bestimmte Opfer vor der *Manifestation des Neuen Bundes* dargebracht wurden, ein anderes aber jetzt von uns ... dargebracht wird, welches dieser *Manifestation* entspricht."[10]

c) Die Offenbarung des Neuen Bundes führt eine neue Heilszeit herauf, sie bringt aber letztlich nichts wesentlich Neues. Der Neue Bund und das Heil des Neuen Bundes waren zu allen Zeiten gegenwärtig. Denn Offenbarung bedeutet Manifestation von Verborgenem, nicht Neugründung oder erstmalige Stiftung:

Der Bund Gottes mit Abraham ist der „Neue Bund, wenn auch noch in prophetischen Hüllen verborgen, bis die Zeit kommen würde, da er in Christus *geoffenbart* werden sollte"[11].

Der achte Tag, der Tag nach dem Sabbat, bedeutet „*die Offenbarung des Neuen Bundes*, der im Alten Bund gleichsam unter irdischen Verheißungen verborgen war"[12].

Zur Zeit der Apostelgeschichte „war der Neue Bund schon *geoffenbart*, der in jenen prophetischen Figuren verhüllt war"[13].

Am fünfzigsten Tag nach der Passah-Feier und der Opferung des Lammes wurde dem Volk Israel auf dem Berg Sinai das Gesetz gegeben. „Das Lamm aber ist in einem solchen Maße Typos Christi..., daß, zur Zeit der *Offenbarung des Neuen Bundes*, am fünfzigsten Tag nach dem Opfertod unseres Passah-Lammes Christus, der Heilige

---

7 C. mend. 12,26: ... ut illa sacramenta, quae divinitus praecepta esse constaret, non tanquam sacrilega fugerentur; nec tamen putarentur sic necessaria iam Novo Testamento revelato, tanquam sine iis quicumque converterentur ad Deum salvi esse non possunt.

8 C. Adv. Leg. et Proph. 2,7,26: Ista quae in umbris tradita erant Iudaeis in Vetere Testamento, necesse fuit evacuari revelatione Testamenti Novi.

9 C. Faust. 6,9: Quam nos desipientes essemus, si nunc iam manifesto Novo Testamento, illas praenuntiativas observationes, aliquid nobis prodesse putaremus.

10 Epist. 102,21: Dispertita autem divinis eloquiis sacrificia pro temporum congruentia, ut alia fierent ante manifestationem Novi Testamenti..., et aliud nunc, quod huic manifestationi congruum ... offerimus, non solum evangelicis, verum etiam propheticis Litteris demonstratur.

11 C. duas epist. Pelag. 3,4,7: Hic certe si quaeramus, utrum hoc Testamentum ... novum an vetus intelligendum sit: quis dubitet respondere, Novum, sed in propheticis latebris occultatum, donec veniret tempus, quo revelaretur in Christo?

12 En. in psalm. 150,1: ... ubi Testamenti Novi revelatio declaratur, quod in Vetere tanquam sub terrenis promissionibus tegebatur.

13 C. mend. 12,26: ... iam videlicet revelato Testamento Novo, quod illis figuris propheticis velabatur.

Geist vom Himmel herabkam."[14]

Der Psalm spricht „vom gesamten Gottesvolk, das zum himmlischen Jerusalem gehört, sowohl von denen, die im Alten Bund, bevor der Neue *geoffenbart* wurde, noch verborgen waren, als auch von denen, die nach der *Offenbarung des Neuen Bundes* ganz offenkundig zu Christus gehören"[15].

„Bis zur *Offenbarung des Neuen Bundes* verlief die Geschichte des Gottesstaates nicht im Licht, sondern im Schatten."[16]

„Der Neue Bund war in den ersten Zeichen verborgen, später aber wurde er durch Christus *geoffenbart.*"[17]

d) In manchen Texten erweckt Augustinus dennoch den Eindruck, als sei er der Meinung, die Offenbarung des Neuen Bundes sei zugleich die unabdingbare Voraussetzung für die Zuwendung und Verwirklichung des neutestamentlichen Heiles, die Offenbarung des Neuen Bundes würde also tatsächlich eine neue Heilsmöglichkeit allererst konstituieren. Dies gilt zum Beispiel für einen Text aus *Contra Faustum.* Augustinus sagt dort in Anlehnung an Röm 5,20, den Menschen des Alten Bundes sei die Last des Gesetzes auferlegt worden, „damit aufgrund der Übertretungen die Schuld überhand nähme und damit dann, *nach* der *Offenbarung des Neuen Bundes,* durch Vergebung die Gnade um so überschwenglicher würde"[18].

War also die Gnade vor der Offenbarung des Neuen Bundes nicht gegenwärtig und nicht wirksam? Das kann sicher nicht die Aussageabsicht Augustins sein. Die Unklarheit des Textes läßt sich dadurch erklären, daß Augustinus hier den Offenbarungsgedanken mit einer heilspädagogischen Deutung der dispensatio temporalis verbindet. Beide Gedanken stehen aber in einer Spannung zueinander. Der Offenbarungsgedanke bringt in erster Linie die Identität des Heiles zum Ausdruck und nivelliert so den Unterschied zwischen den einzelnen Phasen der dispensatio temporalis. Die heilspädagogische Deutung dagegen akzentuiert den Unterschied der jeweiligen ‚pädagogischen Maßnahmen' Gottes und läßt so den Eindruck entstehen, als würde die Offenbarung

---

[14] De civ. Dei 16,43: ... post celebrationem Pascha per ovis immolationem, qui adeo typus Christi est..., ut iam cum revelaretur Testamentum Novum, posteaquam Pascha nostrum immolatus est Christus, quinquagesimo die veniret de coelo Spiritus sanctus...

[15] De civ. Dei 17,12: ... universo populo Dei ad coelestem Ierusalem pertinenti, sive in illis, qui latebant in Testamento Vetere, antequam revelaretur Novum, sive in his, qui iam Testamento Novo revelato manifeste pertinere cernuntur ad Christum.

[16] De civ. Dei 18,1: ... quamvis usque ad revelationem Testamenti Novi non in lumine, sed in umbra cucurreret (scl. civitas Dei).

[17] C. Iul. 6,25,82: Ipsum Testamentum Novum, quod prius occultum fuit, et per Christum postea revelatum est.

[18] C. Faust. 11,8: ... quando Lex, quae impleri non potest nisi per caritatem spiritualem, ad hoc super eos erat, ut per praevaricationem abundaret delictum; ut postea revelato Novo Testamento, per indulgentiam superabundaret gratia. – In ähnlicher Weise verbindet Augustinus Offenbarung und Heilsstiftung in C. Iul. op. imperf. 3,84: ... prophetiam scilicet Ezechielis, qua dicitur patrum in filios peccata non reddi, sicut filiorum non redduntur in patres, ad praenuntiationem pertinere revelationis Testamenti Novi.

des Neuen Bundes die Gnade allererst freisetzen. Das aber ist nicht der Fall.

Offenbarung des Neuen Bundes bedeutet nicht Stiftung des Heiles, sondern weltweite Entgrenzung des Heiles. Aus den wenigen, im Alten Bund verborgenen Glaubenden sollten die vielen, in aller Welt sichtbaren Glaubenden werden. „Durch die *Offenbarung des Neuen Bundes*", so heißt es in *De civitate Dei*, sollte die an Abraham ergangene Verheißung, er werde der Vater nicht nur des einen israelitischen Volkes sein, sondern *aller Völker*, die den Spuren seines Glaubens folgten, sichtbar in Erfüllung gehen[19].

2. Die Gnade

a) Der Generalnenner, auf den Augustinus sein Verständnis des Neuen Bundes bringt, ist ‚Gnade'. Auf jeden Fall nennt er, wenn er die Gehalte der neutestamentlichen Offenbarung näher kennzeichnet, am weitaus häufigsten dieses Wort. Der Alte Bund insgesamt ist präfiguratives Zeichen der Gnade. Und entsprechend ist der Neue Bund in erster Linie die Manifestation der vorher verborgenen Gnadenwirklichkeit:

„Als die Fülle der Zeit kam, da die *Gnade*, die im Alten Bund verborgen war, im Neuen *geoffenbart* werden sollte, sandte Gott seinen Sohn."[20]
„Die *Gnade*, die im Evangelium *geoffenbart* ist, war im Alten Bund wie unter einer Hülle verborgen... Damals war die Zeit der Verbergung der Gnade; im Neuen Bund aber sollte sie dann durch das Leiden Christi *geoffenbart* werden."[21]
„Die *Gnade* des Neuen Bundes war nämlich im Gesetz verhüllt, im Evangelium aber ist sie *geoffenbart.*"[22]
„Seit der Ankunft des Herrn läuft das sechste Zeitalter, in welchem schließlich die geistig orientierte *Gnade*, die bis dahin nur den wenigen Patriarchen und Propheten bekannt war, *allen Völkern manifest* gemacht werden sollte."[23]

Mit der Offenbarung der Gnade verlieren die Sakramente des Alten Bundes, die die Gnade auf verborgene Weise angedeutet haben, wie zum Beispiel der Sabbat, die Beschneidung oder das Passah, ihre Bedeutung. Sie sind für die Glaubenden nicht mehr verbindlich. Und sie haben auch für die Juden,

---

19 De civ. Dei 17,2: ... in omnibus gentibus..., in quibus alteram promissionem, revelato Novo Testamento, per incarnationem Christi fuerat impleturus.
20 Epist. 140,3,6: Cum autem venit plenitudo temporis, ut gratia, quae occultabatur in Veteri Testamento, iam revelaretur in Novo, misit Deus Filium suum.
21 De spir. et litt. 15,27: Haec gratia in Testamento vetere velata latitabat, quae in Christi Evangelio revelata est dispensatione temporum ordinatissima... Tempus tunc fuisse occultandae gratiae, quae Novo Testamento fuerat per Christi passionem ... revelanda.
22 En. in psalm. 142,2: Gratia enim Novi Testamenti in Lege velabatur, in Evangelio revelatur.
23 De catech. rud. 22,39: ... usque ad adventum Domini nostri Iesu Christi, ex cuius adventu sexta aetas agitur: ut iam spiritualis gratia, quae paucis tunc Patriarchis et Prophetis nota erat, manifestaretur omnibus gentibus.

die trotz der schon geschehenen Offenbarung weiter an diesen Figuren der Gnade festhalten, keine gnadenvermittelnde Funktion mehr. Sie sind abgetan:

„Jene Dinge, die nur wegen ihres Zeichencharakters geboten waren, wie zum Beispiel die Beschneidung und ähnliche Zeichen, mußten notwendigerweise abgeschafft werden, sobald die *Offenbarung der Gnade* allgemeiner bekannt wurde... Sie sollten aber dennoch nicht gleich wie teuflische Sakrilege der Heiden geflohen werden, als die Gnade, die durch solche Schatten vorausverkündet wurde, *geoffenbart* zu werden begann."[24]

„In der Zeit der schon *geoffenbarten Gnade* ist jene Beobachtung des Sabbats ... den Gläubigen abgenommen worden."[25]

„Die Beschneidung, der Sabbat, das ungesäuerte Brot, das Passah: all diese irdischen Dinge weisen auf verborgene Weise auf die Gnade hin und geben sie zu erkennen. Diese *Gnade* wird aber jetzt, da sie schon im Neuen Bund *geoffenbart* ist, den Juden, die in der Gottlosigkeit und im Unglauben verharren, nicht mehr zuteil."[26]

b) In all diesen und ähnlichen Texten[27] bezeichnet Gnade einerseits die neutestamentliche Wirklichkeit im Ganzen, die Gegebenheit der christlichen Religion, das Christusgeschehen, die Realität des Glaubens. Zugleich und vor allem aber meint das Wort die *grundlegende Theosoterik,* die in dieser neutestamentlichen Wirklichkeit sichtbar wird. So spricht Augustinus zum Beispiel in *Epistula 82* von der „nunmehr *geoffenbarten Gnade des Glaubens"*[28] und „von der Zeit, in welcher zum erstenmal die *Gnade des Glaubens geoffenbart* wurde"[29]. Offenbarung der Gnade bedeutet hier die Mani-

---

[24] Epist. 82,20: Illa, quae significationis causa praecepta sunt, circumcisio, et caetera, quae revelatione gratiae latius innotescente necesse fuerat aboleri... Non tamen ideo fuerant tanquam diabolica Gentium sacrilegia fugienda, etiam cum ipsa gratia iam coeperat revelari, quae umbris talibus fuerat praenuntiata.

[25] De gen. ad litt. 4,13,24: Iam vero tempore gratiae revelatae, observatio illa sabbati, ... ablata est ab observatione fidelium.

[26] C. Faust. 12,11: ... terrenam circumcisionem, terrenum sabbatum, terrenum azymum, terrenum Pascha: quae omnis terrena operatio habet occultam virtutem intelligendae gratiae Christi, quae non datur Iudaeis in impietate et infidelitate perseverantibus, quia Novo Testamento revelata est.

[27] Siehe En. in psalm. 67,33: Hi gressus tui (= Verkünder des Evangeliums) visi sunt, id est, manifestati sunt, *revelata gratia* Testamenti Novi... Haec enim gratia et isti gressus latebant in Vetere Testamento. — En. in psalm. 71,9: Videmus iam gratia Christi siccam remansisse gentem Iudaeorum, totumque orbem terrarum in omnibus gentibus christianae gratiae plenis nubibus complui... In abdito eamdem pluviam detinebat, quam nolebat praeputio praedicari, id est, incircumcisis gentibus *revelari.* — En. in psalm. 103 sermo 3,5: ... quia tertio tempore *gratia revelata* est... — En. in psalm. 118 sermo 26,7: Quid est autem, nisi gratia quae in Christo suo tempore *revelata* est? — En. in psalm. 118 sermo 31,6: Potest ista etiam sanctis istorum temporum, ex quo *gratia revelata* Evangelium praedicatur, congruere prophetia.

[28] Epist. 82,15: ... praedicans tamen instanter, non eis, sed revelata gratia fidei salvos fieri fideles.

[29] Epist. 82,17: ... illo dumtaxat tempore, quo primum fidei gratia revelata est.

festation der neutestamentlichen Glaubenswirklichkeit, insofern diese Glaubenswirklichkeit Ausdruck einer grundlegenden Theosoterik ist und insofern sie diese Theosoterik durch ihre sakramentalen Strukturen hindurch offen darstellt und beim Namen nennt. ‚Grundlegende Theosoterik‘ will dabei besagen, daß bei dem Wort ‚Gnade‘ nicht einfach nur an einzelne, je aktuelle Gnadenhilfen zu denken ist, an Teilmomente innerhalb eines umfassenderen Erlösungsgeschehens, sondern an das Prinzip der menschlichen Erlösung überhaupt. Gnade ist der Grund neuen Seins, in welchem die ursprüngliche theosoterische Struktur des Menschseins, die der Mensch durch die Sünde der Selbstüberhebung pervertiert hat, wiederhergestellt ist. Gnade bedeutet deshalb grundlegende Neuorientierung und seinsmäßige Umwandlung des durch die Selbstüberhebung pervertierten Menschen[30].

Diese Gnade, als theosoterisches Prinzip neuen Menschseins, hat im Neuen Testament sichtbare Gestalt angenommen. Sie wird durch Leben, Leiden und Auferstehung Christi, durch seine der Selbstüberhebung entgegengesetzte Existenzweise der sich preisgebenden Niedrigkeit (humilitas), veranschaulicht, exemplifiziert, vor Augen geführt und insofern geoffenbart:

„Damit durch den Menschen Christus die *Gnade des Neuen Bundes geoffenbart* würde, die nicht auf das zeitliche, sondern auf das ewige Leben abzielt, sollte sich dieser Mensch nicht durch irdisches Glück auszeichnen.“[31]

„Die *Gnade Gottes* ist durch Leiden und Auferstehung Christi *geoffenbart* worden.“[32]

„Der Psalm 21 wurde schon vor so langer Zeit als Prophetie über das *Leiden Christi und die Offenbarung der Gnade* gesungen, welche Christus denen gab, die er zu Gläubigen machen und so befreien wollte.“[33]

c) Die Offenbarung der Gnade fällt nicht zusammen mit ihrer Zuwendung, ihrem Wirksamwerden beim einzelnen. Sie bedeutet zunächst nur, daß nun der Sachverhalt ‚Gnade‘ offen beim Namen genannt und für alle Menschen sichtbar wird. Für den einzelnen gewinnt dieser in Christus offenbare Sach-

---

30 Vgl. hierzu J. Plagnieux, Die augustinische Soteriologie, 64f: „Wie sehr Augustin das aktuell Medizinische an der Gnade betont und mit Vorliebe gratia von gratis datum ableitet, so steht ihm doch die der griechischen ‚Theosis‘ verwandte ‚heiligmachende‘ Gnade nahe... Ich meine damit nicht den Gnaden-‚habitus‘ der Scholastik (gratia habitualis), wohl aber die Gnade des uns dauerhaft innewohnenden Heiligen Geistes (gratia inhabitans) und seiner nur durch ihn, aber doch in uns hineingegossenen und sich ausbreitenden Liebe.“

31 Epist. 140,5,13: Itaque Christus homo, ut per eum revelaretur Novi gratia Testamenti, quae non ad temporalem, sed ad aeternam vitam pertinet, non utique terrena felicitate commendatus fuit.

32 Epist. 177,15: ... gratiam Dei, quae revelata est per passionem et resurrectionem Christi.

33 Epist. 140,5,14: Sic incipit psalmus vicesimus et primus, qui de passione ipsius et revelatione gratiae, quam fidelibus faciendis liberandisque attulit, in prophetia tanto ante cantatus est.

verhalt ‚Gnade‘ aber erst dann an Bedeutung, wenn er sich glaubend auf ihn einläßt. Er kann sich jedoch auf diesen ihm äußerlich begegnenden Sachverhalt nur dann glaubend einlassen, wenn er innerlich der Theosoterik des Neuen Bundes schon anfanghaft entspricht. Das aber bedeutet, daß dem einzelnen die Gnade schon anfanghaft gegeben sein muß, damit für ihn die Offenbarung der Gnade überhaupt heilsrelevant werden kann.

Dieser mit der augustinischen Dialektik von ‚außen‘ und ‚innen‘ gegebene Zirkel der Gnadenvermittlung kam schon in dem zuletzt zitierten Text zum Ausdruck, in welchem zwischen Offenbaren und Geben eine deutliche Differenz gesetzt war. Die neutestamentliche Offenbarung macht zwar die Gnade weltweit sichtbar; gegeben aber wird diese Gnade nur den dazu Prädestinierten[34]. Ähnlich kann man einen Text aus *Epistula 140* verstehen, wo Augustinus zuerst von denen spricht, die nicht begreifen, daß schon die Zeit des Neuen Testaments gekommen ist, in welcher offenbar wird, daß Gott den Seinen ewige Güter bereit hält; und dann in deutlich prädestinatianischer Wendung von denen, *„auf die hin* (in quos) eine solche Gnade *geoffenbart* worden ist"[35].

Obwohl die Offenbarung der Gnade in Christus nicht mit ihrer Zuwendung zusammenfällt, so sind beide doch auch ausdrücklich aufeinander bezogen. Denn allein Christus ist für Augustinus der Bereich der Gnade in dieser Welt. Empfang der Gnade und Zugehörigkeit zu dem die Gnade offenbarenden Christus bilden deshalb zu allen Zeiten eine unlösbare Einheit. Vor allem in der antipelagianischen Literatur hebt Augustinus von daher immer wieder hervor, alle Gnade könne immer nur die Gnade Christi sein, Christus habe die Gnade also nicht nur geoffenbart, vielmehr werde sie auch durch ihn gegeben, und zwar nicht nur in christlicher Zeit, sondern auch in der Zeit vor Christus:

„Christus hat jene Gnade immer *gegeben,* jetzt aber obendrein *geoffenbart.* "[36]

„Vor der Zeit des Gesetzes und zur Zeit des Gesetzes selbst sind die gerechten Väter ... nicht durch die Fähigkeit der verderbten Natur..., sondern *durch die Gnade Gottes im Glauben* gerechtfertigt worden. Und jetzt rechtfertigt dieselbe Gnade, die nun schon ans Licht gekommen und *geoffenbart* ist."[37]

„Die Gnade, die durch die erste Ankunft des Mittlers *geoffenbart* worden ist..., fehlte

---

[34] Daß sich aus der Gnadenlehre Augustins mit innerer Konsequenz seine Prädestinationslehre ergibt, zeigt z.B. G. Greshake, a.a.O. 245f.

[35] Epist. 140,8,22: ... Dominus eorum, in quos talis gratia revelata est.

[36] C. Faust. 19,18: Haec praecepta sunt morum, illa sacramenta sunt promissorum: haec implentur per adiuvantem gratiam, illa per redditam veritatem: utraque per Christum et illam semper gratiam donantem, nunc etiam revelantem; et hanc veritatem tunc promittentem, nunc exhibentem.

[37] Epist. 177,15: Quapropter si et ante tempus Legis et tempore ipso Legis iustos patres ex fide viventes, non possibilitas naturae infirmae ... sed Dei gratia per fidem iustificabat; et nunc eadem in apertum iam veniens revelata iustificat...

freilich auch vorher denen nicht, denen sie zuteil werden sollte, auch wenn sie der Ordnung der Zeit entsprechend noch verhüllt und verborgen war."[38]

Augustinus stellt in diesen Texten[39] zwei Dinge klar: 1. Auch die Gerechten aus vorchristlicher Zeit konnten nicht aus eigener Kraft, sondern allein durch die Gnadenhilfe Gottes gerechtfertigt werden. 2. Bei dieser Gnade handelte es sich aber nicht nur um eine allgemeine göttliche Hilfe, sondern immer um „*die Gnade, die durch die Inkarnation des Eingeborenen Gottes geoffenbart und gegeben* worden ist (revelata atque donata)"[40]. Wenn Augustinus sagt, die Gnade sei durch die Inkarnation geoffenbart *und* gegeben worden, dann bedeutet das wiederum zweierlei: 1. Christus ist als Modell der Gnade zugleich deren konstituierendes Prinzip. Denn Gott hat in dem Menschen Jesus Christus zugleich die zu erlösende Menschheit angenommen und zum Heil prädestiniert[41]. 2. In einem spezifischeren Sinne aber ist alle Gnade deshalb durch die Inkarnation gegebene Gnade, weil die Zuwendung der Gnade zu allen Zeiten an einen ausdrücklichen Glauben an den inkarnierten Christus gebunden ist, weil also das historische Christusgeschehen, an dem die Theosoterik des Neuen Bundes sichtbar geworden ist, zu allen Zeiten strukturierend und konkretisierend in das Erlösungsgeschehen all derer eintritt, die von Gott zum Heil erwählt worden sind[42].

3. Die Gerechtigkeit Gottes

Der Terminus ‚Gerechtigkeit Gottes' hat für Augustinus, in Anlehnung an den biblischen Sprachgebrauch, die gleiche Bedeutung wie ‚Gnade', meint also die grundlegende Theosoterik[43] des Neuen Bundes, auf die die gesamte dispensatio temporalis vor Christus in verborgener Weise ausgerichtet war. Augustinus gebraucht diesen Ausdruck aber bei weitem nicht so häufig wie das Wort ‚Gnade'. Nur zweimal spricht er von der ‚Offenbarung der Gerechtigkeit Gottes', und zwar beidesmal im Anschluß an ein entsprechendes Bibelzitat:

---

[38] Enchir. 31,118: ... deinde sub gratia, quae revelata est per primum Mediatoris adventum. Quae quidem gratia nec antea defuit quibus eam oportuit impertiri, quamvis pro temporis dispensatione velata et occulta.

[39] Siehe auch noch C. Adv. Leg. et Proph. 2,7,24: Oportebat enim ut Testamentum Vetere Lex imponeretur superbis ... ac sic morte praevaricationis implicati, ad gratiam confugerent, non iubentem tantummodo, sed iuvantem, quae Novo Testamento est revelata.

[40] Epist. 177,16: ... adiutorium gratiae, quae tamen per incarnationem Unigeniti eius revelata atque donata est.

[41] Siehe dazu R. Bernard, La prédestination du Christ total selon saint Augustin, in Recherches augustiniennes 3 (1965) 1–58.

[42] Siehe dazu weiter unten § 8.

[43] Siehe z.B. Sermo 131,9,9: Dei gratia per Iesum Christum Dominum nostrum, iustitia Dei dicitur, non qua iustus est Dominus, sed qua iustificat eos quos ex impiis iustos facit.

In *De spiritu et littera* sagt er: „‚Die Gerechtigkeit Gottes nämlich wird im Evangelium geoffenbart aus Glauben zu Glauben...‘ (Röm 1,17). Hier handelt es sich um die *Gerechtigkeit Gottes*, die im Alten Bund verhüllt war und im Neuen Bund *geoffenbart* wird. Sie heißt deshalb Gerechtigkeit Gottes, weil Gott, indem er sie zuteilt, Menschen zu Gerechten macht."[44]

Und in *De gratia Christi* heißt es: „‚Jetzt aber ist ohne das Gesetz die Gerechtigkeit Gottes manifest gemacht, die von dem Gesetz und den Propheten bezeugt wird‘ (Röm 3,21). Wenn sie also jetzt *manifest* gemacht ist, dann gab es sie auch früher, jedoch war sie da noch verborgen. Ihre Verbergung wird durch den Vorhang des Tempels zeichenhaft dargestellt; zur zeichenhaften Darstellung ihrer *Offenbarung* aber zerriß er, als Christus starb."[45]

In den Zusammenhang dieser beiden Texte läßt sich auch ein kurzer Text aus Contra Faustum einordnen, in welchem Augustinus beiläufig von der „schon *geoffenbarten Gerechtigkeit des Glaubens*"[46] spricht. Das Wort meint das Gleiche wie ‚Gnade des Glaubens‘, nämlich die grundlegende Theosoterik des Neuen Bundes, die nun nicht mehr unter den zahlreichen alttestamentlichen Zeichen und Gesetzen verborgen ist, sondern in der neutestamentlichen Glaubenswirklichkeit offen zum Ausdruck kommt, und die nun das Handeln des Glaubenden freimacht von der Knechtschaft des Gesetzes, dem Zwang der eigenen Leistung.

4. Der Glaube

a) Wenn Augustinus von der Offenbarung des Glaubens spricht, dann hat ‚Glaube‘ inhaltliche Bedeutung und bezieht sich auf die Grunddaten der christlichen Religion, insbesondere auf Inkarnation, Leiden und Auferstehung Christi. Zudem meint Glaube dabei weniger eine Glaubenslehre oder ein theoretisches Glaubenswissen als vielmehr die objektive, geschichtliche Gegebenheit des Glaubens, letztlich also die sakramentale Wirklichkeit des Neuen Bundes selbst. Die alttestamentlichen Sakramente waren verborgene Darstellung und Andeutung der zukünftigen Glaubenswirklichkeit des Neuen Bundes. Nach der geschichtlichen Manifestation dieser Glaubenswirklichkeit durch das Christusereignis sind diese Figuren des Alten Bundes jedoch bedeutungslos geworden. „Der *Glaube*, der nun *geoffenbart* ist", macht die Beobachtung der alten Zeichen überflüssig[47]. In *Epistula 82* heißt es dazu:

---

[44] De spir. et litt. 11,18: ‚Iustitia enim Dei in eo revelatur ex fide in fidem...‘ Haec est iustitia Dei, quae in Testamento Veteri velata, in Novo revelatur, quae ideo iustitia Dei dicitur, quod impertiendo eam iustos facit.

[45] De gratia Christi 2,25,29: ‚Nunc autem sine Lege iustitia Dei manifestata est, testificata per Legem et Prophetas‘. Si ergo nunc manifestata est, etiam tunc erat, sed occulta. Cuius occultationem significabat templi velum, quod est ad eius significandam revelationem Christo moriente conscissum.

[46] C. Faust. 19,13: ... tanquam iustitia fidei revelata...

[47] C. Faust. 19,17: ... fides quae revelata est...

Die alttestamentlichen Sakramente brauchen jetzt nicht mehr beobachtet zu werden, „so als müßte man immer noch darauf warten, daß die *Offenbarung des Glaubens* eintrete, die durch jene Dinge als zukünftig vorgebildet war... Denn nachdem der *Glaube* gekommen war, der durch jene alten Übungen vorherverkündet und nach dem Tode und der Auferstehung des Herrn *geoffenbart* wurde, hatten sie ihre eigentliche Bedeutung und ihr Leben verloren"[48].

b) Am häufigsten spricht Augustinus von der Offenbarung des Glaubens im Zusammenhang mit der Frage nach den alten Gerechten. Der Offenbarungsgedanke dient dabei zur Erklärung dafür, daß der Glaube auch schon vor Christus verborgen da sein konnte. Denn Offenbarung bedeutet nicht Neugründung, sondern nur Enthüllung.

In Contra Faustum sagt Augustinus: „Die alten Gerechten, denen die Einsicht gegeben war, daß in jenen Sakramenten die zukünftige *Offenbarung des Glaubens* vorausverkündet wurde..., lebten auch schon zu ihrer Zeit aus diesem Glauben, auch wenn er noch dunkel und verborgen war... Damals also war der *Glaube* noch verborgen..., jetzt aber ist er *geoffenbart*."[49]

Im Kommentar zu Psalm 77 heißt es: „Auch in jenem Volk gab es welche, denen die Einsicht gegeben war und die deshalb den *Glauben* hatten, der erst später *geoffenbart* wurde... Nicht ohne diesen *Glauben* nämlich waren diejenigen, die seine zukünftige, in Christus geschehende *Offenbarung* vorausschauen und vorauskünden konnten, da doch auch jene alten Sakramente Zeichen waren für zukünftige Dinge... Jetzt ist der Glaube, der damals verhüllt war, *geoffenbart*."[50]

Und in Epistula 187 heißt es: „Den alten Gerechten war zwar manches verborgen; dennoch aber kamen auch sie durch denselben *Glauben* zum Heil, der zu gegebener Zeit *geoffenbart* werden sollte."[51]

---

[48] Epist. 82,2,15.16: ... circumcisionem praeputii et caetera huiusmodi ... divinitus data ad significationem futurorum quae per Christum oportet impleri; quibus advenientibus, remansisse illa Christianis legenda tantum..., non autem necessario facienda; quasi adhuc expectandum esset, ut veniret fidei revelatio quae his significabatur esse ventura... Iam enim cum venisset fides quae prius illis observationibus praenuntiata, post mortem et resurrectionem Domini revelata est, amiserant tanquam vitam officii sui.

[49] C. Faust. 19,14: ... antiqui iusti, qui sacramentis illis intelligebant venturum praenuntiari revelationem fidei, ex qua licet adhuc operta et abscondita ... etiam tunc ipsi vivebant... Tunc ergo et occulta erat fides, ... nunc autem revelata est.

[50] En. in psalm. 77,2: Sed profecto erant etiam in illo populo qui intelligerent, habentes fidem quae postea revelata est... Non enim sine ipsa fide fuerunt, qui eius in Christo futuram revelationem praevidere et praenuntiare potuerunt; cum et illa vetera sacramenta significantia fuerint futurorum. ... nunc iam revelata fide quae tunc velabatur.

[51] Epist. 187,11,34: Erat autem antiquis iustis aliquod occultum, cum tamen et illi eadem fide salvi fierent, quae fuerat suo tempore revelanda. Siehe auch noch C. Faust. 19,8: Lex enim, quae praevaricatores abundanti reatu concludebat in eam fidem quae postea revelata est, gratia facta est per Iesum Christum; sowie De nat. et grat. 12,13: ... ut propter illa quae perperam fiunt, confugiatur ad gratiam Domini miserantis; velut paedagogo concludente in eadem fide, quae postea revelata est. In beiden Texten bezieht sich Augustinus auf Gal 3,23f.

5. Die Inkarnation

a) Konstitutivum der neutestamentlichen Wirklichkeit ist die Inkarnation, das demütige Entgegenkommen Gottes in dem Menschen Jesus Christus. Auf diese Inkarnation hin war die gesamte dispensatio temporalis angelegt. Sie ist der eigentliche Gegenstand des Glaubens. Und so wie der Glaube in der Zeit vor Christus verborgen gegenwärtig war, in neutestamentlicher Zeit aber geschichtlich manifest wurde, so war auch das Heilsgeheimnis der Inkarnation schon vor seiner geschichtlichen Manifestation präfigurativ gegeben.

„Derselbe Christus wurde jenen (Alten) im Felsen figürlich dargestellt, uns aber *im Fleisch manifest* gemacht."[52]

„So wie *Christus* selbst als der, der noch im Fleisch geboren werden sollte, im Samen der Patriarchen verborgen war wie in einer Wurzel und zu einer bestimmten Zeit *geoffenbart* werden sollte, gleichsam wie eine Frucht, die sichtbar wird..., so war auch der Neue Bund, der in Christus enthalten ist, in jenen ersten Zeiten verborgen."[53]

Die Gnade und die an Christus Glaubenden „waren im Alten Testament verborgen. Als aber die Fülle der Zeit kam und es Gott gefiel, seinen Sohn zu *offenbaren,* damit er bei allen Völkern verkündet werde", wurden die Glaubenden vor aller Welt sichtbar[54].

Die ersten Heiden, denen der neugeborene Christus bekannt wurde, waren die drei Magier aus dem Osten. „Die Erstlinge der Juden aber in bezug auf Glaube und *Offenbarung Christi* waren jene Hirten, die am Tag der Geburt Christi in der Nähe waren und kamen, um ihn zu sehen."[55]

b) Im 4. Buch von *De Trinitate* erörtert Augustinus grundsätzliche christologische und trinitätstheologische Fragen, die mit dem geschichtstheologischen Gedanken der Offenbarung Christi gegeben sind. Wie verhalten sich die Erscheinungsweisen des Göttlichen in den alttestamentlichen Theophanien zur Inkarnation Christi? Muß man in diesen Theophanien nicht sinnenfällige Sendungen Christi erblicken? Wodurch unterscheiden sich die vielen

---

[52] En. in psalm. 77,2: Idem ipse Christus illis in petra figuratus, nobis in carne manifestatus. − Siehe auch Epist. 187,11,34: Sacramentum porro regenerationis nostrae manifestum voluit manifestatus Mediator. − In Sermo 203,1,1 spricht Augustinus, im Anschluß an die Übersetzung des griechischen ‚epiphania' mit dem lateinischen ‚manifestatio' (siehe dazu Chr. Mohrmann, a.a.O. 108), von dem ‚manifestatus Redemptor omnium gentium'.

[53] En. in psalm. 72,1: Et quemadmodum Christus ipse secundum carnem nasciturus in radice erat occultus in semine Patriarcharum, et quodam tempore revelandus tanquam fructu apparente, sicut scriptum est, ‚Floruit virga de radice Iesse': sic etiam ipsum Novum Testamentum, quod in Christo est, prioribus illis temporibus occultum erat...

[54] En. in psalm. 67,33: Haec enim gratia et ipsi gressus (= sanctos et fideles) latebant in Vetere Testamento; cum autem venit plenitudo temporis et placuit Deo revelare Filium suum, ut annuntiaretur in gentibus, visi sunt gressus tui, Deus.

[55] Sermo 203,1,1: Primitiae quippe Iudaeorum ad fidem revelationemque Christi in illis pastoribus exstiterunt, qui ipso die quo natus est, eum de proximo veniendo viderunt.

Sendungen von der einen Sendung in der Inkarnation? Ist die Inkarnation etwas Besonderes oder prinzipiell das Gleiche wie die früheren Theophanien[56]?

Augustinus stellt im Verlauf des 4. Buches zunächst die *christusförmige* und *christozentrische* Struktur der biblischen dispensatio temporalis heraus: Alle heiligen und geheimnisvollen Erscheinungen, die den alttestamentlichen Vätern durch die sinnenfällige Vermittlung von Engeln zuteil geworden sind, waren *Gleichnisse* (similitudines) für Christus, für sein Priestertum, sein Opfer, seine Sendung überhaupt[57]. Und alles, was zur Ermöglichung des Glaubens, der die Menschen für die Schau der Wahrheit reinigen soll, aus der Ewigkeit Gottes hervorgebracht und in die Welt des zeithaft sich Ereignenden hineingewirkt wurde, war entweder *Zeugnis* der einen Sendung Christi oder schließlich diese Sendung selbst[58].

Gegen Ende des 4. Buches präzisiert Augustinus dann, daß zwar auch schon jene früheren Theophanien wahrhaft Sendungen Christi genannt werden können; entgegen einer langen Auslegungstradition geht er aber davon aus, daß nicht nur das Verbum, sondern alle drei Personen der Trinität Träger dieser Theophanien gewesen seien[59]. Einen weiteren Unterschied zwischen Theophanien und Inkarnation sieht er dann darin, daß in den Theophanien die sinnenfällige Erscheinung nur vorübergehende Ausdrucksform des Göttlichen war, bei der Inkarnation dagegen Mensch und Gott zu der dauerhaften Einheit einer Person verbunden worden sind. Deshalb waren die früheren Erscheinungen zwar Figuren der Inkarnation, nicht aber die Inkarnation selbst[60]:

„In anderer Weise jedoch erfolgt seine Sendung, damit er unter den Menschen sei, in anderer, damit er selbst Mensch sei. In heilige Seelen nämlich senkt er sich und schafft so Freunde Gottes und Propheten, so wie er auch die heiligen Engel erfüllt und durch

---

[56] Siehe dazu J.T. van Bavel, Recherches sur la christologie, 26—30; A. Schindler, a.a.O. 138—143; und vor allem B. Studer, Zur Theophanie-Exegese Augustins. Untersuchung zu einem Ambrosius-Zitat in der Schrift ‚De videndo Deo‘ (Epist. 147), Rom 1971, bes. 5—8 und 98—106.

[57] De Trin. 4,7,11: Hoc sacramentum, hoc sacrificium, hic sacerdos, hic Deus, antequam missus veniret..., omnia quae sacrate atque mystice patribus nostris per angelica miracula apparuerunt, sive quae per ipsos facta sunt, similitudines huius fuerunt.

[58] De Trin. 4,19,25: Quaecumque propter faciendam fidem, qua mundaremur ad contemplandam veritatem, in rebus ortis ab aeternitate prolatis et ad aeternitatem relatis temporaliter gesta sunt, aut testimonia missionis huius fuerunt, aut ipsa missio Filii Dei.

[59] De Trin. 4,21,30f; siehe dazu A. Schindler, a.a.O. 139, und B. Studer, a.a.O. 100f.

[60] De Trin. 4,21,31. Vgl. auch De Trin. 4,20,30: Verbo itaque Dei ad unitatem personae copulatus, et quodam modo commixtus est homo, cum veniente plenitudine temporis missus est in hunc mundum factus ex femina Filius Dei, ut esset et filius hominis propter filios hominum. Hanc personam angelica natura figurare antea potuit, ut praenuntiaret, non expropriare, ut ipsa esset.

ihre Vermittlung alles wirkt, wofür ihre Dienste passen. Als aber die Fülle der Zeit kam, wurde er gesandt, nicht damit er die Engel erfülle, noch auch damit er ein Engel sei..., noch auch damit er unter den Menschen oder mit den Menschen sei — so war er ja auch schon früher mit den Patriarchen und Propheten —, sondern damit das Wort selbst Fleisch, das heißt *Mensch* würde. In diesem später *geoffenbarten* Geheimnis sollte das Heil auch jener Weisen und Heiligen liegen, die geboren wurden, noch bevor er von der Jungfrau geboren werden sollte."[61]

Der Inkarnierte ist demnach zwar schon vor der Inkarnation irgendwie sichtbar, aber eben noch nicht in dem einmaligen und verdichteten Sein des Inkarnierten selbst, sondern nur in gleichnishaften Repräsentationen. Erst die Inkarnation selbst bringt das eigentliche und einmalige Erscheinen des Mittlers; erst die Inkarnation selbst stellt die Offenbarung und geschichtliche Manifestation dessen dar, was vorher in zahlreichen Figuren nur gleichnishaft angedeutet worden war. Diese Offenbarung bewegt sich allerdings ausschließlich im Bereich des Sinnenfälligen. Das Wirken Christi überhaupt bleibt davon unberührt[62].

6. Der Vater

Mit der Offenbarung der Inkarnation Christi erfolgt zugleich die Offenbarung des den Juden vorher verborgenen Sachverhalts, daß Gott den Namen

---

[61] De Trin. 4,20,27: Aliter mittitur ut sit cum homine, aliter missa est ut ipsa (scl. lux = Filius) sit homo. In animas enim sanctas se transfert, atque amicos Dei et Prophetas constituit, sicut etiam implet sanctos Angelos, et omnia talibus ministeriis congrua per eos operatur. Cum autem venit plenitudo temporis missa est, non ut impleret Angelos, nec ut esset angelus..., nec ut esset cum hominibus — hoc enim et antea in Patribus et Prophetis — sed ut ipsum Verbum caro fieret, id est homo fieret: in quo futuro revelato sacramento etiam eorum sapientium atque sanctorum salus esset, qui priusquam ipse de virgine nasceretur, ... nati sunt.

[62] Die zahlreichen Zitationen von Is 53,1: ‚Et brachium Domini cui *revelatum* est', die Augustinus jeweils auf Christus bezieht (En. in psalm. 58 sermo 1,16; 70 sermo 2,4; 76,17; 77,32; 85,15; 89,12; 103 sermo 4,12; 108,29; 118 sermo 18,1; 118 sermo 32,5; 135,9; In evang. Ioh. 48,7; 53,2f; De civ. Dei 18,29) können zwar der hier zur Debatte stehenden ‚Offenbarung Christi' zugeordnet werden. Augustinus verbindet mit ihnen aber keineswegs den eigentlich geschichtstheologischen Gedanken des Schemas ‚occultatio — revelatio'. Zumeist führt er das Zitat nur an, ohne es zu paraphrasieren oder gar offenbarungstheologisch zu entfalten. Allein in En. in psalm. 103 sermo 4,12 kommentiert er es in Verbindung mit Ps 103,28: ‚Aperiente autem te manum tuam, universa implebuntur bonitate'. Quid est, o Domine, quod aperis manum tuam? Manus tua Christus est. ‚Et brachium Domini cui *revelatum* est?' *Cui revelatur,* illi aperitur: *revelatio enim apertio est.* ‚Aperiente autem te manum tuam, universa implebuntur bonitate'. *Revelante te Christum tuum,* ‚universa implebuntur bonitate'. — Das Wort ‚revelatio' hat aber auch hier keine spezifisch augustinische Bedeutung. — Vgl. auch das Zitat Ps 97,3 in En. in psalm. 97,2: ‚Ante conspectum gentium *revelavit* iustitiam suam'. Augustinus identifiziert die Gerechtigkeit mit Christus, der vor allen Völkern sichtbar wurde. — Alle hier angeführten Belegstellen finden sich bei A.C. de Veer, a.a.O. 335.

‚Vater' hat, daß er der Vater Christi ist. Im *Kommentar zum Johannesevangelium* sagt Augustinus im Anschluß an Joh 17,6:

„Darin aber, daß Gott der Vater dieses Christus ist, durch den er die Sünde der Welt tilgt: diesen seinen Namen, der früher allen verborgen war, hat Christus ihnen jetzt *geoffenbart* (manifestavit)."[63]
„Dieser Name hätte ohne die *Manifestation* des Sohnes gar nicht *manifest* werden können."[64]

Nach einem kurzen Text in *Contra Faustum* stellt sich diese Offenbarung letztlich als eine Offenbarung der Trinität dar, als eine Offenbarung des Sachverhalts, daß Gott ein trinitarischer Gott ist. In den auf verborgene Weise von Christus handelnden alttestamentlichen Schriften war auch dieser Sachverhalt prophetisch angedeutet:

„Auf diese Weise sollte die zukünftige *Offenbarung des Vaters und des Sohnes,* deren Geist in jener unteilbaren *Trinität* der Heilige Geist ist, vorausverkündet werden."[65]

7. Das Opfer Christi

Die Offenbarung Christi in seiner Menschwerdung führt zu der Offenbarung des einen Opfers Christi, das in den vielen alttestamentlichen Opfern verborgen dargestellt war. In *Contra Faustum* sagt Augustinus, die Christen würden die Opfer des Alten Bundes zwar nicht mehr praktizieren, sie aber dennoch zusammen mit allen anderen in den Heiligen Schriften enthaltenen Geheimnissen immer wieder überdenken, um sie auf das hin einzusehen, was durch sie vorausverkündet worden ist:

„Denn auch sie waren Figuren für uns. All diese Opfer deuteten auf vielerlei und mannigfaltige Weise *das eine Opfer* an, dessen Gedächtnis wir jetzt feiern. Nachdem dieses deshalb *geoffenbart* und zu seiner Zeit dargebracht worden war, wurden jene hinsichtlich ihrer feierlichen Darbringung abgeschafft, blieben aber in ihrer Autorität als Zeichen erhalten."[66]

---

63 In evang. Ioh. 106,4: In hoc vero, quod Pater est huius Christi, per quem tollit peccatum mundi; hoc nomen eius prius occultum omnibus, nunc manifestavit eis.
64 In evang. Ioh. 106,4: Quod nomen manifestari sine ipsius Filii manifestatione non posset.
65 C. Faust. 16,13: ... ut etiam sic praenuntiaretur futura revelatio Patris et Filii, quorum spiritus est in illa inseparabili Trinitate Spiritus sanctus.
66 C. Faust. 6,5: ... sacrificia Testamenti veteris ... tamen in mysteriis divinarum Scripturarum, ad intelligenda qua his praenuntiata sunt, amplectamur: quia et ipsa figurae nostrae fuerunt, et omnia talia multis et variis modis unum sacrificium, cuius nunc memoriam celebramus, significaverunt. Unde isto revelato et suo tempore oblato, illa de agendi celebritate sublata sunt, sed in significandi auctoritate manserunt.

8. Die Kirche

a) Mit der Offenbarung Christi und seines Werkes erfolgt schließlich auch die Offenbarung der Kirche. Die Kirche, das wahre Volk Gottes, gab es schon von Abel an; aber bis zur Ankunft Christi führte sie ein verborgenes, anonymes Dasein. Durch diese Ankunft aber wurde sie zu einer sichtbaren, geschichtlichen Größe und wird nun in aller Welt offen gepredigt. Im *Kommentar zu Psalm 103* skizziert Augustinus den Werdegang der Kirche von den verborgenen Anfängen an wie folgt:

„Die *Kirche* schließlich, wem verdankt sie Wachstum, Voranschreiten und Vollendung? ... Durch welche Herolde wird sie angekündigt? Durch welche Heilsgeheimnisse wird sie empfohlen? Durch welche Sakramente verborgen? Durch welche Predigt *geoffenbart?* Durch wen hat Gott all das gemacht? ... Alles geschah in Christus."[67]

b) Offenbarung der Kirche bedeutet nicht nur sichtbare Öffentlichkeit, sondern vor allem weltweite Ausbreitung der Kirche, soziologisch-geographische Katholizität. Bis an die Enden der Erde dringt ihre Kunde. Überall wird sie gepredigt. Aus allen Völkern kommen ihre Glieder. Die Offenbarung der Kirche nimmt von daher mit Tod und Auferstehung Christi zwar ihren Anfang, verwirklicht sich dann aber erst in einem allmählichen Prozeß. Sie entfaltet sich fortschreitend von den ersten Anfängen an, als die Kirche noch ein unbeachtetes oder auch ein verfolgtes Häuflein war, bis zur weltweiten Manifestation und Anerkennung. Bezugnehmend auf diese ersten Anfänge fragt Augustinus im *Kommentar zu Psalm 103*:

„Von woher begann denn der Herr, diese Kirche zu erweisen, zu *offenbaren,* in Bewegung zu setzen, öffentlich zu zeigen, auszubreiten? Von woher begann er dies? Was war am Anfang?"[68]

c) Die weltweite Offenbarung und Ausbreitung der Kirche versteht Augustinus zugleich als Erweis für ihre Wahrheit. Denn als weltweite Catholica ist die Kirche von Christus verheißen worden. Unzählige Male hebt Augustinus diesen Gedanken gegen den sektiererischen Partikularismus der Donatisten hervor. Die Donatisten haben nicht teil an der Kirche, wie sie durch das Wort Christi bezeugt worden ist (Mt 28,19; Lk 24,47)[69]. Wahre Kirche ist allein die, „die bis an die Enden der Erde allen in sichtbarer *Manifestation* bekannt ist"[70].

---

[67] En. in psalm. 103 sermo 3,25: Ipsa autem Ecclesia, quomodo accepit incrementa, successus, perfectionem? ... Quibus praeconiis praedicatur? Quibus mysteriis commendatur? Quibus sacramentis occultabatur? Qua praedicatione revelatur? Ubi fecit haec Deus? ... Omnia in Christo fecisti.

[68] En. in psalm. 103 sermo 2,6: Sed unde coepit Dominus asserere istam Ecclesiam, revelare, incipere, ostendere, diffundere? Unde coepit hoc? Quid erat primo?

[69] Epist. 105,1,2: ... cui Ecclesiae ex ore Christi manifestatae vos non communicatis.

[70] Epist. 105,3,14: Ipsa est Ecclesia in sole posita, hoc est in manifestatione omnibus nota.

9. Die ewige Verheißung

a) Die Offenbarung des Neuen Bundes bringt die Offenbarung des eigentlichen Seligkeitszieles des Menschen mit sich: die Offenbarung der ewigen Verheißung, die in den irdischen Verheißungen des Alten Bundes zeichenhaft dargestellt war. Nicht die ewigen Güter in ihrem Sein selbst werden dabei jedoch geoffenbart, sondern nur deren Verheißung, der Sachverhalt, daß der Besitz dieser Güter das beseligende Ziel des menschlichen Lebens ist und daß Gott dem Menschen diese Güter bereithält.

In *Contra Faustum* sagt Augustinus, er lese das Alte Testament mit seinen irdischen Verheißungen, „obwohl mir *ewige Verheißungen* als Hoffnungsgut *geoffenbart* worden sind"; denn jene irdischen Verheißungen müsse man als Figuren verstehen[71].
Im *Kommentar zu Psalm 73* heißt es: „Das sagen wir, Brüder, damit ihr als Menschen des Neuen Bundes lernt, nicht irdischen Dingen anzuhangen. Wenn nämlich selbst jene unentschuldbar dem Irdischen anhingen, denen der Neue Bund noch nicht *geoffenbart* war, um wieviel unentschuldbarer laufen dann diejenigen Irdischem nach, denen schon die im Neuen Bund enthaltenen *himmlischen Verheißungen geoffenbart* worden sind."[72]

b) Die Worte, mit denen Augustinus die ewige Verheißung näher beschreibt, sind variabel, bleiben aber inhaltlich zumeist sehr allgemein. Er spricht von der Verheißung schlechthin, von ewigen Gütern, von der Hoffnung auf ewiges Leben und ewige Ruhe, von Ewigkeit und Glück. Fast immer liegt die Betonung vor allem auf dem Ewigkeitswert des Verheißenen:

„Manche ... sind beunruhigt, wenn sie die Lebensweise der Propheten im Alten Bund mit der der Apostel im Neuen Bund vergleichen, weil sie nicht imstande sind, die Gebräuche jener Zeit, in welcher die *Verheißung* noch verhüllt war, richtig zu unterscheiden von den Gebräuchen dieser Zeit, in welcher die *Verheißung* schon *geoffenbart* ist."[73]
„In Christus mögen deine Gläubigen lernen, von dir mehr die *Belohnungen des Glaubens* zu erbitten und zu erhoffen, die im Alten Bund noch nicht sichtbar sind, im Neuen aber *geoffenbart* werden."[74]
„Die Juden waren ganz auf die Zeit des Alten Bundes fixiert ... und sahen deshalb

---

[71] C. Faust. 10,2: Quamvis enim mihi aeterna speranda revelata sint, et illa tamen attestantia lego, quae ‚in figura contingebant illis...'.
[72] En. in psalm. 73,3: Haec dicimus, fratres, ut homines de Novo Testamento discatis non inhaerere terrenis. Si enim illi inexcusabiliter terrenis inhaeserunt, quibus ipsum Novum Testamentum nondum fuerat revelatum; quanto inexcusabilius terrena sectantur quibus iam promissa coelestia in Novo Testamento revelata sunt.
[73] C. Faust. 22,23: Sed quoniam nonnulli ... commoventur, vitam Prophetarum in Vetere Testamento comparantes vitae Apostolorum in Novo Testamento, nec valentes discernere consuetudinem temporis illius quo promissio velabatur a consuetudine temporis istius quo promissio revelatur...
[74] En. in psalm. 89,12: ... ut in eo (scl. Christo) discant fideles tui ea magis a te poscere et sperare praemia fidei, quae non apparent in Vetere Testamento, sed revelantur in Novo.

nicht, daß schon die Zeit gekommen war, da in Christus *geoffenbart* werden sollte, daß Gott den Gerechten im eigentlichen Sinn *ewige Güter* schenkt."[75]

„In Christus sollte die *Hoffnung auf ewiges Leben geoffenbart* werden."[76]

„Das Einhalten der Sabbatruhe halten wir freilich für überflüssig, seitdem unsere *Hoffnung auf ewige Ruhe geoffenbart* worden ist."[77]

„Darin liegt das Geheimnis des Alten Bundes, in welchem der Neue verborgen war, daß dort noch irdische Gaben verheißen wurden. Doch schon damals begriffen die geistig Gesinnten, wenn sie es auch noch nicht *offen* (in manifestatione) verkündeten, welche *Ewigkeit* in diesen zeitlichen Dingen angedeutet war und in welchen Gaben Gottes *das wahre Glück* besteht."[78]

10. Das Reich der Himmel

In besonderer und einmaliger Weise kommt für Augustinus die himmlische Verheißung des Neuen Bundes in dem Namen ‚Reich der Himmel‘ zum Ausdruck. Ewiges Leben und Auferstehung der Toten, so sagt er in *Contra Faustum*, würden schon in den Schriften des Alten Testaments allenthalben offen bezeugt und beim Namen genannt. Jedoch der eigentliche Name dafür, nämlich ‚Reich der Himmel‘, sei dort nirgendwo zu finden. Dieser Name „gehöre im eigentlichen Sinn zur *Offenbarung* des Neuen Bundes"[79].

Obwohl Augustinus das irdische Reich des Alten Bundes natürlich als vorauskündende Figur des ‚Reiches der Himmel‘ versteht[80], obwohl also die Sache selbst in den alttestamentlichen Zeichen präfigurativ dargestellt war und deshalb von den alten Gerechten prinzipiell erfaßt werden konnte[81], betont Augustinus, vermutlich wegen der Einmaligkeit des Namens, doch immer wieder das gänzlich Neue der Verheißung des ‚Reiches der Himmel‘[82]. Die

---

[75] Epist. 140,7,20: Attendentes quippe tempus Veteris Testamenti ... non viderunt iam esse tempus quo revelaretur in Christo bona aeterna proprie Deum praestare iustis.

[76] Epist. 140,9,24: ... in filio hominis, in quo spes aeternae vitae fuerat revelanda...

[77] C. Faust. 6,4: Cessationem vero sabbatorum iam quidem supervacuam ducimus ad observandum, ex quo spes revelata est nostrae quietis aeternae.

[78] De civ. Dei 4,33: Et hoc est sacramentum Veteris Testamenti, ubi occultum erat Novum, quod illic promissa et dona terrena sunt: intelligentibus et tunc spiritualibus, quamvis nondum in manifestatione praedicantibus, et quae illis temporalibus rebus significaretur aeternitas, et in quibus Dei donis esset vera felicitas.

[79] C. Faust. 19,31: Proinde testimoniis vitae aeternae et resurrectionis mortuorum abundat illa Scriptura; sed hoc nomen, id est regnum coelorum, nullo inde loco mihi occurrit; hoc enim proprie pertinet ad revelationem Novi Testamenti.

[80] En. in psalm. 119,7: Regnum terrenum umbra erat regni coelorum.

[81] De doctr. christ. 3,12,20: Regno terreno veteres iusti coeleste regnum imaginabantur et praenuntiabant.

[82] Siehe z.B. Retract. 1,22,2: Deinde regnum coelorum illi populo fuisse promissum non legimus in iis quae promissae sunt Lege data per Moysen. – Vgl. auch De gest. Pelag. 5,13ff: Pelagius behauptet, das ‚Reich der Himmel‘ sei schon Verheißung des Alten Bundes gewesen. Augustinus weist diese Behauptung zurück, jedoch nur in bezug auf die ‚littera‘ des Alten Bundes.

beiden folgenden Texte sind dafür besonders kennzeichnend:

Im *Kommentar zu Psalm 77* spricht Augustinus zunächst davon, daß die Propheten und alle diejenigen aus dem alttestamentlichen Volk, die die Propheten gläubig hörten, die figürlichen Andeutungen des Alten Bundes dank der Gnadenhilfe Gottes eingesehen haben und somit den christlichen Glauben hatten. Als müßte er sich aber gegen das Mißverständnis wehren, er verwische den Unterschied zwischen den Testamenten, fügt er dann kritisch hinzu:

„Das Geheimnis des Reiches der Himmel freilich war im Alten Bund auf jeden Fall noch verhüllt und sollte erst zur Fülle der Zeit im Neuen Bund *geoffenbart* werden."[83]

In anderer Weise kommt Augustins Ansicht von der besonderen Verborgenheit des ‚Reiches der Himmel' in einem Textabschnitt aus *De genesi ad litteram* zum Ausdruck. Augustinus handelt dort von der primordialen Erkenntnis der Engel, von ihrer Fähigkeit also, die Dinge nicht nur über ihre äußere Erscheinung zu erkennen, sondern auch in der sie gründenden, ewigen Idee Gottes. Zur Illustration dieser Fähigkeit, die sie vor den Menschen auszeichnet, führt er an:

„Denn nicht einmal jenes Geheimnis des Reiches der Himmel, das zu gegebener Zeit zu unserem Heil *geoffenbart* wurde, war ihnen verborgen."[84]

11. Das Heil

Die geschichtliche Wirklichkeit des Neuen Bundes ist Heilswirklichkeit. Sie stellt in ihren sakramentalen Formen offen dar, worin das Heil des Menschen wahrhaft besteht; und sie ist zugleich das den Menschen wahrhaft heilende Heilmittel. Sie führt in Christus erneuertes Menschsein, Auferstehung, neues Leben vor Augen; und sie vermittelt neues Leben, sie bewirkt Erneuerung, Wiedergeburt, Auferstehung. Im Alten Bund war diese Heilswirklichkeit noch unter präfigurativen Zeichen verborgen. Der Neue Bund aber nennt dieses Heil offen beim Namen; er ist die geschichtliche Manifestation dieses Heiles[85]. In *Epistula 82,* wo sich Augustinus ausführlich mit der Frage auseinandersetzt, warum die ersten Judenchristen an den alttestamentlichen Sakramenten und Gebräuchen festhalten durften, heißt es dazu:

Die ersten Judenchristen hielten zunächst weiter an den Gebräuchen des Alten Bundes fest, „um damit ihre Ehrfurcht vor der göttlichen Würde und der prophetischen Heilig-

---

83 En. in psalm. 77,2: Sed utique sacramentum regni coelorum velabatur in Veteri Testamento, quod plenitudine temporis revelaretur in Novo.
84 De gen. ad litt. 5,19,38: Nam nec illud eos latuit mysterium regni coelorum, quod opportuno tempore revelatum est pro salute nostra.
85 Siehe z.B. Epist. 55,3,5: Primum enim tempus est ante Legem, secundum sub Lege, tertium sub gratia, ubi iam *manifestatio* est sacramenti prius occulti in prophetico aenigmate. — Mit ‚sacramentum' ist hier ‚innovatio vitae' und ‚resurrectio' gemeint.

keit jener Sakramente zu bekunden, nicht aber, als könnte man durch sie noch das *Heil* erlangen, das schon in Christus *geoffenbart* war und durch die Taufe vermittelt wurde"[86].

Die Offenbarung des Heiles ist zunächst wiederum nur eine Sache des sinnenfälligen Zeigens, nicht des Zuwendens. Denn die das Heil offenbarende sakramentale Wirklichkeit des Neuen Bundes ist nicht das Heil selbst. Zwar macht Augustinus in dem zitierten Text einen deutlichen Unterschied zwischen alttestamentlichen und neutestamentlichen Sakramenten. Dieser Unterschied ist aber nicht von grundsätzlicher Natur. Denn hier wie dort waltet die Differenz zwischen Zeichen und Sache, außen und innen. Hier wie dort bedeutet deshalb die Teilhabe an der sakramentalen Wirklichkeit nicht notwendigerweise auch Teilhabe am Heil[87].

12. Das Gesetz der Liebe

a) Die Gnade als die grundlegende Theosoterik des Neuen Bundes befreit den Menschen zur Liebe, das heißt zur theosoterischen Grundausrichtung seines Lebens, die es ihm allererst ermöglicht, die göttlichen Gebote in ihrer eigentlichen Intention und in ihrer Zielrichtung auf das Ewige hin zu erfüllen[88]. Diese Liebe war zwar auch schon zur Zeit des Alten Bundes gegeben. Erst mit der Offenbarung der Gnade im Neuen Bund wurde sie aber als Bestimmung des Menschen allgemein sichtbar. Und erst jetzt gilt sie als offenbares Prinzip menschlichen Handelns, während sie früher, zur Zeit des alttestamentlichen Gesetzes, nur von einzelnen auf verborgene Weise gelebt wurde.

Im 19. Buch von *Contra Faustum* fragt Augustinus nach der Bedeutung des Wortes Jesu, er sei nicht gekommen, das Gesetz aufzulösen, sondern es zu erfüllen (Mt 5,17). Seine Interpretation lautet, Christus habe keine inhaltlich neuen Gebote angeordnet; selbst die Weisungen der Bergpredigt seien dem

---

[86] Epist. 82,2,9: Illi, qui intelligebant, quo animo a Iudaeis fidelibus observari tunc ista deberent, propter commendandam scilicet auctoritatem divinam et sacramentorum illorum propheticam sanctitatem, non propter adipiscendam salutem, quae iam in Christo revelabatur, et per Baptismi sacramentum ministrabatur...

[87] Vgl. dazu En. in psalm. 77,2: Erant ergo ibi aliqui in quibus beneplacitum est Deo; et cum essent omnia communia sacramenta, non communis erat omnibus gratia, quae sacramentorum virtus est. Sicut et nunc iam revelata fide quae tunc velabatur, omnibus in nomine Patris et Filii et Spiritus sancti baptizatis, commune est lavacrum regenerationis; sed ipsa gratia cuius ipsa sunt sacramenta, qua membra corporis Christi cum suo capite regenerata sunt, non communis est omnibus. — Diese für Augustinus typische Differenz wird im wesentlichen auch nicht durch die in der antipelagianischen Kontroverse entwickelte Sakramententheorie aufgehoben, die über den bloßen Zeichencharakter der Sakramente hinaus die ihnen immanente Wirksamkeit stärker hervorhebt. Siehe dazu M.-F. Berrouard, ,Similitudo' et la définition du réalisme sacramentel, 321—337.

[88] Siehe J. Plagnieux, Die augustinische Soteriologie, 65f.

Alten Testament nicht fremd. Die Erfüllung des Gesetzes bestünde deshalb nicht in neuen Geboten, sondern allein darin, daß Christus die Menschen durch die Gnade zur Liebe befreit habe, die das eigentliche Ziel ist, auf das alle Gebote ausgerichtet werden müßten[89]. Diese Finalität sei im Alten Bund verborgen gewesen, im Neuen Bund aber wurde sie geoffenbart:

„Alle diese erhabenen Vorschriften fehlen zwar auch in jenen alten Schriften nicht; aber ihr eigentliches *Ziel*, auf das hin sie bezogen werden müssen, ist dort noch *verborgen*. Die alten Heiligen freilich hatten ihr Leben dennoch auf dieses Ziel hin ausgerichtet. Denn sie sahen seine zukünftige *Offenbarung* voraus; dem Charakter der Zeit entsprechend verhüllten sie dies aber auf prophetische Weise und sahen das prophetisch Verhüllte zugleich ein."[90]
„Weil Christus kam und diese *Liebe*, durch welche allein die Gerechtigkeit des Gesetzes erfüllt werden kann, durch den Heiligen Geist ... in ganz *offener und sichtbarer* Weise (in manifestatione) gab, deshalb sagt er: ‚Ich bin nicht gekommen, das Gesetz aufzulösen, sondern es zu erfüllen'. Darin besteht der Neue Bund, daß dieser Liebe das Erbe des Reiches der Himmel verheißen ist."[91]

b) Die Offenbarkeit der Liebe bedeutet, daß nun auch das konkrete Handeln des Menschen ganz offen von der Finalität dieser Liebe bestimmt und somit auf die ewigen Güter und auf Gott selbst ausgerichtet ist. Diese Ausrichtung aber war im Alten Bund noch verborgen. Denn selbst die alten Gerechten waren in ihrem Handeln zumindest dem Augenschein nach auf irdische Güter bezogen. In diesem Sinne fragt Augustinus im 22. Buch von *Contra Faustum*, wie es sein könne, daß die alten Väter auf Gottes Geheiß hin Kriege führten, während doch Christus in der Bergpredigt unbedingten Verzicht auf Gewalt forderte, das heißt Verachtung und Preisgabe dieses Lebens zugunsten eines anderen, himmlischen Lebens. Augustinus erläutert, daß die alten Väter diese von Christus geforderte Haltung verborgen in ihren Herzen hatten, daß sie aber entsprechend der Ordnung der Zeiten zuerst irdische Güter als Zeichen für himmlische erhalten und auch selbst irdische Güter auf irdische Weise verfolgen sollten. Durch Christus wurde die in den Vätern verborgene Tugend dann geoffenbart:

„Er *offenbart* die Tugend des Erduldens durch sein Gebot und bekräftigt sie durch sein Beispiel."[92]

---

[89] Siehe z.B. C. Faust. 19,12: Virtus autem pietatis est finis praecepti, id est, caritas de corde puro et conscientia bona et fide non ficta.
[90] C. Faust. 19,30: Quia revera, sicut omnia ista praecepta sublimia nec illis Libris veteribus desunt, ita illic finis, quo referantur, occultus est: quamvis secundum eum viverent sancti, qui futuram eius revelationem videbant, et pro temporum proprietate vel prophetice tegebant, vel prophetice tectum sapienter intelligebant.
[91] C. Faust. 19,27: Istam caritatem, quia veniens Christus, per Spiritum sanctum quem promissum misit, in manifestatione donavit, qua sola caritate iustitia Legis posset impleri, propterea dixit: ‚Non veni solvere Legem, sed adimplere.' Hoc est Novum Testamentum, quo huic dilectioni haereditas regni coelorum promittitur.
[92] C. Faust. 22,76: Si autem propterea putant non potuisse Deum bellum gerendum

Eine ähnliche Argumentation findet sich in Epistula 157. Augustinus setzt sich dort wiederum mit dem Problem auseinander, daß das sittliche Verhalten der alten Väter ganz offensichtlich den von Jesus gesetzten Maßstäben, hier speziell dem Vollkommenheitsgebot der Armut (Mt 19,21), nicht standhält. In bezug auf dieses spezielle Gebot vertritt Augustinus zwar die Meinung, die vorliegende Frage könnte nicht ausschließlich mit dem Gedanken der Verborgenheit der Tugend beantwortet werden. Da nämlich die zur Debatte stehende Forderung Jesu ein Vollkommenheitsideal darstellt, das auch in der Zeit des Neuen Bundes nicht alle in Pflicht nimmt, liegt für Augustinus der Fall des sittlichen Verhaltens der alten Väter in diesem Punkt ebenfalls komplizierter[93]. Aber er akzeptiert doch die allgemeine Gültigkeit des vorgetragenen Arguments:

„In dieser Frage sagen manche sicher, die alten Väter hätten deshalb nicht alles, was sie besaßen, verkauft und es den Armen gegeben, weil der Herr es ihnen noch nicht befohlen hatte. Da nämlich der *Neue Bund* noch nicht *geoffenbart* war, was ja erst in der Fülle der Zeit geschehen sollte, sollte auch ihre *Tugend* noch nicht *geoffenbart* werden. Gott freilich kannte ihre Herzen und sah, daß sie kraft dieser Tugend das spätere Gebot leicht hätten verwirklichen können... Wenn also manche so sprechen, dann sagen sie offenbar etwas Vernünftiges; aber ... sie mögen doch alles sehen."[94]

Dieses letzte Zitat macht noch einmal den besonderen Charakter der neutestamentlichen Offenbarung deutlich sichtbar. Es zeigt, daß diese Offenbarung in jeder Hinsicht Sichtbarkeit und Öffentlichkeit der christlichen Sache mit sich bringt. Nicht nur Christus und die mit ihm gegebene christliche Glaubenswirklichkeit werden offenbar, sondern auch die Glaubenden selbst. Die innere Gesinnung der zum Heil Berufenen ist nun nicht mehr vor der Welt verborgen, sondern muß sich auf jeden Fall im äußeren Verhalten des Menschen sichtbaren Ausdruck verschaffen. Die Offenbarkeit Christi und des von ihm in dieser Welt verkörperten Bereichs der Gnade duldet weder Anonymität der Christuszugehörigkeit noch Verborgenheit der von Christus geforderten theosoterischen Grundausrichtung des menschlichen Lebens.

---

iubere, quia Dominus postea Iesus Christus, ‚Ego, inquit, dico vobis, non resistere adversus malum; sed si quis te percusserit in maxillam tuam dextram, praebe illi et sinistram'; intelligant hanc praeparationem non esse in corpore, sed in corde: ibi est enim sanctum cubile virtutis, quae in illis quoque antiquis iustis nostris patribus habitavit... In plenitudine temporum Filius Dei ... discipulos ... monet, ne timeant eos qui corpus occidunt, animam autem non possunt occidere...: virtutem patientiae suo revelat praecepto, suo confirmat exemplo.

93 Siehe Epist. 157,4,25ff.

94 Epist. 157,4,24f: Hic utique dicunt ideo patres antiquos non vendidisse omnia quae habebant et dedisse pauperibus, quia hoc eis non praeceperat Dominus. Nondum enim revelato Testamento Novo, quod non fieri nisi plenitudine temporis oportebat, nec eorum virtus fuerat revelanda; qua virtute hoc eos facillime posse Deus in eorum cordibus noverat, ... Haec si dicunt, videntur aliquid rationabiliter dicere. Sed ... totum advertant.

Diese Anonymität und Verborgenheit war allein in der Zeit vor der geschichtlichen Manifestation Christi möglich.

Aber so wie jetzt, in der Zeit des schon offenbar gewordenen Neuen Bundes, die *sichtbare* Zugehörigkeit zu Christus und der von ihm heraufgeführten neutestamentlichen Wirklichkeit heilsnotwendig ist, so war damals, in der Zeit der Verborgenheit, ein zwar verborgener, aber doch *ausdrücklich* auf Christus bezogener Glaube unerläßliche Bedingung des Heils. Augustinus ist der Überzeugung, daß den alten Gerechten durch gnadenhafte Einsicht in die präfigurativen Zeichen des Alten Bundes oder durch prophetische Offenbarungen eine Antizipation der neutestamentlichen Offenbarung ermöglicht worden ist. Dies soll im folgenden dargestellt und analysiert werden. Die Analyse soll dabei von der Frage geleitet sein, *warum* Augustinus so großen Wert darauf legt, daß das Heil aller an einen ausdrücklich christusbezogenen Glauben gebunden ist. Die Beantwortung dieser Frage in bezug auf die alten Gerechten wird zugleich die Grundlinien der augustinischen Soteriologie überhaupt freilegen.

§ 8 Antizipationen

1. Prophetische oder einsichthafte Offenbarung

Die Antizipation der neutestamentlichen Offenbarung erfolgt entweder durch prophetische Offenbarung oder durch Einsicht in die präfigurativen Zeichen der dispensatio temporalis. Im ersten Falle handelt es sich um besondere Eingebungen, die unabhängig von den gegebenen Zeichen und auch ganz außerhalb der präfigurativen Geschichte der christlichen Religion das Zukünftige sehen lassen, um Offenbarungen also, wie sie zum Beispiel den Propheten oder einzelnen Heiden zuteil geworden sind. Im zweiten Fall dagegen ist die Antizipation an die vermittelnde Funktion der dispensatio temporalis gebunden. Deutlich sichtbar wird diese Unterscheidung in einem Text aus *Contra Faustum*. Augustinus fragt dort, ob der Glaube an Christi zukünftiges Leiden und Auferstehen den alten Gerechten ebenso viel genützt habe, wie jetzt der Glaube an Christi schon geschehenes Leiden und Auferstehen uns von Nutzen ist. In bezug auf die Frage der Glaubensvermittlung präzisiert er dabei:

Die alten Gerechten haben diesen Glauben „entweder durch *Offenbarungen* kennengelernt oder durch die *prophetische Verkündigung eingesehen*"[1].

Augustins Offenbarungsterminologie nimmt freilich auf diese Unterschei-

---

[1] C. Faust. 19,15: ... utrum tantum profuerit antiquis iustis fides passuri et resurrecturi Christi, quam vel revelationibus discebant, vel in Prophetis intelligebant, quantum nunc prodest fides passi et resuscitati.

dung kaum Rücksicht. Da nämlich die Einsicht in den innergeschichtlichen Verweisungszusammenhang der prophetischen Zeichen wiederum nur durch eine besondere, gnadenhafte Erleuchtung möglich ist, spricht Augustinus auch hier von Offenbarung. Erst durch einsichthafte Offenbarung wird den alten Gerechten die alttestamentliche Wirklichkeit auf Christus hin transparent. So heißt es in einem weiteren Text aus Contra Faustum:

> „Unsere Hoffnung ist nicht auf die Verheißung zeitlicher Dinge fixiert. Wir glauben nämlich, daß nicht einmal die alten Heiligen und geistig Gesinnten, wie es zum Beispiel die Patriarchen und Propheten waren, diesen irdischen Dingen hingegeben waren. Durch *Offenbarung* des Geistes Gottes haben sie nämlich *eingesehen*, was jener Zeit angemessen war und wie Gott durch all jene geschichtlichen Taten und Worte Zukünftiges figürlich andeuten und vorausverkünden wollte."[2]

In den folgenden Texten ist nicht immer eindeutig auszumachen, welche Bedeutung die darin verwendete Kategorie ‚Offenbarung' hat, ob Augustinus bei ihrem Gebrauch mehr an prophetische oder mehr an einsichthafte Offenbarungen denkt. Die Grenzen sind zuweilen fließend. Der Tendenz nach überwiegt aber die erste Bedeutung.

2. Früher Offenbarungen — heute Verkündigung des Evangeliums

Im *Kommentar zum Galaterbrief,* der zu den frühesten Schriften Augustins gehört (394/95), in denen der Offenbarungsbegriff Verwendung findet[3], formuliert Augustinus erstmals den allgemeinen Grundsatz, daß die Menschen aller Zeiten allein durch die Niedrigkeit und Demut Christi geheilt werden können und daß deshalb in früheren Zeiten, als das Evangelium Christi noch nicht offen verkündet wurde, besondere Offenbarungen die Verkündigung des Evangeliums ersetzen mußten:

> „Alle Alten, die gerechtfertigt wurden, sind aus dem Glauben gerechtfertigt worden. Was nämlich wir zu unserem Heil, teils als schon Vergangenes glauben, nämlich die erste Ankunft des Herrn, teils als noch Zukünftiges, nämlich die zweite Ankunft des Herrn, das haben jene zu ihrem Heil ... insgesamt als noch Zukünftiges geglaubt; denn der Heilige Geist hat es ihnen *geoffenbart*... Alle diejenigen also wurden von der Gottlosigkeit der *Selbstüberhebung* (superbia) geheilt und auf diese Weise mit Gott wieder versöhnt, die die *Niedrigkeit* (humilitas) Christi glaubend liebten und liebend nachgeahmt haben, ob sie nun durch *Offenbarung* vermittelt wurde, bevor sie geschichtliche Realität wurde, oder durch das Evangelium, nachdem sie sich ereignet hatte. Diese Gerechtigkeit des Glaubens ... war freilich noch nicht öffentlich bekannt (popularis), bevor der Herr als Mensch unter Menschen geboren wurde. Mit ‚dem Nachkommen' aber,

---

[2] C. Faust. 4,2: Non itaque spes nostra in temporalium rerum promissione defixa est; quandoquidem nec ipsos illius temporis sanctos et spirituales viros, Patriarchas et Prophetas, his terrenis rebus fuisse deditos credimus: intelligebant enim, revelante sibi Spiritu Dei, quid tempori illi congrueret, et quibus modis Deus per illas omnes res gestas et dictas, futura figuranda et praenuntianda decerneret.

[3] Siehe Einleitung § 2 Anm. 6.

‚dem die Verheißung gegeben ist' (Gal 3,19), ist das christliche Volk gemeint, nicht die überaus kleine Zahl derer, die diese Glaubensgerechtigkeit durch *Offenbarungen* als zukünftig schauten."[4]

Selbstüberhebung des Menschen und Niedrigkeit Gottes, das sind die beiden aufeinander bezogenen Pole des Erlösungsgeschehens. Weil alle Menschen gleichermaßen durch die Ursünde der Selbstüberhebung in ihrem Sein pervertiert worden sind, deshalb ist auch ihr aller Heil gleichermaßen an die Niedrigkeit des Menschgewordenen gebunden. Weil alle Menschen gleichermaßen von der Aufgeblasenheit des Teufels zur Selbstüberhebung verführt und gerade so zu Fall gebracht worden sind, deshalb sollen alle durch den demütigen Mittler Christus zur Niedrigkeit und Demut gerufen und gerade so erhoben werden[5]. Heil und Erlösung vollziehen sich dadurch, daß der Mensch sich glaubend und raumgebend auf die Niedrigkeit Christi einläßt (credendo diligere) und diese Niedrigkeit schließlich in liebendem Nachvollzug zu seiner eigenen macht (diligendo imitari). Damit dies aber möglich ist, muß dem Menschen die Niedrigkeit Christi allererst vor Augen gehalten werden. Früher geschah das durch besondere Offenbarungen, heute geschieht es durch die Verkündigung des Evangeliums. Früher wie heute war also ein ausdrückliches Wissen von Christus heilsnotwendig. Und früher wie heute war ein solches Wissen möglich. Sachlich besteht in der Heilsvermittlung also kein Unterschied zwischen früher und heute. Der Unterschied besteht allein darin, daß heute die Niedrigkeit Christi durch die Verkündigung des Evangeliums öffentlich bekanntgemacht ist, während sie früher nur wenigen einzelnen auf verborgene Weise innerlich eröffnet wurde.

Daß auch für die alten Gerechten eine ausdrückliche Bindung an Christus absolut heilsnotwendig war und daß ihnen diese Bindung durch besondere Offenbarungen ermöglicht wurde, an dieser Vorstellung hält Augustinus zeit seines Lebens fest. So sagt er in dem relativ späten *Traktat 109 zum Johannesevangelium* (nach 418)[6]:

„Wer von ihnen hätte nämlich von der Verdammung der ganzen Masse des Verderbens, das durch einen Menschen eingetreten ist, erlöst werden können, wenn er nicht an den

---

4 Exp. epist. ad Gal. 23 und 24: Omnes antiquos, qui iustificati sunt, ex ipsa fide iustificatos. Quod enim nos ex parte praeteritum, id est, primum adventum Domini, ex parte futurum, id est, secundum adventum Domini credendo salvi efficimur; hoc totum illi, id est, utrumque adventum futurum credebant, revelante sibi Spiritu sancto, ut salvi fierent... Sanati sunt ergo ab impietate superbiae, ut reconciliarentur Deo, quicumque homines humilitatem Christi, et per revelationem antequam fieret, et per Evangelium posteaquam facta est, credendo dilexerunt, diligendo imitati sunt. Sed haec iustitia fidei ... non erat popularis antequam dominus homo inter homines nasceretur. ‚Semen' autem, ‚cui promissum est' populum significat; non illos paucissimos qui revelationibus eam futuram cernentes...
5 Exp. epist. ad Gal. 24: Restat ergo ut, qui mediatore superbo diabolo superbiam persuadente deiectus est, mediatore humili Christo humilitatem persuadente erigatur.
6 Zur Datierung siehe 1. Teil § 7 Anm. 28.

einen Mittler zwischen Gott und Menschen, der im Fleische kommen sollte, durch *Offenbarung* des Geistes geglaubt hätte? ... Gläubiger waren sogar diejenigen, die schon gestorben waren und durch *Offenbarung* des Geistes an der zukünftigen Auferstehung Christi in keiner Weise gezweifelt hatten, als jene, die zu Lebzeiten Christi zwar schon an ihn als den Erlöser Israels geglaubt hatten, aber beim Anblick seines Todes alle Hoffnung, die sie in ihn gesetzt hatten, verloren."[7]

Der letzte Satz des Zitats macht besonders drastisch deutlich, daß Augustinus seine eigene Theorie durchaus ernst nimmt und in einem wörtlichen Sinne verstanden wissen will. Denn er bekundet darin seine Überzeugung, daß der durch innere Offenbarung vermittelte Glaube der alten Gerechten größere Gewißheit implizierte als der Glaube der zu Lebzeiten Jesu Glaubenden. Während diesen nämlich die Auferstehung Jesu noch ungewiß war, glaubten jene nicht nur sein zukünftiges Leiden, sondern auch seine zukünftige Auferstehung.

3. Offenbarungen im Volke Israel und unter den Heiden

a) Am häufigsten spricht Augustinus von antizipatorischen Offenbarungen, die den alten Gerechten aus dem Volke Israel zuteil geworden sind. Zumeist identifiziert er dabei diese alten Gerechten mit den Propheten, die aufgrund der empfangenen Offenbarungen Funktionsträger der dispensatio temporalis waren und diese allererst mitkonstituierten. Er denkt aber doch auch ganz allgemein an solche, die das prophetisch Verkündete auf Christus hin einsahen:

Im Kommentar zum Galaterbrief spricht Augustinus von *David* als einem „Menschen im Alten Bund, aber nicht vom Alten Bund, den der *Glaube* an das zukünftige Erbe Christi, der ihm *geoffenbart* und zugewendet worden ist, geheilt hat"[8].

In De catechizandis rudibus heißt es: „Der durch die Sünde gefallene Mensch hat jene ursprüngliche Ruhe verloren, die er in der Gottheit Christi hatte, und er findet sie nur wieder in seiner Menschheit. Darum ist Christus zu gegebener Zeit Mensch geworden... Ihn haben die *alten Heiligen* durch *Offenbarung* des Geistes als den dereinst Kommenden *erkannt und prophetisch angekündigt*. Und so sind sie geheilt worden, weil sie glaubten, er werde kommen, wie auch wir geheilt werden durch den Glauben, daß er bereits gekommen ist."[9]

---

[7] In evang. Ioh. 109,2: Hoc enim et de antiquis iustis respondetur. Quis enim eorum a damnatione totius massae perditionis, quae per unum hominem facta est, salvus esse potuisset, nisi in unum Mediatorem Dei et hominum in carne venturum revelante Spiritu credidisset... Fideliores itaque reperiuntur, qui defuncti iam fuerant, et resurrecturum Christum revelante Spiritu non utique dubitabant, quam illi qui cum credidissent ipsum redemptorem Israel, visa eius morte spem totam quam de illo habuerant perdiderunt.

[8] Exp. epist. ad Gal. 43: Sicut David...: Homo in Veteri Testamento, sed non homo de Veteri Testamento, quem fides futurae haereditatis Christi revelata et reddita salvum faciebat.

[9] De catech. rud. 17,28: Homo autem peccato lapsus perdidit requiem quam habebat

Und in De consensu evangelistarum sagt Augustinus im Rahmen grundsätzlicher Überlegungen über die mittlerische Funktion, die dem Menschgewordenen zwischen veränderlicher Welt und unwandelbarer Ewigkeit zukommt[10]: „Er ist unser Glaube in der gewordenen Welt, der auch unsere Wahrheit ist in der ewigen Welt. Dieses große und unbeschreibbare Geheimnis, dieses Königtum und Priestertum, wurde den Alten vermittels Prophetie *geoffenbart* und den Späteren durch das Evangelium *offen verkündet*."[11]

Im letzten Zitat ist nicht eindeutig auszumachen, ob Augustinus darin mehr an prophetische Offenbarung denkt oder mehr an die Offenbarung, welche Einsicht in die prophetische Verkündigung eröffnet. Vor allem hinsichtlich dieser einsichthaften Offenbarung kann man nun freilich sagen, warum einzelnen aus dem Alten Bund die Einsicht in die eigentliche Bedeutung der alttestamentlichen Zeichen gegeben wurde, anderen dagegen nicht, obwohl diese Einsicht doch für alle Voraussetzung war zur Erlangung des heilsnotwendigen Glaubens. Hier nun stößt man wieder auf die Zirkelstruktur des menschlichen Heilungsprozesses. Einerseits ermöglicht allein der Glaube an die Niedrigkeit Christi dem Menschen Heilung; andererseits aber bedarf es einer vorgängig umwandelnden Gnade, damit sich der der Selbstüberhebung verfallene Mensch überhaupt glaubend auf Christus einlassen kann. Einerseits also wurde die Niedrigkeit Christi bestimmten einzelnen deshalb geoffenbart, damit sie geheilt werden konnten; andererseits aber konnte die antizipatorische Offenbarung diesen einzelnen nur deshalb zuteil werden, weil sie aufgrund einer vorgängigen Gnade der Niedrigkeit Christi in ihrem Sein schon anfanghaft entsprachen. Sehr schön zeigt sich diese Zirkelstruktur in einem Text aus *De catechizandis rudibus*:

„Auch damals fehlte es gewiß nicht an Gerechten, die *frommen Sinnes* Gott suchten und den Hochmut (superbia) des Teufels überwanden. Sie waren Bürger jener heiligen Stadt und fanden ihr Heil in der künftigen Niedrigkeit Christi, ihres Königs, die ihnen durch den Geist *geoffenbart* worden ist. Unter ihnen war Abraham, der fromme und treue Diener Gottes, dem das Geheimnis des Sohnes Gottes kundgetan werden sollte (demonstraretur)... Die große Masse dieses Volkes war jedoch *fleischlich gesinnt* und verehrte Gott um seiner sichtbaren Wohltaten willen. Einzelne indessen hatten doch die zukünftige Ruhe im Sinn und *trachteten nach dem himmlischen Vaterland;* und die-

---

in eius divinitate, et recipit eam in eius humanitate: ideoque opportuno tempore, quo ipse sciebat oportere fieri, homo factus ... est... Ipsum antiqui sancti venturum in revelatione Spiritus cognoverunt, et prophetaverunt; et sic salvi facti sunt credendo quia veniret, sicut nos salvi efficimur credendo quia venit.

10 Augustinus zitiert in De cons. evang. 1,35,53 sowie in De Trin. 4,18,24 zur Interpretation dieser mittlerischen Funktion einen Satz aus Platons Timaios (29c): Quantum ad id, quod ortum est, aeternitas valet, tantum ad fidem veritas. Siehe dazu P.Th. Camelot, A l'éternel par le temporel, in: REA 2 (1956) 163—173. Zu dem Text aus De Trinitate siehe weiter unten.

11 De cons. evang. 1,35,53f: Ipse est nobis fides in rebus ortis, qui est veritas in aeternis. Hoc magnum et inenarrabile sacramentum, hoc regnum et sacerdotium antiquis per prophetiam revelabatur, posteris eorum per Evangelium praedicatur.

sen wurde die zukünftige Niedrigkeit Gottes, unseres Königs und Herrn Jesus Christus, prophetisch *geoffenbart* (prophetando revelabatur)[12], damit sie durch diesen Glauben von aller Selbstüberhebung und Aufgeblasenheit *geheilt* würden."[13]

Nicht die empfangene Offenbarung konstituiert also den Frommen, geistig Gesinnten, sondern die vorgängig fromme Gesinnung macht allererst empfänglich für die Offenbarung der Niedrigkeit Christi. Vom Glauben an diese Niedrigkeit Christi wird dann die volle Heilung erwartet. Der Glaube hat also durchaus seine Bedeutung im Heilungsprozeß des Menschen. Im Anfang dieses Heilungsprozesses steht jedoch das Geheimnis der Prädestinationsgnade, die den einzelnen vorgängig auf die Niedrigkeit Christi hin ausrichtet. Nur denen wird geoffenbart, die schon fromm suchen. Diese Zirkelstruktur bringt auch der folgende Text aus dem Psalmenkommentar zum Ausdruck:

„Der Neue Bund, der in Christus ist, war in jenen ersten Zeiten verborgen. Er war nur den Propheten bekannt und den ganz wenigen *Frommen,* und zwar nicht aufgrund einer sichtbaren Manifestation gegenwärtiger Dinge, sondern aus ihnen zuteil gewordener *Offenbarung* noch zukünftiger Dinge."[14]

b) Wie schon weiter oben gezeigt wurde, hält Augustinus antizipatorische Offenbarungen nicht nur im Volk Israel für möglich, innerhalb der präfigurativen Geschichte der christlichen Religion also[15], sondern auch unter den

---

[12] Der Ausdruck ‚prophetando revelabatur' kann wiederum die eigentliche prophetische Offenbarung meinen, zum anderen aber auch die einsichthafte Offenbarung, die das prophetisch Verkündete erschließt.

[13] De catech. rud. 19,33: Neque tunc sane defuerunt iusti qui Deum pie quaererent, et superbiam diaboli vincerent, cives illius sanctae civitatis, quos regis sui Christi ventura humilitas per Spiritum revelata sanavit. Ex quibus Abraham pius et fidelis Dei servus electus est, cui demonstraretur sacramentum Filii Dei... Erat enim ibi multitudo carnalis, quae propter visibilia beneficia colebat Deum. Erant ibi autem pauci futuram requiem cogitantes et coelestem patriam requirentes, quibus prophetando revelabatur futura humilitas Dei, regis et Domini nostri Iesu Christi, ut per eam fidem ab omni superbia et tumore sanarentur.

[14] En. in psalm. 72,1: Ipsum Novum Testamentum, quod in Christo est, prioribus temporibus occultum erat, solis Prophetis cognitum, et paucissimis piis, non ex manifestatione praesentium, sed ex revelatione futurorum.

[15] Ein weiterer Text, der hier zitiert werden könnte, findet sich in Sermo 370,3,3, wo von dem greisen Simeon die Rede ist, der gläubig die Ankunft Christi erwartet habe und ihn schließlich erkannte, als er als Kind zur Beschneidung in den Tempel gebracht wurde (Lk 2,25—30): Pro desiderio suo accepit responsum, quod non gustaret mortem, nisi prius videret Christum Domini. Gestabat eum Maria mater eius infantem: vidit ille, et agnovit. Ubi noverat, quam agnovit? An *intus revelatus,* qui foris est natus? — Sermo 370 wird allerdings von den Maurinern zu den Sermones gezählt, deren Authentizität zweifelhaft ist. Für die Berechtigung der Zweifel spricht auch eine für Augustinus ungewöhnliche Verwendung des Wortes ‚revelare'. Im Zusammenhang mit dem eben zitierten Text heißt es: Quando veniet? Quando nascetur? Quando videbo? Putas durabo? Putas hic me inveniet? Putas isti oculi mei videbunt, per quem *cordis oculi revelabuntur?* Der Ausdruck ist bei Augustinus einmalig. In Epist. 147,22,51 und in

Heiden. Auf diese Weise erklärt er, daß Menschen aus allen Völkern zum Heil kommen konnten. Als biblisch abgesichertes Beispiel dient ihm dabei immer wieder Ijob, der kein Israelit war, dessen Geschichte aber sogar in den Kanon der biblischen Schriften aufgenommen worden ist: Ijob hat durch göttliche *Inspiration* vorausgewußt, daß Christus kommen werde, um zu leiden[16].

Von besonderem Interesse ist hier ein Textabschnitt aus dem 18. Buch von *De civitate Dei*. Augustinus bespricht dort einige alttestamentliche Prophetien, die seiner Ansicht nach eindeutig auf Christus bezogen sind und die somit die Wahrheit der christlichen Religion vor aller Welt bezeugen. In diesem Zusammenhang kommt er auch auf die Möglichkeit außerisraelitischer Weissagungen Christi zu sprechen und bezieht sich dabei ausdrücklich auf die Weissagungen der Sibyllen[17]. Zwar sieht er angesichts der Fülle und der Überzeugungsmächtigkeit der biblischen Prophetien in solchen außerisraelitischen Weissagungen nur eine an sich überflüssige ‚Dreingabe', hält sie aber immerhin für erwähnenswert und vor allem für prinzipiell glaubwürdig. Als Grund für diese Glaubwürdigkeit gibt er an, daß es in allen Völkern Menschen gegeben habe, denen das Geheimnis Christi geoffenbart worden ist:

„Wenn man daher liest, irgendein Fremder, der nicht aus dem Volk Israel stammt und auch nicht von jenem Volk in den Kanon heiliger Schriften aufgenommen worden ist, habe von Christus geweissagt, so kann das, wenn es zu unserer Kenntnis gelangt oder gelangen wird, nur als eine zusätzliche Dreingabe von uns erwähnt werden. Es geschieht nicht etwa deshalb, weil es notwendig wäre — es könnte vielmehr auch fehlen —, sondern weil man Grund hat zu glauben, es habe auch in anderen Völkern Menschen gegeben, denen das Geheimnis Christi *geoffenbart* worden ist und die dazuhin den Antrieb empfangen haben, davon zu weissagen."[18]

Überraschenderweise schließt Augustinus die eben zitierten Sätze mit der kritischen Bemerkung ab, nicht alle Menschen, von denen er hier spreche,

---

Epist. 148,2,8 spricht er zwar analog von ‚facies revelata', wobei er unter ‚facies' das innere Auge versteht; er übernimmt dort aber einfach biblischen Sprachgebrauch (2 Kor 3,18).

16 De pecc. mer. et rem. 2,11,16: Quo autem pertinet, nisi ut intelligat Iob — etiam hoc ei divinitus inspiratum, ut praesciret Christum ad passionem esse venturum — ...

17 De civ. Dei 18,46: ... nisi forte quis dixerit illas prophetias Christianos finxisse de Christo, quae Sibyllae nomine, vel aliorum proferuntur, si quae sunt, quae non pertinent ad populum Iudaeorum. — In De civ. Dei 18,23,2 gibt sich Augustinus so sehr von der Wahrheit der Weissagung der eryträischen bzw. cumäischen Sibylle überzeugt, daß er sagen kann: ut in eorum numero deputanda videatur, qui pertinent ad civitatem Dei. Siehe auch in Epist. Rom. imperf. 3 sowie Epist. 258,5.

18 De civ. Dei 18,47: Quapropter quisquis alienigena, id est, non ex Israel progenitus, nec ab illo populo in canonem sacrarum litterarum receptus, legitur aliquid prophetasse de Christo, si in nostram notitiam venit, aut venerit, ad cumulum a nobis commemorari potest: non quo necessarius sit, etiamsi desit, sed quia non incongrue creditur fuisse et in aliis gentibus homines, quibus hoc mysterium revelatum est et qui hoc etiam praedicere impulsi sunt.

seien auch notwendig der Gnade Christi teilhaftig gewesen; vielmehr könne es sein, daß manche von ihnen ihr Wissen von bösen Engeln empfangen hätten[19]. Will Augustinus damit ganz allgemein sagen, die außerisraelitischen Offenbarungen seien nicht unbedingt auf ein gnadenhaftes Geschehen zurückzuführen? Wäre dabei aber nicht zumindest seine Terminologie befremdlich? Denn normalerweise versteht Augustinus unter ‚Offenbarung' immer ein gnadenhaftes Geschehen; hier aber würde er auch dämonische Eingebungen unter diesen Begriff subsumieren. Die Schwierigkeiten lösen sich, wenn man berücksichtigt, daß Augustinus in dem zitierten Text nicht nur an die prinzipielle Möglichkeit von Offenbarung denkt, sondern zugleich den besonderen Fall der von ihm erwähnten Weissagungen der Sibyllen im Auge hat, die auch für ihn letztlich ambivalent bleiben[20]. Im Blick auf diese sibyllinischen Weissagungen muß er seine Aussagen absichern; sie veranlassen ihn also zu der kritischen Anmerkung.

Im weiteren Textverlauf geht Augustinus wieder wie selbstverständlich davon aus, daß die zur Debatte stehenden antizipatorischen Offenbarungen einen eindeutig gnadenhaften Charakter haben. Denn er identifiziert nun die Empfänger dieser Offenbarungen mit den von Gott zum Heil auserwählten Heiden. Unter Berufung auf das biblische Beispiel Ijob zeigt Augustinus zuerst, *daß* es auch unter den Heiden Erlöste gab, die zum himmlischen Jerusalem gehörten. Sodann schließt er von diesem Sachverhalt auf den Sachverhalt ‚Offenbarung'. Denn nur diejenigen Heiden konnten seiner Ansicht nach erlöst werden, denen Christus geoffenbart worden ist:

„Ich glaube, selbst die Juden würden nicht wagen zu behaupten, niemand außer den Israeliten habe jemals zu Gott gehört... Gewiß gab es kein anderes Volk, das im eigentlichen Sinne Gottes geheißen hätte, außer dem einen. Doch können sie nicht bestreiten, daß auch in anderen Völkern einzelne Menschen gelebt haben, die nicht kraft irdischer, sondern kraft himmlischer Verbundenheit zu den wahren Israeliten, den Bürgern des Vaterlandes droben, gehörten. Wollten sie es dennoch in Abrede stellen, genügte es ja, ihnen *Ijob* entgegenzuhalten... Ganz ohne Zweifel hat Gott gewollt, daß wir aus diesem Beispiel wüßten, es habe auch bei anderen Völkern einzelne geben können, deren Leben auf Gott hin ausgerichtet war und sein Wohlgefallen hatte und die so zum geistigen Jerusalem gehörten. Doch dies wurde, so muß man glauben, nur solchen zuteil, denen *der eine Mittler* zwischen Gott und den Menschen, *der Mensch Jesus Christus* von Gott her *geoffenbart* worden ist."[21]

---

[19] De civ. Dei 18,47: ... sive participes eiusdem gratiae fuerint, sive expertes, sed per malos angelos docti sunt.

[20] Trotz des positiven Urteils in De civ. Dei 18,23,2 sagt Augustinus dort doch nur, es scheine (*videatur*), die Sibyllen würden zum Gottesstaat gehören. In epist. Rom. imperf. 3 sagt Augustinus ähnlich vorsichtig: Fuerunt enim et prophetae non ipsius, in quibus etiam aliqua inveniuntur, quae de Christo audita cecinerunt, sicut etiam de Sibylla dicitur; quod *non facile* crederem nisi... Und in Epist. 258,5 heißt es: Quod ex Cumaeo, id est ex Sibyllino carmine se fassus est transtulisse Virgilius, quoniam *fortassis* etiam illa vates aliquid de unico Salvatore in spiritu audierat. — Vgl. auch die vorsichtige Beurteilung in C. Faust. 13,2; 13,13 und 13,17.

[21] De civ. Dei 18,47: Nec ipsos Iudaeos existimo audere contendere, neminem pertin-

Es folgt schließlich ein ausdrücklicher Hinweis auf die Identität des Glaubens der Gerechten aus vorchristlicher Zeit und unseres Glaubens. Ein und derselbe christusbezogene Glaube ist es, der alle zum Heil Vorherbestimmten (praedestinatos) zu Gott führt[22]. Die Begründung, die Augustinus für diese kompromißlose Bindung des Heiles an Christus und an einen christusbezogenen Glauben gibt, soll im nun folgenden Abschnitt dieses Paragraphen noch einmal zusammenfassend dargestellt werden.

4. Heilsvermittlung

a) Innerhalb eines größeren Textzusammenhangs aus *De gratia Christi* (418), in welchem Augustinus ausführlich das Thema des einen, christlichen Glaubens aller Gerechten erörtert[23], findet sich die unmißverständliche Aussage:

„Wir dürfen nämlich nicht meinen, den alten Gerechten habe nur die *Gottheit Christi* geholfen, die schon immer war, und nicht auch seine *Menschheit*, die zwar noch nicht erschienen war, ihnen aber doch *geoffenbart* worden ist."[24]

Um seine These zu erläutern und zu begründen, fährt Augustinus fort mit einer Interpretation des Satzes Jesu: ,Euer Vater Abraham begehrte, meinen Tag zu sehen; und er sah ihn und freute sich' (Joh 8,56). Dabei beschreibt er die Notwendigkeit des christusbezogenen Glaubens vor allem von dessen Erkenntnisfunktion her. Der Menschgewordene ist unentbehrlicher *Mittler im gnoseologischen Aufstieg* des Menschen.

Augustinus diskutiert drei verschiedene Interpretationen von Joh 8,56, die jeweils von der Frage bestimmt sind, was man unter dem ,Tag' Christi zu verstehen habe. Die *erste* und grundlegende Auslegung ist für Augustinus die, daß Christus hier von seinem geschichtlichen Erscheinen spreche. In diesem Fall habe Christus mit dem zitierten Satz bezeugt, daß Abraham vom

---

uisse ad Deum praeter Israelitas... Populus enim revera, qui propriẹ Dei populus diceretur, nullus alius fuit: homines autem quosdam non terrena, sed coelesti societate ad veros Israelitas supernae cives patriae pertinentes etiam in aliis gentibus fuisse, negare non possunt: quia si negant, facillime convincuntur de sancto et mirabili viro Iob... Divinitus autem provisum fuisse non dubito, ut ex hoc uno sciremus, etiam per alias gentes esse potuisse qui secundum Deum vixerunt eique placuerunt, pertinentes ad spiritualem Ierusalem. Quod nemini concessum fuit credendum est, nisi cui divinitus revelatus est unus mediator Dei et hominum homo Christus Iesus.
[22] De civ. Dei 18,47: qui venturus in carne sic antiquis sanctis praenuntiabatur, quemadmodum nobis venisse nuntiatus est, ut una eademque per ipsum fides omnes in Dei civitatem, Dei domum, Dei templum praedestinatos perducat ad Deum.
[23] De gratia Christi 2,24,28ff.
[24] De gratia Christi 2,27,32: Neque enim putandum est, quod antiquis iustis sola quae semper erat, divinitas Christi, non etiam quae nondum erat, eius humanitas revelata profuerit.

Glauben an die Inkarnation Christi erfüllt gewesen sei[25]. Die *zweite* Interpretationsmöglichkeit geht davon aus, daß sich der ‚Tag‘ Christi auch auf seine unwandelbare Gottheit beziehen kann. Augustinus akzeptiert diese Auslegung jedoch nur unter der Bedingung, daß sie die erste nicht aus-, sondern einschließt. Denn wie, so fragt er, hätte Abraham den so verstandenen Tag Christi begehren können, „wenn er nicht die zukünftige Sterblichkeit dessen gekannt hätte, dessen Ewigkeit er suchte"[26]? Auch für die alten Gerechten ist also die Menschheit Christi das notwendige ‚Vehikel‘, mit Hilfe dessen sie zur ursprünglichen und andauernden Schau Gottes gelangen sollen. Entsprechend lehnt Augustinus eine *dritte* Interpretation von Joh 8,56 ab, welche diese mittlerische Funktion der Menschheit Christi ausdrücklich ausschließt:

Derjenige engt den Sinn dieser Worte über Gebühr ein, der „sagt, unter dem Wort des Herrn ‚Er hat meinen Tag gesucht‘ sei nichts anderes zu verstehen als ‚Er hat mich gesucht, der ich der dauernde Tag, das heißt das nie erlöschende Licht bin‘...; und Abraham habe folglich diese dem Vater gleichewige Gottheit Christi zu sehen begehrt, *ohne* in irgendeiner Weise seine Menschwerdung vorausgewußt zu haben — genau so wie auch einige *Philosophen* den Herrn gesucht haben, die nichts von seinem Fleische wußten"[27].

Man kann nun allerdings fragen, ob Augustinus hier wirklich plausible Gründe dafür angibt, daß der gnoseologische Aufstieg der alten Gerechten an die Vermittlung durch den Menschgewordenen gebunden sein soll. Ist in den zitierten Texten das Erkennen der Gottheit Christi nicht eher das beinahe Selbstverständliche, das auch einzelnen Philosophen zuteil werden konnte? Erscheint die antizipatorische Schau der Menschheit Christi nicht doch als ein eigentlich überflüssiges ‚Vehikel‘[28]? Verficht Augustinus die Bindung an den Menschgewordenen nur aus apologetischen Gründen, aus dem Bestreben

---

[25] De gratia Christi 2,27,32: Illud enim quod ait Dominus Iesus, ‚Abraham concupivit diem meum videre, et vidit, et gavisus est‘; si diem suum voluit suum tempus intelligi, testimonium profecto perhibuit Abrahae, quod fide fuerit incarnationis eius imbutus.

[26] De gratia Christi 2,27,32: Quod et si quisquam de die sempiterno accipiendum putaverit, qui nullo finitur crastino, nullo praevenitur hesterno, hoc est, de ipsa aeternitate, in qua coaeternus est Patri: quomodo id vere concupisceret Abraham, nisi eius nosset futuram mortalitatem, cuius quaesivit aeternitatem?

[27] De gratia Christi 2,27,32: Aut si ad hoc aliquis horum verborum sensum coarctat, ut dicat, nihil intelligendum in eo quod ait Dominus ‚Quaesivit diem meum‘ nisi: Quaesivit me, qui sum dies permanens, hoc est, lumen indeficiens...: ut hanc eius aequalem Patri divinitatem videre cuperit Abraham, nequaquam incarnatione eius praecognita; sicut eum nonnulli etiam philosophi quaesiverunt, qui nihil de eius carne didicerunt.

[28] Siehe dazu die Interpretation des gleichen Satzes Joh 8,56 in In evang. Ioh. 43,16: Si gavisi sunt illi, quibus Dominus oculos carnis aperuit, quale gaudium fuit videntis cordis oculis lucem ineffabilem, *Verbum manens,* splendorem piis mentibus refulgentem, sapientiam indeficientem, apud Patrem manentem Deum, et *aliquando in carne venturum,* nec de Patris gremio recessurum? *Totum* hoc vidit Abraham.

heraus, die alten Gerechten von den Philosophen, die Christus nicht kannten, zu unterscheiden?

Diese Fragen erhalten eine erste Antwort, wenn man die spezifisch augustinische Verwirklichung des gnoseologischen Aufstiegs berücksichtigt. Es kann sich dabei nämlich nicht einfach nur um das einmalige Gelingen unmittelbarer Schau handeln, um einen einmaligen philosophischen Aufstieg; vielmehr geht es um einen andauernden dialektischen Prozeß. In seiner Bemühung, die übergeschichtliche, unwandelbare Wahrheit Gottes zu schauen, ist der der sensiblen Welt verhaftete Mensch immer wieder zurückgeworfen auf das Außen der geschichtlichen Erscheinung Gottes. Er bewegt sich in einer ständigen Dialektik zwischen ewiger Wahrheit und deren geschichtlicher Repräsentation[29]. Ohne diese geschichtliche Repräsentation Gottes aber würde die Erkenntnisbemühung des Menschen immer wieder in die Beliebigkeit der sensiblen Welt zurückfallen und so ständig Gefahr laufen, sich darin ganz zu verlieren. Der Menschgewordene als die dichteste und anthropologisch unüberbietbare Gestalt Gottes in dieser Welt hat demnach in dieser dialektischen Bewegung des gnoseologischen Aufstiegs eine sachlich durchaus begründete, einmalige Funktion[30].

Daß der Mensch überhaupt auf eine solche andauernde Dialektik angewiesen ist, erklärt sich wiederum aus seiner gefallenen Natur, die zu einer andauernden Schau Gottes gar nicht fähig ist und deshalb erst allmählich geheilt und seinsmäßig erhoben werden muß. Der gnoseologische Aufstieg ist also letztlich von einem *ontologischen Aufstieg* des Menschen umgriffen und geht mit diesem in gegenseitiger Wechselwirkung und in einem nur allmählich voranschreitenden Heilungsprozeß einher[31]. Die einmalige Bedeutung, die der Menschgewordene für diesen umgreifenden ontologischen Aufstieg des Menschen hat, ist auch die eigentliche Begründung für die von Augustinus geforderte Bindung aller Gerechten an Christus.

b) Die Niedrigkeit Christi hat im Erlösungsgeschehen nicht nur eine theoretisch admonitive Funktion, sondern zugleich und vor allem eine ontisch

---

29 Siehe dazu E. Gilson, Philosophie et incarnation selon saint Augustin, Montréal 1947, vor allem 25 und 49; Gilson handelt von der mittlerischen Funktion Christi, wie sie Augustinus im Zusammenhang mit seiner Deutung der beiden Gottesnamen nach Ex 3,13−15 beschreibt (das unwandelbare ‚Ego sum qui sum‘ und das geschichtliche ‚Deus Abraham, Deus Isaac, et Deus Iacob‘); er zeigt, wie der Mensch bei Augustinus in seiner Bemühung, Gott zu schauen, immer wieder auf das Außen der Geschichte zurückgeworfen ist und sich deshalb in einer ständigen Dialektik der beiden Gottesnamen bewegt.

30 P.Th. Camelot, a.a.O. 171, drückt sich zumindest mißverständlich aus, wenn er sagt: „La Foi au Verbe incarné nous fait saisir l'éternel *dans* le temporel, *dans* l'histoire si l'on veut." Es kann bei Augustinus immer nur um Erscheinungsformen des Göttlichen gehen, aber nicht um das Göttliche *in* der Geschichte.

31 Diese Wechselwirkung zwischen gnoseologischem und ontologischem Aufstieg zeigt seht gut G. Strauss, a.a.O. 29ff.

heilende und heimholende. Der Menschgewordene will den in der Gottferne lebenden Menschen nicht nur auf die von ihm ‚vergessene' *Wahrheit* Gottes aufmerksam machen, sondern ihn zugleich und vor allem seinsmäßig umwandeln und zur *Ewigkeit* Gottes hin erheben. Denn durch die Sünde der Selbstüberhebung hat sich der Mensch nicht einfach nur von der *Wahrheit* Gottes abgewandt; vielmehr ist er dadurch zugleich aus dem *ewigen Sein* Gottes herausgefallen und somit in seinem Sein selbst pervertiert worden. Um zur Wahrheit zurückkehren zu können, muß er deshalb zuerst seinsmäßig umgewandelt werden. Dies geschieht durch die Niedrigkeit Christi. Denn derjenige, dem es gegeben ist, sich auf die Niedrigkeit Christi glaubend einlassen zu können, wird von der Ursünde der Selbstüberhebung geheilt und zur Seinsweise der gottgerichteten Liebe befreit. Er wird seinsmäßig auf die Ewigkeit Gottes hin ausgerichtet und erst dadurch fähig, die Wahrheit Gottes neu zu empfangen[32]. Die Notwendigkeit dieser ontischen Heilung und damit die Notwendigkeit des Mittlers Jesus Christus hebt Augustinus vor allem in seiner Auseinandersetzung mit den Neuplatonikern hervor, die die Wahrheit Gottes an der Menschheit Christi vorbei suchten und dabei offensichtlich auch Erfolg hatten. Im 4. Buch von *De Trinitate* heißt es dazu:

„Es gibt Leute, die glauben, sie könnten zur Schau Gottes und zur liebenden Bindung an Gott aus eigener Kraft Reinheit erlangen. Diese werden durch ihre *Selbstüberhebung* erst recht befleckt... Sie versprechen sich deshalb Reinigung aus eigener Kraft, weil einige von ihnen mit der Sehkraft ihres Geistes über alles Geschaffene hinauszugehen und so das Licht der unwandelbaren Wahrheit ein ganz wenig zu berühren vermochten, während viele Christen, die einstweilen aus dem Glauben leben, dies, wie sie spöttisch feststellen, nicht konnten. Aber was nützt es einem Menschen, der der *Selbstüberhebung* verfallen ist und sich daher schämt, das Holz (= das Kreuz, die Niedrigkeit Christi) zu besteigen, wenn er aus der Ferne die Heimat sieht, die aber doch jenseits des Meeres liegt? Und was schadet es einem *Demütigen,* wenn er die Heimat über eine so große Entfernung zwar nicht sehen kann, auf jenem Holze aber zu ihr gelangt, von dem sich tragen zu lassen jener verschmäht?"[33]

Die Wahrheit mag also von manchen auch ohne Christus von Ferne theoretisch erkannt worden sein; eine ontische Affinität zu ihr kann doch nur über die heilende Seinsweise Christi erreicht werden. Die Philosophen mögen zwar die ewige Wahrheit schon irgendwie geschaut haben; ontisch blieben sie

---

[32] E. Gilson, Philosophie et Incarnation, geht auf den Zusammenhang von humilitas und superbia in der Soteriologie Augustins nicht ein.

[33] De Trin. 4,15,20: Sunt autem quidam qui se putant ad contemplandum Deum et inhaerendum Deo virtute propria posse purgari: quos ipsa superbia maxime maculat. ... Hinc enim sibi purgationem isti virtute propria pollicentur, quia nonnulli eorum potuerunt aciem mentis ultra omnem creaturam transmittere et lucem incommutabilis veritatis quantulacumque ex parte contingere: quod christianos multos ex fide interim sola viventes, nondum potuisse derident. Sed quid prodest superbienti, et ob hoc erubescenti lignum conscendere, de longinquo prospicere patriam transmarinam? Aut quid obest humili de tanto intervallo non eam videre, in illo ligno ad eam venienti, quo dedignatur ille portari?

ihr aber doch unerreichbar fern, da sie ohne den Menschgewordenen aus der Seinsweise der Selbstüberhebung nicht herauskommen konnten. Und weil sie in ihrem Sein der schon erkannten Wahrheit letztlich fremd bleiben mußten, deshalb mußten sie diese Wahrheit letztlich auch wieder verlieren. Das stellt Augustinus im Anschluß an den zitierten Text aus *De Trinitate* fest. Er vergleicht dort zugleich die Philosophen aus vorchristlicher Zeit, die zu überragender Wahrheitserkenntnis gelangt sind, mit den alten Gerechten, die zu dieser Erkenntnis vielleicht nicht fähig waren, denen aber im Gegensatz zu den Philosophen die zukünftige Menschwerdung Christi geoffenbart worden ist:

„Obwohl jene Philosophen Gott durch die geschaffenen Dinge erkannt haben, haben sie ihn doch nicht als Gott verherrlicht, noch ihm Dank erwiesen. Vielmehr sind sie, weil sie sich für weise hielten, zu Toren geworden (Röm 1,20ff). Und da sie unfähig waren, das Auge ihres Geistes mit solcher Festigkeit auf die Ewigkeit der geistigen und unwandelbaren Natur zu richten, daß sie in der Weisheit des Schöpfers und Lenkers des Alls den Lauf der Zeiten hätten sehen können, die dort schon ein Sein, und zwar ein immerwährendes Sein hatten, hier aber noch der Zukunft angehörten und insofern noch nicht waren..., wurden sie auch nicht für würdig gehalten, die zukünftigen Dinge durch *Engel* zu erfahren, sei es von außen durch die Sinne des Leibes, sei es durch *innere Offenbarungen* im Vorstellungsvermögen, so wie unseren Vätern, die mit wahrer Frömmigkeit begabt waren, die Zukunft gezeigt worden ist."[34]

Der Text offenbart wieder den soteriologischen Zirkel, auf den schon wiederholt hingewiesen wurde. Denn so wie das glaubende Sicheinlassen auf die sichtbare Niedrigkeit Christi durch eine vorgängig umwandelnde Gnade allererst ermöglicht werden muß, so wurde den alten Gerechten die zukünftige Niedrigkeit Christi geoffenbart, *weil* sie in ihrem Sein dieser Niedrigkeit schon anfanghaft entsprachen, weil sie also schon anfanghaft von der Gnade ergriffen waren. Und ebenso wurde den alten Philosophen eine solche Offenbarung, die zu ihrer Heilung notwendig gewesen wäre, verwehrt, eben *weil* sie ganz der Seinsweise der Selbstüberhebung verfallen waren. Der erste und entscheidende Schritt ist also immer die innerlich umwandelnde Gnade. Aber die Verwirklichung dieser Gnade bleibt doch, weil sie es mit dem zeitlichen und wandelbaren Wesen Mensch zu tun hat, in diesem Leben immer an geschichtliche Vermittlung gebunden. Sie vollzieht sich für alle zum Heil

---

[34] De Trin. 4,17,23: Quia per ea quae facta sunt cognoscentes Deum non sicut Deum glorificaverunt aut gratias egerunt, sed dicentes se esse sapientes, stulti facti sunt. Et cum idonei non essent, in aeternitatem spiritualis incommutabilisque naturae aciem mentis tam constanter infigere, ut in ipsa sapientia Creatoris atque Rectoris universitatis viderent volumina saeculorum, quae ibi iam essent et semper essent, hic autem futura essent ut non essent; atque ut ibi viderent conversiones in melius, non solum animorum, sed etiam corporum..., ne ad illud quidem digni habiti sunt, ut eis ista per sanctos Angelos nuntiarentur; sive forinsecus per sensus corporis, sive interioribus revelationibus in spiritu expressis: sicut patribus nostris vera pietate praeditis haec demonstrata sunt.

Berufenen, auch für die alten Gerechten, allein im Raum der konkret-geschichtlichen Sinnfigur der Niedrigkeit Christi, im Raum des Glaubens. Eine zusammenfassende Darstellung dieser heilsmittlerischen Funktion Christi gibt Augustinus im Anschluß an den zuletzt zitierten Text:

„Weil wir also zur Erfassung des Ewigen unfähig waren und der Unrat der Sünde uns niederdrückte..., bedurften wir der *Reinigung*. Gereinigt aber, damit wir *dem Ewigen angeglichen* würden, konnten wir nur durch Zeitliches werden, dem wir bisher angeglichen waren und das uns gefangen hielt... Wie nun aber der menschliche Geist dem Ewigen, wenn er schon gereinigt ist, in der *Schau* begegnet, so dem Zeitlichen, wenn er erst noch gereinigt werden muß, im *Glauben*. So sagte ja auch einer von denen, die man bei den Griechen zu den Weisen zählte: ‚So wie sich das Gewordene zur Ewigkeit verhält, so verhält sich der Glaube zur Wahrheit‘... Was bei uns ‚zeitlich‘ heißt, das nannte jener ‚geworden‘. Zu dieser Art von Seiendem gehören auch wir... Soweit wir also wandelbar sind, sind wir der Ewigkeit ferne. Uns wird aber ewiges Leben verheißen durch die *Wahrheit,* von deren unmittelbarer Erfassung unser *Glaube* wiederum so entfernt ist wie die *Sterblichkeit* von der *Ewigkeit.* Jetzt also begegnen wir den um unseretwillen in der Zeit sich ereignenden Dingen im *Glauben* und werden so *gereinigt,* damit dann, wenn wir zur *Schau* gelangen, die Ewigkeit auf die Sterblichkeit folge, so wie die Wahrheit auf den Glauben... Damit dies aber geschieht..., und damit kein Mißklang bestehe zwischen dem sterblichen Leben des Glaubens und der Wahrheit des ewigen Lebens, hat die dem Vater gleichewige Wahrheit von der Erde einen Anfang genommen (Ps 84,12), indem der *Sohn Gottes* so in die Welt kam, daß er *Menschensohn* wurde und unseren *Glauben* auf sich zog, um uns dadurch zu seiner *Wahrheit* zu führen, er, der unsere *Sterblichkeit* angenommen hatte, ohne seine *Ewigkeit* zu verlieren."[35]

Der christusbezogene Glaube soll den der Zeit unterworfenen und durch die Sünde pervertierten Menschen seinem Seligkeitsziel näherbringen. Dieses Ziel des Menschen zeigt sich aber in zwei Aspekten: als Wahrheit und als Ewigkeit. Entsprechend hat auch der Weg, den der Mensch einschlägt, um dieses Ziel zu erreichen, zwei Aspekte. Der Glaube hat also nicht einfach

---

[35] De Trin. 4,18,24: Quia igitur ad aeterna capessenda idonei non eramus, sordesque peccatorum nos praegravabant..., purgandi eramus. Purgari autem ut contemperaremur aeternis, non nisi per temporalia possemus, qualibus iam contemperati tenebamur... Mens autem rationalis sicut purgata contemplationem debet rebus aeternis; sic purganda, temporalibus fidem. Dixit quidam et illorum qui quondam apud Graecos sapientes habiti sunt: ‚Quantum ad id quod ortum est aeternitas valet, tantum ad fidem veritas.‘ ... Quod enim nos temporale dicimus, hoc ille quod ortum est appellavit. Ex quo genere etiam nos sumus... In quantum igitur mutabiles sumus, in tantum ab aeternitate distamus. Promittitur autem nobis vita aeterna per veritatem, a cuius perspicuitate rursus tantum distat fides nostra, quantum ab aeternitate mortalitas. Nunc ergo adhibemus fidem rebus temporaliter gestis propter nos, et per ipsam mundamur; ut cum ad speciem venerimus, quemadmodum succedit fidei veritas, ita mortalitati succedat aeternitas. Quod ... ut fiat..., ne fides mortalis vitae dissonaret a veritate aeternae vitae, ipsa Veritas Patri coaeterna de terra orta est, cum Filius Dei sic venit ut fieret filius hominis, et ipse in se exciperet fidem nostram, qua nos perduceret ad veritatem suam, qui sic suscepit mortalitatem nostram, ut non amitteret aeternitatem suam. — Diesen Text und das darin angeführte Platozitat Timaios 29c interpretiert P.Th. Camelot, A L'éternel par le temporel.

nur eine erkenntnisbezogene Funktion; er soll den Menschen vielmehr in erster Linie reinigen, das heißt seinsmäßig umwandeln und der Ewigkeit angleichen. Dem gnoseologischen Aufstieg der Wahrheit muß ein ontologischer zur Ewigkeit entsprechen, weil der dem Zeitlichen verhaftete Mensch die ewige Wahrheit nur dann erfassen kann, wenn er in seinem Sein selbst auf die Ewigkeit hin umgewandelt wird[36]. Zwar hat für Augustinus die erkenntnistheoretische Betrachtung des Aufstiegs zunächst das Übergewicht. „Das Durchdringen vom Werden (oriri) zum Sein (aeternitas)", so formuliert Strauss, „ist aber das Ziel der Bewegung, das zwar das Erkenntnisziel (veritas aeternae vitae) in sich schließt, jedoch darin nicht aufgeht. Deshalb muß sich schon der Fortschritt auf dieses doppelt bestimmte Ziel hin nicht nur im Erkennen, sondern auch im Sein des Menschen zeigen, das heißt, die theoretische Betrachtungsweise muß entscheidend ergänzt werden. Augustinus findet eine solche Ergänzung in der von der Schrift geforderten Liebe."[37] Die *Liebe*, die sich an der beispielgebenden Niedrigkeit und Demut Christi entzündet und die den Menschen an die am Ewigen orientierte Seinsweise Christi angleicht, ermöglicht Erkenntnis der ewigen Wahrheit, auf die der Menschgewordene verweist.

§ 9 Vollendung

1. Noch einmal: occultatio — revelatio

Das Neue Testament ist einerseits die Offenbarung des Alten. Der Menschgewordene ist die Manifestation dessen, was in allen vorangegangenen Zeiten verborgen dargestellt und intendiert war. Andererseits ist aber auch die Zeit des Neuen Testaments noch eine Zeit der Verborgenheit. Denn noch ist die innerliche Seinsweise des Neuen Bundes nicht voll verwirklicht. Noch klafft die kosmische Trennung zwischen sensibler und intelligibler Welt. Noch gilt das Gesetz der Zeichenhaftigkeit, der äußerlichen Vermittlung und des Glaubens. Noch steht also der entscheidende Offenbarungsfortschrit der eschatologischen Vollendung aus. Das geschichtstheologische Schema ‚occultatio — revelatio' erhält von daher nochmalige Aktualität. Es beschreibt das Verhältnis der Jetztzeit zum Ende der Zeiten und zum Jenseits der Geschichte. Geschichtstheologische und gnoseologische Bedeutung der Kategorie ‚Offenbarung' fallen dabei letztlich zusammen.

---

[36] Vgl. E. Gilson, Philosophie et Incarnation, der in der Differenz von Werden und Sein die eigentliche augustinische Heilsdifferenz sieht.
[37] G. Strauss, a.a.O. 30f.

a) Augustins Gedanken entzünden sich hier vor allem an Bibelstellen, in denen von der Offenbarung Christi bei seiner Wiederkunft die Rede ist[1]. Im Vergleich zu dieser Offenbarung bezeichnet er die erste Ankunft Christi durch seine Menschwerdung als eine Ankunft in Verborgenheit. In *Sermo 18* sagt er:

„Der Herr Christus, unser Gott, der Sohn Gottes, kam nämlich bei seiner ersten Ankunft in Verborgenheit *(occultus)*. Bei seiner zweiten Ankunft kommt er in Offenbarkeit *(manifestus)*. Als er in Verborgenheit *(occultus)* kam, war er nur seinen Dienern bekannt. Wenn er aber in Offenbarkeit *(manifestus)* kommt, werden ihn die Guten und die Schlechten kennen."[2]

Die Verborgenheit Christi bei seiner ersten Ankunft lag in seiner Niedrigkeit: in seiner ontischen (Inkarnation) und in seiner bis zum Kreuz gelebten Niedrigkeit. Und diese soteriologisch notwendige Niedrigkeit war und ist zugleich Veranlassung dafür, daß Christus in dieser Zeit von vielen verkannt und abgelehnt wird. Wenn Christus dagegen in Offenbarkeit kommt, wird er sich als der erweisen, der er wirklich ist, nämlich als der erhabene Herr und Richter der Menschheit[3]. Deshalb wird Christus bei seiner Wiederkunft auch denen *offenbar*, die vorher von ihm nichts wissen wollten, die ihn verkannt und verworfen haben[4]. Die Offenbarung Christi bei seiner Wiederkunft schafft also unmißverständliche Klarheit und Eindeutigkeit über das Sein und die Heilsbedeutsamkeit Christi.

b) Aber nicht nur Christus in seiner eigentlichen Herrlichkeit wird offenbar, sondern auch die Wahrheit jedes einzelnen Menschen. Solange diese Weltzeit

---

[1] Lk 17,30: Secundum haec erit dies Filii hominis, quo revelabitur; 1 Kor 1,7: Expectantibus revelationem Domini nostri Iesu Christi ... in die adventus Domini nostri Iesu Christi. − Siehe z.B. En. in psalm. 35,5: ... Quando revelabitur Dominus, quando apparet iudex; De doctr. christ. 3,36,54: Numquid cum Dominus fuerit revelatus, tunc sunt ista servanda...; et non potius isto tempore, ut cum Dominus fuerit revelatus... Tempus ergo ipsum quo Evangelium praedicatur quousque Dominus revelatur, hora est in qua oportet ista servari, quia et ipsa revelatio Domini ad eamdem horam pertinet, quae die iudicii terminatur.

[2] Sermo 18,1,1: Ipse enim Dominus Christus, Deus noster, Filius Dei, primo adventu venit occultus, secundo adventu veniet manifestus. Quando venit occultus, non innotuit nisi servis suis; quando veniet manifestus, innotescet bonis et malis.

[3] Sermo 18,1,1: Quando venit occultus, venit iudicandus; quando veniet manifestus, veniet iudicaturus; In evang. Ioh. 4,1f: Sicut enim ignorabitur Christus ab his qui Prophetis non crediderunt antequam veniret, sic ab eis ignorabatur et praesens. Venerat enim humiliter primo et occultus; tanto occultior, quanto humilior: populi autem spernentes per superbiam suam humilitatem Dei, crucifixerunt Salvatorem suum, et fecerunt damnatorem suum. Sed qui primo venit occultus, quia venit humilis, numquid deinceps non est venturus manifestus, quia excelsus?

[4] Quaest. in Hept. 7,49: Interpretatur autem Galaad Abiiciens sive Revelatio. Quorum utrumque satis apte huic re congruit (dem heilsgeschichtlichen Schicksal des jüdischen Volkes); quia primo Dominum Christum abiecerunt, eisque postea revelabitur.

andauert, läßt sich nicht mit Bestimmtheit sagen, ob jemand wirklich zu Christus und zum Neuen Testament gehört oder nicht. Denn jetzt sind die Gedanken der Menschen noch verborgen. Vor allem ist auch das neutesta- mentliche Sein jetzt erst auf verborgene Weise im Menschen, so wie Christus selbst nur in Verborgenheit gekommen ist. Aber die Offenbarung Christi bringt auch das Verborgene im Menschen endgültig an den Tag. In *Sermo 36* und in *Traktat 28 zum Johannesevangelium* erklärt Augustinus diesen Sach- verhalt am Beispiel des den Jahreszeiten unterworfenen Lebens der Bäume: Im Winter sind alle Bäume ohne Blätter und ohne Früchte; und man kann nicht unterscheiden, welcher Baum tot ist und welcher verborgenes Leben hat. Erst der Sommer bringt an den Tag, was im Winter verborgen war. Übertragen auf den Menschen bedeutet das:

„Unser Sommer, das ist die Wiederkunft Christi. Unser Winter ist Christi Verborgenheit *(occultatio)*; unser Sommer ist Christi Offenbarung *(revelatio)*."[5]
„Der Sommer bringt es an den Tag, das Gericht bringt es an den Tag. Unser Sommer, das ist die Offenbarung *(revelatio)* Christi."[6]

Die Offenbarung Christi bei seiner Wiederkunft schafft unmißverständliche Klarheit über das innere Sein des Menschen. Augustinus spricht deshalb, wie- derum im Anschluß an entsprechende Bibelstellen, auch von der Offenba- rung des Gerichts[7]: Die Jetztzeit ist mit der Nacht zu vergleichen, weil das innerliche Sein des Menschen noch verborgen bleibt. Heller Tag aber wird werden, wenn das Gericht *offenbart* wird. Denn dann bringt der Herr Licht in das Dunkel der menschlichen Herzen; er macht die verborgenen Gedan- ken des Menschen sichtbar[8]. Die Offenbarung Christi und seines Gerichts bringt auf diese Weise etwas ganz Entscheidendes mit sich: Sie überwindet die das gegenwärtige Leben kennzeichnende Diskrepanz zwischen ‚innen‘ und ‚außen‘ des Menschen[9]. Und sie schafft so die lichthafte Transparenz

---

5 Sermo 36,4,4: Vivit radix, sed hiemis tempore etiam viridis arbor aridae similis est. Tempore quippe hiemis et arbor quae aret, et arbor quae viget, utraque nuda est hono- re foliorum, utraque vacua honore fructuum: veniet aestas, et discernet arbores: viva radix folia producit, impletur fructibus; arida inanis aestate sicut hieme, remanebit... Sic aestas nostra, Christi est adventus: hiems nostra, Christi occultatio: aestas nostra, Christi revelatio.
6 In evang. Ioh. 28,11: Aestas probat, iudicium probat. Aestas nostra, revelatio Christi est.
7 Röm 2,5: ... theasaurizas tibi iram in die irae et revelationis iusti iudicii Dei. – Siehe z.B. C. Adim. 26; Sermo 71,12,30; vgl. auch Röm 1,18 in Sermo 241,1,1.
8 En. in psalm. 100,12: Adhuc nondum revelatum est iudicium: nox est; apparebit dies, apparebit iudicium... ‚Donec veniat Dominus, et illuminet abscondita tenebra- rum, et manifestavit cogitationes cordis‘ (1 Kor 4,5). – Vgl. hierzu die Zitation von 1 Kor 3,13 (‚dies enim declarabit, quia in igne revelabitur‘) in De civ. Dei 21,26,2; so- wie von 2 Thess 2,8 (‚et tunc revelabitur iniquus‘) in De civ. Dei 20,19,2.
9 Epist. 92,2: ... notitia nostri certior intus est, ubi nemo scit quae sunt hominis, nisi spiritus hominis qui in ipso est: sed cum venerit Dominus, et illuminaverit cogitationes

der Gemeinschaft der Seligen, in welcher die Menschen füreinander und für das Licht Gottes transparent sind[10].

c) Hieran knüpft sich noch ein dritter Gedanke: Das Offenbarwerden Christi und das Offenbarwerden der Wahrheit jedes einzelnen bedeutet zugleich das Offenbarwerden der dem Menschen verheißenen Herrlichkeit. Augustinus argumentiert hier mit den paulinischen Sätzen Röm 8,18: ‚Die Leiden der jetzigen Zeit bedeuten nichts im Vergleich zu der Herrlichkeit, die in uns *geoffenbart* werden soll‘; und Röm 8,19: ‚Die Sehnsucht des Geschaffenen wartet auf die *Offenbarung* der Söhne Gottes‘. Jetzt ist die Herrlichkeit, die *offenbar* werden wird, noch *verborgen*[11]. Das neue Sein der Söhne Gottes, die neutestamentliche Seinsweise, die jetzt, da wir noch den Gesetzen der vergänglichen Welt unterworfen sind, nur verborgen im Modus der Hoffnung in uns ist, wird dann in uns in aller *Offenbarkeit* verwirklicht werden[12]. Die

---

cordis, tunc nihil latebit proximum in proximo, nec erit quod suis quisque aperiat, abscondat alienis, ubi nullus erit alienus.

[10] Epist. 92,2: Lux vero ipsa, qua illuminabuntur haec omnia, quae modo in cordibus reconduntur, qualis aut quanta sit... Profecto lux illa Deus ipse est... Erit ergo tunc mens idonea quae illam lucem videat, quod nunc nondum est. – Epist. 95,8: In illa tamen civitate sanctorum, ubi etiam per Christum redempti a generatione hac, in aeternum coniunguntur millibis Angelorum, voces corporales non latentes animas indicabunt; quia in illa societate divina nihil cogitationis proximo poterit occultari, sed erit consonans in Dei laude concordia, non solum spiritu, verum etiam spirituali corpore expressa.

[11] Sermo 306,1,1: ‚Non enim condignae sunt passiones huius temporis ad futuram gloriam, quae revelabitur in nobis‘. Sed donec reveletur, abscondita est. – Vgl. De Trin. 4,3,5: Tunc enim similis ei erimus, quoniam videbimus eum sicuti est. Nunc vero quamdiu corpus quod corrumpitur aggravat animam, et vita humana super terram tota tentatio est, non iustificabitur in conspectu eius omnis vivens, in comparatione iustitiae quae aequabimur Angelis, et gloriae quae revelabitur in nobis; C. Gaud. 1,31,38: ... ut etiam hinc populus christianus adverteret, quoniam non sunt condignae passiones huius temporis ad futuram gloriam quae revelabitur in nobis.

[12] De divers. quaest. 83 qu. 67,2: ‚Exspectatio creaturae‘, id est exspectatio nostra, ‚revelationem filiorum Dei exspectat‘; id est, exspectat, quando apparet quod promissum est, quando re ipsa manifestum sit, quod nunc spe sumus... Ipsa est revelatio filiorum Dei, quam nunc exspectat exspectatio creaturae: non quod creatura revelationem exspectat alterius naturae, quae non sit creatura; sed ipsa qualis nunc est, exspectat quando sit qualis futura est. – Vgl. Exp. in epist. ad Rom. 53: ... ‚creatura revelationem filiorum Dei exspectat‘, quidquid nunc in homine laborat, et corruptioni subiacet... Hanc ergo revelationem filiorum Dei exspectat creatura, quae in homine nunc vanitati subiecta est, quamdiu dedita est temporalibus rebus, quae transeunt tanquam umbra. – Um zu erklären, daß es sich bei der Offenbarung der Söhne Gottes um uns selbst handelt, nicht um andere Geschöpfe, bringt Augustinus in De divers. quaest. 83 qu. 67,2 folgenden interessanten Vergleich: ...tanquam si diceretur: Operante pictore subiectis sibi coloribus et ad opus eius paratis, exspectatio colorum manifestationem imaginis exspectat: non quia tunc sunt alii, et alii erunt, aut non colores erunt; sed tantum quod aliam dignitatem habebunt.

Herrlichkeit, die offenbar werden soll, ist nun aber die Herrlichkeit Gottes selbst[13]. Und das neue Sein der Söhne Gottes besteht letztlich in der beseligenden Schau dieser Herrlichkeit Gottes, seiner Wahrheit und seines ursprünglichen Lichtes[14]. Die Vollendung des geschichtlichen Offenbarungsfortschritts ist also identisch mit der Vollendung des gnoseologischen Offenbarungsfortschritts. Um letztere soll es deshalb im zweiten Abschnitt dieses letzten Paragraphen gehen.

2. Offenbarung zur unmittelbaren und vollkommenen Schau Gottes

a) In *De consensu evangelistarum* 3,25,86 (400) fragt Augustinus, was es bedeute, wenn in Mt 28,7 (Mk 16,7) vom Auferstandenen gesagt werde: ‚Er geht euch voran nach Galiläa; dort werdet ihr ihn sehen.' Die Interpretation Augustins geht von der Bedeutung des Wortes Galiläa aus. Man könne, so sagt er, dieses Wort einerseits mit *Übergang* (transmigratio) übersetzen, andererseits mit *Offenbarung* (revelatio). Nimmt man die erste Übersetzung, dann besage der Satz, daß die Gnade Christi vom Volk Israel auf die Heidenvölker *übergehe* und Christus dort in seinen Gliedern neu sichtbar werde[15]. Übersetzt man Galiläa aber mit *Offenbarung,* dann beziehe sich der Satz nicht mehr auf die irdische Erscheinungsweise Christi und auf ein irdisches Sehen, sondern auf seine transzendente, dem Vater gleichewige Gottheit, die in dieser Geschichtszeit noch verborgen ist, deren zukünftige Schau in der Transzendenz Gottes in dem Satz aber verheißen werde[16]:

---

13 Vgl. die Zitation von Tit 2,13 in In evang. Ioh. 17,4: ‚Exspectantes illam beatam spem, et manifestationem gloriae beati Dei, et Salvatoris nostri Iesu Christi'. In hoc ergo saeculo quasi Quadragesimam abstinentiae celebramus... Sed quia haec abstinentia sine mercede non erit, exspectamus beatam illam spem, et revelationem gloriae magni Dei, et Salvatoris nostri Iesu Christi.

14 Vgl. In evang. Ioh. 75,4: Tunc (bei der Auferstehung am jüngsten Tag) enim erit ut possimus videre quod credimus. Nam et nunc est in nobis, et nos in illo: sed hoc nunc credimus, tunc etiam cognoscemus... Quamdiu enim sumus in corpore quale nunc est, id est corruptibile quod aggravat animam, peregrinamur a Domino... In illo ergo die ... cognoscemus quia ipse in Patre, et nos in ipso, et ipse in nobis; quia tunc perficietur hoc ipsum quod et nunc inchoatum est iam per ipsum, ut sit in nobis et nos in ipso. — L. Ballay, Der Hoffnungsbegriff bei Augustinus, München 1964, hat zu zeigen versucht, daß für Augustinus das Formalobjekt der Hoffnung die Auferstehung des Fleisches sei (siehe vor allem 171ff, 206ff). Das eigentliche Ziel der augustinischen Bewegung, die als umfassendes Heil verstandene vollkommene Schau Gottes, tritt dabei aber, so richtig die Ergebnisse Ballays sein mögen, über Gebühr in den Hintergrund.

15 De cons. evang. 3,25,86: Galilaea namque interpretatur vel Transmigratio, vel Revelatio. Prius itaque secundum transmigrationis significationem, quid aliud occurrit intelligendum, ‚Praecedit vos in Galilaeam; ibi eum videbitis'; nisi quia Christi gratia de populo Israel transmigratura erat ad Gentes ... ibi eius membra invenietis, ibi vivum corpus eius in iis qui vos susceperint agnoscetis.

16 De cons. evang. 3,25,86: Secundum illud autem quod Galilaea interpretatur Revelatio, non iam in forma servi intelligendum est, sed in illa qua aequalis est Patri: quam

„Dorthin ging er uns voraus, von wo er sich, als er zu uns kam, nicht entfernte... Dort wird jene *Offenbarung* sein..., wenn wir ihm gleich sein werden; dort werden wir ihn sehen, wie er ist. Und das wird dann auch der beseligendere Übergang sein: der Übergang aus dieser vergänglichen Welt in jene Ewigkeit."[17]

Im weiteren Textverlauf verbindet Augustinus diesen Übergang ausdrücklich mit dem Endgericht[18]. Die wirklich vollkommene Offenbarung der Gottheit Christi ist also deutlich futurisch-eschatologische Verheißung; sie ist gebunden an das kosmische Ereignis der Umwandlung der Welt bei der Wiederkunft Christi. Der gleiche Sachverhalt begegnet im 1. Buch von *De Trinitate* in bezug auf die vollkommene Offenbarung des Vaters. Auf die dort gestellte Frage nach der Bedeutung des paulinischen Zeugnisses, Christus werde bei seiner Wiederkunft das Reich dem Vater übergeben (1 Kor 15,24), antwortet Augustinus: Dieses Wort bedeute, daß Christus bei seiner Wiederkunft die Glaubenden zur unmittelbaren Schau Gottes führen werde[19]. Und unter Hinweis auf Mt 11,27 sagt er:

„Dann wird der Vater vom Sohn *offenbart*..., so daß die zeitliche Entfaltung von Gleichnissen durch Engelsmächte nicht mehr notwendig sein wird... Bevor das aber geschieht, sehen wir jetzt noch wie im Spiegel und in Rätselbildern, das heißt, in Gleichnissen. Dann aber sehen wir von Angesicht zu Angesicht... Das wird geschehen, wenn der Herr kommt und das, was im Finstern verborgen ist, erleuchtet und wenn die Finsternis unserer Sterblichkeit und Vergänglichkeit vergeht."[20]

b) Die Wiederkunft Christi leitet so die endgültige Überwindung der Heilsdifferenz des Menschen ein. Die zeichenhafte Vermittlung der göttlichen Wahrheit durch Engel, die Imaginationen, die dispensatio temporalis: all das wird überflüssig und geht vorbei, weil der Mensch wieder zum inneren Quell der Wahrheit zurückgeführt ist. Auch die Bibel hat dann also ihren Dienst getan[21]. In *Traktat 35 zum Johannesevangelium* beschreibt Augustinus diesen Endzustand in begeisterter Sprache wie folgt:

---

promisit apud Iohannem dilectoribus suis, cum diceret: ‚Et ego diligam eum et ostendam meipsum illi‘. Non utique secundum id quod iam videbant, et quod etiam resurgens cum cicatricibus, non solum videndum sed etiam tangendum postmodum ostendit: sed secundum illam ineffabilem lucem, qua illuminet omnem hominem...

[17] De cons. evang. 3,25,86: Illuc nos praecessit, unde ad nos veniens non recessit... Illa erit revelatio tanquam vera Galilaea, cum similes ei erimus; ibi eum videbimus sicuti est. Ipsa erit etiam beatior transmigratio ex isto saeculo in illam aeternitatem.

[18] De cons. evang. 3,25,86: ... ut ad eius dexteram segregari mereamur. Tunc enim ibunt sinistri in combustionem aeternam, iusti autem in vitam aeternam.

[19] De Trin. 1,8,16: Ita dictum est, ‚Cum tradiderit regnum Deo et Patri‘, ac si diceretur: Cum perduxerit credentes ad contemplationem Dei et Patris.

[20] De Trin. 1,8,16: Tunc revelabitur a Filio Pater...; id est, ut necessaria non sit dispensatio similitudinum per angelicos principatus... Quod antequam fiat, videmus nunc per speculum in aenigmate, hoc est in similitudinibus, tunc autem facie ad faciem... Hoc fiet cum venerit Dominus et illuminaverit occulta tenebrarum, cum tenebrae mortalitatis huius corruptionisque transierint.

[21] Siehe hierzu A. D. R. Polman, a.a.O. 231ff: „The Word of God without Holy Scripture".

„Wenn also unser Herr Jesus Christus wiederkommt und, wie der Apostel Paulus sagt, das im Finstern Verborgene erleuchtet und die Gedanken des Herzens an den Tag bringt...; wenn dieser *helle Tag* Gegenwart sein wird, dann werden keine *Leuchten* mehr nötig sein: Dann wird uns kein Prophet mehr vorgelesen, keine Schrift eines Apostels mehr geöffnet werden; wir werden kein Zeugnis des Johannes mehr verlangen, nicht einmal mehr das Evangelium werden wir brauchen. Alle Schriften werden also abgetan sein, die uns in der Nacht dieser Weltzeit als *Leuchten* angezündet worden sind... Was werden wir also sehen, nachdem all diese *Hilfsmittel* abgetan sind? Womit wird unser Geist genährt werden? Woran wird der Blick sich erfreuen?...: ‚Im Anfang war das Wort, und das Wort war bei Gott, und Gott war das Wort‘. Zur *Quelle* wirst du kommen, von welcher hier ein wenig Tau auf dich herabkam; das reine *Licht* wirst du sehen, von welchem jetzt ein schwacher Strahl auf gewundenem Wege in dein dunkles Herz gesenkt wurde.“[22]

Der vorsündliche Zustand ist wieder erreicht. Vor der Sünde, so hieß es in De genesi contra Manichaeos, empfing der Mensch die Wahrheit Gottes aus dem inneren Quell; Gott sprach unmittelbar im Geist des Menschen. Erst nach der Sünde wurde die äußere Vermittlung durch die Bibel notwendig, über die Schwerfälligkeit und Flüchtigkeit der zeichenhaften Sprache[23]. Die eschatologisch vollendete Offenbarung aber macht diese äußere Vermittlung endgültig wieder überflüssig[24]. Denn der Mensch ist nun selbst wieder aus der Verfallenheit an das Draußen erlöst. Er ist in seinem ganzen Sein

---

[22] In evang. Ioh. 35,9: Quando ergo Dominus noster Iesus Christus venerit, et, sicut dicit etiam apostolus Paulus, illuminaverit occulta tenebrarum, et manifestaverit cogitationes cordis...; tunc praesente tali die, lucernae non erunt necessariae: non legetur nobis Propheta, non aperietur codex Apostoli, non requiremus testimonium Iohannis, non ipso indigebimus Evangelio. Ergo omnes Scripturae tollentur de medio, quae nobis in huius saeculi nocte tanquam lucernae accendebantur... Remotis ergo his adiumentis, quid videbimus? Unde pascetur mens nostra? Unde obtutus ille laetabitur?...: ‚In principio erat Verbum, et Verbum erat apud Deum, et Deus erat Verbum‘. Unde tibi ros inspersus est, ad fontem venies; unde radius per obliqua et per anfractuosa tibi ad cor tenebrosum missus est, nudam ipsam lucem videbis.

[23] De gen. c. Manich. 2,4,5f; siehe § 11,1 des 1. Teiles der Arbeit. Schon A.C. de Veer a.a.O. 355, bringt In evang. Ioh. 35,9 mit De gen. c. Manich. 2,4,5f in Verbindung.

[24] Dieses Thema findet sich wiederholt bei Augustinus: En. in psalm. 93,6: Transacto autem tempore non legitur...; et non opus erit ut aliquid ibi nobis legatur. Quia in eo quod nobis legitur, syllabae sonant et transeunt: illa lux veritatis non praeterit, sed fixa permanens inebriat corda videntium; En. in psalm. 103 sermo 3,3: Omnis enim doctrina quae toto isto tempore dispensatur, transit...; In evang. Ioh. 22,2: ... ut perveniamus ad vitam aeternam, ubi non nobis legatur Evangelium; sed ille qui nobis modo Evangelium dispensavit, remotis omnibus lectionis paginis ... appareat omnibus suis purgato corde assistentibus...; Sermo 27,6: Ibi aequalitatem Dei videbis, ibi sine codice in Verbo leges. — Es ist hier darauf hinzuweisen, daß Augustinus die Verwirklichung dieser visio perfecta nicht durchgängig an die endzeitliche Wiederkunft Christi und die dann erwartete kosmische Umwandlung bindet; vielmehr kann er auch davon sprechen, daß die Heiligen jetzt schon in dieser visio sind; so En. in psalm. 119,6: Ibi omnes iusti et sancti, qui fruuntur Verbo Dei sine lectione, sine litteris; quod enim nobis per paginas scriptum est, per faciem Dei illi cernunt.

umgewandelt, so daß er wieder ungehinderten Zugang hat zu dem ursprünglichen Quell und zu dem ursprünglichen Licht. Er schaut Gott in lebendiger
und beseligender Schau.

SCHLUSS

Was soll am Schluß dieser weitgespannten Untersuchung über den Offenbarungsbegriff Augustins gesagt werden? Wie kann nach all den Analysen, Reflexionen, Darstellungen und Dokumentationen der Blick zu einer Gesamtschau gesammelt werden? Worin besteht das Ergebnis dieser Arbeit? Was ist ‚Offenbarung‘ bei Augustinus? Läßt sich diese Frage jetzt zusammenfassend beantworten? Oder müßte man bei einer Beantwortung nicht wieder von vorn anfangen, bei der Einleitung, bei der Frage, was überhaupt mit Offenbarung gemeint sein könne?

a) Die in der Einleitung aufgezeigte Schwierigkeit, das Thema ‚Offenbarung bei Augustinus‘ exakt zu bestimmen, die Not der Vermittlung zwischen dem heutigen Offenbarungsdenken und dem Werk Augustins, stellt sich am Schluß, wenn Bilanz gezogen wird, von neuem. Wegen dieser Schwierigkeit beschränkte sich diese Arbeit in ihrem Gesamtrahmen zunächst auf eine *philologisch-historische* Untersuchung über Gebrauch und Bedeutung des *Wortes* ‚Offenbarung‘ bei Augustinus. Die Ergebnisse dieser Untersuchung brauchen hier nicht im einzelnen wiederholt zu werden. Ein Überblick über die hauptsächlichen Bedeutungselemente des Wortes wurde schon in der Einleitung (§ 2) als ‚Lesehilfe‘ vorausgeschickt. Auf diesen Überblick kann deshalb hier wieder verwiesen werden. Hervorzuheben ist noch einmal, daß das Wort ‚Offenbarung‘ bei Augustinus zwar *keine zentrale* und alles beherrschende theologische Kategorie ist, aber doch in fast alle Bereiche theologischen Denkens hineinweist. Erkenntnistheorie und Geschichtstheologie sind die beiden großen Felder, in denen das Wort seinen Platz hat. Prophetie, biblische Inspiration, Psychologie der religiösen Erfahrung, biblische Hermeneutik, Predigt, Glaube und Verstehen, Christus, christlicher Universalismus und christliche Heilsexklusivität: das sind die einzelnen Themen, in denen die Offenbarungskategorie eine erhebliche Rolle spielt.

b) Hat sich nun aber die philologisch-historische Arbeit ‚gelohnt‘? Konnten die zahlreichen und zum Teil mühsamen Textanalysen für die theologische Reflexion fruchtbar gemacht werden? Ist es gelungen, durch die Semantik des Wortes ‚Offenbarung‘ hindurch die *offenbarungstheologisch relevanten Strukturen* des augustinischen Denkens sichtbar zu machen? Konnte durch Wortstatistik und Textanalysen hindurch das *fundamentaltheologische Interesse* am Offenbarungsproblem geltend gemacht werden? Es lag in der Absicht dieser Untersuchung, die theologischen Grundsatzfragen ständig mitzubedenken. Der in der Einleitung skizzierte kiritische Normbegriff von Offenbarung sollte der dabei leitende und erschließende Fragehorizont sein. Doch mußte die Vermittlung von historischem Material und fundamentaltheologischem Fragehorizont notwendig unvollkommen bleiben. Denn das Werk Augustins ist unermeßlich. Und seine geschichtliche Distanz und sachliche Differenz zur heutigen Theologie sind so ineinander verwoben, daß sie ohne zwanghaften Eingriff zu mehr als einer „gleitenden Analogie" sich nicht entflechten lassen. Gerade aber die originäre Andersartigkeit des augustinischen Denkens bietet der heutigen systematischen Theologie Gelegenheit für eine Begegnung, die geeignet ist, sie zu bereichern, in Frage zu stellen und wieder in eine größere Offenheit zu versetzen.

So wird zum Beispiel durch Augustinus überdeutlich die Sterilität und Armut eines extrinsezistischen Offenbarungsdenkens spürbar, dem es fast ausschließlich auf das „Daß" der Offenbarung ankommt. Denn Augustinus kommt es gerade auf das „Was" an und auf die Frage, wie dieses „Was" im Menschen immer wieder neu Aktualität gewinnen und sich ihm immer tiefer und ursprünglicher erschließen kann. Das Gleiche gilt für ein Offenbarungsverständnis, dem vor allem an satzhaft mitgeteilten übernatürlichen Wahrheiten gelegen ist. Augustins Theologie lebt wie kaum eine andere aus dem Bewußtsein und der Erfahrung, daß satzhafte Mitteilung nur die eine, äußerliche Seite der Offenbarung ist, die das, worauf es ankommt, nur sehr inadäquat zum Ausdruck bringen kann. Offenbarung im eigentlichen Sinn ist für ihn deshalb etwas Unsagbares, ein unverfügbares und ursprüngliches, Wirklichkeit erschließendes und sinnstiftendes Geschehen, das weder durch verkündigende noch reflektierende Sprache eingeholt werden kann. Kritik ließe sich von Augustinus her auch anmelden gegenüber einem Offenbarungsdenken, das in apologetischer Absicht Vernunft und Offenbarung allzusehr scheidet und die überakzentuierte Übervernünftigkeit von Offenbarung dann durch heteronome Wahrheitsbegründung (Autorität und Wunder) zu kompensieren versucht. Auch für Augustinus ist Autorität eine wichtige Größe im Glaubens- und Überlieferungsgeschehen. Aber schon das Wunder hat für ihn nicht die zentrale legitimierende Bedeutung wie für so manche neuzeitliche Theologie. Er identifiziert nicht, wie diese, Offenbarung und Wunder, oder genauer, Offenbarung und mirakelhaftes Geschehen. Für ihn ist Offenbarung etwas Mehrdimensionales, Reiches, Mannigfaltiges, etwas, das sich mirakelhaft ankündigt, sich in der Geschichte zeichenhaft entfaltet, der Vernunft sich unmittelbar erschließt und das Herz des Menschen ergreift. So läßt Augustinus spüren, wie arm und eindimensional die heutige, von neuzeitlichen Verengungen im Übermaß eingeschnürte Theologie ist. Und entsprechend mag ein wesentlicher Dienst dieser Untersuchung sein, die theologische Phantasie anzuregen und der Offenbarungsdiskussion in der systematischen Theologie neue Anstöße und Orientierungen zu geben.

c) Abschließend sollen noch einmal einige wesentliche Leitlinien genannt werden, die das offenbarungstheologische Denken Augustins kennzeichnen und zugleich seine Theologie insgesamt bestimmen:

1. Das Wort ‚Offenbarung' weist bei Augustinus auf die theosoterische Grundstruktur seiner Anthropologie: Offenbarung ist gnadenhaftes Prinzip der menschlichen Vernunft. Vernunft ist wesentlich rezeptiv. Wahrheit hat revelatorischen Charakter. Erkenntnis ist Gnade. Wahrheit kann deshalb nicht als privater Besitz beansprucht werden, sondern schließt wesentlich Kommunikation und Gemeinschaft ein.

2. Augustins Denken ist zwar grundsätzlich offen für revelatorische Phänomene aller Art. Den visionären und ekstatischen Erlebnissen einzelner, den Traumvisionen und plötzlichen Eingebungen, steht er jedoch auch kritisch gegenüber und unterzieht sie einer geradezu entzaubernden Analyse. Entscheidende Motive dafür sind Anerkennung und Ernstnehmen der conditio humana sowie Hochschätzung der Bibel. Im Gegensatz zur einsichthaften Offenbarung nämlich, die gnadenhaftes Prinzip der menschlichen Erkenntnis ist und in der Gott dem Menschen in einer der conditio humana entsprechenden Weise die Wahrheit erschließt, sind die bildhaften Offenbarungen wunderhafte Ausnahmen, die die ontologische Struktur des Menschseins durchbrechen. Augustinus setzt sich in diesem Zusammenhang einer übertriebenen Wundergläubigkeit zur Wehr.

3. Obwohl Augustinus den bildhaften Offenbarungen und besonderen Eingebungen in der gegenwärtigen Zeit der Kirche nur eine sehr untergeordnete Funktion zuerkennt — er unterwirft sie einer inhaltlichen Kritik und mißt sie zu diesem Zweck an den Kriterien der Kirchlichkeit, der Schriftgemäßheit und der Vernünftigkeit —, bleibt doch festzuhalten, daß sie für die Konstitution der biblischen Religion und die Entstehung der Bibel selbst von entscheidender Bedeutung waren (Prophetie und biblische Inspiration). Damals wie heute kam es für den einzelnen freilich darauf an, daß es nicht bei der bloßen Vermittlung des Bild- und Zeichenhaften bleibe, vielmehr dieses durch einsichthafte Offenbarung mehr und mehr erschlossen werde. Insofern bestand für die der biblischen Religion Angehörenden damals die gleiche hermeneutische Situation wie für die heute.

4. Die innerliche Offenbarung der Wahrheit ist theozentrisch konzipiert, nicht christozentrisch. Der Menschgewordene ist nicht Offenbarer der göttlichen Wahrheit, sondern Beispiel der göttlichen Gnade, Sinnfigur menschlicher Heilung, welche Voraussetzung ist für Offenbarung der Wahrheit. Augustinus deutet Christus also vor allem soteriologisch, nicht offenbarungstheologisch. Christus ist in seiner Niedrigkeit die heilbringende Alternative zur menschlichen Selbstüberhebung.

5. Als geschichtstheologische Kategorie weist ‚Offenbarung' allerdings auf eine Christusförmigkeit und Christozentrik der biblischen Geschichte. Die Niedrigkeit Christi ist seit Beginn der Menschheit präfigurativ gegeben. Sie

ist verborgener Gegenstand und eigentliches Ziel der gesamten biblischen ‚dispensatio temporalis'. Diese Vorstellung erlaubt es Augustinus, die historische Relativität der christlichen Heilsinstitution mit dem Anspruch christlicher Heilsexklusivität zu versöhnen. Weil die christliche Religion so alt ist wie das Menschengeschlecht und weil zudem die zukünftige Niedrigkeit Christi einzelnen durch antizipatorische Offenbarungen erschlossen werden konnte, deshalb kann gesagt werden, daß Christus auch schon in vorchristlicher Zeit der einzige Weg zum Heil war. Geschichtstheologisches und gnoseologisches Offenbarungsmodell zusammen machen plausibel, daß das Heil aller an einen ausdrücklich christusbezogenen Glauben gebunden ist.

6. Die Offenbarung der Wahrheit, zu der die Niedrigkeit Christi der Weg ist, ist zwar ein unmittelbar innerliches Gnadengeschehen, bleibt aber in diesem Leben doch immer an das Außen der Geschichte gebunden. Offenbarung geschieht in einer andauernden Dialektik zwischen außen und innen, Zeichen und Sache, Imagination und Illumination, sprachlichem Hören und sprachlosem Verstehen, zwischen biblisch-kirchlichem Glauben und ursprünglicher Einsicht, zwischen der Menschheit Christi und seiner Gottheit. Die Innerlichkeit des Gnadengeschehens bewahrt Augustinus vor einer Verdinglichung der Wahrheit und vor jedem Extrinsezismus. Die Gebundenheit der Offenbarung an das Außen der Geschichte und an die Welt der Zeichen bewahrt ihn vor jedem schwärmerischen Interiorismus und vor Geschichtslosigkeit.

7. Weil Offenbarung der Wahrheit mit einer ontischen Heilung des Menschen einhergehen muß, deshalb geschieht Offenbarung allein im Raum der heilenden Niedrigkeit Christi, im Raum des demütigen Glaubens, innerhalb der Einheit und Liebe der Kirche. Und auch hier geschieht sie immer nur anfanghaft, im demütigen Warten auf die Vollendung. Augustins Offenbarungskonzept bewahrt in sich somit die spannungsvolle Einheit von gnadenhafter Freiheit und unauslotbarer Tiefe der Wahrheit einerseits und Bindung des Heils an eine konkrete Geschichte andererseits. Augustins Offenbarungskonzept ist „katholischer Spiritualismus".

LITERATURVERZEICHNIS

1. Quellen

Augustini, Sancti Aurelii Hipponensis episcopi, operis omnia, opera et studio monachorum ordinis sancti Benedicti, apud Gaume Paris 1836—1838, 11 Bde (= Reproduktion der sog. Mauriner-Ausgabe).
- Corpus scriptorum ecclesiasticorum latinorum (CSEL), Wien 1866ff, bisher 13 Bde.
- Corpus Christianorum (CC), series latina, Turhout 1954ff, bisher 13 Bde.

Als Arbeitsunterlage diente die Reproduktion der Mauriner-Ausgabe. Alle zitierten Texte wurden anhand der textkritischen Augustinusausgaben von CSEL und CC überpüft und gegebenenfalls verbessert. Die Orthographie der Mauriner-Ausgabe wurde geringfügig der Orthographie der neueren Ausgaben angepaßt.

Die Abkürzungen der Schriften Augustins entsprechen dem Abkürzungsverzeichnis des Thesaurus linguae latinae, Index librorum scriptorum inscriptionum ex quibus exempla adferuntur, Leipzig 1904, 7ff.

2. Übersetzungen und kommentierte Ausgaben

Bibliothek der Kirchenväter (BKV), Des heiligen Kirchenvaters Aurelius Augustinus ausgewählte Schriften, Kempten/München 1911—1935, 12 Bde.

Deutsche Augustinusausgabe, Aurelius Augustinus. Werke in deutscher Sprache, Paderborn 1940ff, bisher 14 Bde.

St. Augustinus der Lehrer der Gnade, Deutsche Gesamtausgabe seiner antipelagianischen Schriften, Würzburg 1955ff, bisher 3 Bde.

Bibliothèque Augustinienne, Œuvres de Saint Augustin, Paris 1947ff, bisher 33 Bde.

Augustinus, Confessiones — Bekenntnisse, eingeleitet, übersetzt und erläutert von J. Bernhart, München ^{3}1966.

Aurelius Augustinus, Vom Gottesstaat, eingeleitet und übertragen von W. Thimme, Zürich 1955, 2 Bde (= Bd 3 und 4 in: Die Bibliothek der Alten Welt. Reihe Antike und Christentum).

Aurelius Augustinus, Psychologie und Mystik. De Genesi ad Litteram 12, Übersetzung und Einleitung gemeinsam M.E. Korger und H. Urs von Balthasar, Einsiedeln 1960 (= Sigillum 18).

Die genannten Übersetzungen wurden zwar zu Rate gezogen, aber nie wörtlich übernommen. Sämtliche Zitate Augustins, die in der vorliegenden Arbeit in deutscher Übertragung aufgeführt sind, wurden neu aus dem lateinischen Urtext übersetzt.

3. Sekundärliteratur

Adam, K., Notizen zur Echtheitsfrage der Augustinus zugesprochen Schrift ‚De unitate ecclesiae', in: Theologische Quartalschrift 91, Tübingen 1909, 86−115.
−   Die geistige Entwicklung des hl. Augustinus, Augsburg 1931 (anast. Darmstadt 1958).
Alfaric, P., L'évolution intellectuelle de saint Augustin. Du Manichéisme au Néoplatonisme, Paris 1918.
Allers, R., Illumination et vérités éternelles. Une étude sur l'apriori augustinien, in: Augustinus Magister 1, Paris 1954, 477−490.
Althaus, P., Die Inflation des Begriffs der Offenbarung in der gegenwärtigen Theologie, in: Zeitschrift für systematische Theologie 18, Berlin 1941, 134−149.
Andresen, C., Bibliographia augustiniana, Darmstadt 1973.
Arbesmann, R., Christ the Medicus humilis in St. Augustine, in: Augustinus Magister 2, Paris 1954, 623−629.
−   The Concept of Christus Medicus in St. Augustine, in: Traditio 10, New York 1954, 1−28.
Arendt, H., Der Liebesbegriff bei Augustin. Versuch einer philosophischen Interpretation, Berlin 1929.
Arsenault, F., Le Christ Plénitude de la Révélation selon s. Augustin, Diss. Rom 1965.
Ballay, L., Der Hoffnungsbegriff bei Augustin, untersucht in seinen Werken De doctrina christiana, Enchiridion und Enarrationes in Psalmos 1−91, München 1964 (= Münchener Theol. Studien II, 29).
Barth, K., Nein! Antwort an E. Brunner, Theologische Existenz heute, Nr. 14, München 1934.
Battifol, P., Le catholicisme de Saint Augustin, Paris 31920.
Bavaud, G., Un thème augustinien. Le mystère de l'Incarnation à la lumière de la distinction entre le verbe intérieur et le verbe proféré, in: Revue des études augustiniennes 9, Paris 1963, 95−101.
Bavel, T.J. van, Recherches sur la christologie de saint Augustin. L'humain

et le divin dans le Christ d'après saint Augustin, Fribourg 1954 (= paradosis 10).

– L'humanité du Christ comme „lac parvulorum" et comme „via" dans la spiritualité de saint Augustin, in: Augustiniana 7, Louvain 1957, 245–281.

– avec la collaboration de Zandee, F. van der, Répertoire bibliographique de saint Augustin, 1950–1960, Steenbrugge 1963.

– Christ in dieser Welt. Augustinus zu Fragen seiner und unserer Zeit, Würzburg 1970.

Becker, A., De l'instinct du bonheur à l'extase de la béatitude. Théologie et pédagogie du bonheur dans la prédication de saint Augustin, Paris 1968.

Benz, E., Augustins Lehre von der Kirche, Wiesbaden 1954 (= Abh. der geistes- und sozialwiss. kl. Akademie Mainz 1954 Nr. 2).

Berlinger, R., Zeit und Zeitlichkeit bei Aurelius Augustinus, in: Zeitschrift für philosophische Forschung 7, Wurzach 1953, 493–510.

Bernard, R., La prédestination du Christ total selon saint Augustin, in: Recherches augustiniennes 3, Paris 1965, 1–58.

Berrouard, M.F., ‚Similitudo' et la définition du réalisme sacramentel d'après l'Epître 98, 9–10 de saint Augustin, in: Revue des études augustiniennes 7, Paris 1961, 321–337.

– Saint Augustin et le ministère de la prédication. Le thème des anges qui montent et qui descendent, in: Recherches augustiniennes 2, Paris 1962, 447–501.

– La date des ‚Tractatus 1–54 in Iohannis Evangelium' de saint Augustin, in: Recherches augustiniennes 7, Paris 1971, 105–168.

Beumer, J., Die Idee einer vorchristlichen Kirche bei Augustinus, in: Münchener Theologische Zeitschrift 3, München 1952, 161–175.

– Die Inspirationslehre der Heiligen Schrift, in: Handbuch der Dogmengeschichte, hrsg. von M. Schmaus, A. Grillmeier und L. Scheffczyk, Bd. 1 Faszikel 3b, Freiburg 1968.

Bezançon, J.N., Le mal et l'existence temporelle chez Plotin et chez s. Augustin, in: Recherches augustiniennes 3, Paris 1965, 133–160.

Blanchard, P., L'espace intérieur chez saint Augustin d'après le livre 10 des Confessions, in: Augustinus Magister 1, Paris 1954, 535–542.

– Connaissance religieuse et Connaissance mystique chez saint Augustin dans les „Confessions". Veritas – Caritas – Aeternitas, in: Recherches augustiniennes 2, Paris 1962, 331–357.

Bonnardiere, A.M. La, Recherches de chronologie augustinienne, Paris 1965.

Bonnefoy, J., L'idée du chrétien dans la doctrine augustinienne de la grâce, in: Recherches augustiniennes 5, Paris 1968, 41–66.

Boyer, Ch., L'idée de vérité dans la Philosophie de saint Augustin, Paris 1920.

Brown, P., Augustine of Hippo. A Biography, London 1967 (deutsche Übersetzung: Augustinus von Hippo. Eine Biographie, Frankfurt/M 1973).

Brunner, P., Charismatische und methodische Schriftauslegung nach Augustins Prolog zu De doctrina christiana, in: Kerygma und Dogma 1, Göttingen 1955, 59—69 und 85—103.

Bulletin Augustinien, in: Revue des études augustiniennes, Paris 1955ff.

Buri, F., Dogmatik als Selbstverständnis des Glaubens, Bd. I: Vernunft und Offenbarung, Bern/Tübingen 1956.

Camelot, P.Th., A l'éternel par le temporel (De Trin. 4,18,24), in: Revue des études augustiniennes 2, Paris 1956, 163—172.

Cantaloup, P., L'harmonie des deux testaments dans le Contra Faustum de saint Augustin, Diss. Toulouse 1955.

Capelle, D.B., Le progrès de la connaissance religieuse d'après St. Augustin, in: Recherches de Theologie ancienne et médieval 2, Löwen 1930, 410—419.

Cayré, F.: Initiation à la philosophie de saint Augustin, Paris 1947.

Chaix-Ruy, J., Saint Augustin. Temps et histoire, Paris 1958.

Comeau, M., Saint Augustin exégète du quatrième évangile, Paris 1930.

–   Le Christ, chemin et terme de l'ascension spirituelle d'après saint Augustin, in: Recherches de science religieuse 40, Paris 1952, 80—89.

Congar, Y., Ecclesia ab Abel, in: Abhandlungen über Theologie und Kirche, Festschrift für Karl Adam, Düsseldorf 1952, 79—108.

Courcelle, P., Les lettres grecques en Occident: de Macrobe à Cassiodore, Paris 1948.

–   Recherches sur les Confessions de St. Augustin, Paris 1950.

Couturier, C., ‚Sacramentum‘ et ‚Mysterium‘ dans l'œuvre de s. Augustin, im Sammelband: Etudes Augustiniennes, Paris 1953, 163—332.

Crespin, R., Ministère et sainteté. Pastorale du clergé et solution de la crise donatiste dans la vie et la doctrine de saint Augustin, Paris 1965.

Dahl, A., Augustin und Plotin. Philosophische Untersuchungen zum Trinitätsproblem und zur Nuslehre, Lund 1945.

Denzinger-Schönmetzer, Enchiridion Symbolorum. Definitionum et Declarationum de rebus fidei et morum, Freiburg im Br. ^{33}1965.

Dinkler, E., Die Anthropologie Augustins, Stuttgart 1934.

Duchrow, U., „Signum“ und „superbia“ beim jungen Augustin (386—390) in: Revue des études augustiniennes 7, Paris 1961, 369—372.

–   Zum Prolog von Augustins De doctrina christiana, in: Vigiliae Christianae 17, Amsterdam 1963, 165—172.

–   Sprachverständnis und biblisches Hören bei Augustinus, Tübingen 1965.

Dulaey, M., Le rêve dans la vie et la pensée de saint Augustin, Paris 1973.

Dulles, A., Was ist Offenbarung? Freiburg/Basel/Wien 1970.

Ebeling, G., Wort und Glaube Bd. I, Tübingen 1960.

— Wort und Glaube Bd. II, Tübingen 1969.

Eicher, P., Solidarischer Glaube. Schritte auf dem Weg der Freiheit, Düsseldorf 1975.

— Das Offenbarungsdenken in seiner katechetischen Konsequenz. Ein theologischer Prospekt, in: Katechetische Blätter 101, München 1976, 289—305.

Eliade, M., Mythen, Träume und Mysterien, Salzburg 1961.

Franz, E., Totus Christus. Studien über Christus und die Kirche bei Augustin, Diss. Bonn 1959.

Frege, G., Funktion — Begriff — Bedeutung, hrsg. und eingel. von G. Patzig, Göttingen [4]1975.

Frick, R., Das Wort Gottes über die Geschichte. Augustins Versuch einer Geschichtsdeutung vom Wort Gottes her, in: Jahrbuch der theologischen Schule Bethel 7, 1936, 9—57.

Fries, H., Art.: ‚Offenbarung‘ syst., in: Lexikon für Theologie und Kirche Bd. VII, Freiburg [2]1962.

Gadamer, H.-G., Wahrheit und Methode. Grundzüge einer philosophischen Hermeneutik, Tübingen [2]1965.

Ghellinck, J. de, Pour l'historie du mot ‚revelare‘, in: Recherches de science religieuse 6, Paris 1916, 149—157.

Gilson, E., Introduction à l'étude de Saint Augustin, Paris [3]1949 (Deutsche Übersetzung der 1. Auflage 1929: Der heilige Augustinus, Breslau 1930).

— Philosophie et Incarnation selon saint Augustin, Montréal 1947.

— ‚Regio dissimilitudinis‘ de Platon à Saint Bernard de Clairvaux, in: Medieval Studies 9, Toronto 1947, 108—130.

— Notes sur l'être et le temps chez saint Augustin, in: Recherches augustiniennes 2, Paris 1962, 205—223.

Goldschmidt, V., Exégèse et Axiomatique chez saint Augustin, in: Etudes sur l'histoire de la philosophie. Hommage à Martial Guerolt, Paris 1964, 14—42.

Grabmann, M., Augustins Lehre vom Glauben und Wissen und ihr Einfluß auf das mittelalterliche Denken, in: Mittelalterliches Geistesleben Bd. II, München 1936, 35—61.

Greenslade, S.L., Der Begriff des Häresie in der alten Kirche, in: Schrift und Tradition, hrsg. von K.E. Skydsgaard und L. Vischer, Zürich 1963, 24—44.

Greshake, G., Gnade als konkrete Freiheit. Eine Untersuchung zur Gnadenlehre des Pelagius, Mainz 1972.

Grotz, K., Die Einheit der ‚Confessiones‘. Warum bringt Augustin in den letzten Büchern seiner ‚Confessiones‘ eine Auslegung der Genesis? Tübingen 1970.

Guitton, J., Le Temps et l'Eternité dans la formation de Plotin et de saint

Augustin, Paris [2]1959.

Guy, J.-C., Unité et structure logique de la Cité de Dieu de saint Augustin, Paris 1961.

Hadot, P., Marius Victorinus. Recherches sur sa vie et ses œuvres, Paris 1971.

Hardy, R.P., Actualité de la révélation divine. Une étude des ,,Tractatus in Iohannis Evangelium" de saint Augustin, Paris 1974.

Hart, R.L., Unfinished Man and the Imagination. Toward an Ontology and a Rhetoric of Revelation, New York 1968.

Hendrikx, E., Augustins Verhältnis zur Mystik, Diss. Würzburg 1936 (= Cassiciacum 1).

— Platonisches und biblisches Denken bei Augustinus, in: Augustinus Magister 1, Paris 1954, 285—292.

— Augustins Verhältnis zur Mystik. Ein Rückblick, in: Scientia Augustiniana. Studien über Augustinus, den Augustinismus und den Augustinerorden. Festschrift für A. Zumkeller, hrsg. von C.P. Mayer und W. Eckermann, Würzburg 1975, 107—111.

Henry, P., Plotin et l'Occident, Louvain 1934.

— La vision d'Ostie, sa place dans la vie et l'œuvre de saint Augustin, Paris 1938.

Hessen, J., Die Philosophie des heiligen Augustinus, Würzburg [2]1958.

— Augustins Metaphysik der Erkenntnis, Leiden/Brill [2]1960.

Hoffmann, Ernst, Platonismus und christliche Philosophie, Stuttgart 1960.

Hoffmann, Eva, Die Anfänge der augustinischen Geschichtstheologie in ,,De vera religione". Ein Kommentar zu den Paragraphen 48—57, Diss. Heidelberg 1960.

Hofmann, F., Der Kirchenbegriff des heiligen Augustinus, München 1933.

— Die Bedeutung der Konzilien für die kirchliche Lehrentwicklung nach dem hl. Augustinus, in: Kirche und Überlieferung. Festschrift für R. Geiselmann, hrsg. von J. Betz / H. Fries, Freiburg 1960, 81—89.

— Augustinismus, in: Handbuch theologischer Grundbegriffe, hrsg. von H. Fries, Bd. I, München 1962, 145—159.

Holl, A., Die Welt der Zeichen bei Augustinus. Religionsphänomenologische Analyse des 13. Buches der Confessiones, Wien 1963.

— Signum und Chiffer. Eine religionsphilosophische Konfrontation Augustins mit Karl Jaspers, in: Revue des études augustiniennes 12, Paris 1966, 157—182.

Holte, R., Béatitude et Sagesse. Saint Augustin et le problème de la fin de l'homme dans la philosophie ancienne, Paris 1962.

Ivanka, E. von, Die unmittelbare Gotteserkenntnis als Grundlage des natürlichen Erkennens und als Ziel des übernatürlichen Strebens bei Augustin, in: Scholastik 13, Freiburg im Br. 1938, 521—543.

Jackson, B.D., The Theory of Signs in St. Augustine's ,,De doctrina christiana", in: Revue des études augustiniennes 15, Paris 1969, 9—49.

Jaspers, K., Der philosophische Glaube angesichts der Offenbarung, München 1962.

—   Plato, Augustin, Kant. Drei Gründer des Philosophierens, Stuttgart 1967 (Sonderausgabe aus: Die großen Philosophen Bd. I).

Joly, R., Saint Augustin et l'intolérance religieuse, in: Revue Belge de Philologie et d'Histoire 33, Bruxelles 1955, 263—294.

Kälin, B., Die Erkenntnislehre des Heiligen Augustinus, Sarnen 1920.

Kamlah, W., Christentum und Geschichtlichkeit, Stuttgart ²1951.

Kannengiesser, C., Enarratio in psalmum 118. Science de la Révélation et progrès spirituel, in: Recherches augustiniennes 2, Paris 1962, 359—381.

Keyes, G.L., Christian Faith and the Interpretation of History. A Study of St. Augustine's Philosophy of History, Lincoln 1966.

König, E., Augustinus Philosophus. Christlicher Glaube und philosophisches Denken in den Frühschriften Augustins, München 1970.

König, H., Das organische Denken Augustins, aufgewiesen an seiner Lehre von den natürlichen, menschlichen Gemeinschaften und an seiner Geschichtsbetrachtung, München/Paderborn 1966.

Körner, F., Das Prinzip der Innerlichkeit in Augustins Erkenntnislehre, Diss. Würzburg 1952.

—   Die Entwicklung Augustins von der Anamnesis- zur Illuminationslehre im Lichte seines Innerlichkeitsprinzips, in: Theologische Quartalschrift Tübingen 134, Stuttgart 1954, 397—447.

—   Deus in homine videt. Das Subjekt des menschlichen Erkennens nach der Lehre Augustins, in: Philosophisches Jahrbuch der Görres-Gesellschaft 64, München 1956, 166—217.

—   Das Sein und der Mensch. Die existenzielle Seinsentdeckung des jungen Augustin, Freiburg/München 1959.

—   Abstraktion oder Illumination. Das ontologische Problem der augustinischen Sinneserkenntnis, in: Recherches augustiniennes 2, Paris 1962, 81—109.

—   Vom Sein und Sollen des Menschen. Die existentialontologischen Grundlagen der Ethik in augustinischer Sicht, Paris 1963.

Korger, M.E., Grundprobleme der augustinischen Erkenntnislehre. Erläutert am Beispiel von De genesi ad litteram 12, in: Recherches augustiniennes 2, Paris 1962, 33—57.

Kunzelmann, A., Augustins Predigttätigkeit, in: Aurelius Augustinus. Festschrift der Görres-Gesellschaft, Köln 1930, 155—168.

—   Die Chronologie der Sermones des heiligen Augustinus, in: Miscellanea Agostiniana Bd. II, Rom 1931, 417—520.

Kuypers, K., Der Zeichen- und Wortbegriff im Denken Augustins, Amsterdam 1934.

Lamirande, E., L'Eglise céleste selon Saint Augustin, Paris 1963.

385

Landais, M. le, Deux années de prédication de saint Augustin. Introduction à l'étude de l'In Iohannem, im Sammelband: Etudes augustiniennes, Paris 1953, 7—95.

Lang, A., Fundamentaltheologie Bd. I., München ³1962.

Lange, D., Zum Verhältnis von Geschichtsbild und Christologie in Augustins De civitate Dei in: Evangelische Theologie 28, München 1968, 430—441.

Latour, J., Art.: ‚Ontologismus‘, in: Lexikon für Theologie und Kirche Bd. VII, Freiburg ²1962, 1162.

Latourelle, R., L'idée des Révélation chez les Pères de l'Eglise, in: Sciences écclésiastiques 11, Montréal 1959, 297—344.

—   Theologie de la Révélation, Brügge/Paris ²1966.

Lechner, O., Idee und Zeit in der Metaphysik Augustins, München 1964 (= Salzburger Studien zur Philosophie 5).

—   Zu Augustins Metaphysik der Engel, in: Studia Patristica 9, Berlin 1966, 422—430.

Lewalter, E., Eschatologie und Weltgeschichte in der Gedankenwelt Augustins, in: Zeitschrift für Kirchengeschichte 53, Gotha 1943, 1—51.

Löhrer, M., Der Glaubensbegriff des Hl. Augustinus in seinen ersten Schriften bis zu den Confessiones, Einsiedeln/Zürich/Köln 1955.

Loewenich, W. von, Augustin und das christliche Geschichtsdenken, München 1947.

Löwith, K., Weltgeschichte und Heilsgeschehen, Stuttgart 1953.

—   Wissen und Glauben, in: Augustinus Magister 1, Paris 1954, 403—410.

Lohse, B., Zu Augustins Engellehre, in: Zeitschrift für Kirchengeschichte 70, Stuttgart 1959, 278—291.

Lorenz, R., Die Wissenschaftslehre Augustins, in: Zeitschrift für Kirchengeschichte 67, Stuttgart 1955—1956, 29—60 und 213—251.

—   Besprechung von Polman, A.D.R., Het woord Gods bij Augustinus, in: Theologische Literaturzeitung 82, Leipzig 1957, 854—856.

—   Augustinusliteratur seit dem Jubiläum 1954, in: Theologische Rundschau 25, Tübingen 1959, 1—75.

—   Gnade und Erkenntnis bei Augustinus, in: Zeitschrift für Kirchengeschichte 75, Stuttgart 1964, 21—78.

—   Zwölf Jahre Augustinusforschung (1959—1970), in: Theologische Rundschau 38, Tübingen 1973, 292—333; — 39 (1974) 95—138; 253—286; 331—364; — 40 (1975) 1—41; 97—149; 227—261.

Lubac, H. de, „Typologie" et „Allégorisme", in: Recherches de science religieuse 34, Paris 1947, 180ff.

—   L'Ecriture dans la Tradition, Paris 1966.

Lütcke, K.H., „Auctoritas" bei Augustin, mit einer Einleitung zur römischen Vorgeschichte des Begriffs, Stuttgart 1968 (= Tübinger Beiträge zur Altertumswissenschaft 44).

Luneau, A., L'histoire du salut chez les Pères de l'Eglise. La doctrine des âges du monde, Paris 1964.

Madec, G., Connaissance de Dieu et action de grâces. Essai sur les citations de l'Epître aux Romains 1, 18–25 dans l'œuvre de saint Augustin, in: Recherches augustiniennes 2, Paris 1962, 273–309.

Mandouze, A., Où en est la question de la mystique augustiniennes?, in: Augustinus Magister 3, Paris 1955, 103–163.

–   Saint Augustin. L'aventure de la raison et de la grâce, Paris 1968.

Maréchal, J., La vision de Dieu au sommet de la contemplation d'après Saint Augustin, in: Nouvelle Revue theologique 57, Tournai/Louvain/Paris 1930, 191–214.

Markus, R.A., Saint Augustine on History, Prophecy and Inspiration, in: Augustinus 12, Madrid 1967, 271–280.

–   Saeculum. History and Society in the Theology of St. Augustine, Cambridge 1970.

Marrou, H.-I., L'ambivalence du temps de l'histoire chez saint Augustin, Montréal 1950.

–   Saint Augustin et la fin de la culture antique, Paris ⁴1958.

Mayer, C.P., Die Zeichen in der geistigen Entwicklung und in der Theologie des jungen Augustinus, Würzburg 1969.

–   Die Zeichen in der geistigen Entwicklung und in der Theologie Augustins, 2. Teil: Die antimanichäische Epoche, Würzburg 1974.

–   Signifikationshermeneutik im Dienst der Daseinsauslegung. Die Funktion der Verweisungen in den Confessiones 10–13, in: Augustiniana 24, Leuven 1974, 21–74.

–   Res per signa. Der Grundgedanke des Prologs in Augustins Schrift De doctrina christiana und das Problem seiner Datierung, in: Revue des études augustiniennes 20, Paris 1974, 100–112.

Meer, F. van der, Augustinus der Seelsorger, Köln ³1958.

Mohrmann, Ch., Die altchristliche Sondersprache in den Sermones des hl. Augustinus, Nijmegen 1932 (= Latinas christiana primaeva 3; Nachdruck mit Nachtrag 1965).

Mommsen, E.Th., St. Augustine and the Christian idea of Progress, in: Journal of the History of Ideas 12, Lancaster 1951, 346–374.

Monceaux, P., Histoire littéraire de l'Afrique chrétienne depuis les origines jusqu'à l'invasion arabe, t. VII: Saint Augustin et le Donatisme, Paris 1923.

Niebergall, A., Augustins Anschauung von der Gnade. Ihre Entstehung und Entwicklung vor dem pelagianischen Streit bis zum Abschluß der Confessionen, Marburg 1944.

Nörregaard, J., Augustins Bekehrung, Tübingen 1923.

Nygren, G., Das Prädestinationsproblem in der Theologie Augustins, Göttingen 1956.

Oepke, A., ‚apokalypto, apokalypsis‘, in: Theologisches Wörterbuch zum Neuen Testament Bd. III, Stuttgart 1938, 565—597.

Oltra, M., Como se conoce la revelacion sobrenatural segun san Agustin in: Augustinus 3, Madrid 1958, 281—289.

Otto, S., Art.: ‚Patristik‘, in: Handbuch theologischer Grundbegriffe Bd. 2, München 1963, 177—185.

Paissac, H., Théologie du Verbe. Saint Augustin et Saint Thomas, Paris 1951.

Pannenberg, W. (Hrsg.), Offenbarung als Geschichte, Göttingen ⁴1970.

Pépin, J., Une hésitation de saint Augustin sur la distinction de l'intelligence et de l'intelligible et sa source plotinienne, in: Actes du XIᵉ Congrès international de Philosophie, Bruxelles 1953, Bd. VII, 137—147.

Perler, O., Der Nus bei Plotin und das Verbum bei Augustinus als vorbildliche Ursache der Welt, Fribourg 1931.

—   Les voyages de saint Augustin, Paris 1969.

Pesch, R., Zur theologischen Bedeutung der ‚Machttaten‘ Jesu. Reflexionen eines Exegeten, in: Theologische Quartalschrift Tübingen 152, München 1972, 203—213.

Pirovano, D., La parola di Dio como ‚incarnazione‘ del Verbo in San Agostino, in: Augustinianum 4, Rom 1964, 77—104.

Pirson, D., Der Glaubensbegriff bei Augustin, Erlangen 1953.

Plagnieux, J., Le Chrétien en face de la loi d'après le „De spiritu et littera" de s. Augustin, in: Theologie in Geschichte und Gegenwart. Festschrift für M. Schmaus, München 1957, 725—754.

—   Heil und Heiland, Paris 1969.

Plinval, G. de, Pour connaître la Pensée de Saint Augustin, Paris 1954.

Pohlmann, R., Art.: ‚Autonomie‘, in: Historisches Wörterbuch der Philosophie Bd. I, Darmstadt 1971, 701—719.

Polman, A.D.R., Het woord Gods bij Augustinus, Kempen 1955 (englische Übersetzung: The Word of God according to Saint Augustine, London 1961).

Pontet, M., L'exégèse de saint Augustin prédicateur, Paris 1945.

Portalié, E., Art.: ‚Augustin‘, in: Dictionnaire de Théologie catholique Bd. I, Paris 1909, 2334ff.

Przywara, E., Augustinisch. Urhaltung des Geistes, Einsiedeln 1970.

Rahner, K., Hörer des Wortes. Zur Grundlegung einer Religionsphilosophie, München ²1963.

—   Bermerkungen zum dogmatischen Traktat „De Trinitate", in: Schriften zur Theologie Bd. 4, Einsiedeln/Zürich/Köln ⁴1964, 103—133.

Rahner, K. / Ratzinger, J., Offenbarung und Überlieferung, Freiburg 1965 (= Quaestiones disputatae 25).

Ratzinger, J., Volk und Haus Gottes in Augustins Lehre von der Kirche, München 1954.

–   Herkunft und Sinn der Civitas-Lehre Augustins. Begegnung und Aus-
      einandersetzung mit Wilhelm Kamlah, in: Augustinus Magister 2, Paris
      1954, 965–979.
–   Die Geschichtstheologie des Hl. Bonaventura, München/Zürich 1959.
Refoulé, F.-R., Situation des pécheurs dans l'Eglise d'après Saint Augustin,
      in: Studia Theologica 8, Lund 1954, 86–102.
Reuter, H., Augustinische Studien, Gotha 1887 (Neudruck Aalen 1967).
Ricœur, P. / Jüngel, E., Metapher. Zur Hermeneutik religiöser Sprache,
      Sonderheft Evangelische Theologie, München 1974.
Rief, J., Der Ordobegriff des jungen Augustinus, Paderborn 1962.
Ries, J., La Bible chez saint Augustin et chez les manichéens, in: Revue des
      études augustiniennes 7, Paris 1961, 231–243; – 9 (1963) 201–215;
      – 10 (1964) 309–329.
Ritter, J., Mundus intelligibilis. Eine Untersuchung zur Aufnahme und Um-
      wandlung der neuplatonischen Ontologie bei Augustinus, Frankfurt
      1937.
Rohmer, J., L'intentionalité des sensations chez saint Augustin, in: Augusti-
      nus Magister 1, Paris 1954, 491–498.
Romeis, C., Das Heil des Christen außerhalb der wahren Kirche nach der
      Lehre des heiligen Augustinus, Paderborn 1908 (= Forschungen zur
      christlichen Literaturgeschichte 8).
Rondel, H., Essais sur la chronologie des Enarrationes in Psalmos de saint
      Augustin, in: Bulletin de littérature ecclésiastique 61, Toulouse 1960,
      111–127; 258–286; – 65 (1964) 110–136; – 68 (1967) 180–202;
      – 71 (1970) 174–200.
Roy, Jean-Baptiste du, L'expérience de l'amour et l'intelligence de la foi
      trinitaire, in: Recherches augustiniennes 2, Paris 1962, 415–445.
Roy, Olivier du, L'intelligence de la foi en la trinité selon saint Augustin.
      Genèse de sa théologie trinitaire jusqu'en 391, Paris 1966.
Sage, A., De la grâce du Christ, modèle et principe de la grâce, in: Revue des
      études augustiniennes 7, Paris 1961, 17–34.
–   La dialectique de l'illumination, in: Recherches augustiniennes 2, Pa-
      ris 1962, 111–123.
–   La volonté salvifique universelle de Dieu dans la pensée de saint Augu-
      stin, in: Recherches augustiniennes 3, Paris 1965, 107–131.
Sasse, H., Sacra Scriptura. Bemerkungen zur Inspirationslehre Augustins, in:
      Festschrift für F. Dornseiff, Leipzig 1953, 258–273.
Schaffner, O., Christliche Demut. Des hl. Augustinus Lehre von der Humili-
      tas, Würzburg 1959.
Scheel, O., Die Anschauung Augustins über Christi Person und Werk, Tübin-
      gen/Leipzig 1901.
Schillebeeckx, E., Glaubensinterpretation. Beiträge zu einer hermeneuti-
      schen und kritischen Theologie, Mainz 1971.

Schilson, A., Geschichte im Horizont der Vorsehung. G.E. Lessings Beitrag zu einer Theologie der Geschichte, Mainz 1974.

Schindler, A., Wort und Analogie in Augustins Trinitätslehre, Tübingen 1965.

Schmaus, M., Die psychologische Trinitätslehre des hl. Augustinus, Münster 1927.

Schmidt-Dengler, W.G., Die ‚aula memoriae' in den Konfessionen des heiligen Augustinus, in: Revue des études augustiniennes 14, Paris 1968, 68—89.

Schneider, R., Was hat uns Augustins „theologia medicinalis" heute noch zu sagen?, in: Kerygma und Dogma 3, Göttingen 1957, 307—315.

Schnitzler, F., Zur Theologie der Verkündigung in den Predigten des hl. Augustinus. Ein Beitrag zur Theologie des Wortes, Freiburg/Basel/Wien 1968.

Schöpf, A., Wahrheit und Wissen. Die Begründung der Erkenntnis bei Augustin, München 1965.

—   Augustinus. Einführung in sein Philosophieren, Freiburg/München 1970.

Scholz, H., Glaube und Unglaube in der Weltgeschichte. Ein Kommentar zu Augustins De civitate Dei, Leipzig 1911.

Schumacher, W.-A., Spiritus and Spiritualis. A Study in the Sermones of Saint Augustine, Illinois 1957.

Schützinger, C.E., Die augustinische Erkenntnislehre im Lichte neuerer Forschung, in: Recherches augustiniennes 2, Paris 1962, 177—203.

Schwarz, K.H., Die Vorgeschichte der augustinischen Weltalterlehre, Bonn 1966.

Seckler, M., Instinkt und Glaubenswille bei Thomas von Aquin, Mainz 1961.

—   Das Heil in der Geschichte. Geschichtstheologisches Denken bei Thomas von Aquin, München 1964.

—   Plädoyer für die Ehrlichkeit im Umgang mit Wundern, in: Theologische Quartalschrift Tübingen 151, München 1971, 337—345.

Sellier, Ph., Pascal et S. Augustin, Paris 1970.

Sieben, H.-J., Die „res" der Bibel. Eine Analyse von Augustinus, De doctr. christ. 1—3, in: Revue des études augustiniennes 21, Paris 1975, 72—90.

Simons, E., Philosophie der Offenbarung. Auseinandersetzung mit K. Rahner, Stuttgart 1966.

Söhngen, G., Die neuplatonische Scholastik und Mystik der Teilhabe bei Plotin, in: Philosophisches Jahrbuch der Görres-Gesellschaft 49, Fulda 1936, 98—120.

Solignac, A., Exégèse et Métaphysique. Genèse 1, 1—3 chez s. Augustin, in: In Principio. Interprétation des premiers versets de la Genèse, Paris 1973, 157—171.

Specht, Th., Die Einheit der Kirche nach dem heiligen Augustinus, Neuburg a.D. 1884/85.

Stockmeier, P., ‚Offenbarung' in der frühchristlichen Kirche, in: Handbuch der Dogmengeschichte, hrsg. von M. Schmaus, A. Grillmeier und L. Scheffczyk, Bd. I Faszikel 1a, Freiburg 1971, 27—87.

Strauss, G., Schriftgebrauch, Schriftauslegung und Schriftbeweis bei Augustin, Tübingen 1959.

Studer, B., Zur Theophanie-Exegese Augustins. Untersuchung zu einem Ambrosius-Zitat in der Schrift ‚De videndo Deo' (Epist. 147), Rom 1971.

—   Besprechung von Greshake, Gisbert, Gnade als konkrete Freiheit, in: Freiburger Zeitschrift für Philosophie und Theologie 21, Fribourg 1974, 458—467.

Taylor, J.H., The meaning of Spiritus in De genesi ad litteram 12, in: The modern Schoolman 26, St. Louis 1949, 211—218.

Theiler, W., Porphyrios und Augustin, Halle 1933.

Thonnard, F.-J., Caractères platoniciens de l'ontologie augustiniennes, in: Augustinus Magister 1, Paris 1954, 317—327.

—   La notion de lumière en philosophie augustiniennes, in: Recherches augustiniennes 2, Paris 1962, 125—175.

Tillich, P., Systematische Theologie Bd. I, Stuttgart ³1956.

Veer, A.C. de, ‚Revelare — Revelatio'. Eléments d'une étude sur l'emploi du mot et sur sa signification chez saint Augustin, in: Recherches augustiniennes 2, Paris 1962, 331—357.

Verbeke, G., L'évolution de la doctrine du Pneuma du Stoicisme à St. Augustin, Louvain 1945.

Vooght, P. de, La notion philosophique du miracle chez saint Augustin, dans le „De Trinitate" et le „De Genesi ad litteram", in: Recherches de Théologie ancienne et médiévale 10, Löwen 1938, 317—343.

—   Les miracles dans la vie de saint Augustin, in: Recherches de Théologie ancienne et médiévale 11, Löwen 1939, 5—16.

—   La théologie du miracle selon saint Augustin, in: Recherches de Théologie ancienne et médiévale 11, Löwen 1939, 197—222.

Wachtel, A., Beiträge zur Geschichtstheologie des Augustinus, Bonn 1960.

Wagenhammer, H., Das Wesen des Christentums. Eine begriffsgeschichtliche Untersuchung, Mainz 1973.

Walter, Ch., Der Ertrag der Auseinandersetzung mit den Manichäern für das hermeneutische Problem bei Augustin, München 1972.

Warfield, B.B., Augustine's Doctrine of Knowledge and Authority, in: ders., Calvin and Augustine, Edited by S.G. Craig, Philadelphia 1956 (erstmals veröffentlicht in: The Priceton Theological Review, 1907, 353—397).

Warnach, V., Erleuchtung und Einsprechung bei Augustinus, in: Augustinus

Magister 1, Paris 1954, 429–450.

Windelband, W., Lehrbuch der Geschichte der Philosophie, Tübingen 15 1957.

Welte, B., Heilsverständnis. Philosophische Untersuchung einiger Voraussetzungen zum Verständnis des Christentums, Freiburg 1966.

Winkler, K., La théorie augustinienne de la memoire à son point de départ, in: Augustinus Magister 1, Paris 1954, 511–519.

Zarb, S., Chronologia tractatuum in Evangelium primamque Epistulam Iohannis Apostoli, in: Angelicum 10, Rom 1933, 50–110.

– Chronologia Enarrationum sancti Augustini in Psalmos, La Valetta 1948.

TABELLE DER SCHRIFTEN AUGUSTINS

Die folgende Tabelle soll dem Leser das Auffinden der zitierten Augusti-nusschriften in den verschiedenen Ausgaben erleichtern. Außer den für die Arbeit benutzten Ausgaben (Mauriner nach Gaume, CSEL und CC) wird noch die gängige Migne-Ausgabe (Patrologiae cursus completus, series latina, Band 32–47, Paris 1841–1849; PL) aufgeführt. Die Ziffern beziehen sich auf die jeweilige Bandnummer.

Titel	Maur.	PL	CSEL	CC
Academicos (contra –)	1	32	63	29
Adimantum Manichaei discip. (contra –)	8	42	25,1	
Adnotationes in Iob	3,1	34	28,3	
Adversarium Legis (contra –)	8	42		
Agone christiano (de –)	6	40	41	
Anima et eius origine (de –)	10,1	44	60	
Baptismo (de –)	9	43	51	
Beata vita (de –)	1	32	63	29
Bono coniugali (de –)	6	40	41	
Bono viduitatis (de –)	6	40	41	
Breviculus collationis	9	43	53	
Caesariens. eccles. plebem (ad –)	9	43	53	
Catechizandis rudibus (de –)	6	40		46
Catechumenos de symbolo (ad –)	6	40		46
Civitate Dei (de –)	7	41	40	47–48
Collatio cum Maximo	8	42		
Confessiones	1	32	33	
Coniugiis adulterinis (de –)	6	40	41	
Consensu evangelistarum (de –)	3,1	34	43	
Continentia (de –)	6	40	41	
Correptione et gratia (de –)	10,1	44		
Cresconium grammaticum (ad –)	9	43	52	
Cura pro mortuis gerenda (de –)	6	40	41	
Disciplina christiana (de –)	6	40		46
Disputatio contra Fortunatum	8	42	25,1	
Divinatione daemonum (de –)	6	40	41	
Doctrina christiana (de –)	3,1	34	80	32
Donatistas post collationem (ad –)	9	43	53	

Titel	Maur.	PL	CSEL	CC
Dono perseverantiae (de −)	10,2	45		
Duabus animabus (de −)	8	42	25,1	
Enarrationes in Psalmos	4	36−37		38−40
Enchiridion ad Laurentium	6	40		46
Epist. ad Galatas expositio	3,2	35	84,1	
Epist. ad Romanos inchoata expositio	3,2	35	84,1	
Epist. ad Romanos quar. propos. expositio	3,2	35	84,1	
Epistulam Parmeniani (contra −)	9	43	51	
Epistulam q. v. Fundamenti (contra −)	8	42	25,1	
Epistulas Pelagianorum (contra −)	10,1	44	60	
Epistulae	2	33	34,44	
			57−58	
Faustum Manichaeum (contra −)	8	42	25,1	
Felicem Manichaeum (contra −)	8	42	25,2	
Fide et symbolo (de −)	6	40	41	
Fide et operibus (de −)	6	40	41	
Fide rerum quae non videntur (de −)	6	40		46
Gaudentium (contra −)	9	43	53	
Genesi contra Manichaeos (de −)	3,1	34		
Genesi ad litt. lib. imperfectus (de −)	3,1	34	28,2	
Genesi ad litteram lib. 12 (de −)	3,1	34	28,2	
Gesta cum Emerito	9	43	53	
Gestis Pelagii (de −)	10,1	44	42	
Gratia Christi et pecc. orig. (de −)	10,1	44	42	
Gratia et libero arbitrio (de −)	10,1	44		
Haeresibus ad Quodvultdeum (de −)	8	42		46
Immortalitate animae (de −)	1	32		
Iudaeos (adversus −)	8	42		
Iuliani responsionem op. imperf. (contra −)	10,2	45	85,1	
Iulianum lib. 6 (contra −)	10,1	44		
Libero arbitrio (de −)	1	32	74	29
Litteras Petiliani (contra −)	9	43	52	
Locutiones in Heptateuchum	3,1	34	28,2	
Magistro (de −)	1	32	77	29
Maximinum Arianum (contra −)	8	42		
Mendacio (de −)	6	40	41	
Mendacium (contra −)	6	40	41	
Moribus eccles. cathol. et Manich. (de −)	1	32		
Musica (de −)	1	32		
Natura boni (de −)	8	42	25,2	
Natura et gratia (de −)	10,1	44	60	

Titel	Maur.	PL	CSEL	CC
Nuptiis et concupiscentia (de —)	10,1	44	42	
Opere monachorum (de —)	6	40	41	
Ordine (de —)	1	32	63	29
Patientia (de —)	6	40	41	
Peccatorum meritis et remissione (de —)	10,1	44	60	
Perfectione iustitiae hominis (de —)	10,1	44	42	
Praedestinatione sanctorum (de —)	10,1	44		
Priscillanistas et Origen. (contra —)	8	42		
Psalmus contra partem Donati	9	43	51	
Quaestiones Evangeliorum	3,2	35		
Quaestiones in Heptateuchum	3,1	34	28,3	33
Quaestiones 8 ex Vet. Testam.	3,2	35		32
Quaestiones 17 in Matthaeum	3,2	35		
Quaestionibus (de diversis — 83)	6	40		44A
Quaestionibus ad Simplician. (de div. —)	6	40		44
Quaestionibus (de 8 Dulcitii —)	6	40		44A
Quastionibus ex Vet. Test. (de 8 —)	3,2	35		
Quantitate animae (de —)	1	32		
Regula sancti Augustini	1	32		
Retractationes	1	32	36	
Sancta virginitate (de —)	6	40	41	
Sermone Domini in monte (de —)	3,1	34		35
Sermonem Arianorum (contra —)	8	42		
Sermones	5	38—39		41
Secundinum (contra —)	8	42	25,2	
Soliloquia	1	32		
Speculum	3,1	34	12	
Spiritu et littera (de —)	10,1	44	60	
Tractatus in Epist. Iohannis ad Parthos	3,2	35		
Tractatus in evang. Ioh. 1—124	3,2	35		36
Trinitate (de —)	8	42		50—50A
Unico baptismo (de —)	9	43	53	
Unitate Ecclesiae (de —)	9	43	52	
Urbis excidio (de —)	6	40		46
Utilitate credendi (de —)	8	42	25,1	
Utilitate ieiunii (de —)	6	40		46
Vera religione (de —)	3,1	34	77	32

Tübinger Theologische Studien

Wilhelm Korff · Norm und Sittlichkeit
Untersuchungen zur Logik der normativen Vernunft
tts 1. 216 Seiten. Kartoniert

Hans Wagenhammer · Das Wesen des Christentums
Eine begriffsgeschichtliche Untersuchung
tts 2. 262 Seiten. Kartoniert

Arno Schilson · Geschichte im Horizont der Vorsehung
G.E. Lessings Beitrag zu einer Theologie der Geschichte
tts 3. 352 Seiten. Kartoniert

**Gerhard Heinz · Das Problem der Kirchenentstehung in der deutschen
protestantischen Theologie des 20. Jahrhunderts**
tts 4. 443 Seiten. Kartoniert

Hermann Josef Pottmeyer · Unfehlbarkeit und Souveränität
Die päpstliche Unfehlbarkeit im System der ultramontanen Ekklesiologie
des 19. Jahrhunderts
tts 5. 452 Seiten. Kartoniert

Nabil El-Khoury · Die Interpretation der Welt bei Ephraem dem Syrer
Beitrag zur Geistesgeschichte
tts 6. 180 Seiten. Kartoniert

Dietmar Mieth · Dichtung, Glaube und Moral
Studien zur Begründung einer narrativen Ethik
tts 7. 270 Seiten. Kartoniert

Wolfgang Gramer · Musik und Verstehen
Eine Studie zur Musikästhetik Theodor W. Adornos
tts 8. 243 Seiten. Kartoniert

Johann Figl · Atheismus als theologisches Problem
Modelle der Auseinandersetzung in der Theologie der Gegenwart
tts 9. 288 Seiten. Kartoniert

**Thomas Broch · Das Problem der Freiheit
im Werk von Pierre Teilhard de Chardin**
tts 10. 553 Seiten. Kartoniert

Rudolf Hasenstab · Modelle paulinischer Ethik
Beiträge zu einem Autonomie-Modell aus paulinischem Geist
tts 11. 336 Seiten. Kartoniert

Grünewald Reihe

Alexandre Ganoczy
Der schöpferische Mensch und die Schöpfung Gottes
200 Seiten. Kst.
... eine höchst erregende theologische Auseinandersetzung mit dem neuzeitlichen philosophischen Denken..., die von höchster Aktualität nicht nur für das phil.-theol. Gespräch, sondern für die Glaubensverkündigung auf allen Ebenen ist.
Theologisch-praktische Quartalschrift

Thomas Pröpper
Der Jesus der Philosophen und der Jesus des Glaubens
Ein theologisches Gespräch mit Jaspers, Bloch, Kolakowski, Gardavski, Machovec, Fromm, Ben-Chorin
148 Seiten. Kst.
Die vorliegende Untersuchung greift entscheidende Gesichtspunkte der nichtchristlichen Jesusdeutung auf und versucht sie kritisch zu würdigen. Sie kann sowohl dem Theologen wie dem praktischen Seelsorger wertvolle Dienste leisten.
Münchener Theologische Zeitschrift

Walter Kasper
Zur Theologie der christlichen Ehe
96 Seiten. Kst.
Ein Buch, das großartige Einsichten vermittelt und jeden bereichert, den Seelsorger, den Theologen und vor allem die Eheleute.
Anzeiger für die katholische Geistlichkeit

Gisbert Greshake / Gerhard Lohfink (Hg.)
Bittgebet — Testfall des Glaubens
104 Seiten. Kst.
Die Beiträge von Gisbert Greshake, Anselm Hertz, Gerhard Lohfink, Thomas Pröpper und Hans Schaller orientieren in der gegenwärtigen Diskussion um das Bittgebet.

Walter Kasper / Karl Lehmann (Hg.)
Teufel · Dämonen · Besessenheit
Zur Wirklichkeit des Bösen
148 Seiten. Kst.
Karl Kertelge, Teufel, Dämonen, Exorzismus in biblischer Sicht
Walter Kasper, Das theologische Problem des Bösen
Karl Lehmann, Der Teufel — ein personales Wesen?
Johannes Mischo, „Dämonische Besessenheit" — Zur Psychologie irrationaler Reaktionen

In den letzten Jahren wurde nicht nur der überkommene Teufelsglaube der christlichen Kirchen zur Diskussion gestellt, sondern eine Fülle von praktischen Problemen tauchte auf: eine Zunahme von Satanskulten in aller Welt, Exorzismen in Literatur und Film und schließlich tragische Einzelfälle wie der „Fall Klingenberg". Die bisherigen Reaktionen in Theologie und in den psychologischen Wissenschaften waren nicht selten von unfruchtbaren Einseitigkeiten gekennzeichnet: entweder eine wenig reflektierte Bejahung herkömmlicher Anschauungen oder einer vollständigen Kritik des „Teufelglaubens". Das vorliegende Buch möchte eine Hilfe in dieser Ratlosigkeit sein.